古代神聖幾何学の秘密

フラワー・オブ・ライフ

第１巻

ドランヴァロ・メルキゼデク 著
脇坂りん 訳

ナチュラルスピリット

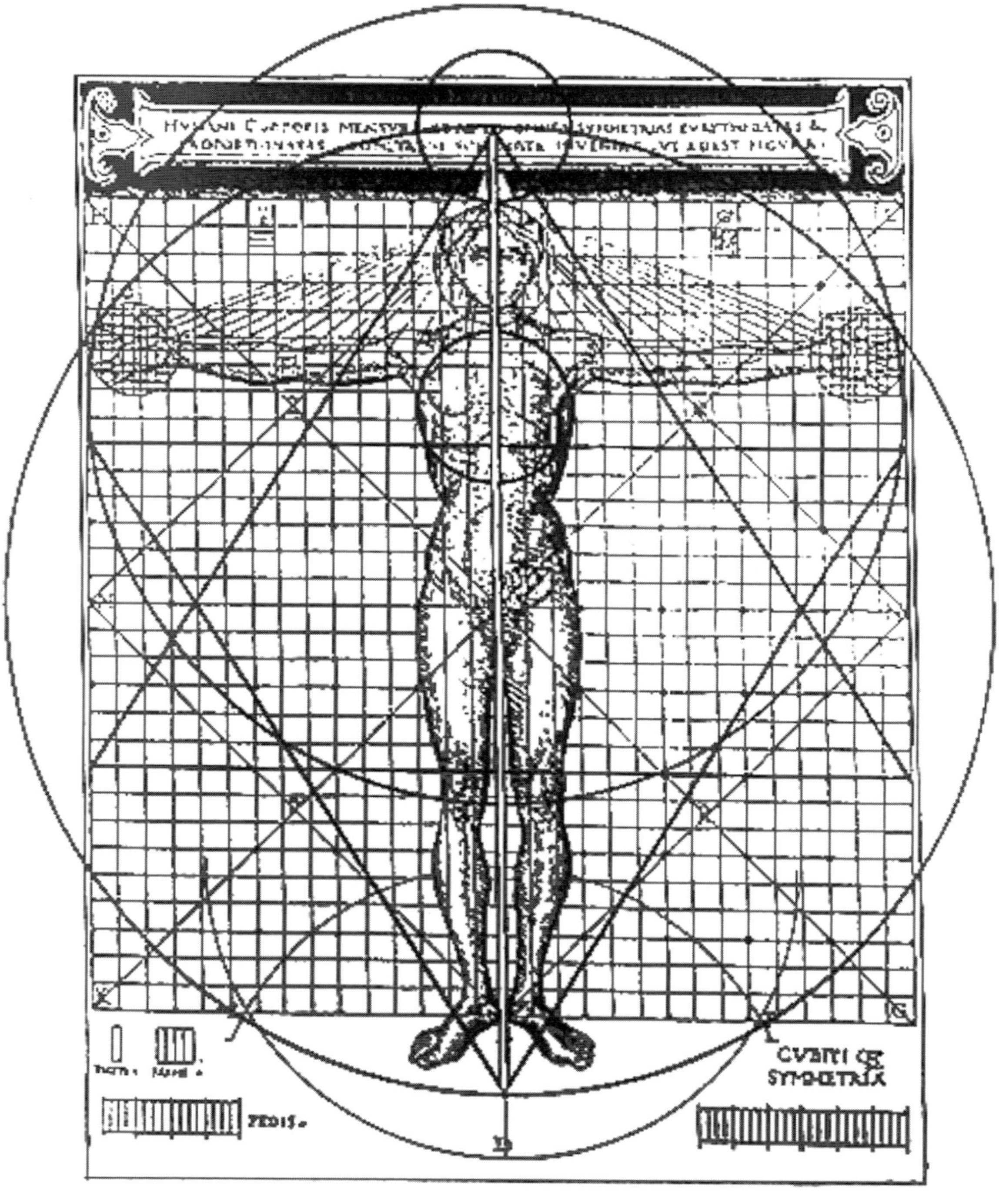

フラワー・オブ・ライフの神聖幾何学とともに描かれた
ウィトルウィウス（古代ローマの建築家）のカノン図

まえがき

ただ一つのスピリット。

シュメールが存在し、エジプトにサッカーラが建造されるよりずっと昔から、そしてインダス文明が繁栄するよりもっと古くから、スピリットはすでに人体に宿り、高度な文明の中で躍動していました。スフィンクスは真実を知っています。私たちは、みずから知っている以上の存在です。しかし、それを忘れてしまったのです。

「フラワー・オブ・ライフ（生命の花）」はすべての生命によって知られています。ここだけでなく、あらゆる場所で、すべての生命はフラワー・オブ・ライフが創造のパターン――その始めから終わりまで――であることを知っているのです。スピリットは、このイメージにより私たちを創造しました。あなたはそれが本当だということを知っています。それはあなたの肉体に、また全レベルの体（ボディ）に書き込まれているのです。

はるか昔、私たちはかなり高い意識状態から転落し、その記憶が今ようやく浮上しはじめてきたところです。この地球上における私たちの新たな古代の意識の誕生は、私たちを永遠に変化させ、本当はただ一つのスピリットしかないという認識へ立ち返らせてくれます。

これからあなたが読もうとしているのは、この現実（リアリティ）における私の人生の旅路です。ここには、いかにして私が偉大なるスピリットのことを学び、私たち一人ひとりはすべての場所のあらゆる生命と結びついていることを学んでいったかが記されています。偉大なるスピリットは誰の瞳の中にも見出せるもので、あなたの家にも存在していることを私は知っています。これからみなさんと分かち合っていく情報はすべて、あなた自身がその存在の一番奥にすでに持っているものなのです。最初に読んだ時はまるではじめて聞いたような気がするかもしれませんが、そうではありません。それは古代の情報です。この本が引き金となって、あなたが何者なのか、なぜここに来たのか、この地球上にいる理由は何なのか、あなた自身の奥底にあるものを思い出せるように願っています。

この本があなたの生命を祝福し、あなた自身について、そしてあなたのとても古い過去について、何かしら新たな目覚めが起きることを祈っています。私とこの旅路を共にしてくれて、どうもありがとう。私はみなさんのことをとても深く愛しています。というのも、本当は私たちは昔からの友人だからです。私たちは一つなのです。

ドランヴァロ・メルキゼデク

謝辞

この仕事を成し遂げるにあたって、何百人にも及ぶ存在が助けてくれました。全員の名前を列挙することはできませんが、何人かはその必要を感じるのでここに記させてください。

まず最初に、ずいぶん前から私の人生に現われて愛情深く導いてくれた二人の天使たち、私の深い敬意を表させてください。そして、アトランティス、エジプト、ギリシャのアセンションしたマスターであるトートは、この本に載っている情報のほとんどを教えてくれました。

また、私にとって一番すばらしい愛とインスピレーションを人生にもたらしてくれた私の家族、妻のクローデットと子供たち。私が強くあれるように支え、貴重なフィードバックとサポートと愛を送ってくれた、このフラワー・オブ・ライフのワークを世界33カ国で教えている200人のファシリテーターたち。このワークでいかに人生が変わったかを愛情のこもった手紙で伝えてくれた、何千人にも及ぶ受講者の人々——これらのサポートのおかげで、私はやり続けることができたのです。

この教えをビデオから本にするために力を尽くしてくれたリヴィー・チェリッシュ、それからそのすばらしい編集技量でとても読みやすい本にしてくれたマーガレット・ピニャン。コンピューター・グラフィックスを製作してくれたティム・スタウストとマイケル・ティリー、彼らは説明している内容を理解できるようにしてくれました。そしてこのフラワー・オブ・ライフのワークは必ず出版されると私を信じていてくれたライト・テクノロジー・パブリッシングの経営者、オーリン・スワンソン。

その他にもここに名前が列挙しきれない大勢のみなさん、このワークによって、人々が自分は本当は何者なのかが実際に理解でき、もっと愛に満ちた世界や宇宙をも一緒に創り上げていけますようにという祈りとともに、私の心からの感謝を受け取ってください。ありがとう、親愛なる人々。

フラワー・オブ・ライフ　古代神聖幾何学の秘密〈第1巻〉＊もくじ

6．形と構造の意味

読者のみなさんへ

「フラワー・オブ・ライフ」のワークショップは、ドランヴァロ・メルキゼデクによって１９８５年から１９９４年まで世界各地で行われました。この本は、１９９３年10月にアイオワ州フェアフィールドで開催されたフラワー・オブ・ライフのワークショップの公認ビデオ第３版から書き起こしたものです。この本の各章は、だいたいビデオ1巻ずつに相当するようになっています。ただし、できるかぎり意味を明確にするために、必要な部分は本として適当な形に変えてあります。したがって読者のみなさんがこのワークをもっとも理解しやすいように、段落や文の順序を入れ替えたり、時にはあるセクション全体をふさわしいところへ移動させたりしている場合もあります。

この本を出すにあたっては、出版時での追加情報を欄外に「付記（Update）」として収載しました。また、ワークショップでは膨大な情報が提供されているため、全体を二部に分けて別々に目次を入れることにしました。後から第２巻が出版されます。

はじめに

私がこのワークを紹介する目的の1つは、この地球上で今日の私たちの生き方と意識に多大な影響を及ぼしている、過去、現在、未来の一連の出来事をみなさんに認識してもらう一助になればということです。現在の自分たちの状況を理解することで、私たちは新たな意識と、新人類の到来の可能性の扉を開くことができるのです。さらに私にとってたぶん一番重要な目的は、あなた自身が本当は誰なのかを思い出し、あなたに与えられた天賦の才をこの世に持ち出すよう勇気づけることです。というのも、それが真に実生活に反映された時には物質世界を純粋な光に変えてしまうほどのユニークな才能を、神は私たち一人ひとりに授けられているからです。

また、数学的、科学的な根拠も提示していきます。それは私たちの分析好きな左脳の部分に、唯一の意識と唯一の神しかないこと、そして私たちはみなその一体性の一部であることを理解させるためには、いかにして私たちがスピリチュアルな存在としてここ物質世界に存在するに至ったかを証明する必要があるからです。これは大切なことです。なぜなら、それによって脳の両側にバランスがもたらされるからです。すると松果体が開かれ、生命エネルギーであるプラーナが、肉体を持った存在としての私たちの一番奥深いところへ流れ込んできます。そして、そうなってはじめて「マカバ」という光の体（ライトボディ）を得られるようになるのです。

しかしながら、こういった証拠となる情報をどこで私が得たのかという点はあまり重要でないことを理解してください。多くの情報において、同じ結果であってもまったく違う情報に変えてしまうことが可能だからです。加えるに、私はいま人間であるためにたくさんの間違いを犯しました。私にとって一番興味深い事実は、自分が間違いを犯すたびに、より深い現実（リアリティ）と高次の真実へと導かれていったことです。ですから私はみなさんにこう言いたいと思います。もしも間違いを見つけたら、もっとその奥深くを見るようにしてくださいと。あなたがその情報の価値を過大評価してそこにずっと引っ掛かっていては、完全にワークのポイントを見過ごすことになります。いま私が言ったことは、このワークを理解するうえで決め手となるところです。

私の個人的な体験談もお話ししていきますが、その多くは今の一般的な世間的基準からして突拍子もないものだということは自認しています。もしかして古代の基準からすれば、それほど突拍子もないものではないかもしれませんが、いずれにせよそれらが真実なのか、単なる物語なのか、あるいはとても重要なことなのかを決めるのはあなた自身です。自分のハートの奥に問いかけてみてください、あなたのハートは常に真実を知っています。もともと私たち全員がそこからやって来た、とてつもなく高次の意識状態に戻るための特殊な呼吸法を、第2巻でできるだけ分かち合っていくつもりです。それはマカバの光の体（ライトボディ）と結びつく呼吸法の記憶を甦らせるものです。これはこのワークのもっとも根本的な目的にあたります。

ここで、この本がいかにしてできたかという話を簡単にしましょう。みなさんはあとで天使のことについて読まれますから、彼らとの出会いについては今は言及しませんが、これはその後の話になります。1985年に天使たちは、私がマカバの瞑想を公開して人々に教えはじめるよう要請しました。私はマカバの瞑想を1971年にはじめて学んで以来、ずっと続けていたのですが、自分が教師になりたいとは思っていませんでした。私の人生は楽で、しかも充実していました。ようするに居心地がよくて、そんなにハードに働きたくなかったのです。しかし天使たちは、スピリチュアルな知識を与えられた時はみんなと共有しなければならないと言いました。そしてこれは創造の法則なのだとも。

彼らの言うことが正しいのはわかっていたので、1985年の春、私ははじめて自分のクラスを開きました。そして1991年までには、何百人という人がキャンセル待ちになるほど満席が続くようになりました。私はこの情報を知りたい人々全員にどうすれば教えられるのか、わかりませんでした。実際それは不可能だったのです。そこで1992年に自分のワークショップをビデオにして、世界中に広めることを決意しました。

1年もたたないうちにビデオは爆発的な売れ行きを示しましたが、一方でとても大きな問題が持ち上がりました。ビデオを観た人の中で、内容や範囲がその人のスピリチュアルな認識を超えているために理解できないという人々が続出してしまったのです。たとえばワシントン州のセミナーに集まった90人の受講者は全員ビデオを観ていましたが、私のワークショップには出たことがない人ばかりでした。そこで判明したことは、ビデオにある瞑想法の説明で実際にやり方が理解できた人は、わずか約15パーセントだったということです。これはうまくいきませんでした。残りの85パーセントの人々は指示を理解できずに混乱していたのです。

すぐに私はビデオを市場から引き揚げました。しかしながら、これでビデオの販売が途絶えたわけではありませんでした。人々は情報を求めて、既存のビデオテープをコピーしてあげたり、売ったり、貸し出したりを世界中で行うようになったのです。１９９３年の時点では、世界ですでに約10万セットのビデオテープが存在していると推測されます。

そこで決定がなされました。私たちがこの情報に対して責任を持てる唯一の方法は、ビデオを観ているとき、教えるためのトレーニングを受けた人がその場にいるようにすることでした。トレーニングを受けた人とは、マカバの知識を持ち、実際に活用することを注意深く教えられた人です。それからはじめて口伝で他の人々にも教えられるようにするというものです。こうして、「フラワー・オブ・ライフ」のファシリテーター・プログラムが生まれました。今では世界33カ国に２００人以上のファシリテーターがいます。この方法は非常にうまくいきました。

そしていまや物事はさらに変化しています。人々は高次意識と、その価値や概念を認識しはじめています。私たちは、この本を一般の人々に広く開放する時は今だと感じました。本という形には、読者が納得できるまで、図や写真も好きなだけ時間をかけてじっくり眺められるという利点があります。さらに次のような、現在にぴったりの最新情報もあります。

時代は確実に変化しています！　ダウ・ジョーンズ・カンパニーで出している『アメリカ人口統計』１９９７年２月号によれば、ここ10年間の科学的調査から、いま現在アメリカと西洋社会にまったく新しい文化が誕生しつつあることが判明したというのです。この新しい文化を「ニューエイジ」と呼ぶ人たちもいれば、国によって別の呼び方をしているところもあります。私の経験からして、これは世界中で出現しはじめている新しい文化だと言えます。それは、神、家族、子供、スピリット、母なる地球と健康な環境、女性的要素、正直さ、瞑想、他の惑星生命、どこであれ生命体すべての統合などを深く信じる文化です。その調査によると、この新たな文化の構成メンバーは、自分たちは数が少なくて分散していると信じているそうです。しかしながら調査では、驚いたことに、なんと４４００万人強、つまり実にアメリカ全土の大人４人に１人の割合で「そうした人々」が存在しているという結果が出たのです！　何かとてつもなく大きなことが起きているのです。さて、お金を動かしている人々はこの巨大な新しい市場の存在を認めていますから、みなさんも何かが変わることは疑わないでしょう。映画やテレビの内容や、食物へのエネルギー利用や、ありとあらゆることが影響を受けます。やがては私たちが「現実」と呼んでいるものに対する解釈でさえ変わるかもしれません。あなたは一人ぼっちではありません。この事実がみんなに伝わるのも、そう先の話ではないでしょう。

１９７１年にはじめて二人の天使が現われて以来、私はずっと彼らのガイダンスに従ってきました。これは今日でも同じです。マカバの瞑想法を私に教えてくれたのは天使たちであり、その瞑想法はここに列挙されている情報よりも重要なものです。情報は、単に私たちがある特定の意識状態へ入るにあたって明晰さをもたらすために使われるにすぎません。

私はこれらの科学的情報を１９７１年から１９８５年ぐらいまでの間に受け取りましたが、初期の頃は自分自身の成長のためだと思っていました。いずれ自分が言っていることの裏付けが必要になるとは思いもせずに、科学論文や雑誌などを読むと、読み終わったら投げ捨てていたものです。ほとんどの記事の出典は確認できましたが、全部というわけにはいきませんでした。しかしこの情報は公表される必要があります。読者のみなさんも、それを強く望まれるでしょう。私はできるかぎり自分の言説の根拠となる資料記録を残すようにしていますが、少なくとも現時点ではいくつかの証拠書類は紛失してしまいました。

さらに、情報のなかには天使や異次元とのコミュニケーションなど、科学的でない情報源からのものもあります。「真面目な科学」はサイキックと見なされるような情報源とは一線を画すべきだという考えは、私たちも理解しています。科学者は自分たちの信用のことを気にしているのです。これは男性が女性に対して、感情や感性には何の意味もなく、論理のみが真実で価値あるものであるがゆえに、論理には必ず従わなくてはならないと言うのとよく似ていることを付け加えておきましょう。女性たちはおのずと別の方法を知っていて、それ自体が生き方なのです。それは自然に流れてくるものです。そこに「男性の論理」は介在しませんが、同じように真実なのです。私は両方のバランスをとることがベストだと信じています。

もしあなたが、科学の力とサイキックな力の両方を使って「現実（リアリティ）」を探求する人をイメージできるなら、あなたは来るべき場所に来たことになります。この2つの情報源には違いがあることをみなさんがはっきり認識できるように、私もできるかぎり常に明確にしていきます。これはすなわち、あなた自身が内側に向かって、あなたにとってその情報が真実であるかどうかを確認していく必要があるということです。もし何かが正しいと感じられない場合には、それを投げ捨ててどんどん先に進んでください。もし正しいと感じられたなら、それを取り入れて、自分の人生でそれらが本当に真実であったということを確認していってください。私の考えでは、そこにハートが一緒に参加していないかぎり、理性だけで真の「現実」を知ることはできません。男性要素と女性要素は両方がそろって完全になるのです。

あなたがこの本を読むとき、2つの選択があります。男性の側である左脳から入って、どの段階でもしっかりメモを取り、論理に合うかどうかを注意深く見つめていくか、あるいは女性の側である右脳から入って、とにかく何も考えずに始め、映画のように観て、感じて、収縮ではなく拡大させていくかです。どちらの方法をとったにせよ、ちゃんとなるようになっています。これはあなたの選択です。

最後に、私はこの本を出版するにあたって、別の決断もしなければなりませんでした。瞑想法の最終段階であるマカバ瞑想そのものを本に入れるかどうかという点です。私はいまだに口伝で教わるのがベストだと思っています。一冊の本を読んだすぐ後に、チベット仏教の最終段階に飛び込んだりするでしょうか？　そして結局、読者のみなさんがフラワー・オブ・ライフのファシリテーターを見つけて慎重にマカバに接していくことを前提にして、1993年のビデオ当時までのすべてをここに収めることにしました。マカバ瞑想の内容は第2巻の終わりのほうで紹介する予定です。私は後からここに書いてあることを超えるようなこともたくさん学びましたが、それらは口伝と経験によってのみ伝えられることです。

なぜこの全情報を公開することにしたかというと、何らかの形でこのワークを自分の著書に流用している、少なくとも7人かそれ以上の人たちがいるからです。何人かは文字通りそのままを、あるいは私が言ったことを言い換えている人もいましたし、ある人たちは私の作図と神聖幾何学図形を使用しました。承諾を求めてきた人もいたし、そうしなかった人もいます。とにかくは、結果的に情報は世間に広まったということです。ただしそのほとんどはゆがめられたり、まったく真実ではない情報でした。これは私の保身のために言っているのではなく、このワークの完全性に責任をとるためであることを、どうかわかってほしいと思います。この情報は宇宙に帰属しているのであって、私に帰属するものではありません。私が心がけたのは、情報の純粋性を保つことと、みなさんが明確に理解できることのみです。

瞑想の正しいやり方はインターネット(www.floweroflife.com)にも載っている通り、もちろん別に隠された知識でもなんでもありません。それは経験に基づくものなのです。自分で経験しなければならないのです。他のネット上には、本当はそうでないにもかかわらず私からの情報であるとして出ているものもあります。またはフラワー・オブ・ライフに関して単に間違っていたり、古かったりする情報も出回っています。この本のワークを通して、ヴェールに覆われたりゆがめられていたことがクリアになることを願っています。それらの人々も真実を求めて、ハートから動かされて行っていることは私も理解していますが、こうして本を出すことはみなさんに対して私がとるべき責任の一端だと思っています。

そのようなわけで、真実を知り、深く理解したいと望むみなさん全員のために、内容を明確にして記録をきちんと整理する目的でこの本を書きました。

奉仕への愛から
ドランヴァロ・メルキゼデク

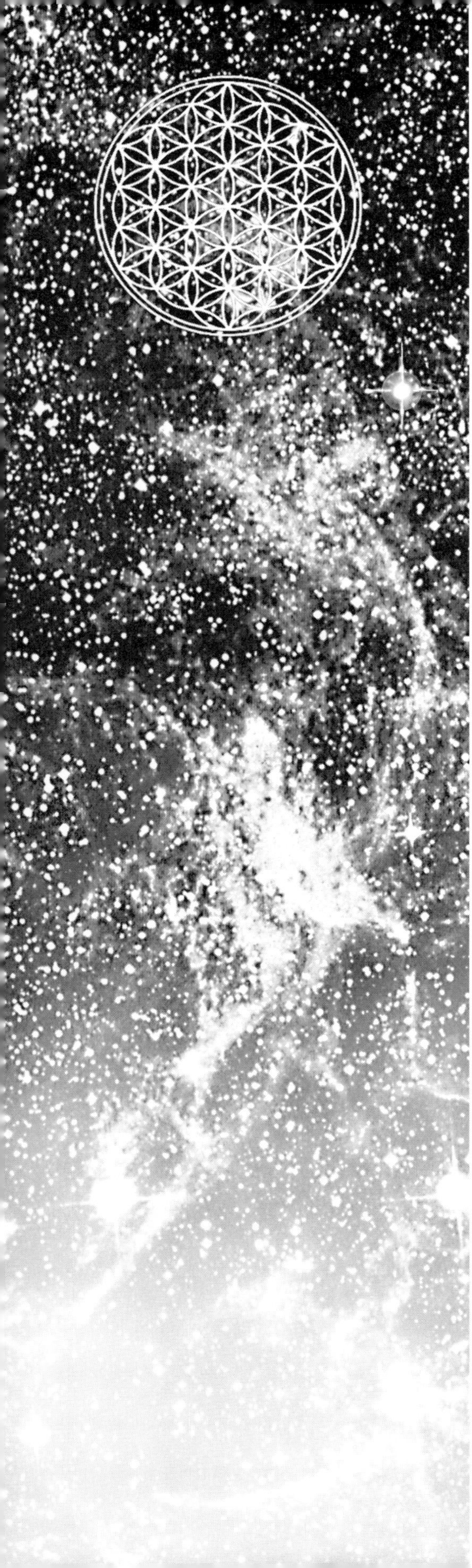

1.

古代の記憶を呼び起こす

Remembering Our Ancient Past

アトランティス転落がいかにして私たちの現実（リアリティ）を変えたか

今から1万3000年に少し欠ける昔のこと、あるとてつもない劇的な事件が私たちの地球に起こりました。私たちはこれからその詳細を深く探求していきます。というのも、その過去に起きたある事件が今日の私たちの生活全般にわたって影響を及ぼしているからです。私たちが日々体験することのすべて、そこで使っているさまざまなテクノロジーや、戦争の勃発、口にする食べ物、さらには私たちが生命をどう見るかという点についても、アトランティス時代の終わりに連続して起こった、その「あること」が直接の原因になっているのです。

すべてはつながっています！　本当は、ただ一つの「現実（リアリティ）」とただ一つの神が存在しているだけなのですが、この「現実」に対する解釈は星の数ほどあります。実際、「現実」を解釈する方法はほぼ無数に存在しています。多くの人々が合意している特定の現実があり、それらの現実は意識のレベルと呼ばれます。これから話をしていくなかで、あなたや私が今まさに体験しているものも含め、かなりの人々が焦点を当てているいくつかの特定の現実に目を向けていきましょう。

私たちはかつて、今では想像を絶するような、とてつもない高い認識レベルでこの地球上に存在していたことがありました。その頃の私たちは、今とはまったくかけ離れた情況で存在していたので、どんな状態だったかをイメージすることすらほとんど不可能になってしまっています。1万6000年前から1万3000年前までの間に起こったある事象のために、人類はこのたいそう高次な立場から、たくさんの次元と倍音（オーバートーン）を通り抜けて、どんどん質量を増しながら、ここ3次元の惑星地球における現代という特殊な世界まで落ちてきたのです。

落下時には――それはまさに落下と同じでした――私

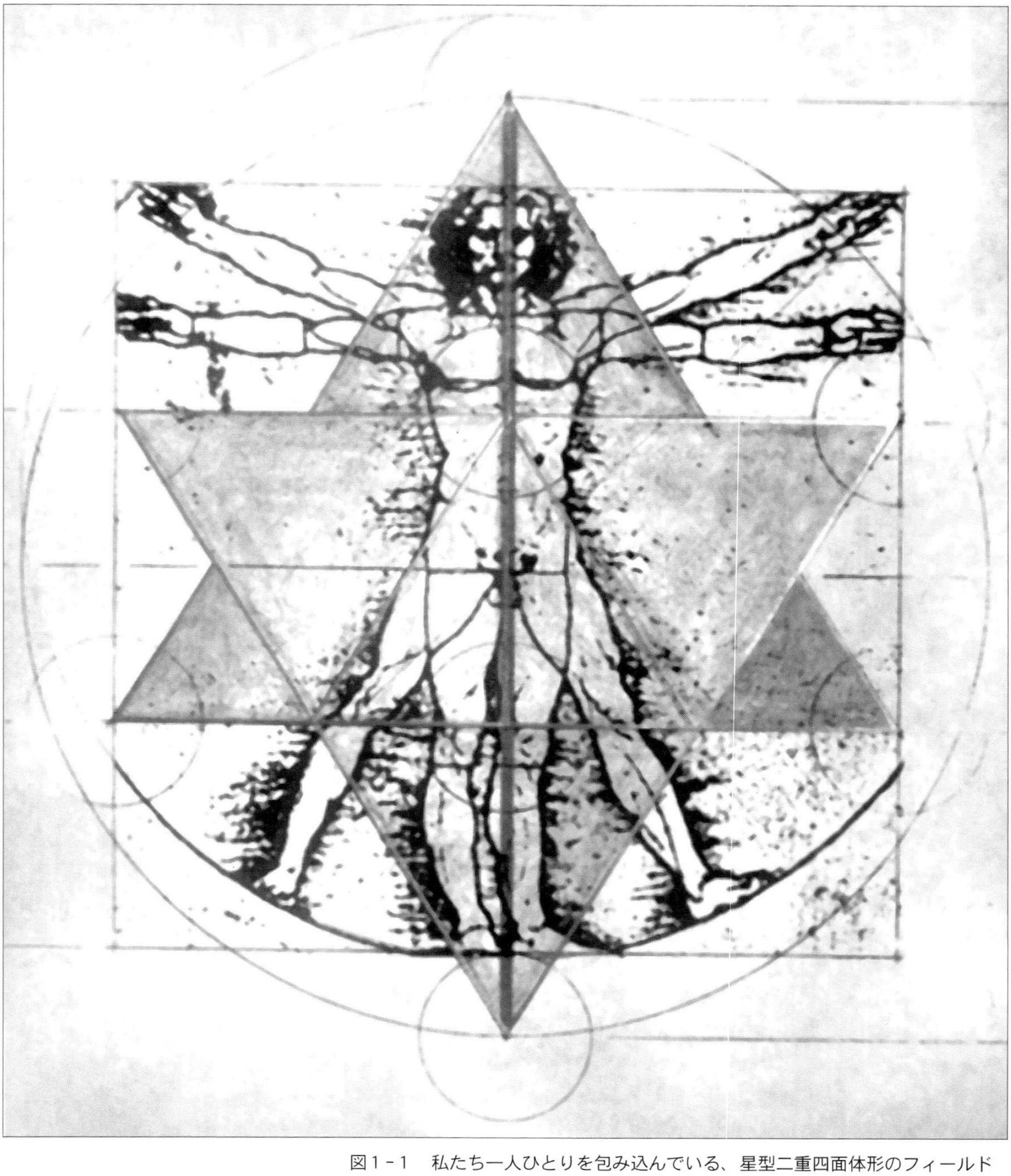

図１－１　私たち一人ひとりを包み込んでいる、星型二重四面体形のフィールド

たちは意識の中を螺旋（らせん）状に下降していくのをどうすることもできず、いくつもの意識の次元を転落していきました。自分ではコントロールがきかなくて、物理的に空間を落下していくのと非常によく似ていました。そしてこの3次元世界に着いたとき、この現実における機能の仕方と生理学上という両面で、ある特定の変化が起きました。一番重要な変化があったのは、ヒンズー教でいう宇宙の生命エネルギー、「プラーナ」を呼吸する方法です。プラーナは空気、水、食物やその他どんな物質よりも、私たちが生き延びるために必要なものです。どのような方法でプラーナのエネルギーを体内に取り入れるかは、「現実（リアリティ）」をどう認識するかに根本的な影響を与えるのです。

　アトランティス時代まで、私たちは自分の電磁気のエネルギー・フィールドと直接つながるやり方で呼吸していました。人のエネルギー・フィールドの形はすべて幾何学的であり、ここで見ていく形は、2つの正四面体（テトラヒドロン）が抱き合わさっている星型二重四面体（スター・テトラヒドロン）です（図1―1）。あるいは「ダビデの星」を、立体像として思い浮かべてもいいでしょう。

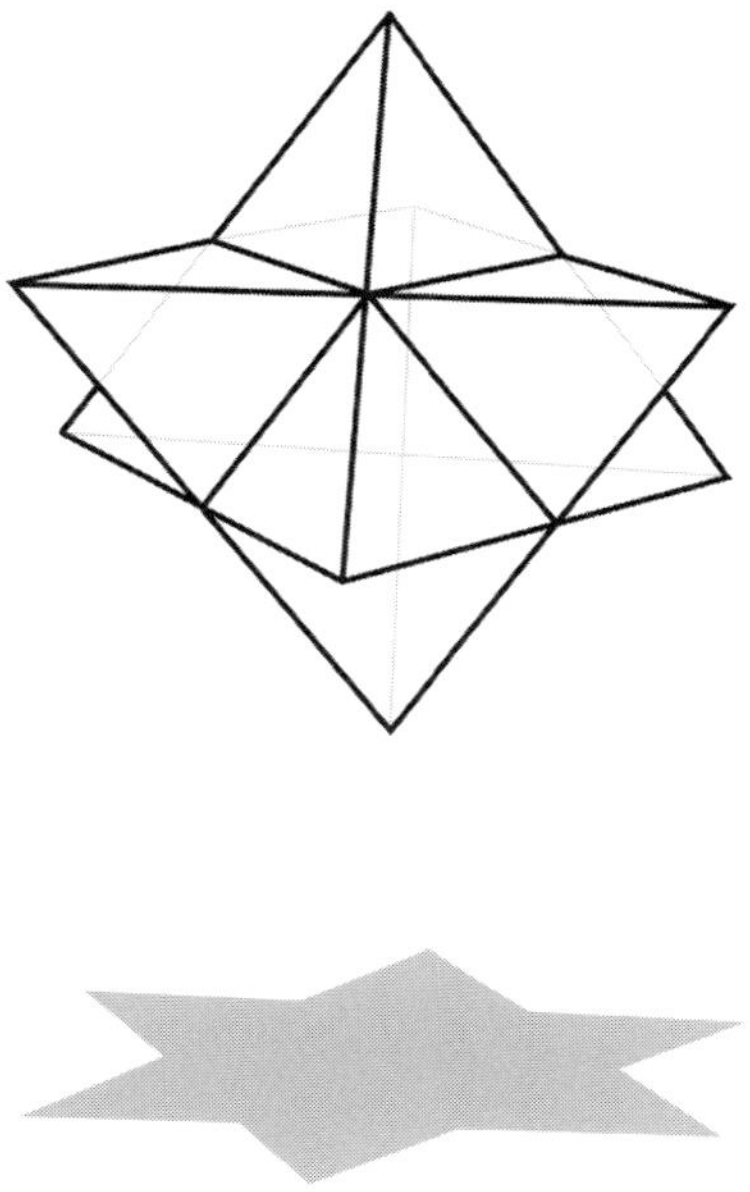

　上に向かってとがった正四面体の頂点は、頭から手のひら1つぶん上のところに位置し、下へ向かってとがった正四面体の頂点は、足の裏から手のひら1つぶん下のところにあります。体の主要なエネルギーの中心である「チャクラ」を通過するように、上の頂点と下の頂点をつなぐ1本の管があります。あなたの肉体で言えば、この管はあなたの中指と親指でつくる円と同じくらいの太さです。そしてまるで蛍光灯のように、管の両端が星型二重四面体の上下の頂点にぴったり収まるような結晶構造になっています。

　アトランティスの転落の前には、私たちはこの管を通して上下両方向から同時にプラーナを取り込んでいました。そしてその2つのプラーナの流れはチャクラの1つで融合するのです。このプラーナがいかにして、どこで融合するかということは、この古代科学の重要な部分をなし、全宇宙で学ばれています。

　もう1つ、人体で主要なポイントとなるのは、頭のほぼ中心部に位置する松果体です。ここは意識の大きな要素です。松果体は長い間その使用方法を忘れられてきたために、ピンポン玉大から現在の大きさまで、もとのサイズからだんだんと縮小してきました。これは、もし使わなければ失われてしまうのです。

プラーナ・エネルギーはこの松果体の中心を貫通しています。『光、未来の薬 *Light, the Medicine of Future*』の著者であるジェイコブ・リーバーマンによれば、松果体とは眼球のようなもので、見方によればまさに文字通り目玉とも言えるのだそうです。丸くて、一部開いているところがあり、その開いている部分には光を集中させるレンズがあるのです。内側は空洞で、色彩受容器官が存在します。科学的に実証されているわけではありませんが、その主な視野は天に向かい、上を向いているそうです。そして私たちの眼が正面から90度ずつ両脇を見渡せるのと同じように、松果体もその固定位置から90度ずつのところまで見えるようになっています。眼には頭の後ろが視野に入らないのと同様、松果体には大地を見ることができません。

　サイズが縮んでしまったとはいっても、松果体の中にはすべての神聖幾何学構造が保たれ、この現実がいかにして創り上げられたかという知識がたくわえられています。一人ひとりにすべてが備わっているのです。しかし転落した時に記憶を失ってしまったので、これらの知識に触れることはできなくなっています。記憶を失ったことで、私たちは別の方法で呼吸しはじめました。松果体からプラーナを取り込んで中心の管の中を上下させる代わりに、鼻と口から呼吸しはじめたのです。これによってプラーナが松果体を通らなくなり、私たちのものの見方が完全に変わってしまうという結果を引き起こしました。つまり、「ただ一つの現実（リアリティ）」を、善と悪、または二極性意識などといった別の解釈で見るようになったのです。この二極性意識は、肉体の中から外を見ているのだと考えさせ、その結果、私たちは自分が「外側」とは別個の存在であると考えるようになりました。これは完全なる幻影です。事実のように感じられますが、この知覚に真実はひとかけらもありません。転落したところの視点から見た現実でしかないのです。

　たとえば、「神が創造を支配しているのだから、起きることに何一つ悪いことはない」という見方がありますが、二極性的な見地からこの地球とその進化を見てみると、こんなところに転落しているべきではないということになります。通常の進化をたどっていたら、私たちはこんな状態にはなっていなかったはずなのです。何かしら起きるはずではなかったことが、私たちの身に起きたのです。私たちは変異（ミューテーション）を通過しました——みなさんはそれを染色体の破壊と表現するかもしれませんね。そんなわけで、地球はこの１万３０００年間ほどずっと非常ベルが鳴りっぱなしだったことになります。そして、さまざまなレベルの多くの存在たちが、どうしたら私たちのＤＮＡの状態を元通りに戻せるのか一緒に頭をひねってくれています。

　この意識の「誤った転落」の作用と、私たちをもとの状態に戻そうとするために続けられている努力には、実にすばらしいものがあります。予期されなかったことが起こり、とても驚くべき結果が生まれました。私たちの問題の解決を手伝ってくれていた宇宙中の存在たちが、法にのっとって、または契約ぬきにして、私たちを助けるためにさまざまな実験を開始したのです。とある１つの実験

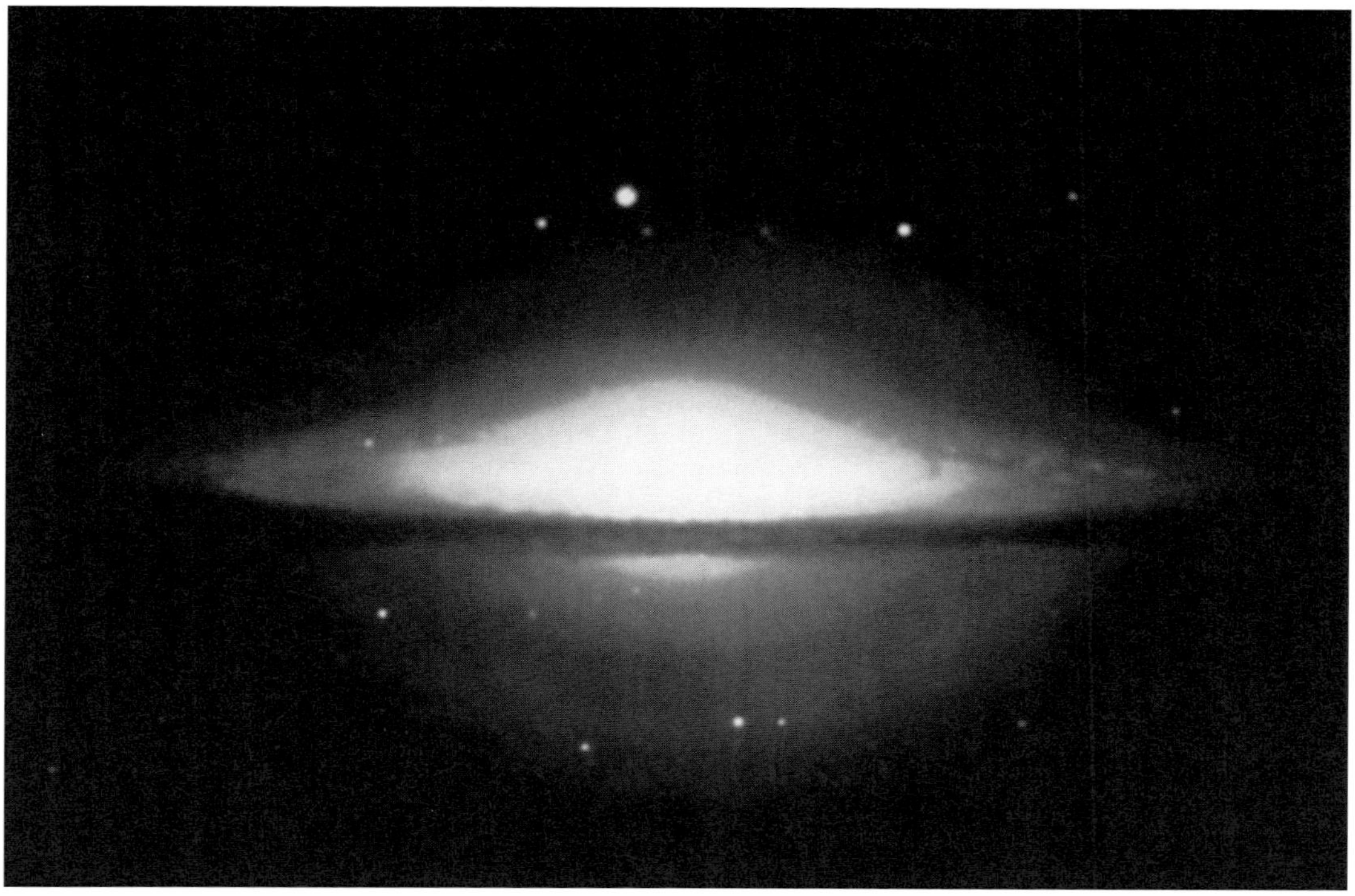

図1-2　熱包体が見られる「ソンブレロ銀河」の赤外線写真

は、はるか過去のある文化に現われた一人の人物を除いて、どこの誰もが夢にさえ見たことのないようなシナリオをもたらすことになりました。

マカバ

この物語にはもう1つ、注目すべき主要な点があります。1万3000年前、私たちは自分自身についてのある認識を失ってしまいました。私たちの体のまわりに存在している幾何学的エネルギー・フィールドは、呼吸の仕方に関係する、ある特定の方法で動かすことができます。これらのフィールドはかつて光速に近いスピードで体のまわりを回転していましたが、転落の後に回転がだんだんゆっくりになって、ついには停止してしまいました。このフィールドにスイッチが入り、回転しはじめると、これは「マカバ」と呼ばれるものになります。マカバはこの「現実(リアリティ)」において、他に比べるものがないほど役に立つものです。それは私たちに自分が誰であるのかについて拡大された認識をもたらし、高次の意識と結びつけてくれ、私たちの無限の可能性の記憶を回復させてくれます。

回転している健康なマカバは直径約15~18メートルにも及び、その人の背の高さにおよそ比例しています。回転しているマカバは、適当な機器があればコンピューターのモニターでディスプレイしてみせることもできますが、その様子は銀河が赤外線熱によって包み込まれた姿にそっくりです(**図1-2**)。それは一般に昔からあるUFOの形と基本的に同じなのです。

「マカバ(Mer-Ka-Ba)」という言葉は私たちが発音するように、古代エジプト語からきた「マー」「カー」「バー」という3つの音から構成されています。文化によっては「マーカバァー(merkabah)」、「マーカバ、メルカバ(merkaba)」、「マーカヴァー(merkavah)」などとも言います。いく通りかの発音があるのですが、たいていこの3つの子音が同じ長さで伸ばされて、ばらばらに発音されるようです。「マー」はエジプト第18王朝中にのみ理解されていた特定の光を意味しています。それは同じ空間に存在する2つの光のフィールドが、ある特殊な呼吸パターンによって動かされ、逆方向に回転しているものと考えられていました。「カー」は個々のスピリットを意味し、「バー」はその特定の「現実(リアリティ)」に対するスピリットの解釈を意味しています。この私たち特有の現実では、「バー」はたいてい肉体や物理的状況と定義されます。しかしスピリットが肉体をもたない他のさまざまな現実においては、自分たちが持ち寄る現実の解釈や概念を意味します。

つまり、マカバは「スピリットと肉体に同時に作用する、逆方向に回転する光のフィールド」ということになります。これはスピリットと肉体(またはその人の現実の解釈)を1つの世界や次元から、もう1つの世界や次元へと移動させられる乗り物です。マカバの機能はこれだけではありません。実際には異なった現実の間を行き来するだけでなく、新たな現実の創造もできるなど、たくさんの機能があります。しかしながらここでは、私たちがもともとの状態であった高次の意識へ戻るという目的のために助けとなってくれる、次元間を移動する乗り物としての面に主に焦点を当てていきましょう(ヘブライ語で「マーカヴァー」とは戦車を意味します)。

もとの状態へ戻る

自分のもとの状態へと戻ることは自然なプロセスであり、自分自身の思い込みや考え方によって、簡単にも難しくもなるということをここで明記しておきます。しかし、たとえば呼吸を整えたり、すべての生命のパターンとのあいだに無限の精神的なつながりを実現したりといった、マカバの単なる技術的なことに没頭するだけでは充分ではありません。少なくとも、もう1つの要因がマカバそのもの以上に重要になります。それは「聖なる愛」によって理解し、現実化し、生きることです。ときには「無条件の愛」とも呼ばれるこの聖なる愛こそ、マカバを生きた光のフィールドにしてくれる第一の要因なのです。聖なる愛を抜きにしては、マカバは単なる機械でしかありません。それを創造したスピリットは、みずからに制限をもうけることになり、もはや一番高いレベルの意識(そこにはもうレベルすら存在しませんが)に到達して「故郷へ帰ること」は決してできなくなってしまうのです。

1つの次元を超越して移動するためには、無条件の愛を経験し、かつ表現していなければなりません。そして世界は急速にこの高次元へと向かっています。私たちは肉体の内側から外側を見るという分離主義の立場をはなれ、もっと前に進みつつあります。この見方はもうすぐなくなり、完全にすべての生命と融合した感覚と知識をもつ、異なった現実の見方へと変わるのです。その感覚は、私たちが故郷へ帰る旅の道程を一段ずつ上がっていくたびに、どんどん大きくなっていくでしょう。

あとであなたが自分で直接体験できるように、輝くような情熱あふれる無条件の愛でそのハートを開く特別な方法を探求していきましょう。それを受け入れてみるだけで、前には気づかなかったようなことを自分のなかに発見するかもしれません。

◆

親愛なる読者のみなさんへ

フラワー・オブ・ライフのワークショップは完全に体験するだけなので、ビデオにもこの本にも載せられない手順があります。それらは知識なしには何の価値もありませんが、同時にそれらも知識と同じぐらい重要なのです。この体験ができる唯一の方法は、実際のワークショップで口伝えに習うことです。しかし、先々にはそれも変わるかもしれません。

包括的な高次の現実（リアリティ）

もう1つの注目すべき構成要素にはたくさんの呼び名がついていますが、現代の言い方にすると「ハイアーセルフ」となります。ハイアーセルフの現実（リアリティ）は、文字通りこの世界ではない世界に存在しています。あまりにもたくさんの次元や世界が存在するために、それらを認識することは人間の許容量を超えてしまっています。それぞれの現実レベルはかなり特殊で数学的なものであり、各レベルごとの間の空き方や波長は、音楽のオクターブ内の関係性や、生命の他の面との関係性とまったく同じようになっています。しかし、いま現在のあなたの3次元的意識はたぶんあなたの高次の面とつながりにくく、そのためこの地球上で何が起きているかという認識のみがあるのです。これは転落していない本来の状態にある存在には、普通はあり得ないことです。通常、存在はまずいくつかのレベルを同時に認識するようになり、やがて成長するにしたがって、ついには音楽の和音のように一度にすべての物事や場所を認識できるまでになるのです。次に述べるのは一般的な例とは言えませんが、ここで語ろうとしていることを明確にさせてくれるでしょう。

私は現在、複数の現実レベルを認識しているある人物と交流を持っています。彼女を研究している科学者たちは開いた口がふさがらない状態です。科学者たちには、彼女がしていることが一体どうやってなされるのか理解できません。彼女は部屋のなかに座っていても、外宇宙から見ていると主張します。NASA（アメリカ航空宇宙局）は彼女に、ある特定の衛星を「見る」ように依頼し、実際にそこに行った人でなければ知らないような特殊な情報についてたずねました。科学者にとっては不可能と思われたことでしょうが、彼女はNASAの機械からリーディングをしました。彼女は衛星にそって飛び、ただそれらを語ったのです。彼女の名前はメアリ・アン・シンフィールドといいます。彼女は法律上では盲目と認定されていますが、目が見えないとは誰も気づかないほど部屋中どこでも歩きます。彼女は一体これをどうやって成し遂げているのでしょうか。

最近、彼女から電話をもらったのですが、話している最中に、彼女の目を通してものを見てみたいかとたずねられました。もちろん、ぜひお願いしたいと答えました。何度か呼吸するうちに、私の視界がぱっと広がり、視野全体に巨大なテレビスクリーンを見ているような、その中を覗き込んでいるような状態になりました。私は自分の見たものに仰天させられました。まるで肉体なしに、ものすごいスピードで空間を飛んでいるような感じでした。星が見え、そのときはメアリの目を通して見ていたわけですが、一群の彗星の脇を通り過ぎていきました。メアリはその彗星の1つにとても近いところにいたのです。

それは私が体験したなかでも、体外離脱体験として最もリアルだったものの1つです。この「テレビスクリーン」の周辺には、さらに小さいスクリーンが12個か14個ほどあり、それぞれものすごい速さで画像を映し出していました。右上の隅あたりのスクリーンでは、三角形、光の球、円形、波線、系統図、四角などの形が、光を発しながら急速な動きを展開しています。このスクリーンは、彼女の肉体のすぐそばの空間に何があるのかを示していました。彼女は、その一見なんの脈絡もないようなイメージによって「見る」ことができたのです。また、左下の隅のスクリーンには、メアリが太陽系内の地球外生命体とコミュニケーションしているところが映っていました。

ここ地球で3次元的な肉体を持っていながら、他の次元においての体験も完全に記憶している人がいるのです。こうしたやり方で現実（リアリティ）を解釈することはまれです。しかし人は普通、内なるテレビスクリーンは見えませんが、気がついていなくても同時にいくつもの世界に存在しているものなのです。

あなたは現在、おそらく5つか6つの現実レベルで存在しています。この次元と他の次元の間には裂け目があるのですが、あなたが自分のハイアーセルフとつながると、その裂け目を紡ぎなおすことになり、その後あなたは高次のレベルを認識しはじめ、高次レベルがもっとあなたに目を向けるようになります――コミュニケーションの始まりです！　ハイアーセルフとのつながりを持つことは、おそらくあなたの生涯のなかで一番重要な出来事でしょう。私の情報を理解するよりも、はるかに大切です。ハイアーセルフとつながることはマカバの活性化を学ぶよりも重要なのです。なぜかというと、あなた自身が「セルフ（自己）」とつながれば、どんな現実であれ、どうやって段階的に通過すればいいか、またいかにして「神」の完全なる意識に向かい、故郷への旅を続ける自分を導いていけばいいのかについて、きわめて明確な情報がもたらされるようになるからです。あなたはまだ自分の生活を続けなければなりませんが、することなすことのすべての面で、偉大なるパワーと智慧をあなたの行動、思考、感情に授かるようになるのです。

私自身を含めたたくさんの人々が、一体どうしたら確実にハイアーセルフとつながれるのかを理解しようとしています。このつながりを持てた人々の多くは、何がどうしてそうなったのかを知りません。この旅では、どうすればあなたが確実に自分のハイアーセルフとつながれるのかを説明したいと思います。そのために私はベストを尽くします。

左脳と右脳の現実（リアリティ）

このワークにはさらなる構成要素があります。私は、たぶんスピリチュアルな人々の多くにとってはまったく重要とは思えないような、幾何学や事実やいろいろな情報に時間の大半を費やしていくことになるでしょう。なぜそうするのかというと、私たちは転落した時に、自分を二分化してしまったからです──本当のところは３つなのですが、大きくは２つに分かれました──男性と女性と呼ばれている主要な構成要素です。私たちの左半身をコントロールしている右脳は、本来は男性でも女性でもないのですが、女性的要素にあたります。ここはサイキックな面や感情的な面が息づいているところです。うまく説明はできなくとも、真実を知っているのです。というわけで、女性的要素のほうはそれほど多くの問題を持っているわけではありません。

問題は左脳にあります──男性的構成要素のほうです。男性脳の自然な方向性は、女性脳の鏡像であるかのように、論理性が前面に出ています（勢力がより強いという意味）。女性脳では論理性がもっと奥に引っ込んでいます（勢力がより弱いという意味）。左脳が「現実（リアリティ）」を見るとき、一体性を経験することがありません。ただ分裂と分離しか目に入らないのです。そうした理由から、私たちの男性的側面はこの地球上でかなり困難な時を送っています。コーランやヘブライ語（ユダヤ教）聖書、キリスト教聖書など主な聖典においても、すべてが二分化されています。左脳は「神」の存在を経験すると同時に、悪魔の存在も経験するのです──たぶんそれは「神」ほど強烈ではなくとも、そうとう大きな影響力があります。そんなわけで、「神」でさえも、光と闇の対照勢力を代表する片割れとして二元性の視点から見られるようになってしまいまし

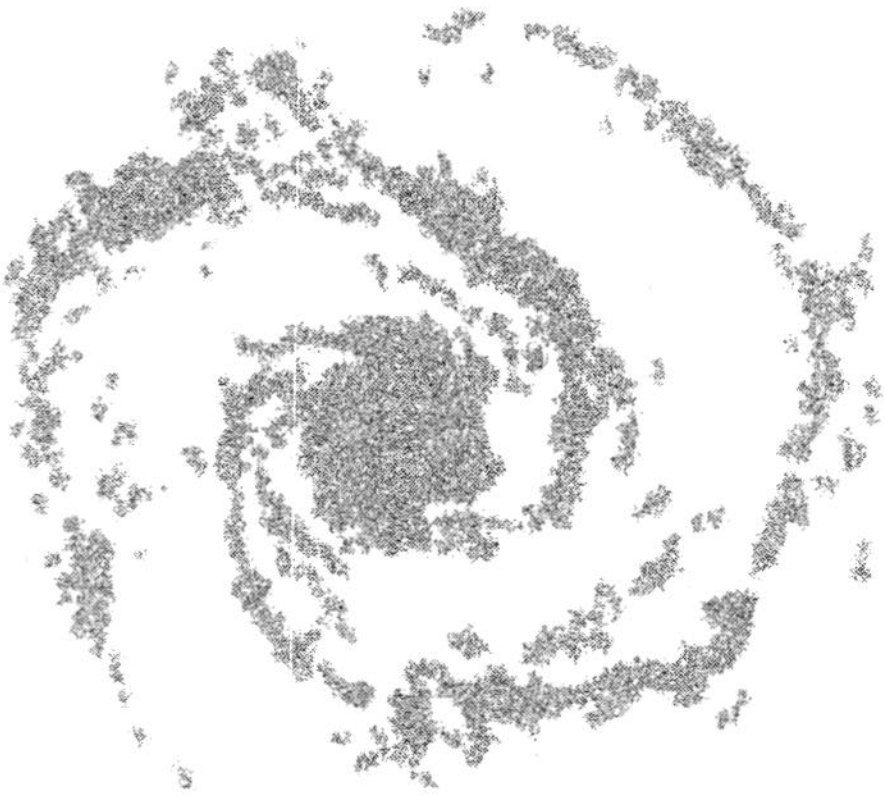

た。（それがすべての宗教宗派における真実だとは言えません。なかには「神」しか存在しないと見ているものもあります。）

本当は一つのスピリット、一つの勢力、一つの意識がおしなべてあらゆる存在を通して活動し、すべてに調和が存在しているのだということを左脳が理解できるまで、そして疑いの余地もないほどそのつながりが明らかになるまで、精神は一体性やみずからの可能性とまったく切り離されたままです。調和に対してほんの少しでも疑う部分があれば、左脳面が私たちの足を引っ張ります。そして、水の上を歩くことはできなくなるのです。憶えていますか? トマスも、イエスに求められて、ほんのちょっとの間とはいえ水の上を歩いたのです。しかし、彼の足の親指のたった1個の細胞が「ちょっと待て、これは自分には不可能なことだぞ」と考えた瞬間、二極性の現実の冷たい水の中に沈んだのです。

この情報をたずさえ、私たちはどこへ向かうのか

私はみなさんに、すべてにおいて「ただ一つのイメージ」のみが存在しているのだということを、疑いの影も形もなくなるまで示すために多くの時間をつぎ込んでいきます。ありとあらゆる存在を創造したものはただ一つであり、そしてそのイメージとは、あなたの体のまわりに形成された電磁場のイメージと同じものです。あなたのフィールド（場）にあるのと同じ幾何学構造が、まわりじゅうどこにでも見出せます——植物や、銀河や、原子やその他もろもろに。このイメージについては仔細に見ていくことにしましょう。

地球の歴史についても触れていきますが、それは現時点での状況を左右した重要事項であるためです。ここに導かれるまでの経過を知ることなくしては、一体どうやってここに来たのかをしっかり理解することはできません。ですから、太古に何があったのかについて、けっこう長く時間をかけることになるでしょう。それからゆっくりと今日に至るまで話を進めていくようにします。すべてはみんなつながっているのです。いつも同じことがずっと続いていたのです——実はそうでなかったことなど、かつて一度もないのです。

右脳が優勢な人たちは左脳的な題材を読み飛ばしたい気分になるかもしれませんが、しかしそこでぐっと我慢するのがあなたにとって一番大切なことです。バランスをとることによって、スピリチュアルな健康さが取り戻されるのですから。

左脳が完全なる一体性を見出したとき、それはリラックスしはじめ、脳梁（のうりょう）（大脳の2つの半球の間をつなぐ繊維の束）が新たな方向へと開きはじめ、右脳と左脳の統合が

可能になります。２つの脳の結びつきが強まって流れが生じ、情報が前後にも行き来し、相対していた脳の両側がお互いに一つになってシンクロしていくようになります。あなたが生体自己制御装置（バイオフィードバック）につなげられていたとしたら、実際にその様子が見てとれるでしょう。この活動は松果体を今までと異なった形で刺激し、瞑想中にマカバを活性化できるようにします。それから再生の全プロセスが始まり、私たちの以前の高次意識の回復が進められるようになります。それが成長の過程です。

　あなたの教師が伝統をごちゃ混ぜにしたくないというならもちろん話は別ですが、あなたが他にどんなスピリチュアルなワークや勉強をしていたとしても、マカバのワークを始めるためにそれをやめる必要はありません。一度マカバが回転しだすと、真実に基づいたさまざまな瞑想法はとても役に立ちます。なぜなら、それによって結果的にとても早く大きく進化できるからです。きっちりと理解してもらえるように、もう一度言いましょう。マカバのライトボディは、ただ一つの神が存在することを信じる他の瞑想法や宗教と矛盾したり、それらを阻んだりしません。

　ここまで話してきたことは、スピリチュアリティのＡＢＣです。単なるはじめのステップにすぎません。しかしこれらの最初のステップが、私の知るかぎり一番大切な部分なのです。

　あなたの左脳はこういった情報が大好きで、ラベル付きの分類棚にしまい込むかもしれません。それはそれでかまいません。あるいは単に気晴らしのために、これを冒険小説とか心をなごませるファンタジーとして読むこともできます。あなたがどのように読もうと、この本を読んでいるという事実が大切なのであり、あなたが受け取るべきものはそれが何であろうと受け取れるのです。

　ならば魂の一なるところ、この探検の旅をいっしょに始めようではありませんか！

親の信じているパターンを吟味する

　今日私たちが信じているたくさんの考えや、学校で「事実」だと教えられてきたことの多くは、まったく真実ではありません。そして世界中の人々がそれに気づきはじめています。もちろん、たいていのこれらのパターンは、教えられた当初には本当だと信じられていたことなのですが、考えや概念が変化して、次の世代にはもはや違ってしまった真実を教えられたのです。

　たとえば、原子についての概念はこの90年間に何度も何度も劇的に変化してきたので、今では概念に対する執着がなくなっています。１つの概念を用いても、それには間違っているかもしれないという認識がついてまわります。かつて原子はスイカのように考えられており、電子は

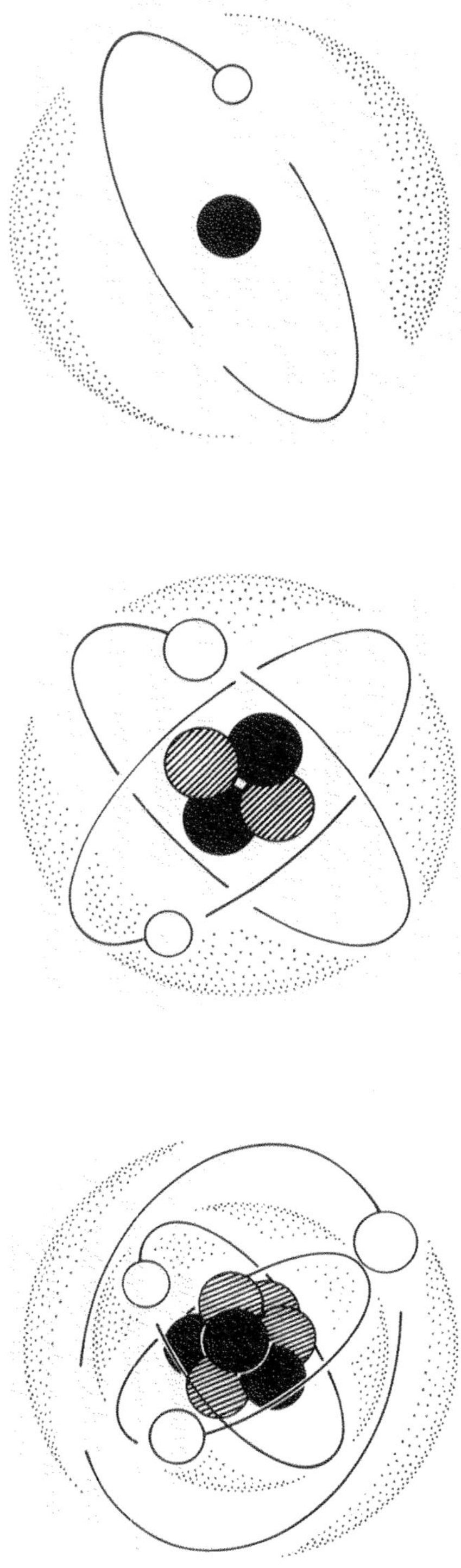

このスイカの中にある種のようなものだと思われていました。私たちは、周囲に存在する「現実（リアリティ）」について知っていることはほとんどありません。量子力学はいまや、実験者が変われば実験結果が変化することを示してくれました。言い換えると、信じているパターンによって意識が実験結果を左右しうるということになります。

もっと別の面でも、私たちが本当だと信じているけれども実際はそうではない、ということがあります。長期間にわたって信じ込まれてきたことに、地球は生命体を保持している唯一の惑星だというものがあります。心の奥底ではこれが本当ではないと知っているのですが、50年以上に及んで絶え間なく強力なＵＦＯ目撃の証拠が世界中から寄せられているにもかかわらず、現代にあってもまだ世界はその事実を認めようとしません。世界はＵＦＯほど脅かされるテーマでなければ、それ以外のことは何でも信じ、受け入られるようになっています。そこで、他の星だけでなく、まさにこの地球自身の上にも宇宙の高次意識が存在していることを示す証拠を見ていきましょう。

◆

注としてここに記しますが、ＮＢＣテレビジョンが特番として制作した、チャールトン・ヘストンが出演している『人類のミステリアスな起源 *Mysterious Origins of Man*』と『スフィンクスの謎 *The Mystery of the Sphinx*』という2つのビデオをお勧めしたいと思います。

例外的事実の収集

ドゴン族、シリウスBとイルカ人たち

この絵は、本当に特筆に価します（図1－3）。これに関する情報は、シリウスについての本、ロバート・テンプルの『知の起源―文明はシリウスから来た』（原題 *The Sirius Mystery*）から得たものです。彼が語ってくれたところによると、それぞれまったく違った観点で10～12の研究材料を選んだにもかかわらず、そのすべてが同じ結論に達したというのです。これから話していくことと関連があるので、私は彼がこの話題を選んでくれて感謝しています。

ロバート・テンプルを含む科学者たちはそれについてずいぶん前から知っていたのですが、彼はアフリカ（マリ共和国）のトンブクツー近辺に住むドゴン族と呼ばれる人々について、ある事実を明らかにしてくれた最初の一人にあたります。ドゴン族は、今日の世界における見解ではどんな基準に照らしても、そんな情報を知ることはとうてい不可能だったはずだと思われる情報を保持しています。彼らの情報は、人類が宇宙のなかで孤独な存在であるという私たちの知識や認識をことごとく打ち砕いてくれるものです。

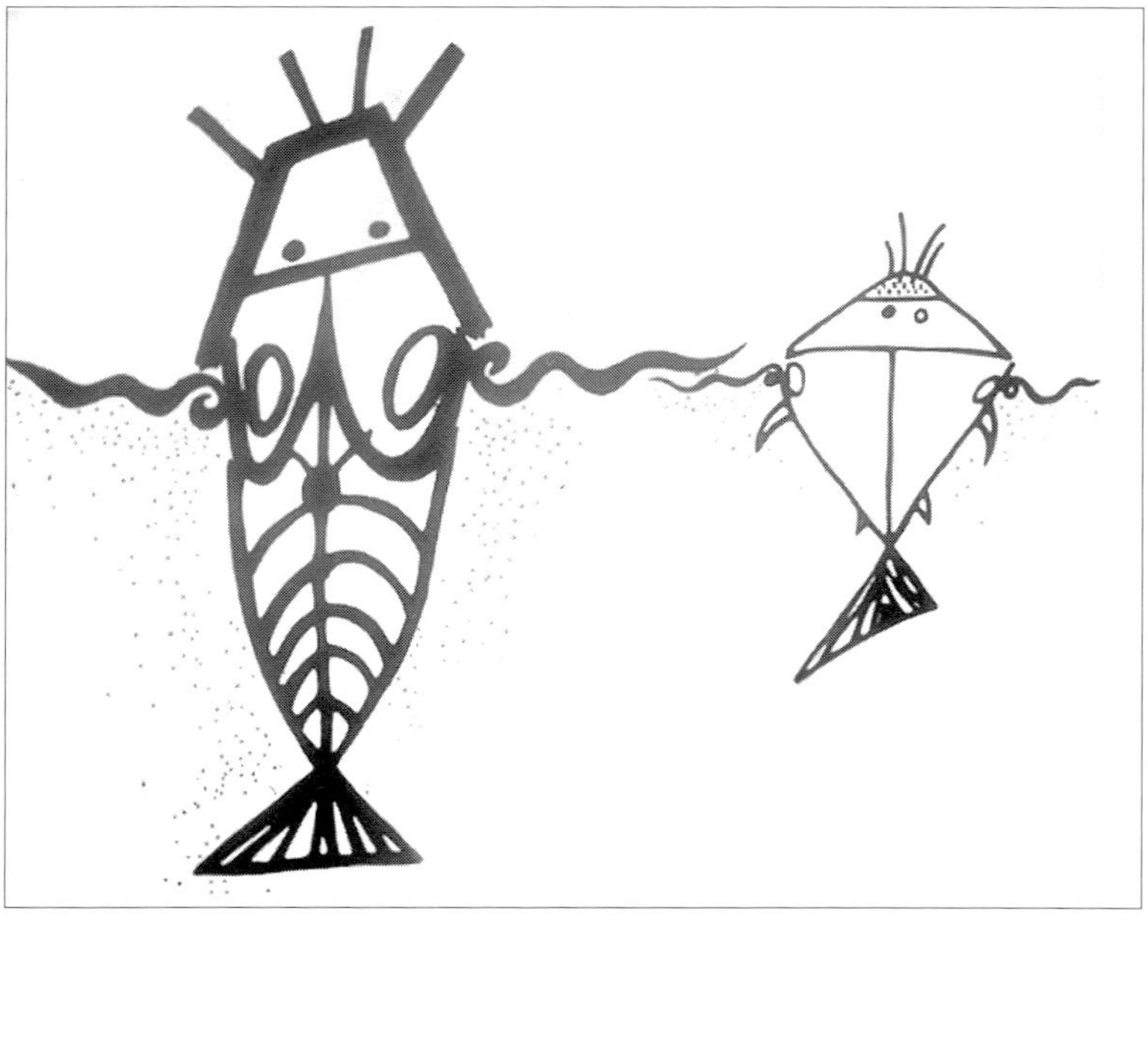

図1－3　ドゴン族が描いた「ノンモ」。地球に文明をもたらした偉大な文化のヒーロー。両眼が描かれているところから水平に見た図と考えられ、するとノンモの尾は魚のような縦型の尾ひれではなく、イルカのように横型の尾ひれだったことになる。水面が明確に表現されているので、ノンモは空気呼吸していたことを示唆している。（オーストラリアの雑誌 *"Simply Living"* より）

ドゴン族の土地はずっと山奥まで及び、そこに１つの洞窟が存在します。この洞窟の中には７００年以上昔に描かれた壁画が残っているのです。部族のなかで定められた聖者がこの洞窟を護るために入口の前に座っており、それが彼の終生の仕事とされます。みんなは彼を食べさせ、面倒をみてはくれますが、誰一人として彼に近づいたり触れようとする者はいません。この人が亡くなると、代わりに別の聖者が選ばれます。この洞窟の中には、とんでもない壁画と、いろいろな情報が秘められているのです。ここでは、その２つを取り上げましょう。これらは数ある情報のうちの２つにすぎません。

まず最初に、空で一番輝いている星（マイナス１・４等級だそうです）、シリウスについて話しましょう。現在は「シリウスA」と呼ばれています。オリオン座の三つ星を見て、その一列につながった星をそのまま左手のほうへ下っていくと、そこにとても明るい星が見えるのですが、これがシリウスAです。逆の方向にその距離の2倍ほどたどればプレアデスがあります。ドゴンの洞窟には、特にシリウスのまわりをめぐるもう１つの星について示されています。ドゴン族はこの星に関してきわめて詳細な情報を特定しています。彼らが言うには、その星はたいへんたいへん古くて、とても小さいそうです。そして彼らが「宇宙で一番重たい物質」と呼ぶものから出来ているといいます（これは当たらずとも遠からずです）。そしてこの小さな星がシリウスのまわりをめぐるには「50年に達するぐらいの期間」かかるとしています。これはかなりの詳細を極めています。１８６２年、天文学者たちによって白色矮星シリウスBの存在が証明され、その他の情報についても、今からわずか15～20年前になって確証が得られました。

さて、もうすぐあなたもピンとくるようになりますが、星は人間にとてもよく似ています。星は生きており、個性があり、私たちが持っている資質の多くを持ちます。まず科学的な面において成長段階があります。それは私たちの太陽のように、水素原子２つが融合反応によってヘリウムになるという水素性太陽から始まります。このプロセスは、その星の上に存在するすべての生命と光とを決定づけるのです。

星がさらに成長してくると、ヘリウム過程と呼ばれる別の原子融合プロセスが始まり、３つのヘリウム原子が１つになって炭素を形成します。このように星の成長過程は、その一生を終える時に到達する特定の原子列表のレベルになるまで、ずっといろいろな段階を通過し続けていきます。私たちが知るかぎり、星はこうした一生の最後に、主に2つの道をたどります。１つは爆発して、たくさんの赤ちゃん星を作り出す巨大な水素雲である「超新星」になること。2番目は、急激にすべての星を飲み込む大爆発を起こして「赤色巨星」となり、星々を焼きつくし、星系全体を崩壊させますが、その後ゆっくりと時間をかけながら「白色矮星」という小さな年老いた星へ変化していくというものです。

シリウスのまわりをめぐっているのは白色矮星である

という科学者の発見は、ドゴン族が言っていることと正確に一致していました。そこで、本当に「宇宙で一番重たい物質」なのかどうか、また科学的にどれぐらいの重さなのかが割り出されることになりました。

約20年前に出された最初の計算結果は、１立方インチ（訳注・1インチは約2・５４センチ）あたり約９０７キログラムというものでした。この数値は確かに重たい物質の範疇には入ります。しかし今日の科学では、これはかなり保守的な推測値とされています。もっとも新しく割り出された推測では、1立方インチあたり１５０万トンだそうです！　これはブラックホールを除いて、宇宙で一番重たそうな物質と言えるでしょう。もし、この白色矮星の1立方インチを地球上に持ってきたとしたら、それをどこに置いたとしても、何もかもを突き抜けて落ちていくことになります。地球の中心へ向かってどんどん落ちていって、ちょうど正確な中心点におさまるまで、長いこと地球の核近くを行ったり来たりして揺るがし続けるでしょう。

付け加えるに、大きなシリウスAのまわりをめぐっているシリウスBの公転周期を割り出したところ、なんと50・1年であることが発見されました。これはとうてい偶然の一致などとは考えられません。あまりにも近すぎる数字です。しかし、今世紀になってようやく計測可能になったような、そんな星の詳細な情報を一体どうやって古代の原始的部族が知っていたのでしょう。

それでも、これはドゴン族が保有する情報のほんの一部にすぎません。彼らは、より最近になって確認された海王星、冥王星、天王星を含め、太陽系の惑星についても知っていました。彼らは太陽系の外側から入ってくる時に、これらの惑星がどのように見えるかを正確に把握しており、これもごく最近になって知られたばかりのことです。そのうえ彼らは赤血球と白血球についてなど、やはり私たちには最近ようやく明らかになったような、人体のさまざまな生理学的な情報も持っていました。これらのすべてが「原始的」といわれる部族によって保持されていたのです！

当然のことながら、ドゴン族がいかにしてこれらの情報を知ったのかを調べるために、科学調査隊が派遣されました。これがまあ、たぶん研究者たちのおかした最大のミスでしょう。なぜなら、もしドゴン族がこれらの情報を実際に持っているという事実を受け入れるのであれば、彼らがそれをいかにして得たのかということも、そのまま受け入れねばならないはずだからです。科学者たちが、どうやってこれを知ったのかとたずねたとき、ドゴンの人々は洞窟の壁画をさし示しました。それらの壁画には宇宙船――まさによく見かける形にそっくりです――が空からやって来て、３本足で地上に降り立つところが描かれています。それから宇宙船に乗っていた生物が地上に大きな穴を掘って水を張り、宇宙船からその水の中へ飛び込んで、水辺に向かって泳いでくる様子が描かれていました。これらの生物はイルカにそっくりです。実際にはもしかしたら本当にイルカだったのかもしれません

●付記 Update

ごく最近になって、１秒間に約２００回も回転し、広大な磁場を発生させている中性子星、マグネターが発見されました。科学者は１９９８年8月27日、「クォーク星」と呼ばれる星を探知したのです。ＳＧＲ１９００＋１４という器具で放射線を感知したところ、放射線量はガンマ線探知機の計測範囲を超えてしまい、７つの宇宙探査機のうちＮＥＡＲ（Near Earth Asteroid Rendezvous）を含む2機がほとんどシャットダウンするという現象が起きたそうです。

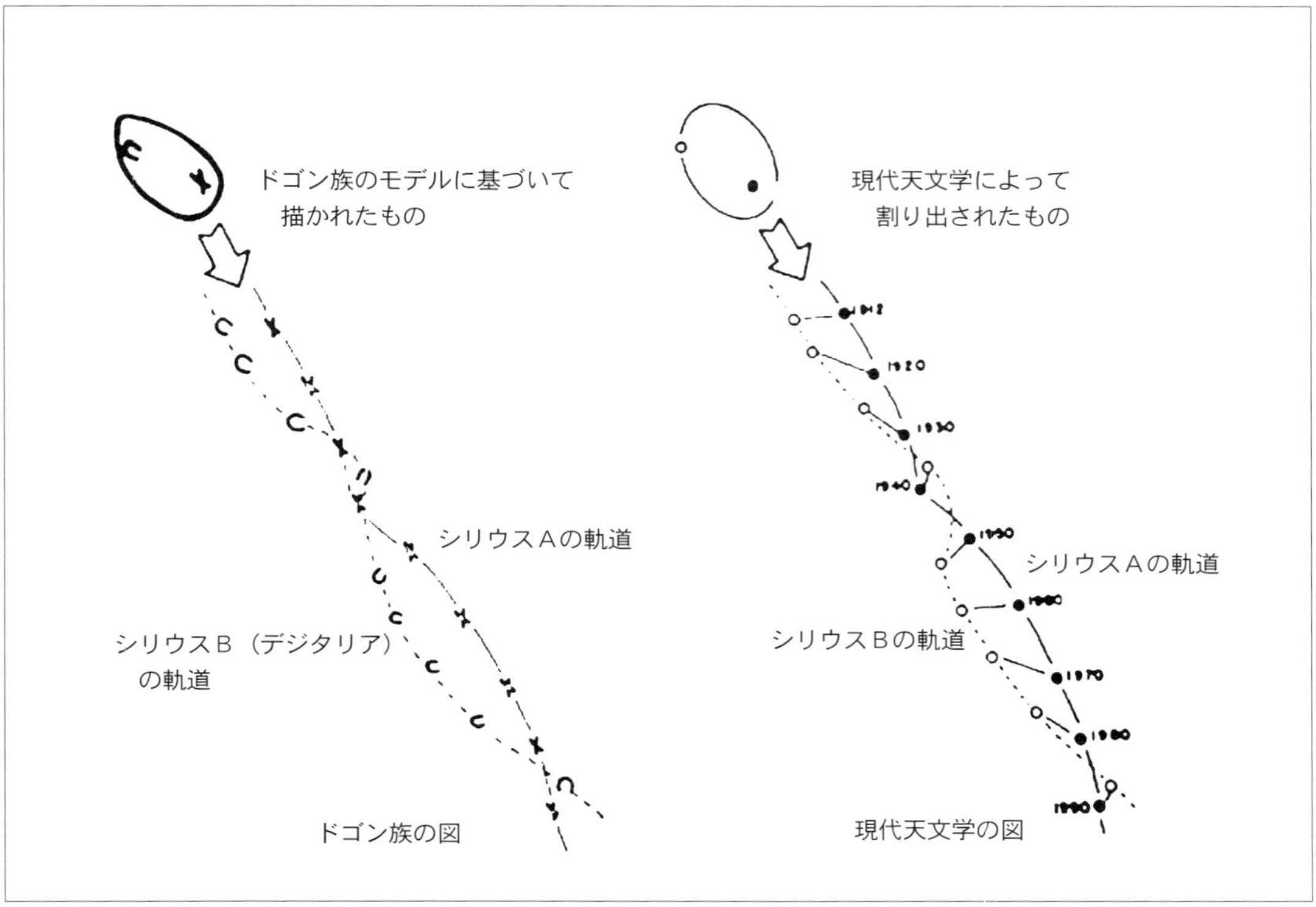

図1－4　シリウスAのまわりを回転するシリウスBの軌道を表わした2本の線。左の図はドゴンの絵がもとになっている。右の図はロバート・テンプルが計算により割り出した軌道。

が、それについては確証がありません。それから彼らはドゴン族とコミュニケーションをとり始めました。自分たちがどこから来たのかを説明し、こうしたすべての情報をドゴン族に伝えたというのです。

以上がドゴンの人々の話でした。科学者たちはしばらく座り込んだままでした。そしてようやく口を開くと「いやいや、我々はそんなこと聞かなかったぞ」と言いました。自分たちが知っていることの範囲に収まらなかったので、どうやら心のひだのどこかにこの情報を隠してしまったようです。科学者を含め、たいていの人たちは、本当にこういう事実をどう扱っていいのかわかっていません。このように、どうしていいかわからないという情報は、実はたくさんあるのです。自分がすでに知っていると思っていることと、こうした非凡な情報を統合する手段が見つからないものだから、どこかへ隠蔽してしまうわけです――なぜなら、みなさんもおわかりのように、もしそんなことが存在したりすると、今までの理論が成り立たなくなってしまうからです。

さて、ここにもう1つドゴン族が知っていたことを挙げましょう。この小さな絵（図1－4）は壁画にあったものですが、科学者たちにはこれが一体何なのか全然わかりませんでした――コンピューターがシリウスAとシリウスBの軌道を計算するまでは。このドゴンの洞窟に描かれたパターンは、地球から見たシリウスBがシリウスAのまわりをめぐるパターン、それも１９１２年から１９９０年までという特定の時期における軌道とまったく一致していたのです。イルカたち、あるいは誰であったにせよ、それらの人々はこの現代における軌道と時間のパターンを７００年も前にドゴン族に知らせていたのです！

さて、このことが私の人生のなかで明らかになったとき、１９１２年と１９９０年はどちらも非常に重要な年だったことに気がつきました。事実、この２つの年にはさまれた期間は、地球の歴史でたぶん一番重要な時期にあたるでしょう。これについてはおいおい説明していきますが、簡単に言うと、１９１２年には時間旅行(タイムトラベル)が始まると同時に、地球外知的生命体グレイと人類の実験も始まりました（これについては後でもっと詳しく触れます）。そして１９９０年は、私たちの惑星にはじめてアセンション用のグリッドが完成した年です。ドゴンの壁画がこの期間について描かれていたということ自体、明確な予言だとも考えられるのです。

ペルーへの旅と、さらなるドゴンの証拠

私がこのドゴン関係の情報にはじめて遭遇したのは、１９８２年か１９８３年のことです。当時、私のまわりには、実際に現地に行って直接ドゴン族の人々と交流している人が大勢いました。１９８５年、私はこうしたドゴン研究者の一人が参加するグループを率いてペルーへ行くことになりました。インカ時代の古い道をたどって、山頂から64キロメートルほどのところまで歩いていくという前の日、私たちはクスコのサン・アウグスティンという豪華なホテルにチェックインしました。翌日には４２６７メートルあたりまで歩いて登り、それから１・５キロメートルほど下ってマチュ・ピチュまで行く予定でした。それはとても美しい場所です。

そのホテルは街の中央から高い壁を隔てた向こうにあり、レンガ造りのスペイン式宮殿でした。宿泊費を節約するために、二人で一部屋をとってありました。私はドゴン研究者と同室になり、彼はここに示した以上の、たくさんの研究結果について話してくれました。部屋に着くと、部屋の番号が23でした。ドゴン研究者はひどく興奮して叫びました。「23号室だって！ こいつは幸先がいい！」ドゴン族の住むアフリカでは、シリウス星が地平線の下へ隠れたあと、数カ月間は視界から見えなくなりますが、７月23日の朝、太陽が昇る１分前に、再びその姿を現わすのです。それはルビー・レッドに輝きながら、ほとんど真東の地平線のすぐ上に現われます。その60秒後に太陽が昇りはじめます。ですから、シリウスが見られるのはほんのちょっとの間だけで、すぐにもう見えなくなってしまうのです。これは太陽と同じ時刻、同じ場所に昇る「シリウスのヘリアカル上昇」と呼ばれ、ドゴンやエジプトだけでなく、ほとんどの古代世界でとても重要なことと見なされていたのでした。

図1－5　クスコのホテルのベッドカバーにあったマーク

図1－6　クスコのホテル・サンアウグスティンのロゴマーク

これは宇宙のなかでシリウス、太陽、地球が一直線に並ぶ時です。エジプトでは、スフィンクスの見つめる方角も含めて、たいていの神殿がこの線にそって建造されています。多くの神殿では、壁のあちこちに小さな穴が開けられていますが、その向かいの壁にも穴があり、そのまた向こう側の壁にも穴が開けられており、さらにもう一枚の壁にも穴がありといったように、薄暗い奥の部屋にまで光が射し込むのです。その部屋の中央には、たいてい花崗岩でできた立方体か黄金分割長方形の箱のようなものが置いてあり、上部に小さな印が刻まれています。シリウスのヘリアカル上昇が起きるまさにその瞬間、ルビー・レッドの輝きがこの祭壇にほんの数秒さしかかり、彼らの新しい1年、エジプトの古代狼星(シリウス)暦の第1日目が始まるのです。

さて、ペルーでホテルの部屋番号が23だった話に戻りましょう。私たちは部屋に入って、荷物を下ろしました。それから二人ともベッドを見て、そのベッドカバーの上にこの絵柄を見たのです（図1－5）。

驚きのあまり、約5分くらい二人で何も言えず呆然とその場に立ち尽くしていました。それがどういう意味なのか理解しようとして、二人とも頭がフル回転していたからです。

宇宙船から降り立った人の絵をもう一度見てもらえればわかりますが、両方はおそろしく酷似しているように見えます。それらは体の半分は水中、半分は水上に出てお り――空気呼吸する哺乳類の姿です――魚のような直立型のひれではなく、水平型のひれをしています。そんな形をしたひれを持つ海洋性生物はイルカやクジラといった鯨目だけです。

しかし、ドゴンの絵はアフリカのものです……私たちはここペルーにいながら、とてもよく似た哺乳類の姿をまじまじと見つめているのです。これはまったく理解の域を超えていました。そこで私たちはホテルの従業員に「この紋章について何か知りませんか?」とたずねたのですが、ほとんどの人は何も知りませんでした。彼らはたいていスペイン人の末裔で、先住民の伝説にはあまり関心がなかったようです。最古の創造神話を知らなかったので、その紋章が何を意味しているのかも全然わかりませんでした。ホテルのロゴマークの全体像は図1ー6のようなものでした。

それについてもっと知りたかった私たちは、小さな車を借りて近辺を走りまわり、人々にたずねて歩きました。とうとう私たちはチチカカ湖まで行き、何人かのウロス・インディアンに話を聞くことができました。私はこう訊きました。「これについて何か知ってますか?」すると彼らは「ああ、知っているとも」と言って、それからなんとドゴンの物語にたいそうよく似た物語を教えてくれたのです! 彼らの創造神話は次のようなものでした。空から宇宙船がやって来て、チチカカ湖に浮かぶ「太陽の島」に降り立ったといいます。それらのイルカに似た生物たちは、水にじゃぶんと飛び込み、人々の側へやってきて、みんなに自分たちがどこから来たのか教え、インカ以前にそこにいた住民と、とても親密な交流を持ちはじめたというのです。インカ帝国を発足させたのは、この「天空人」たちとのつながりだったとその物語は教えています。

私はぽかんと口をあけたまま座るばかりでした。それから後になって、オーストラリアの『シンプリー・リヴィング』という雑誌がこれに関するシリーズを連載し、関連目録が付されました。みんなが調査してはじめて明らかになったのですが、世界中の文化が似たような物語を持っていたのです。地中海沿岸だけでさえ、12にも及ぶ異なった文化に同じような物語が存在していました。

このワークの中ではイルカについてしょっちゅう話すことになりますが、それはなぜかというと、この惑星の意識の展開には、彼らが相当大きな役割を果たしていると思われるからです。

あるサンスクリット語の詩とパイ(π)

さて、それでは今度は、もしかすると世界中の古代の人々は私たちが考えるよりもずっと進化した存在だったのではないかということを示唆する、まったく別の側面を見ていくことにしましょう。図1ー7はサンスクリット語の詩を発音通りに表記したものです。これは、たしか1980年代はじめに『クラリオン・コール』誌の記事に出ていたものです。サンスクリット語の下に訳が示されています。

何年もの時をかけて、研究者たちはこれらサンスク

●付記 Update

ヘブライ語の聖書の暗号の判読について

　マイケル・ドロズニンが書いた『聖書の暗号』(木原武一訳・新潮社)という本があります。この本は一度知れわたったら、人々の意識にそうとうな影響を及ぼすでしょう。また、神との分離感を倒壊させるのにとても役に立ってくれるでしょう。

　イスラエル人の数学者であるエリ・リプス博士は、ヘブライ語で書かれた聖書にとても複雑なコンピューター暗号があることを発見しました。それはエール大学とハーバード大学、さらにペンタゴン(アメリカ国防総省)までがチェックしましたが、それらのすべてはまさしく本当だったことが証明されました。これは科学的な発見であり、誰かの夢物語などではないのです。彼らが何を発見したのかというと、(たぶん)この時空間内に起きること、存在する人々のす

リットの音の一つひとつが数を表わしていることを発見しました。それがわかるまでに相当な時間を要したようです。**図1−8**はサンスクリット語にあり得るかぎりの音がすべて列記されています。それぞれの音には数字の0から9までが該当し、いくつかの子音は2つの数字を現わしています。たとえば、「ka」は最初の音で「スピリット(魂)」という意味であり、たぶん使い方によって数が変わるのだと思いますが、0と1の両方を現わします。

gopi bhagya madhuvrata
sṛngiśo dadhi ṣandhiga
khala jīvita khatāva
gala hālā raṣandhara

"O Lord [Krishna], anointed with the yogurt of the milkmaids' worship, O savior of the fallen, O master of Shiva, please protect me."

おお、神よ(クリシュナよ)、乳絞り女たちより礼拝のヨーグルトをそそがれし、おお、失墜したものたちの救済者よ、おお、マスター・シヴァよ、どうか私をお守りください。

図1－7　David Osborn: Mathematics and the Spiritual Dimension(数学とスピリチュアルな側面)*"Clarion Call"*誌より

研究者がこのそれぞれの音に数字を当てはめたとき、数学的にとても重要な値が出てきました。0・3141592653589……と32桁まで続いたのです。これはパイ(π)を10で割って32桁に繰り上げた数そのものです。小数点の計算方法を知らなかったので、これはパイの10分の1になっているのです。小数点を右へ1つずらせば、3・1415……、つまり円の直径を円周で割ったもの(円周率)になります。さて、彼らは円の直径を円周で割るということを知っていたかもしれませんが、私たちの文化的視点における古代人への理解からすると、彼らにはそんな正確を極める計算など、とても不可能だとい

ka				=	0
ka	ṭa	pa	ya	=	1
kha	ṭha	pha	ra	=	2
ga	ḍa	ba	la	=	3
gha	ḍha	bha	va	=	4
gna	ṇa	ma	sa	=	5
ca	ta	śa		=	6
cha	tha	ṣa		=	7
ja	da	ha		=	8
jha	dha			=	9

pi/10 = 0.3141592653589793238462643383279

図1－8　サンスクリット語のすべての音と、それが該当する数

べてが何千年も前に聖書の中に書き記されているということで、とりもなおさずそれは未来が知りつくされているということを明白にしているのです。たとえばあなたが生まれた場所や日付、そして（未来に）命を終える場所や日付も出ているし、あなたの主な達成事項についてまで、詳細を極めた情報がすべて聖書に記されているのです。これはとんでもないほら話に聞こえるでしょうが、本当のことです。そうでない可能性は百万分の一だと割り出されています。ご自身で本を読んでみてください。これは「終末の時」まで開かれることはないと聖書に謳われている「隠された本」なのでしょうか？ マヤ暦によれば、私たちは「終末の時」に突入しているといいます。

うことになります。しかし、このように否定できない事実が存在しているのです。

　こうした詩は非常にたくさん存在しているし、そのほかにもサンスクリット語で書かれた多くの文章があります。どれぐらいの量が判読されたかは知りませんが、すべてが討論しつくされ書きつくされた暁には、きっととてつもないものになるでしょう。

　彼らはどうやってこんなことをやり遂げたのでしょう。こんなことができた人々は一体誰だったのでしょうか？ 彼らに対する私たちの理解が正しくなかったということがあり得るのでしょうか。もしかして、彼らは私たちが考えているよりも、ずっと進化した人々だったのでしょうか。この詩は、確実にそうだったということを示しています。

スフィンクスは何歳？

　次はたぶんこの惑星で発見されたことのうち、もっとも重要なものの1つに挙げられるでしょう。それは今まさにこの瞬間にも起きていることです。それは約40年ほど前、R・A・シュヴァレ・ド・リュビッツによって始められました。彼は有名な独学のエジプト考古学者で、たくさんの著書を残しました。彼と娘の

図1－9　スフィンクスと足場組み

クフ王
エジプト第４王朝２代目の王で在位ＢＣ２５７５頃。定説では、ギザの台地に建つエジプト最大のピラミッドの造営者とされている。同４代カフラ王、６代メンカウラー王のピラミッドとともに、ギザの三大ピラミッドとして有名。

ルーシー・ド・リュビッツは神聖幾何学とエジプト文明に対して深い理解を寄せています。

シュヴァレ・ド・リュビッツはスフィンクスを観察しているうちに、その表面がかなりひどく侵食されていることに強く興味を持ちました。スフィンクスの後ろ側にむかって、表面から3・5メートルほどの深さにまで侵食された跡があり、このタイプの侵食パターンは他のエジプト建造物に見られるものと完全に異なっています（**図1－9**）。同時期の建造物と見なされる他の建築の侵食パターンは砂と風によるもので、一般に信じられている通り、約４０００年前に建てられたという見解に一致します。しかしスフィンクスの侵食パターンは水によって磨耗されたように見えるのです。主流をなす見解によれば、スフィンクス、大ピラミッドや他の隣接建造物はみな、第４王朝時代であるクフ王のもとで約４５００年前に建てられたということになっています。

エジプト考古学者たちはこの矛盾を指摘されたとき、聞く耳を持ちませんでした。この状態は約40年ほど続きました。他の人たちが気づいても、エジプト人の学者たちはこの明白な事実をまったく受け入れようとしなかったのです。その後、ジョン・アンソニー・ウエストという人がこれに注目しました。この人は『天空の蛇』（原題*Serpent in the Sky*）を含め、エジプト旅行のガイドブックを何冊も書いた人です。彼はスフィンクスに関する議論を聞いたとき、実際に自分の目で確かめるために出かけていきました。彼が見たところ、たしかに侵食は相当なもので、水によって出来たもののようでした。彼もまたシュヴァレ・ド・リュビッツと同じように、彼自身のスフィンクスについて信じるところが、世に認められた考古学者たちからはまったく見向きもされないことに気がつきました。

私はこの否定には理由があると見ています。どうかわかっていただきたいのですが、私は大宗教の信用を傷つけようとしているのではなく、単にリポートしているだけです。世界には約５０００人に及ぶエジプト考古学者がいますが、たいていはお互いの言説に賛同しあっています。この暗黙の了解は伝統になってしまっています。ちょっとぐらいの変更は許されますが、あんまり多くは許されません（しかもそんなに早くは変わりません）。そしてほとんどがピラミッドの年代に賛同しているのです。これらの考古学者たちはほぼ全員がイスラム教徒であり、ごく少数の人を除いてコーランを聖典としています。コーランの伝統的な解釈によれば、世界の創造は、約６０００年前だとされているのです。ですからイスラム教徒が、建造物は８０００年前に建てられたと述べることは、彼らの聖典に異を唱える結果となってしまいます。それは不可能です、彼らにはとてもできないのです。というわけで、それについては話もしないし議論もしません。もし何かが６０００年以上前のものだと言えば、彼ら

サッカーラ
サッカラとも。ギザの南方約20キロにあり、エジプトの古都メンフィスの墓地だったと考えられている。マスタバ墓やジェセル王の階段式ピラミッドなど多数の墳墓がみられる。

は賛成しないでしょう。自分たちの信仰を守るためならどんなこともするので、６０００年以上前に造られた人工物が存在しているということは誰にも知られないように一生懸命カバーします。たとえば彼らはサッカーラよりも古い第１王朝のピラミッドを立ち入り禁止にして、壁の内側と外側に軍事要塞を建て、誰も入れないようにしてしまいました。なぜでしょう？ それらのピラミッドの建造された時代が約６０００年前か、それ以前にあたるからです。そんなわけで、ジョン・アンソニー・ウエストはエジプト考古学界の外へ出て、ロバート・ショックという名のアメリカ人地質学者を連れてきました。この人はコンピューター解析によって、まったく別の科学的な視点をもたらしてくれました。何がどう転んでも、疑いの余地なくスフィンクスには水による侵食の跡があるというのです。しかもそれは砂漠の中で少なくとも７０００年以上は前のことであって、６０００年という年数を完璧に上回っています。

そのうえ、コンピューターはこんな結果をはじき出しました。24時間ノンストップで少なくとも１０００年間以上は雨が降り続けなければ、そうした侵食がスフィンクス上に見られることはないというのです。ということは、スフィンクスは遅くとも８０００年前には存在していなければなりません。１０００年間土砂降りの雨が降り続くなどということはありそうもないので、少なくとも1万年から1万５０００年前、あるいはもっと昔かもしれないという数字が出ました。この証拠が世界中に認められる時は、この惑星の長い長い歴史のうちでも一番強力な発見になることでしょう。他のどんな発見より大きな影響を世界観そのものに及ぼすと思われます。この証拠は世界を駆けめぐっているというのに、まだ学会や一般の知識には受け入れられていません。それはすでに観察され、検証され、再考察されつくして、議論の果てにほとんどの科学者たちが疑いようのないものだと認めたことなのです。

ですから、スフィンクスの年齢は、いまや少なくとも1万年、もしかすると1万５０００年になり、考古学の最前線の世界観全体を変化させはじめています。なぜなら、いま現在私たちが知っていると思っていることのすべてを総合すれば、世界最古の文明は紀元前３８００年頃に遡るシュメール人だったことになっているからです。それ以前には、一般知識においては毛深い野蛮人しかいなかったとされています――この地球上のどこにも全然文明がなかったというのです。しかし、いまや私たちは約1万年から1万５０００年も昔に、なんらかの文明や人工的な建造物が存在したことに突き当たりました。これはすべてを変えます！

かつては世界的に大きな影響を及ぼすこうした新しい発見を、万人が「ああ、そうとも、その通りだよ」と認めるようになるまでは百年ほどかかったものです。しかし今日ではテレビ、コンピューターやインターネットなどといった現代の産物のおかげで、もっと早く広まります。いまや多くの科学者グループは、はじめてプラトンが言及した、おぼろげな過去に「アトランティス」と呼ばれていた文明と大陸に新たな光をあて始めています。

スフィンクスはこの惑星で一番大きな彫像です。それは毛深い野蛮人によって造られたのではなく、とても洗練された文明の手によるものです。そして今この地球上で私たちが知るいかなる人の手によって建てられたものでもありません。科学的な視点から見て、スフィンクスは真に文明が存在した年代に関する最初の揺るぎない証拠にあたります。証拠はその他にもたくさんあったのですが、みんながテーブルの下に押し隠してしまいました。このスフィンクスについての情報は私たちの世界観に亀裂を生じさせました。これは1990年頃のことですが、この亀裂はどんどん広がっています。私たちはいまや、1万年昔にはかなり洗練された文化的な人々が地球上に存在していたという証拠を受け入れています。これは私たちの「自分が誰なのか」という視点をものの見事にひっくり返してくれる大事件だということがおわかりでしょう。

エドガー・ケイシー、スフィンクスと記録保管ホール

私は特にARE（エドガー・ケイシー財団、The Association for Research and Enlightenment）の見解に関してスフィンクスが引き起こしている変化に大きな興味を寄せています。AREは「眠れる予言者」エドガー・ケイシーの教えを基礎にした団体ですが、スフィンクスには記録保管ホールの入口があると明言しています。記録保管ホールは、地球上の私たちよりも優れ、進化していた古代文明の物理的証拠その他を保有する地下室として存在すると推定されています。

ケイシーはとても興味深い予言者でした。彼は生涯を通して約1万4000件にも及ぶ予知を行いましたが、1970年までに、これらの予言のうちの1万2000件が本当になり、2000件はまだ未来のために存在しています。これらすべての予言のうちで、彼はたった1つの小さなミスをおかしました。1万2000という件数を考えれば、これは相当すごいことです。それだけで小さなミスなど見逃したくなりますが、ケイシーは健康に関するリーディングを求めるフランス人男性からの手紙を受け取ったとき、その男性の双子の兄弟についてリーディングしてしまったのです。これが彼のおかした唯一のミスでした。その他のことは、すべてケイシーが言った通りになってきました——1972年までは。彼の予言は1972年以降になってはずれ始めましたが、これについては後にもっとふさわしいところで説明しましょう。（ケイシーの予言によればアトランティスは1970年までに海面に浮上するはずだったとお考えのみなさん、それは実際には起こりませんでした。1970年1月発行の『ライフ』誌をチェックしてみてください。ケイシーがアトランティスがあるといった場所に確かに島々は浮上したのですが、そのいくつかは沈み、いくつかは今日も海上に残っています。）

ケイシーによれば、スフィンクスの右前足が記録保管ホールの入口になっているそうです。トートとケイシーの両人が、スフィンクス近くの地下室に、この惑星に我々よりもずっと以前に進んだ文明があったことを確実に証明する物体が隠されていると言っています。トートは、これらの物体は５５０万年前における文明の存在を証明するものだと言います。これらの古代文明群に比較してみれば、私たちの文明など子供の文明です。

実はトートによれば、この惑星には実際に5億年前まで遡って文明が存在したといい、私たちの最初の文明は別の星からやって来たのだそうです。しかし今から５５０万年前、何かとてつもないことが起こって、アカシック・レコードそのものが変わってしまったといいます。どうしてそんなことが起こり得たのか、アカシック・レコードというものに対する私の認識からは計りきれません。私の知るかぎりでは、起きることのすべては振動の形をとって永遠に存在するものだからです。したがって一体どうしたらアカシック・レコードが破壊され得るのかは理解できないのですが、トートはそれが真相だと語りました。

トートとは誰なのか

トートとは誰でしょう?　この絵画に見られるのはエジプトのヒエログリフ（象形文字）です（図1－10）。上部だけでなく、絵全体がヒエログリフになっています。「ヒ

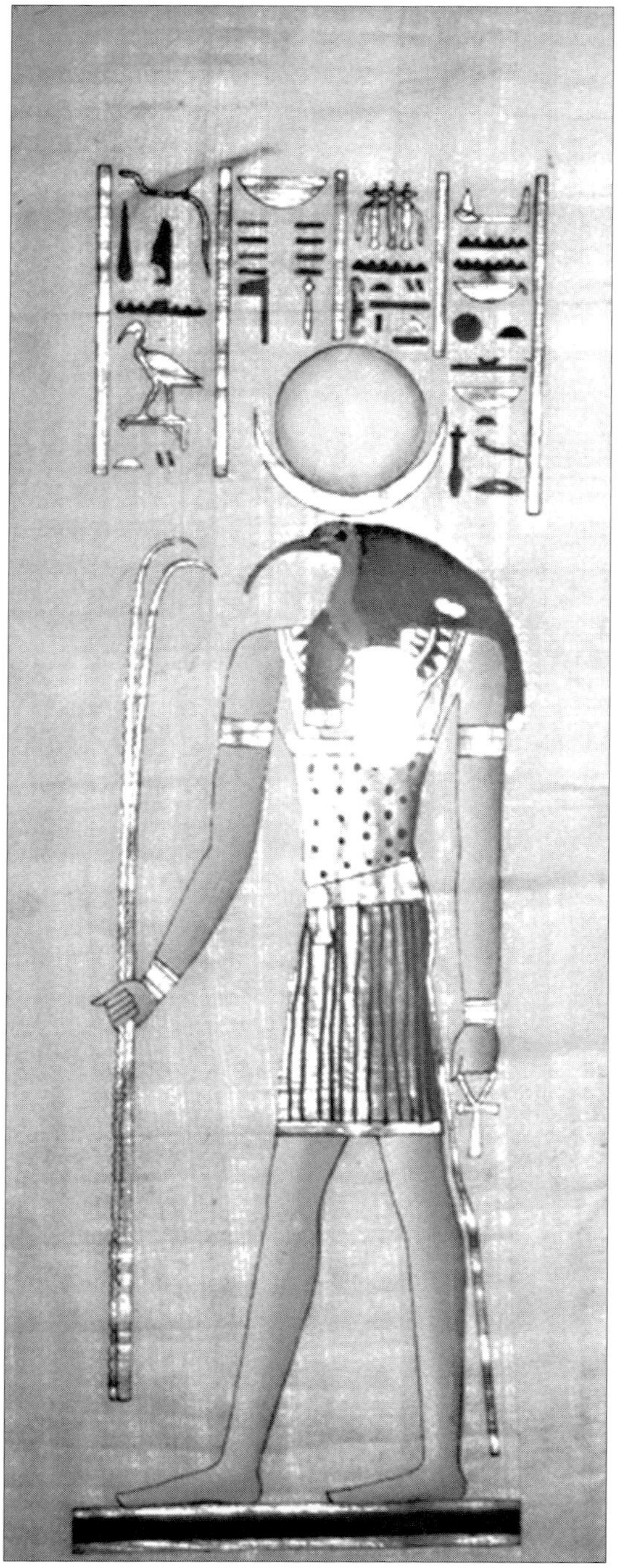

図1－10　トートのヒエログリフ

トート（Thoth）古代エジプト神話に登場する、知識と学芸の神。しばしばヘルメス・トリスメギストスと同一視される。英語では「ソース」に近い発音だが、本書では馴染み深い「トート」と表記した。

エログリフ」とはもともと神聖な書という意味です。これらのヒエログリフは世界最初の紙といわれるパピルスに書きつけられました。ここに描かれている人は長い「オー」という音が入る、「トート Thoth」という人です（「Thawth」と呼ぶ人もいますが、彼自身は「Thoth」と発音します）。このヒエログリフは、彼の頭部を鳥のトキとして表わしています。ですから、この広い肩をして鳥の頭をもつ奇妙なスタイルの人を見たら、それはこの人、トートということになります。彼は世界に文字をはじめて伝えた人で、手にパピルスの葦を持っています。文字の導入は実に意味の深い、重要な出来事で、たぶん今回のサイクルにおいてこの惑星で一番影響力の大きい行動と言えるでしょう。私たちが知るかぎりの歴史のなかで、他のどんな偉大な出来事と比べても、文字の導入は私たちの進化と意識にもっとも多大な影響をもたらしています。

トートはまた、左手に「アンク」と呼ばれるものを握っています。これは永遠の命を象徴しています。アンクはちょうどエジプト時代の主要なシンボルの1つであると同様に、フラワー・オブ・ライフのワークの中でもたいへん重要なシンボルになってます。私たちの体のまわりにはアンクの形のような電磁気のエネルギー・フィールドが存在しています。エジプトの見方によれば、その記憶された形状は、永遠の生命と真の自由へ立ち返るきっかけとなります。そんなわけで、アンクはもっとも重要なカギなのです。

これらのすべてはとっかかりの紹介にすぎません。一見なんの関連性もないような、さまざまな話題をどんどん飛び飛びに話していきますが、先に進むにつれて、ゆっくりとすべてが1つの首尾一貫した映像にまとまっていくと思います。

図１-11　アルバカーキ動物園のトキ

エジプトへ2回目の旅行に行ったとき、私はこのトキという愛らしい鳥を探してあちこちへ行きました。葦の藪に棲んでいるというので、カメラで葦のあいだを見てまわりました。滞在中ずっと探していたのですが、エジプトの端から端まで一羽のトキも見つけることはできませんでした。私はアルバカーキ動物園に戻ってこの写真（**図1－11**）を撮るまで見られませんでした。なんとなく、足の短いコウノトリに鮮やかなピンクの羽根が付いているように見えます。

さて、**図1－12**はトートが書きものをしているところです。これは壁に彫られたデザインを写し取ったもので、こ

図1-12　トートは文字の創案者とされているので、よくパピルスの巻物や尖筆と一緒に描かれる。壁の浮き彫りの写し。

図１-13　トートが書いているところ（右の人物）。壁の浮き彫り。

の次の写真（図1－13）は実際の壁の彫刻です。ここでは、ひざまずいてペンと書物を持っています。これは今回のサイクルでそれまで一度も試みられたことのない革新的な行為でした。一般的な歴史では、書くという行為はサッカーラ時代のエジプトに始まったとされていますが、私はそうは思いません。それより５００年ほど早く始まっていたと私個人はみています。サッカーラは第１王朝の時代、紀元前３３００年頃に建設されたものです。あとでサッカーラよりも古いピラミッドの話をするときに、なぜ私がそう考えるかがわかるでしょう。

私とフラワー・オブ・ライフとの出会い

バークレーの大学で

みなさんの中には他の次元レベルに存在しているものとの交信の可能性を受け入れない人もいるかもしれませんが、私の人生にはそれが起こりました。頼んだわけでもなく、単にそうなってしまったのです。このトートという存在と、何年にもわたってほとんど毎日のように交信してきたのですが、理解が深まった今になって振り返ると、トートとの個人的な関係は私がバークレーの大学にいた頃から始まっていたと思えます。

学位をもらえるぎりぎりの時まで物理学を専攻し、数学を副専攻としていました。あとわずか一期で卒業という時になって、私は学位をとらないことを決意しました。物理学を学んでいて、自分が科学に身を投じるという考えに興味を失っていることに気づいたからです。それはまったく科学ではありませんでした。いまやすべてが変化しているのです。これだけで一冊の本が書けてしまいそうですが、考古学にも同じことが言えます。物理学も考古学と同様、あまりにも変化のスピードが早いと真実から目をそらしてしまうのです。たぶん本当のところ、それが人間の性質だとも言えるのでしょう。そんなわけで、私は脳のもう片方の側を使用する美術系を専攻することにしました。カウンセラーたちは私の頭がおかしくなったのではないかと思ったようです。「物理学の学位を放り出すって、なんでまた!?」と訊かれました。でも必要ではなかったし、ほしくもなかったのです。それで卒業するまでにもう2年間、美術と美術史を専攻して通いました。

今になると、あのとき専攻を変えたのはとても意味があったと思います。なぜなら古代文字を学んでいると、古代の人々は美術、科学、宗教を総合的に重ね合わせ、互いに結びつけていたことに気づかされるからです。ですからそこで選んだ教科は、今の私がしていることにぴったりだったわけです。

カナダへの脱出

学位を得たのは1970年でした。その後ベトナム戦争を通過し、当時の自国アメリカで起こっていたことを見て、ついに私はこう言いました。「もうたくさんだ！もういい。あとどのくらい生きるのか、これから何が起こるのかは知らない。だけどとにかく僕は幸せになって、今までずっとやりたかったことをしよう。」私はすべてから離れることを決意して、念願の望みだった山の中での暮らしを始めることにしました。まさか1年後には何千人ものベトナム反戦支持者が後からやってくるとは知るよしもなく、私はアメリカを離れてカナダへ向かいました。ルネーという女性と結婚し、二人でとんでもない辺境地で生活することにして、クーティニー湖のほとりに小さな家を見つけました。そこはどこから行くにしてもたいへん遠い場所でした。その家へ来るには、一番近い道路からでも約6キロ半も歩かなければならなかったのです。そんなわけで、とても孤立していました。

　私はだんだん自分が願っていた通りの生き方をするようになっていきました。いつもまったく何も所有しないで生きていけるかどうか試してみたかったので、それを実行したのです。はじめはちょっと怖かったのですが、時が経つにつれて慣れていきました。ほどなくして、自然に生きることに順応しました。私は基本的にまったく金銭を所有せずに、すばらしく、かつ充実した生活を送ることができたのです。しばらくしてから、これは街で仕事を持っているよりずっと簡単だと気がつきました。1日に3時間だけは一生懸命働かなくてはなりませんでしたが、あとは1日中お休みです。それはすばらしいことでした。楽器を奏でたり、駆けずり回ったりして楽しく過ごすことができます。私はまさにその通りにやりました。本当に愉快でした。何キロも離れたところから訪ねてきてくれるたくさんの友人たちと1日に10時間以上もセッションをしたものです。その頃には私たちの家はちょっとした評判になっていました。とにかく楽しんだのです。今はこれがとても大切なことだとよくわかります。それによって、私は自分自身について何かを発見したのです。最近では、自分のこの時期を「インナーチャイルド復活期」と呼んでいるのですが、このときにインナーチャイルドが解放されたからこそ、今日の私の人生を導くきっかけとなった事件に遭遇できたのでした。

二人の天使と出会い、導かれる

　カナダのバンクーバーにいたとき、瞑想について知りたかった私は、その地域に住んでいたヒンズー教徒の先生のもとへ通いはじめました。妻と私は、瞑想とは一体何なのかを真剣に学びたいと思っていたのです。私たちは敬意を示すために、真っ白いシルクでフード付きの裾の長い服まで作っていました。瞑想を練習しはじめて約4〜5カ月たったある日のこと、私たちの部屋に身のたけ3メートルほどもある天使が二人、姿を現わしました――まさしくそこにいたのです。一人は緑色、もう一人は紫色でした。彼らの体は透けて見えたので、その姿が明確にそこに存在しているのを見ることができました。こうしたことを願ったおぼえもないし、特に出会いたいと望んだわけでもありませんでした。私たちは単にヒンズー教の先生に言われたことに従っていただけだったのです。その先生が後になって私たちにたくさんの質問を浴びせてきたところをみると、彼自身も完璧に理解していたわけではなかったのでしょう。その時点から、私の人生はまったく変わってしまいました。それまでとはまるで違う人生を歩むことになったのです。

天使たちの最初の言葉は「私たちはあなたです」というものでした。私にはどういう意味なのか全然わからず、思わず「あなたたちが私ですって?」と聞き返しました。それから天使はゆっくりと私自身について、世界について、そして意識の性質について語りはじめました。やがて私の心は完全に開いていきました。彼らからはとてつもなく深い愛情が感じられて、それが私の人生をまったく変えてしまったのです。何年もの間、二人の天使は70人にも及ぶいろいろな教師のもとへ私を導いてくれました。実は瞑想をしている最中に、私がたずねるべき教師の住所と電話番号を教えてくれたのです。そしてまず電話をするか、それとも単にその人の家に立ち寄るのかを知らせました。それでその通りにすると、いつでもまさにぴったりの人に会えたのです!そして、その人のもとに一定期間、留まるように指示されました。時には何かしら教えを受けている真っ最中に、天使たちが「はい、もういいでしょう。行きなさい」と言ったりしたものです。

彼らが私をラム・ダスのところへ導いてくれた時のことを思い出します。彼の家で3日ほど、自分は一体ここで何をしているんだろうなどと思いながら過ごしていましたが、ある日、彼に何かを言おうとしてその肩に触れたとたん、私は床にたたきのめされるほどの電気的ショックを受けたのです。天使たちが言いました。「それまで。もう行ってかまいません。」「はい」と私は答えました。ラム・ダスとは友達になれましたが、彼から学ぶはずだった事柄は、とにかくあの一瞬で学んだことになるのでしょう。

ラム・ダスの師であるニーム・カロリ・ババの教えは、私にとってとても大切なものです。「すべての中に神の姿を見るのが、神と出会う最善の方法である」というのが彼の信ずるところでした。また、ヨガナンダのワークに接した結果、ヨガナンダがどういう人であったかを大切に思っています。のちにシュリ・ユクテスワと、彼の仕事についても触れます。私は主な大

ラム・ダス
1970年代に有名になったスピリチュアル・リーダーの一人。著書に『ビー・ヒア・ナウ』(平河出版社)などがある。

ヨガナンダ
パラマハンサ・ヨガナンダ(1893~1952)。インドのヨギで、のちに渡米してクリヤ・ヨガの教えを広めた。著書に『あるヨギの自叙伝』(森北出版)がある。

シュリ・ユクテスワ
1855~1936。パラマハンサ・ヨガナンダの師。何世紀もヒマラヤ山中に生きているというババジの教えを伝えた一人。

宗教のすべてに深く関わってきました。武力行使が必要だとは信じていないのでシーク派は避けましたが、それ以外のイスラム教、ユダヤ教、キリスト教、道教、スーフィー、ヒンズー教、チベット仏教のほぼすべてを学び、実践しました。道教とスーフィズムは特に深く研究し、スーフィズムには11年間を費やしました。しかしながら、これらの学びを通して私の一番強力な教師となってくれたのは、ネイティブ・アメリカンの人たちです。彼らは私のスピリチュアルな成長の門を開けてくれました。そして私の人生にとてもパワフルな影響をもたらしてくれた存在でした。しかし、それはまた別の話になり、あとでいくつかお話しすることになるでしょう。

世界中の全宗教が同じ「現実(リアリティ)」について語っています。それぞれに異なった言葉、異なった概念や知識を有してはいても、ただ一つの現実が存在しており、ただ一つのスピリットがありとあらゆる生命を通して活動しているのです。別レベルの意識に到達するための方法はまちまちかもしれませんが、現実のものだけが存在していて、あなたがそこに達した時にそうとわかります。あなたがそれを何と呼ぼうと——別の名をつけることもできます——みんな同じものを指しているのです。

錬金術、そしてトートはじめて現われる

あるとき、二人の天使は私をカナダ人錬金術師のところへ向かわせました。この人は他にもいろいろなことをしていましたが、実際に水銀を金に変えていた人でした(鉛からもできるのですが、製法がもっと難しくなります)。彼のもとで2年間錬金術を学んでいる間に、実際にその様子をつぶさにこの目で見ることができました。彼は、液体の入った直径50センチ弱くらいのガラスの玉を持っていて、この液体の中を水銀の泡が上昇していくのです。それらは一連の蛍光色を通過し、変化しながら一番上までのぼっていき、固体の小さな金の球に転換されると底に沈んでいきます。そして彼は自分のスピリチュアルな研究に使うために、これらの小さな純金の塊を集めるのです。この人はブリティッシュコロンビア州のバーナビーで、どこにでもよくあるような通りに普通の小さな家を構えていました。もしあなたが車でその通りを走ったとしても、そこは他の家と同じで何の変哲もないように見えることでしょう。しかし、この家の地下には秘密の研究所があったのです。何百万ドル分にも相当する金を創り出して地下を掘り下げ、電子バランサーから何から、自分の研究に必要な設備をもつ広大な総合施設を建設していました。お金にはまったく無頓着な人でした。もちろん錬金術の目的は金を創ったり売ったりすることではなく、いかにして水銀や鉛が金に変化するかというプロセスを理解することでした。

プロセスが大切なのです。なぜなら、水銀から金に至るプロセスは、この人間としてのレベルにある意識がキリスト意識に変わるプロセスと同じことを示しているからです。そこにある相関性はぴったり呼応します。実際に、

もしもあなたが錬金術のすべてを学ぶとしたら、存在する全部の化学反応一つひとつを勉強しなければならなくなります。なぜなら、すべての反応には生命の何らかの経験的な側面と相関性があるからです。これが例の「上にあるがごとく、下もかくあり」というものです（この言葉は、トートがギリシャでヘルメスの名で知られていた時に、はじめて語ったものです）。

あるとき私はこの錬金術師の先生の前に座って、瞑想をしていました。息を止めたり特別な呼吸法を用いたりして、目を開いたままでする瞑想でした。彼は私から約1メートルほど離れた正面に座っていて、二人でけっこう長い間、1時間か2時間ほどこの瞑想を続けていました。すると、あることが起こったのです――まさかそんなと思うことが！　彼の姿がもやもやとしたかと思うと、私の目の前から完全にかき消えてしまいました！　彼は消え去ってしまったのです。あれは絶対に忘れられません。私はしばらくそこに座ったまま、どうしていいのかわからずにいました。それから、おそるおそる手を伸ばして、彼がまだそこにいるかどうかを確かめてみました。しかし誰もいません。これはすごいぞ、と思いました。驚愕に打たれ、まさに（60年代や70年代に流行ったように）「ぶっ飛ばされて」しまいました。どうすべきなのかわからない私は、しかたなくただ座り続けていました。それからほんの少しすると、今度は打って変わってまったくの別人が私の前に姿を現わしたのです！　それは似ても似つかない人でした。私の錬金術の先生は35歳ぐらいでしたが、この男の人はひょっとすると60歳か70歳、しかも背たけもずっと低いのです――たぶん１６０センチか１６５センチほどだったでしょう。

その人は小柄で、エジプト人のように見えました。肌の色は濃く、髪は長めで後ろに束ねられていました。あごひげはふさふさと15センチぐらいあり、五カ所でまとめられていましたが、それ以外のひげはきれいさっぱり剃られています。褐色の木綿の質素な長袖衣とロングパンツを身につけ、足を組んで私の正面に座していました。しばらくしてようやくショックから立ち直った私は、その人の目をじっと見つめました。その中に見えたのは、今まで赤ん坊の目にしか見たことのないものでした。あなたも赤ん坊の目を覗き込むとき、その瞳の中には何の考えも判断もなく、まったくきれいに何もないので、ためらいなくその瞳にじっと見入ってしまえることでしょう。あなたはただ赤ちゃんの瞳の中に入り、赤ちゃんも同様に私たちの瞳の中に入ってきます。さて、その人の目を見つめたとき、この感じにそっくりだったのです。年老いた肉体にこのような大きな赤ちゃんの目がくっついていたのです。彼には何の思惑もありませんでした。私は一気にこの人とつながってしまい、何のバリアーも存在しませんでした。彼は、かつて誰からも体験したことのないレベルで私のハートに触れてくれました。

それから彼は質問をしました。この宇宙にはなくなってしまった原子が3つあるが、それらがどこにあるかを知っているかと私にたずねました。彼の言っていることがわからなかったので、「さあ、知りませんが」と私は答えました。細かな描写は割愛しますが、それから彼は私に時間を遡らせ、創造の始まりの時まで逆行してから、また戻ってくるという体験をさせてくれたのです。私はそこから戻ってきたとき、彼が３つの失われた原子と言っていた意味が理解できました――というか、その時はそう思ったのです。それで、「たぶん、あなたが言っていたのは、こういう意味じゃないかと思うんですが」と言って、自分の考えを話し出しました。私が説明し終わると、彼はにっこり微笑んで、お辞儀をして消えてしまいました。それからほどなくして私の錬金術師の先生が再び姿を現わしました。その先生は何が起きたのか、まったく感知していませんでした。どうやらそこで起こったことのすべては私だけの体験だったようなのです。

　私はその出来事に完全に心を奪われたまま外へ出ました。その当時、天使たちは私を他に４人の教師につけていたので、一人がすむとまた一人といったように、私の人生は本当に充実していました。しかし私は自分の目の前に現われた、あの小柄な男性のことで頭がいっぱいでした。彼が誰なのかは訊かなかったのですが、それきり彼は戻ってきませんでした。時は流れ、体験した感覚は次第に薄れていきました。それでも、いつもあの人は一体誰だったのだろうという疑問が消えませんでした。なんだって彼は私にあの３つの原子を探させたのだろう、それに一体ぜんたいそれが何だっていうんだ？　彼は私が今までに会ったなかで一番純粋な人だったので、また会いたいと強く願っていました。

　そして12年後になって、私は彼が誰だったのかを見出したのです。１９８４年11月１日のこと、彼は再び私の人生に出現しました。そこでは本当にたくさんのことを教えてくれました。しかしこれはまた別な物語として、あとでお話しします。

アトランティス人、トート

　この人、エジプトのトートの出現はアトランティス時代の始まりぐらいまで昔に遡ります。彼は5万２０００年前に、いかにして死ぬことなく１つの肉体のなかで意識を持ち続けるかを編み出し、それ以降ずっとその最初の肉体に留まり続けていました――１９９１年に私たちの理解を超えた新たな存在の仕方へと移行するまで。彼はアトランティス時代のほとんどを生き、１万６０００年間にもわたってアトランティスの統治者であった人です。これらの期間中には彼は「チクェテット・アーリッチ・ヴォマリテス」と呼ばれていました。実際の彼の名前の部分はアーリッチ・ヴォマリテスで、チクェテットは「智慧を探求するもの」という意味の称号でした。これは彼が智慧そのものになりたいと望んだためです。アトランティスが沈んだあと（この件についてはもうすぐ大いに論じます）、アーリッチ・ヴォマリテスをはじめとする進化した存在たちは、文明が再構築されるようになるまで、およそ６０００年間も待たねばなりませんでした。

エジプトが息づきはじめたとき、彼は率先して自分を「トート」と呼び、エジプトにいる間ずっとその名で通しました。エジプトが滅亡したとき、ギリシャという次なる大文明を創始したのはトートその人でした。私たちの歴史の本には、ピタゴラスがギリシャの父であり、ギリシャはピタゴラス学派によって発展し、ギリシャから現在の文明が生まれたと書かれています。ピタゴラスは彼自身の書のなかで、トートが彼の手をとって大ピラミッドの地下へと導き、すべての幾何学と「現実（リアリティ）」のもつ性質を教えてくれたと語っています。たしかにギリシャはピタゴラスを通して生まれましたが、そこにはトートがアトランティスの時代と同じ肉体をもって「ヘルメス」と名乗り、その文明へと歩み入っていたのでした。すると、アーリッチ・ヴォマリテス、トート、そしてヘルメスが同じ人だということが明らかになります。本当かどうかですって？　ヘルメスによって2000年前に書かれた『エメラルド・タブレット』を読んでみてください。

それからも彼はたくさんの名前で呼ばれてきましたが、いまだに私は彼のことをトートと呼んでいます。彼は私の人生に1984年に舞い戻ってきて、1991年まで毎日のように一緒にワークをしました。私を訪れては、1日に4時間から8時間もいろいろなことについて教えてくれました。他のさまざまな情報とも関連しているし、多くの教師たちによっても実証されていますが、私がみなさんと共有する情報の大半は、もともとはトートからやってきたものなのです。

特に世界の歴史については彼から教わりました。彼が書記官だったエジプト時代には、起こったことのすべてを書きつけたそうです。彼はその仕事にまさにうってつけの人でした。そうでしょう？　彼は常に生き続けたので、書記官としてそこに座って人生が流れていくままを見つめていればよかったわけですから。彼はよき部外者としての目撃者であり、そのことが智慧の理解において大きな部分を占めていました。彼はそれが聖なる秩序にかなっているとわかっているとき以外、滅多に動かず、話もしませんでした。やがてトートは、どうしたら地球を離れられるかを発見しました。彼は、ただ座って流れるままに見つめられる人生が別の惑星にあればそこへ行ったのです。彼は決して介入することなく、一言も発しませんでした。完全な静寂を保ち、ただ見つめました――人々がどんな人生を送ったのかを知るために、知識を得るために、理解するために。それぞれの惑星で100年ぐらい過ごしたかもしれません。それから彼はまた別のところへ行って、ひたすら見つめたのです。

合計して約2000年ほど、トートは地球を離れて別の生命体を観察していました。しかし彼は自分のことを「地球人」だと見ています。もちろん地球はそれほど古い惑星ではないし、私たち全員がこの生きるというゲームの途中でどこかからやって来たわけです。地球は約50億年ぐらい前に生まれたばかりで、それに対してスピリットは今までも常にあり、これからも永遠です。あなたは今までいつも存在していたし、これからもずっと存在する

エメラルド・タブレット
古代アトランティス王トートが遺したという12枚のエメラルドの石版で、錬金術やヘルメス学の奥義が刻まれている。M・ドリール博士によってユカタン半島で発見され、1939年に出版された。邦訳も出ている（巻末の文献参照）。

のです。スピリットが死ぬことはなく、それ以外の考えは単なる幻影でしかありません。しかしトートは、彼を永遠の命へと導いた最初の第一歩がここ地球であったので、ここが彼の故郷だと見なしているのです。

図1－14はトートの妻、シェサットです。彼女は驚くべき人でした。見方によってはトートを超えるか、少なくとも同じくらいすごい人でした。彼女は私を意識的に地球へ連れてきた最初の人で、それは紀元前１５００年頃のことでした。私は肉体をもってここに来たのではありませんが、次元を超えて意識的なつながりがありました。彼女の話では、エジプト内でのちのち全世界と人類の行く末に影響を与えるような問題があったので、私とのつながりを持ったそうです。私たちはとても緊密な関係で一緒に仕事をしました。彼女はもうここにはいませんが、私はいまだに彼女に対してとても深い愛を持ち、密接に結びついています。トートもそうです。１９９１年に二人とも一緒にこの宇宙のオクターブを完全に超え、今までとはまるで違うタイプの生命の体験に踏み出していきました。彼らの行動は、あとからみなさんも知るように、私たちにとってたいへん有意義な行動でした。

図１－14　トートの妻、シェサット

トートは、私が錬金術師の先生のところで瞑想していてはじめて出会った時から12年も経った１９８４年に、再度私の人生に顔を出しました。彼がまず最初にしたのは、エジプトで私のイニシエーションを指導してくれたことです。彼は私をエジプトじゅう連れてまわり、儀式を執り行い、特定の神殿でイニシエーションを受けさせました。大ピラミッドの下の空間で、アトランティス語の原語による長々しい祈りをあげた後、私の体は完全に光だけとなり、別の意識の状態へと入りました。この話はまた、ふさわしいところで語ることをお約束します。

トート、幾何学、そしてフラワー・オブ・ライフ

エジプトから戻って３、４カ月たったころの話です。トートがやって来て、「あなたが天使たちから授かった幾何学模様を見たい」と言いました。私が教えている瞑想の方法は天使から教わったものでした。いかにして現実（リアリティ）というものがスピリットと関わりあっているのかというこ

とを表わす基本的な情報、つまり幾何学を天使たちは教えてくれたのです。この瞑想は、最初にトートが知りたがったものの1つでした。それは私が彼の記憶をすべて受け継ぐかわりに、彼は瞑想を受け継ぐという交換だったのです。その瞑想は彼がそれまで行っていたものよりずっと簡単だったので、彼はそれを知りたがったのです。彼が5万2000年生き続けたやり方は、とても微妙なものでした――それはクモの糸にすがっているようなものだったのです。その方法だと毎日2時間は瞑想しなければならず、さもなければ死んでしまうというものでした。それは頭を北、足を南に向けて、独特の瞑想法を行い、今度はさらに1時間、向きを逆にして別の瞑想を行わなければなりません。なんとそのうえ、50年に一度、肉体を再生させるために、彼は「アメンティのホール」と呼ばれる場所へ出向いて、「フラワー・オブ・ライフ」の前に10年も座り続けなければならないというのです(フラワー・オブ・ライフは地球の子宮深くに存在し、人類の意識レベルがまさにそれ自体に完全に存在を依存している、純粋な意識の枠組みで、これについてはまた後述します)。

マカバ瞑想法では、彼が2時間かけてようやく到達していたことが、たったの6呼吸ですぐにできてしまうので、トートはこの新しい瞑想法に大いに興味を寄せていました。即効で、効率的で、正確で、より大きな可能性を持っているし、恒久的なやり方で認識を促してくれるのです。トートは私に、彼が知っていることを大量に教えはじめました。彼が私の部屋に現われる時には、私たちは、今ここでお話ししているような方法ではないやり方で話し合います。つまりホログラフィックなイメージとテレパシーを組み合わせて会話します。私に送られる彼の思考は、たぶんみなさんはホログラフィックだと言うでしょう。でも、それ以上にもっといろんなことが起きているのです。彼が私に何かを伝えてくるとき、彼の考えの中には味や感触、匂い、聴覚や視覚なども含まれています。

私が天使たちから伝えられた幾何学模様が何だったかを見たいとトートが言うので、私はそれをテレパシーで、第三の眼から第三の眼へと行き来する小さな光の球によって送りました。すると彼はその全体を見渡して、約5秒後に、多くの関連情報がついてきていないと言いました。そこで私は毎日何時間も座って、いま私たちが「神聖幾何学」と呼んでいるもののすべてを絵に描き、作図したのでした。

当時、このような見え方を何と呼んでよいのか、私は知りませんでした。それが何なのかも知らなかったし、はじめは本当に何を意味するのかわからなかったのです。それに、過去を除いてこれを知っている人が他にもいるとは知りませんでした。こんなことをしているのは、世界中で自分一人だけだろうと思っていました。しかし私が深くのめり込んでいくにしたがって、これは永遠に起こり続けていることで、宇宙中、そしてこの地球中の歴史を通してどこにでも存在しているものなのだと気がつくようになっていきました。長い間、トートは私にこういうやり方で教えてくれました。そして最終的に、とうとう私たちは1つの描画（図1―15）に行き着きました。トートいわく、これにはすべてが――つまりすべての知識が男性面と女性面の両方で、しかも例外なく――包含されているのだそうです。これがその模様です。

この本がまだ始まったばかりのところで、こんなとんでもない説を表明するのはかなり無謀だというのはよく承知しています。でも、トートによれば、この一枚の絵は

図1-15　フラワー・オブ・ライフ

その大きさの中に、存在する生命のすべての側面を内包しきっているのだそうです。すべての数学的方程式、すべての物理法則、すべての音楽のハーモニクス、あなたのその肉体に及ぶまでの全生命についてもです。あらゆる原子、あらゆる次元レベルで、波動体系宇宙のなかに存在するものすべてが残らずここに内包されているのです（波動体系宇宙についてはもう少し先で説明します）。トートに教わったあと、私は以上の説を理解しました。しかし、今ここでその説を表明しただけでは、たぶん信じられないことに聞こえるでしょう。神かけて私が言っていることを証明します。もちろん、たった一冊の本の中ではとても書ききれないほどたくさんのことがあるので、この描画にすべてが内包されているということを証明するのは無理ですが、これがすべてに当てはめられるのだと理解するのに充分な証拠を提示していきましょう。

それからトートは、私がエジプトでこのフラワー・オブ・ライフの模様を見つけるだろうと言いました。長い年月、彼と一緒にワークしていて、2回だけ彼の話を疑ったことがありましたが、これはそのうちの1回にあたります。私の小さな精神は「そんな馬鹿な！」とつぶやきました。というのも、それまでにエジプトに関する本はほとんど読破していたのに、そんなものはまったく見かけたことがなかったからです。考えつくかぎりのことをチェックしてみた私は、「いいや、あのシンボルはエジプトのどこにもない」と思いました。しかしながら、トートは私が見つけると言い、そして去っていきました。一体どこから

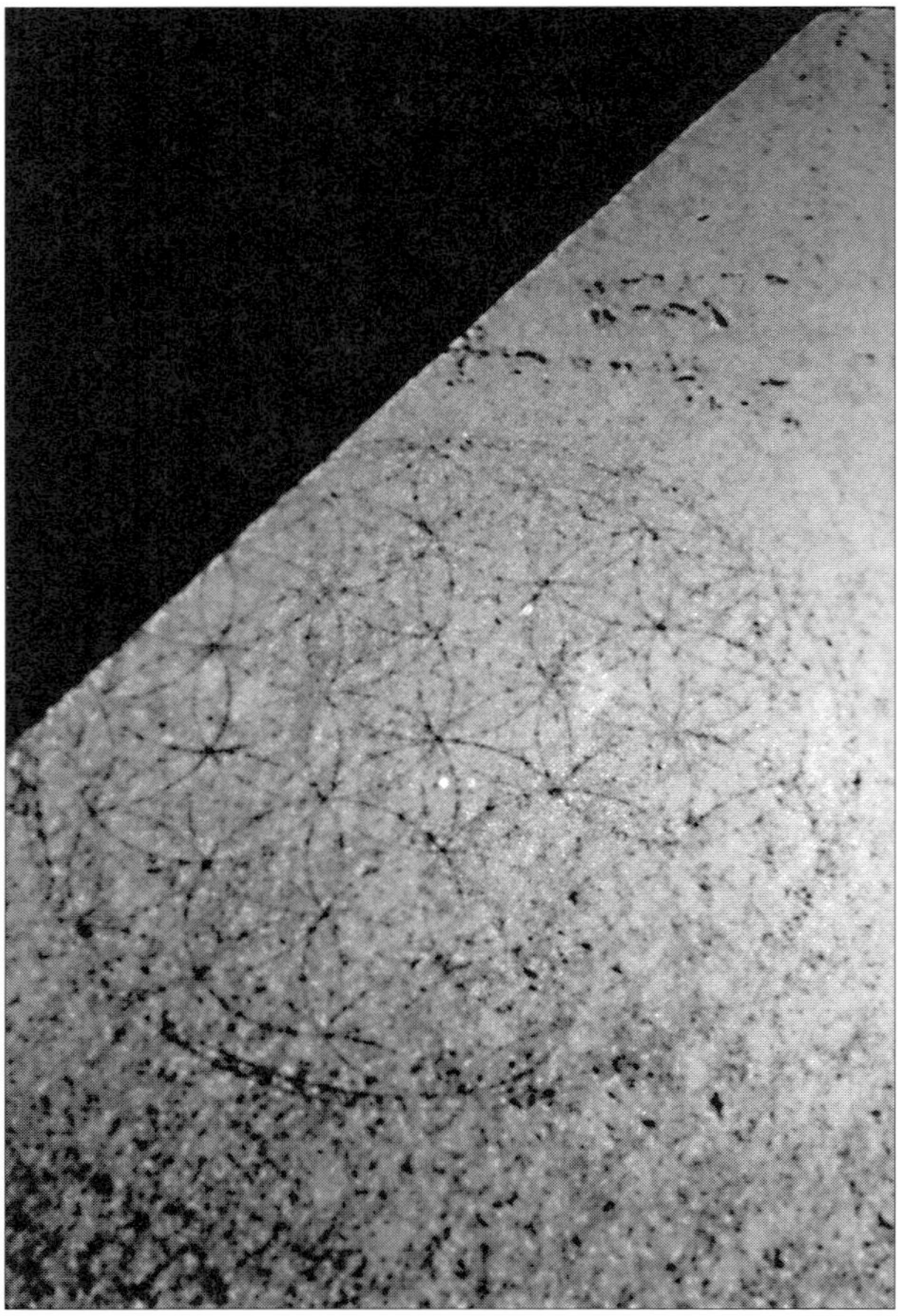

図1-16　カトリーナ・ラファエルが撮影した、アビドスの神殿の壁に刻まれているフラワー・オブ・ライフ

探しはじめていいのかすらわかりませんでした。

それから約2週間後のことです。私は友人の、クリスタルに関する本をたしか3冊ほど書いたカトリーナ・ラファエルに出会いました。彼女はちょうどエジプト旅行から戻ってきたばかりで、私がニューメキシコのタオスの食料品店に足を運んだ際、たまたまそこに居合わせたのです。彼女はフィルム現像のカウンターにいて、ちょうど最近のエジプト旅行の写真の出来上がりを受け取っているところでした。カウンターには36枚の写真の束が25センチくらい、うず高く積まれていて、その上にまだ彼女は束を積み重ねようとしていました。二人で話しはじめると、途中で彼女は私に言いました。「ああ、そうそう。私のガイドの天使に言われたんだけど、あなたに会ったらすぐに写真を渡すようにって。」「へえ、どの写真?」と訊くと、「知らないわ」と彼女は答えました。そして積み重ねられた写真の束にくるっと背を向けたかと思うと、背後の束からでたらめに一枚を引き出して、私に手渡しました。「はい、これがあなたにあげるはずの写真よ。」

さて、私たちは何年来かの友人ではありましたが、その当時、私は自分のしていることをあまり人には語っていませんでした。だからカトリーナは私がどんなワークをしているかなど知るよしもなかったし、もちろん私自身、何一つ彼女に話したことはありません。彼女が引っ張り出した写真はこれでした――なんと、エジプトの壁に刻まれたフラワー・オブ・ライフの模様!（図1-16）

その壁はおそらくエジプトでもっとも古い壁の1つで、建物自体は約6000年前の、地球で最古の神殿に属するものでした。その写真にフラワー・オブ・ライフの模様を見たとき、私の口からは「うわーぉ……」しか出てきませんでした。「一体なんなの、どうしたっていうの?」とカトリーナが訊きました。「君にはわからないだろうけど、でも、『うわーぉ』なんだ!」私に言えたのは、ただそれだけでした。

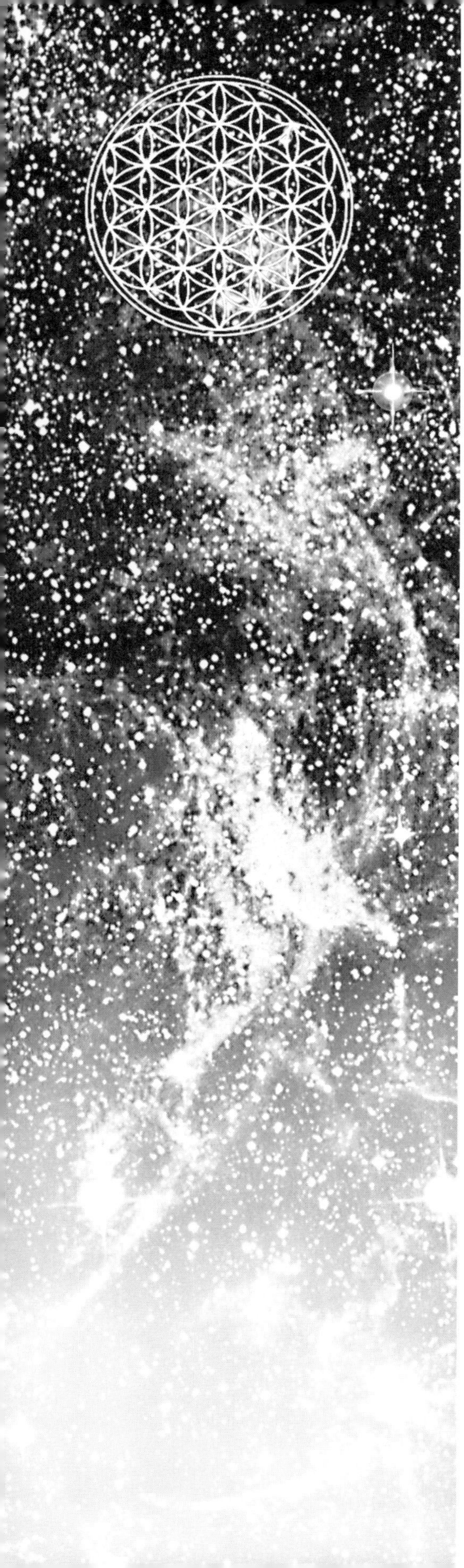

2.

フラワーの秘密を解く

The Secret of the Flower Unfolds

アビドスにある3つのオシリス神殿

これはアビドスにある神殿です（図2ー1）。セティI世により建造され、オシリスにささげられたものです。その後ろにはもう1つ、オシリス神殿というとても古い神殿があり、カトリーナ・ラファエルが壁面にフラワー・オブ・ライフの彫り物を見つけたのはそこです。さらにもう1つ、オシリスにささげられた第三の神殿が存在し、これもオシリス神殿と呼ばれています。**図2ー2**は設計上の配置を現わした図です。

アビドス
カイロから500キロあまり南。エジプト第1、第2王朝の王墓がつくられ、のちに冥界の神オシリスの聖地とみなされるようになった。セティI世（第19王朝2代目の王、在位BC1310頃）の空墓とその神殿で知られる。

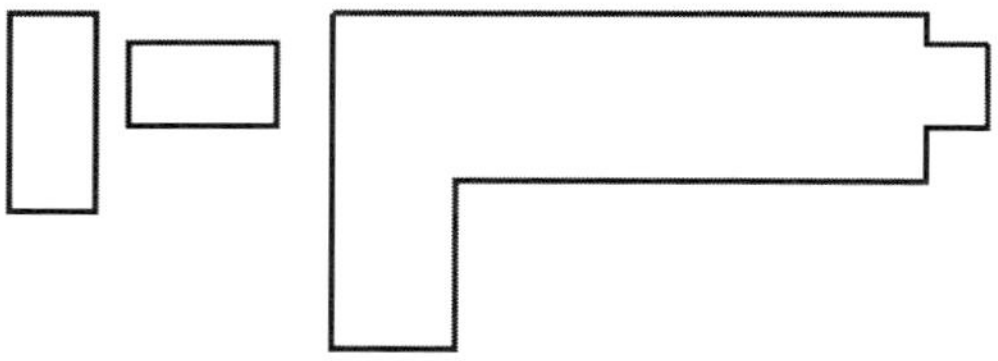

図2－2　隣接しあって建造されている、アビドスにあるオシリス神殿の配置図

第三のオシリス神殿があることはすでに知られていたのですが、明らかに人々はセティI世の神殿を建てるために山を削り掘っていくうちに、さらに古い第二のオシリス神殿を2つの間に発見したのです。セティI世はより古い神殿をそれ以上取り壊さないようにと、新しい神殿の設計をL字型に変更しました。それはエジプト中で唯一のL字型神殿であり、その点はこの説をいっそう支持しています。

古いほうの神殿もセティI世に

図2－1　セティI世の神殿。図2－2中、L字型の建物の右はじにある小さい突起部分を正面から見たところ。

よって建てられたのだという人々もいます。しかしながら、古いほうは建築デザインがまるで異なっており、使用されている石のブロックもずっと大きいのです。たいていのエジプト考古学者たちは、もっと古いものだという見解で一致しています。さらにそれはセティの神殿とは標高が異なっているため、その年代差には信頼が置けることを示しています。セティI世が新しい神殿の建造に着手したとき、第二神殿はただの丘陵のようにしか見えませんでした。第三神殿は後方に長い長方形を見せており、これもオシリスにささげられたもので、エジプトでも最古の神殿の1つに数えられています。セティI世は、第三神殿がかなり古くなっていたので、新しい神殿をオシリスにささげようとこの場所に建造したのです。まずはじめにセティI世の神殿、次に第三神殿、そして最古の第二神殿の順で見ていきましょう。

壁に刻まれた時の区分

最近、考古学ではエジプトの神殿の壁面にとても興味深いものが刻まれているのを発見しました。たいていの観光客は壁面の多くのヒエログリフ、特に不死とされているものの名前の部分が削り取られているのを見て、ひどい破壊が加えられたのだと考えます。人々は気がつきませんが、それらの削り取られた部分はおよそ私たちの目線の高さから約3・5〜4・5メートルくらいまでの間にわたる、特定の水平領域に集中しています。それより上あるいは下には、削られた痕跡は存在していません。私自身もそこに行ったときは、そんなことに気がつきませんでしたし、まったく見落としていました。誰かが「おい、破壊はぜんぶこの特定の領域に限られているぞ」と言うまで、多くのエジプト考古学者は何百年間にもわたって気がつかなかったのです。このことがわかってから、破壊された領域とそれ以外の領域には違いがあることが理解されはじめました。

そしてとうとう、壁面には時の区分があるのだということがわかったのです。目線の高さの位置は過去を示し、それより上、約4・5メートルあたりまでの高さは現在（神殿が建造された当時）を示し、さらにそれ以上高い位置（これらの神殿においては約12メートル以上にも及ぶことがあります）は、未来に起きることを物語っていたのです。

その後、考古学者たちは、この関係を理解して実際にヒエログリフを削り取ることができたのは神殿の神官たちだけだったことに気づきました。神官だけが、現在の領域のみを削り取るという知識を持っていたのです。単なる破壊者であれば、わざわざ現在の領域だけを選んで壊すようなことはしないでしょう。さらに言えば、破壊した人たちは大きなハンマーで壊したのではありませんでした。実際には特定の部分だけを注意深く削り取っていたのです。これがわかるまでに、こんなに何世紀もの時が費やされたのでした。

図２－３　アビドスにあるセティⅠ世の神殿の正面。図２－１に見える神殿正面の長い部分の外側。

図２－４　アビドスのオシリス第三神殿。壁の一番上が地面の高さ。

セティⅠ世の神殿

図2−3はアビドスにあるセティⅠ世の神殿の正面です。これは非常に大きな神殿の、ごくごく一部です。

いまや私は、エジプト人が未来を予見することができたという少なくとも2つの証拠を握っています。その1つがこの写真です。アビドスの第一神殿でここの梁の1つの、ものすごく高い位置に、あるものが存在するのです——もしまだ見たことがなければ信じがたいでしょうが、それは確かに実在しています。もう1つがどこにあるのかというと、私は確実な場所を知っているので、次にエジプトに行く時に写真を撮ってきます。

その二枚の写真はあらゆる疑いを超えて、エジプト人たちが未来を予見することができたということの動かぬ証拠です。一体どうやってやり遂げたのかはわかりません、それはみなさんが見つけ出してください。しかし、とにかく事実として彼らは未来視を行っていたのです。最後にこれを証明する写真をお見せしましょう。

第三神殿

図2−4が3つの神殿のうちの第三番目で、長い開放的な建築様式の神殿です。この神殿は古代の王やファラオたちにとって、もっとも神聖な場所とされていました。なぜかというと、ここでオシリスが再来を果たし、不死となる

ジェセル王
エジプト第3王朝初代の王（BC2650頃）。それまでのマスタバ墓と異なる、階段式ピラミッドを中心とした複合建築をサッカーラに造営した。

経験をしたと信じられていたからです。ジェセル王は、みずからの美しい墓としてサッカーラに階段式ピラミッドを建設しましたが、そこには自分自身を埋葬しませんでした。かわりに、この背後の目立たない小さな神殿に埋葬することにしたのです。

　この第三神殿の中には誰も入れないようになっていますが、私はただ上から見ているだけでは気がすまず、まわりに誰もいないのを見計らって、壁を背にして中庭へ飛び降りました。エジプト人たちがそこから出ろと叫びはじめるまで、約5分ほどの時間そこにいることができました。逮捕されるかもしれないと思いましたが、そうはなりませんでした。そこにあったヒエログリフはとんでもないものでした――ほかで見るようなものとはまるで異なり、その描画のシンプルさと完成度は特筆に価します。

図2-5　アビドスの第二（中央）神殿。床を覆いつくす水の中に葦が群生している。右側の矢印は、フラワー・オブ・ライフが刻まれた壁を示す。

第二神殿の神聖幾何学とフラワー・オブ・ライフ

図2–5が他の2つよりも低い位置にある、3つのうちの第二神殿です。掘り出される前は地中に埋もれていました（右端に見えるタラップは地面の高さから降りていけるように取り付けられたものです）。私はこの写真を第三神殿から、背景に背面が見えているセティI世の神殿のほうを見下ろすかたちで撮影しました。カトリーナの写真にあったフラワー・オブ・ライフの模様は、この第二神殿にあったのです。

　第二神殿にはたった一カ所だけ入ることを許された場所があり、そこがたまたま完璧な場所でした。ナイル川の水かさが増したので、今は大半が水中に没していますが、はじめて発見された時には開放的で乾いていました。

図2–6は水中に没してしまう前の神殿内部の中央を写した二枚の写真です。そこには3つの特徴的な場所があります。（1）祭壇のような石がある神殿の中央へと地下から上がってくる階段、（2）祭壇のような石、そして（3）ここでは見えない、祭壇の向こう側へ降りていく階段です。これらの3つはオシリス神話の3つの場面を象徴していることに注意しましょう。**図2–7**はオシリス第

図２－６　完全に水没する前の第二神殿の中の階段
［Robert Lawlor: *"Sacred Geometry-Philosophy and Practice"*より］

図２−７ オシリス第二神殿の俯瞰図
［Robert Lawlor:*“Sacred Geometry-Philosophy and Practice”*より］

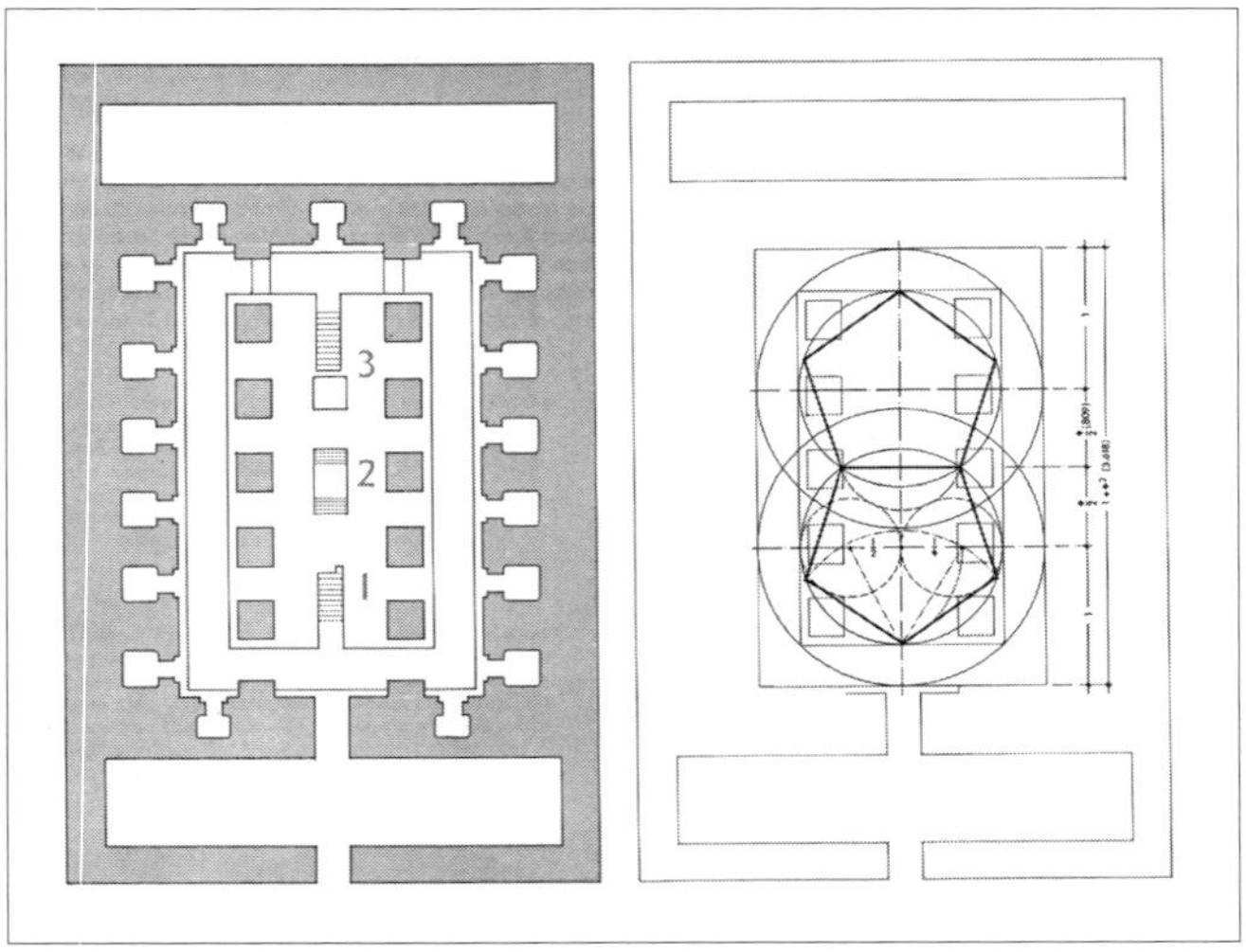

二神殿の２組の階段の俯瞰図です。

ルーシー・ド・リュビッツは、もともとの神殿はどんなふうだったかを再現した設計図を示しています。２つの背中合わせの正五角形（ペンタゴン）がその設計図に隠されているのがわかります。それでは、今度はこの幾何学形の背景を紹介しましょう。

図２−８のＡに示されている形は正二十面体（イコサヒドロン）です。正二十面体の表面はＢのように、神聖幾何学では「正二十面体キャップ」と呼ばれる、五つの正三角形の面をもつ正五角形からできています。これは正三角形の例です。しかしこの正二十面体キャップを取り外して、それを正十二面体（ドデカヒドロン）（Ｃのように12個の正五角形から構成されている）の全表面にくっつけたとすると、それによってできる形は、地球のまわりのキリスト意識グリッドを特定の比率で縮小した星冠正十二面体（スティレーテッド・ドデカヒドロン）（Ｄ）になります。このグリッドなしには、この惑星に新たな意識が出現することはありません。このワークを終えるまでには、なぜそうなのか理解できるようになるでしょう。

２つの正二十面体キャップを貝の殻のように一辺でくっつけた形がＥです。これらのキャップは、キリスト意識グリッドの幾何学に表現されているように、カギとなる形です。それは古代神殿の幾何学構造にも設計図にも共通して見受けられます。オシリスと復活にささげられた神殿の設計に、背中合わせの正五角形を採用したのはまさに最適だったことがわかります。復活とアセンション

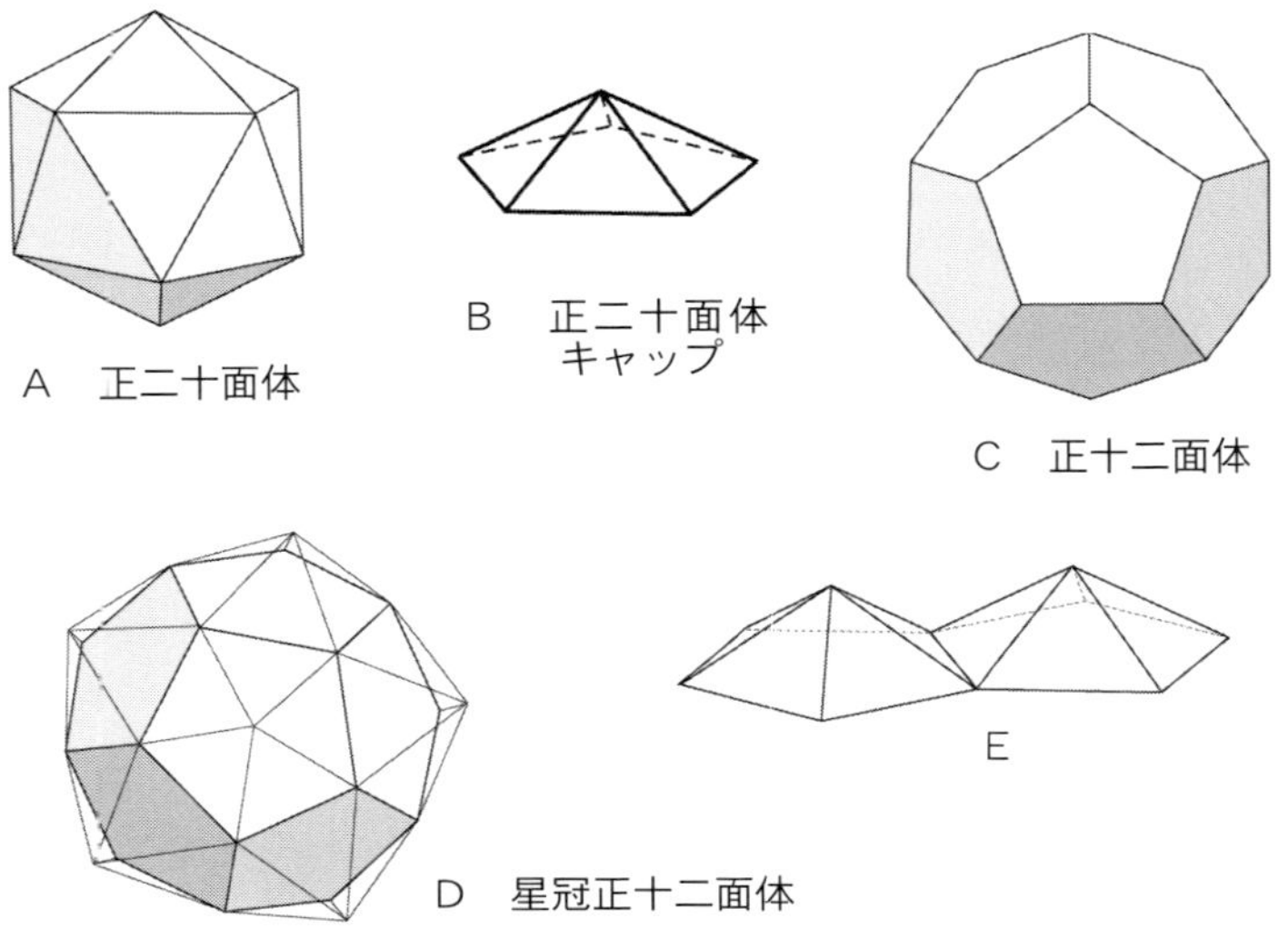

図２−８　さまざまな形。Ｄがキリスト意識グリッドの形。

図２－９　第二神殿を見通せる場所で。矢印はカトリーナが写真を撮った場所を示す。

図２－10　カトリーナの写真（図１－16）と同じフラワー・オブ・ライフを写したもの。

図２－11 左側にシード・オブ・ライフが見える。上と同じ石壁の、さらに左寄りの場所。

はキリスト意識へと促すからです。

図2ー9は、第二神殿の内側へ入ったところです。矢印が示すのは、カトリーナが何も知らないままフラワー・オブ・ライフの写真を撮った場所です。そして**図2ー10**が私自身のカメラで撮った同じ刻印です。私の写真のほうがカトリーナのものよりもちょっと見やすく写っていて、同じ右の影の中にもう１つフラワー・オブ・ライフの模様が肩を並べて彫られているのが見えます。同じ石に彫られた２つのフラワー・オブ・ライフの左脇には、関連するその他の形があります。この神殿の建造に使用された石材は、これらの写真にあるものも含め、かなり巨大です。重量は少なくとも70~１００トンくらいあるでしょう。こんな１００トンもあるような石材を、毛深い野蛮人たちが一体どうやって動かしたのだろうかと、みんなが謎に思うわけです。

これらの壁面には関連するたくさんの形がありました。**図2ー11**の写真の左側は、「シード・オブ・ライフ（生命の種子）」と呼ばれるもので、**図2－12**に見られるように、フラワー・オブ・ライフの幾何学形から一部をそっくり抜き出したものです。
　この壁の下のほうには水があったので、そこへは入れませんでした。しかしその石の向こう側に何があるのか気になったので、カメラをオートフォーカスに切り替えて、とにかく何が撮れるか試しに石から身を乗り出すようにして撮ってみました。**図2－13**がその結果です。この写真ではあまりよく見えませんが、このワークで私たちが学んでいくことになる、たくさんの構成要素が写っています。

図2－12　シード・オブ・ライフ。フラワー・オブ・ライフの中央に存在する。

　これらの描画を見たとき、私はなんとも言えない気持ちになりました。私にはよく知った、たいへん馴染み深いものであるうえ、その意味までわかってしまったからです。しかもこうして何千年も昔のエジプトの壁面に刻み込まれていたのです。描画は古代のものでしたが、それが何であるかを私は正確に知っていました。

コプト式彫刻

　次のショットは80ミリの望遠レンズを使用して、遠くから第二神殿の壁を撮影したものです。この壁には、写真（**図2－14**）ではほとんど見えなくなってしまっているのですが、実際にそこにいた時には模様がはっきりと見えていました。それは**図2－15**によく似ていました。
　これはキリスト教を表わすシンボルですが、その起源はエジプト王国が滅亡しつつあるときに活動していた、コプト人と呼ばれるエジプト人の一団から発したものです。それに関連したエジプトの2つのグループ、エッセネ派とドルイドたちをも含め、コプト人はのちに最初のキリスト教徒になりました。みなさんはこれら2つのグループがエジプトから発したとは思ってもみなかったでしょうが、私たちはそうだと見ています。
　私はこのコプト式シンボルを見たとき、フラワー・オブ・ライフの描画をそこに残したのは最初の建設者ではなく、たぶんこのコプト人たちだったのではないかと思

コプト人
エジプト先住民、コプト教徒。コプト教会はのちにキリスト単性説を唱えローマカトリック教会から離脱した。

エッセネ派
紀元前2世紀から後1世紀頃にパレスティナに栄えたユダヤ教の一派。

ドルイド
古代ケルト人の聖職者、予言者。

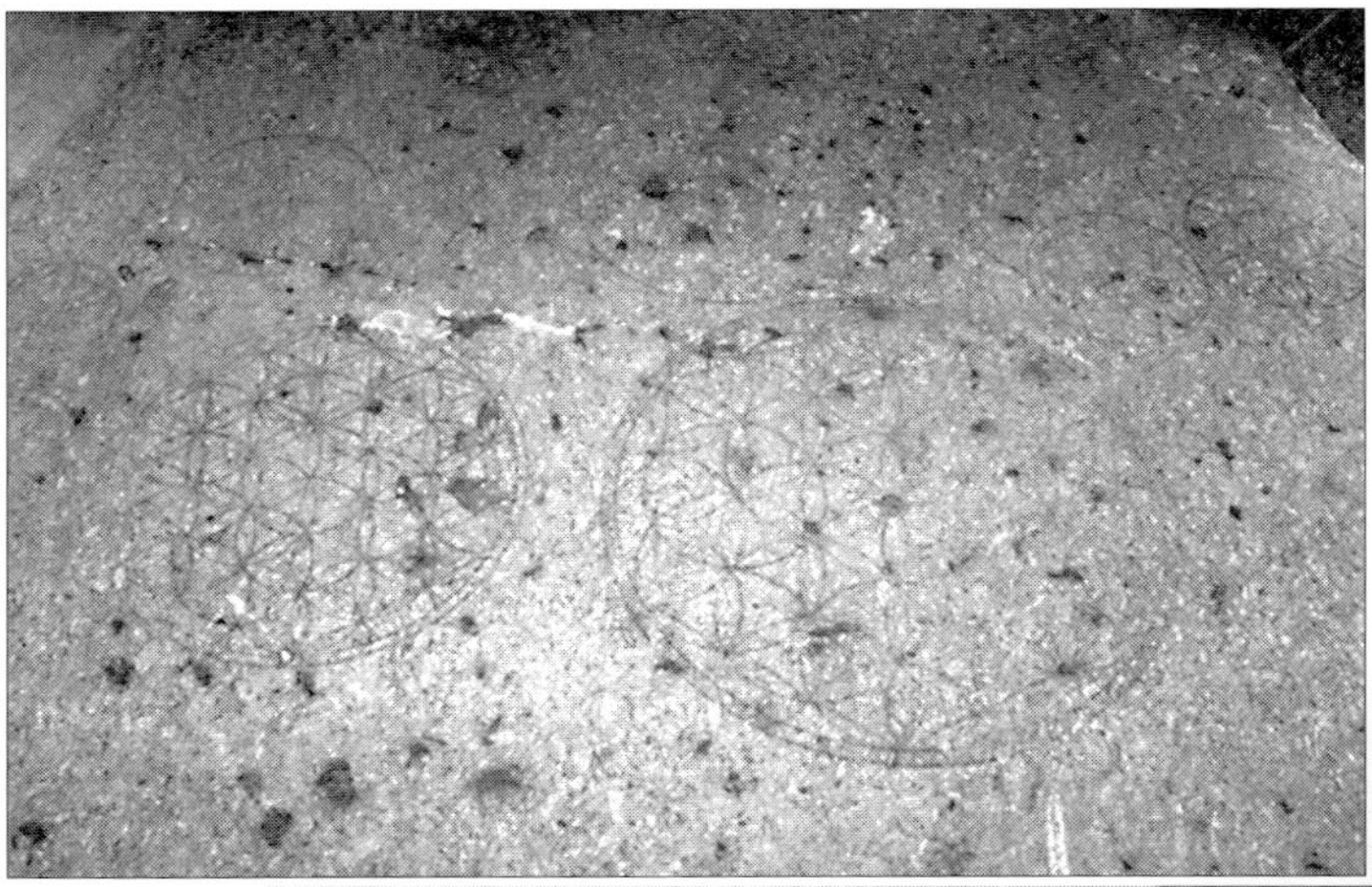

図２-13　他の構成要素が上部に見えるフラワー・オブ・ライフ

図２-14　コプト式の署名

い当たりました。コプト人はずっと後になってやってきましたが、おそらくここが復活のための場所だということを知っていて、その目的に使用したのでしょう。彼らがこの描画を施したとき、すでに建物は数千年の歳月を経ていたはずです。この場合、描画が彫られた時代は、コプト人が存在しはじめた西暦５００年より前ということはなくなります。

　これが実際のコプトのシンボルで、十字(クロス)と円（図２－16）は、時おり三角形の中に組み込ま

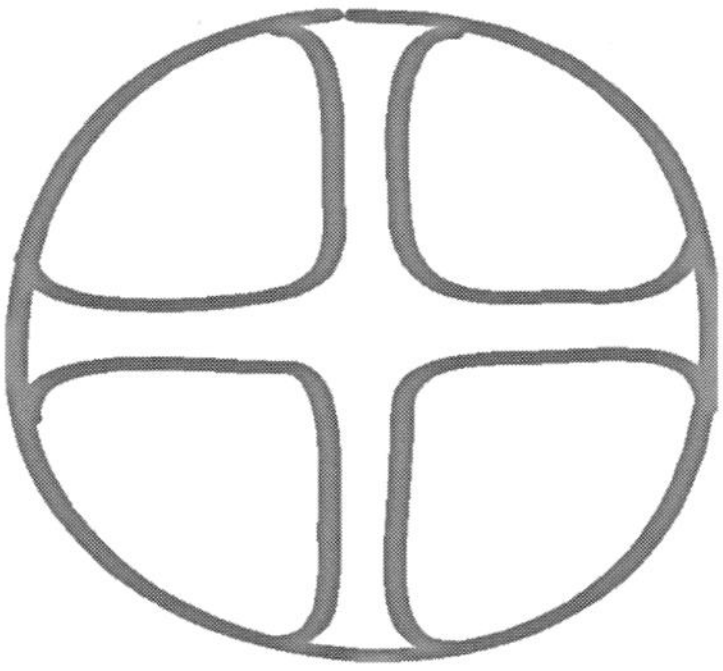

図２-15　コプトのシンボル

図２-17　コプト式デザイン・その２

図２-16　コプト式デザイン・その１

れているものも見られます。

図２－17は別のもので、すり減ってはいますが十字と円が見てとれます。上部にはフラワー・オブ・ライフの中央の６つの円が見えます。エジプト式の描画では、頭部の上方に円形があるとき、その円の中にあるものに焦点があることを示しています。それについての考えか、その時の目的を表わしているのです。

図２-18　コプト式デザインの１つ

図２－19　空気呼吸する魚

図２−18は、時として使用されるシンボル――４つに交わる円弧とそれを囲む円です。

私はこの写真に特に興味を持ちました（図２−19）。空気を呼吸している魚です。これはキリスト以前の造形物です。これはコプトの様式です。それには13の小さな刻み、あるいはそう呼びたければ「目盛り」があって、呼吸しているのです。前にもドゴンやペルーで魚が空気呼吸している構図を見ました。そして今度はエジプトです――これはほかにも世界中いろいろなところで見つかっているのです。

初期の教会がキリスト教のシンボリズムを変えた

昔へと遡って、書き残された文献をいくつか詳しく調べてみると、キリストの死後約２００年ほどたって、キリスト教の宗教全体に大きな変化が起こったことがわかります。実のところキリストは約２００年間くらいはそれほど知られておらず、当時最大の影響力を誇っていたギリシャ正教徒がキリスト教に多くの変化をもたらしたのです。ギリシャ正教徒は数多くの信仰を放棄し、新たなものを付け加え、自分たちの必要に応じていろいろと変えてしまいました。重要なシンボル（象徴）を変えたことも、その１つです。私たちが読める文献資料をキリスト時代の当時まで遡ってくまなく調べてみると、キリストは魚としては知られていなかったことがわかります。それはイルカから魚へと、ギリシャ正教の編纂期に変えられたのです。今日ではキリストは魚として見られており、現代キリスト教でも魚をキリスト教徒の象徴として用いています。これが正確に何を意味しているのかはわかりませんが、ただイルカについての話から推測することはできます。付け加えるに、ギリシャ正教は転生に関するすべての記述を聖書から削除しました。それ以前、キリスト教は転生についても教えの一部として完全に受け入れていたのです。

神聖幾何学フラワー・オブ・ライフ

この「フラワー・オブ・ライフ（生命の花）」（図2－20）はエジプトだけでなく、世界各地に見られるものです。本書第2巻では世界中にある、この写真を紹介します。それはアイルランドにも、トルコにも、イギリス、イスラエル、エジプト、中国、チベットやギリシャにも、果ては日本にまで、つまりどこにでも見られるものなのです。

図2-20　フラワー・オブ・ライフ（生命の花）

それはほぼ世界中どこでも、同じように「フラワー・オブ・ライフ」という名前で呼ばれています。もっと言えば、宇宙のどこへ行っても同じ名前で通っているのです。あえて別の呼び方をすれば、「沈黙の言語」または「光の言語」と訳せるでしょう。それはすべての言語の源です。宇宙の原初の言語であり、純粋な形と均衡です。

それは単に花のように見えるから「フラワー」と呼ばれているのではなく、果樹のサイクルを象徴しているからです。果樹は小さな花を咲かせ、さまざまなメタモルフォーゼをとげて果実――さくらんぼや、りんごや、その他いろいろ――になります。果実はその中に種子を内包しており、その種子は地上に落ちて新たな木に成長していきます。すなわち木から花が咲き、果実がなり、種ができて、再び木になるという5つの段階があるのです。これはとんでもない奇跡です。でも、そんなことはたいてい意識にも上ってきません。あまりにも当たり前すぎて、私たちはそれをただ受けとめるだけで深く考えたりはしないのです。しかし、この生命のサイクルである単純で奇跡的な5つのステップは、実は私たちがこのワークを通じて出会っていく生命の幾何学と平行しているのです。

図2－21　フラワー・オブ・ライフから抽出されたシード・オブ・ライフ（生命の種子）

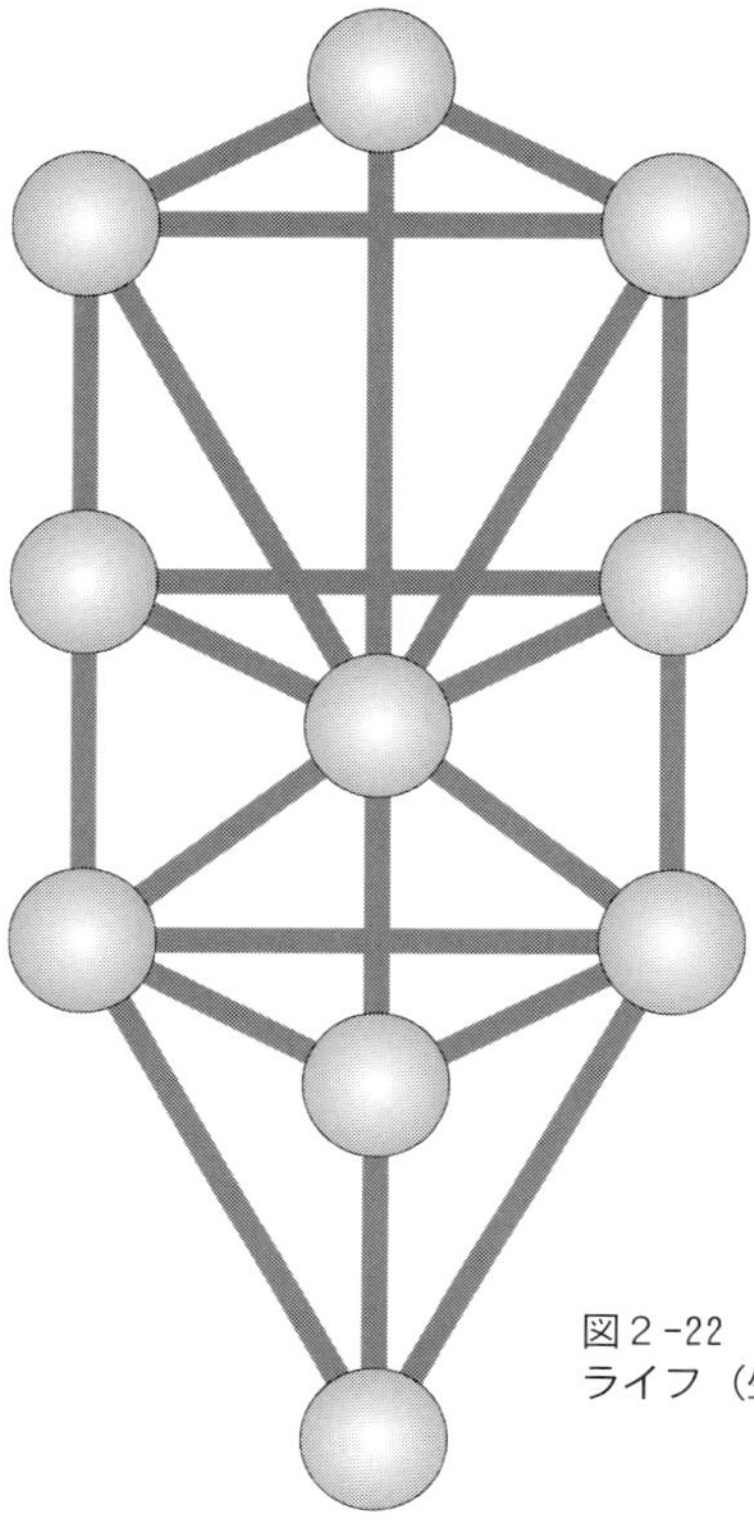

図2－22　ツリー・オブ・ライフ（生命の木）

シード・オブ・ライフ（生命の種子）

前に示したように（図2－12）、フラワー・オブ・ライフの真ん中には7つの円が交わって存在しています。それを取り出し、その周囲に円を描くと、「生命の種子（シード・オブ・ライフ）」（図2－21）と呼ばれるものになります。

ツリー・オブ・ライフ（生命の木）との関係

この模様にあるもう1つのパターンに、たぶんみなさんにはより親しみがあると思いますが、「生命の木（ツリー・オブ・ライフ）」と呼ばれるものがあります（図2－22）。多くの人が「生命の木（ツリー・オブ・ライフ）」はユダヤ人またはヘブライ人がその起源であるとお考えでしょうが、そうではありません。カバラが生命の木（ツリー・オブ・ライフ）を創造したのではないし、それについての証拠もあります。生命の木（ツリー・オブ・ライフ）はどの文明にも属していません。5000年前にカルナック神殿とルクソール神殿の両方に、2組の生命の木（ツリー・オブ・ライフ）を3本の柱に彫り残したエジプト文明ですらないのです。それはすべての種族や宗教を超えたところから来ました。そのパターンは自然界に非常によく見受けられるものです。もしあなたが意識の存在する遠くの惑星へ行ったとしても、きっとそこでこの模様に出会うでしょう。

そんなわけで、もし木があるならば花があり、種子があるはずで、これらの幾何学構造が地球で見られるように

図2-23　シード・オブ・ライフに重ねられたツリー・オブ・ライフ

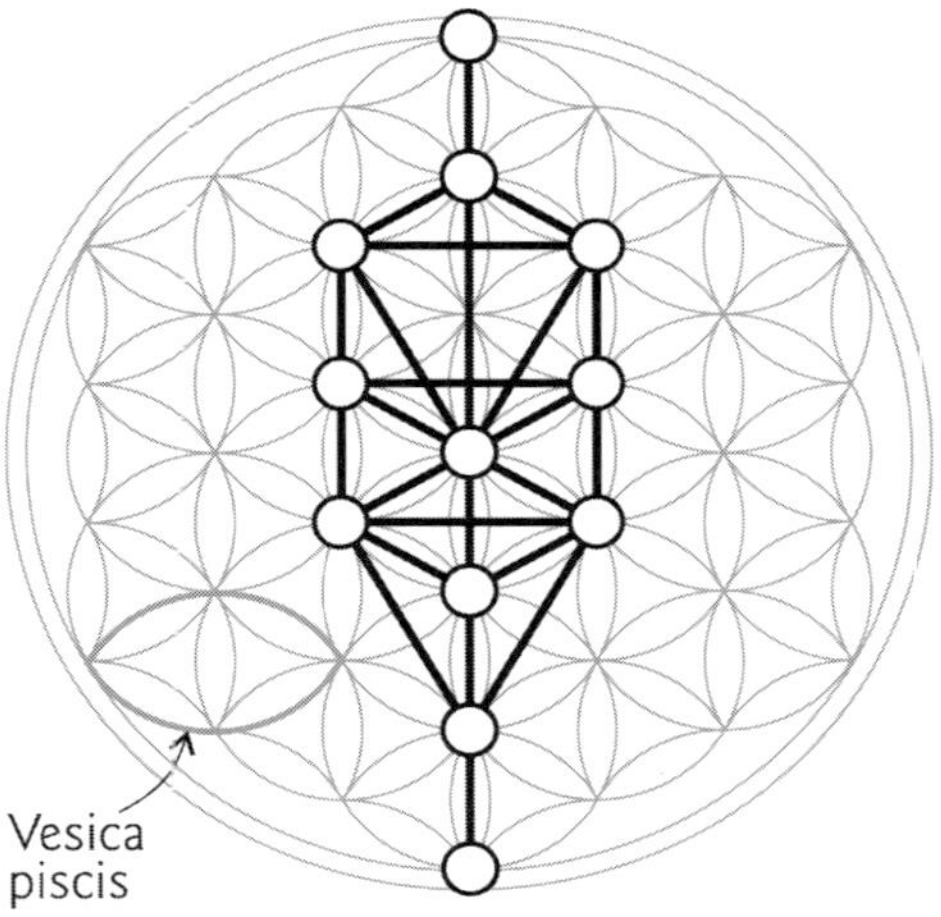

図2-24　上下に2つのセンターを持つ生命の木（ツリー・オブ・ライフ）

果樹の5つのサイクルと平行するのなら、生命の木はもともと完璧に生命の種子を含んでいなければなりません。生命の種子の図と生命の木の図を持ってきて、2つを重ね合わせてみると、その関係性がよく見えるようになります（図2－23）。

きちんと重なるでしょう？　それは鍵のように、お互いが完璧にはまり込むのです。付け加えるに、エジプトの柱に見つかった生命の木を見れば、もう1つのセンターが上に、さらにもう1つが下にあるのが見てとれます（図2－24）。これが意味するのは、もともとは12の構成要素があり、12の場合もぴったりとフラワー・オブ・ライフの絵柄全体に収まるということです（生命の木には、そこにあってもなくてもいい13個目のセンターが存在します）。

私はみなさんが今まで聞いたこともないようなアプローチの仕方で神聖幾何学に接しています。私たちは最下部から始め、意味が通じるようになるところまで、ゆっくりとそこから上へ向かって積み重ねるように進んでいきます。まずは神聖幾何学の形状がお互いにぴったりと重なり合うシンクロが存在していることを理解してください。これはこの幾何学構造の特別な性質を右脳で理解するやり方です。私たちがもっともっと複雑なパターンを研究していくにつれて、すべてに驚異的な関係性とも言えるものが見えてくるでしょう。これらの幾何学的関係が生じる可能性はおそらく何億兆分の一でしょうが、しかし続けざまにこうした驚愕の関係性が展開されるのを見ることになるのです。

ヴェシカ・パイシス

神聖幾何学の中でこんな形のものがあります（図2－25）。それは直径を等しくする2つの円が、お互いに円の中心が相手の円周上にくるように交わった時に、その真ん中に形成される形です。２つの円が交わった部分は「ヴェシカ・パイシス」と呼ばれます。もうすぐわかると思いますが、この形は神聖幾何学のすべての関係性の中で、もっとも顕著で重要なものにあたります。

ヴェシカ・パイシスには2つの長さが存在します――1つは中央の幅の細いとがった部分どうしを結ぶ線、もう1つは中央を通って片方の頂点から反対側の頂点へと至る線です。それらはこの情報のなかでも偉大なカギとなるものです。多くの人は気がついていませんが、センターが10個あろうが12個あろうが、生命の木（ツリー・オブ・ライフ）に存在するすべての線は、フラワー・オブ・ライフのヴェシカ・パイシスの縦か横の長さのどちらかと等しいのです。そしてそれらのすべてが黄金比になっています。フラワー・オブ・ライフに重ねられた生命の木（ツリー・オブ・ライフ）を注意深く見ると、どの線も完璧にヴェシカ・パイシスの長さか幅と合致しているのがわかります。これが「大いなる虚空（グレート・ヴォイド）」から出てきた時に見られる、最初の関係性なのです（大いなる虚空については、すぐに別のところで論じますが、それはまた別のカギにあたります）。

ヴェシカ・パイシス
(*Vesica piscis*)
ウェシカ・ピスキス、ヴェーシカ・パイシーズ、ヴェサイカ・パイシス、ヴェシカ・ピシスなどとも発音され、もともとは魚の浮き袋の意。中世のキリスト教神秘主義では神聖幾何学の中心的な図式とされた。平面的に見ると両端の尖った長円形となり、中世建築の装飾や紋章などにもしばしば用いられている。

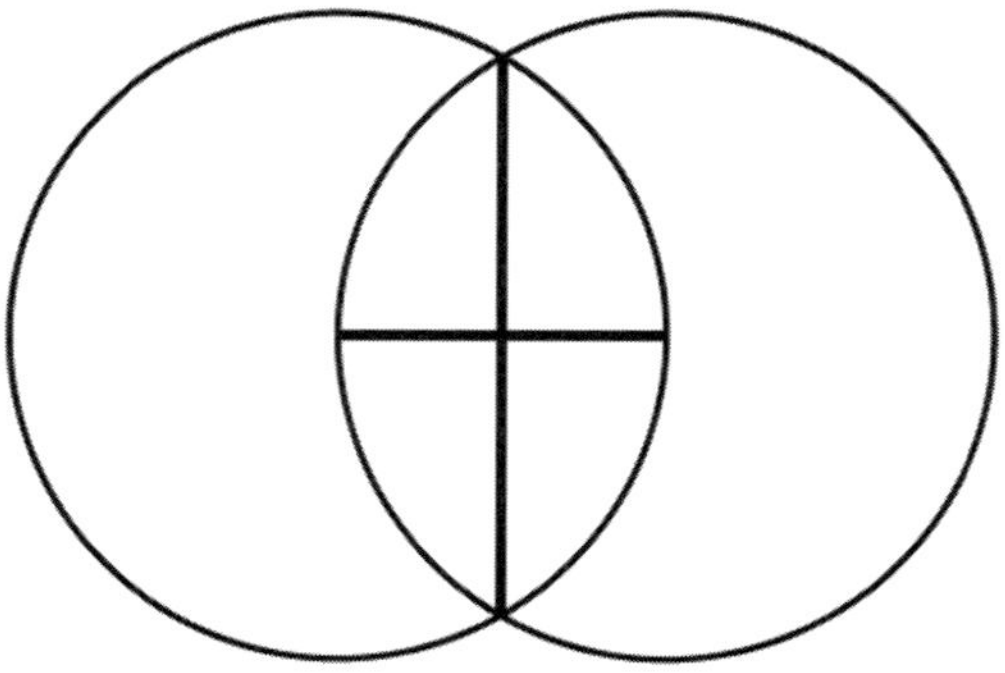
図２－25　カギとなる軸がある
ヴェシカ・パイシス

エジプト式車輪と次元移動

これらの車輪（図2－26）は最古のシンボルとして知られています。今のところ、とある大変古いエジプトの墓領の天井画に発見されているだけで、ほかには見出されていません。必ず4つか8つのセットで見つかっており、誰もそれらが何を示すのか知りません。世界に名だたるエジプト考古学者たちでさえ、一体何を意味しているのか皆目見当もつかないようです。しかし私には、エジプト人がフラワー・オブ・ライフを単にきれいなデザインとしてだけでなく、それ以上にこれから私たちが共有していく情報について、もっとよく知っていたということの証拠のように思えます。フラワー・オブ・ライフのどこに車輪があるかを理解するには、そこに含まれている相当なレベルの知識を研究しなければなりません。単にデザインを見ているだけでは、そこには到達しないでしょう。たまたまそうなるなんてことはあり得ないのです——フラワー・オブ・ライフに託された古代の秘密を知らなければ、そこへ到達することはできません。

　この写真（図2－27）には、8つセットの車輪のかなりの部分が写っています。次の写真（図2－28）はとても暗く、詳細を見極めるのは困難です。これは天井で、写真を撮った場所は真っ暗でした。壁画をずっと下へたどっていくと、そこには7体の動物の頭をした人の姿が描かれています。彼らはネテル、または神々と呼ばれ、それぞれの頭の上方に

図2－27　車輪。8つの車輪の一部。

はオレンジ色がかった赤い楕円形が描かれています。トートはそれを「メタモルフォーゼの卵」と呼びます。ネテルたちは、人々が復活の特定の段階に達した時に集中して現われます。それは別の形の生命体へと急激な生物学的変化をとげる時なのです。ネテルたちは線にそって歩みつつ、その変容のイメージを保持し、それから突然、線は90度の角度で上方へとのぼり、彼らは最初に進んでいた方向に対して垂直に進んでいます。

　90度という角度は、このワークではとても重要な意味を持ちます。90度の方向転換は、復活あるいはアセンションを現実のものとするために、どうしても必要な知識なのです。次元のレベルは90度という角度によって分割され

図2－26　エジプトの壁面上に見られる車輪

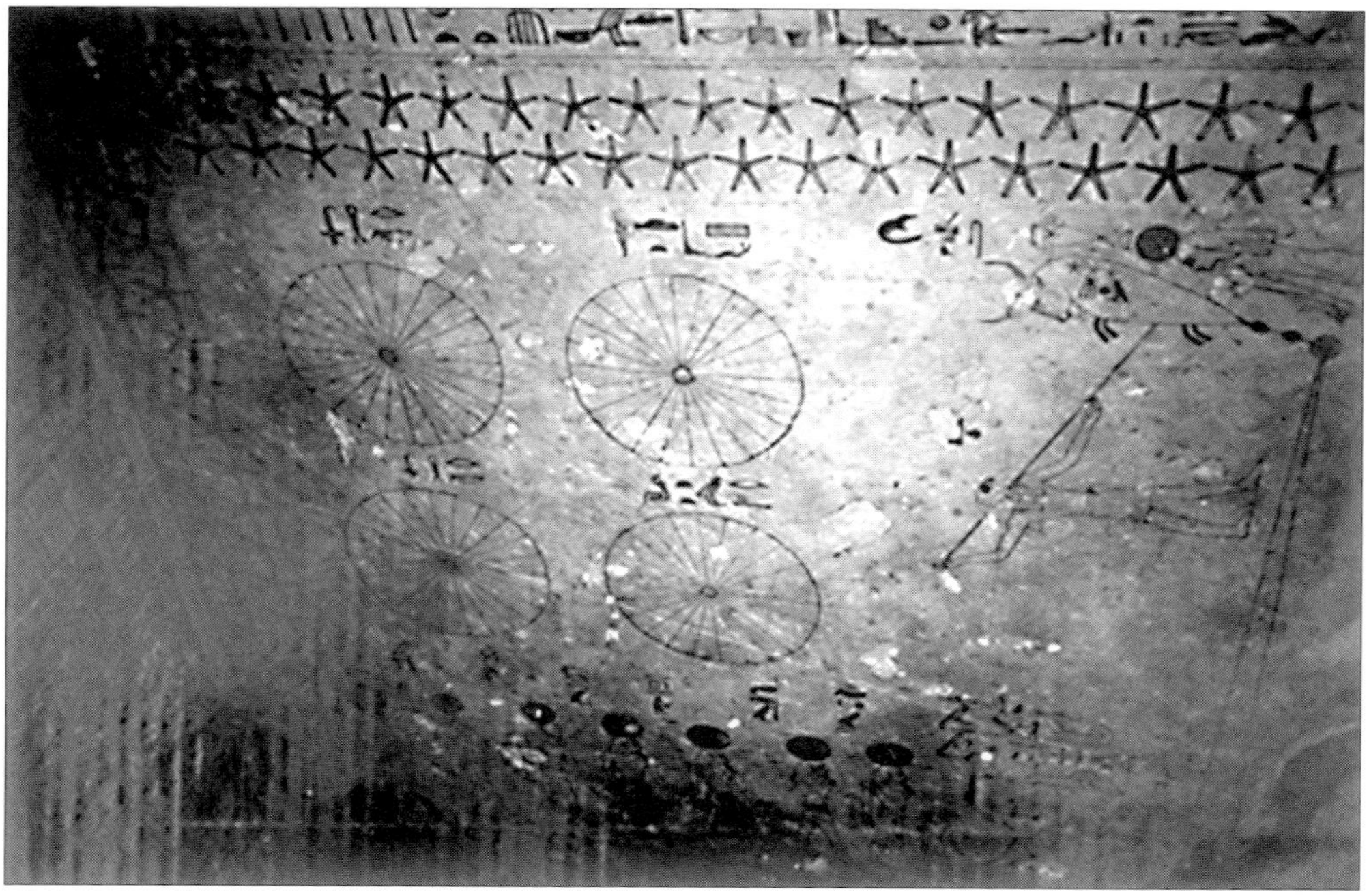

図2-28　車輪、ネテル、そして右方向への90度ターン。人物像の頭の上には黒い円が描かれており、下部の7体は頭部が動物。

ています。音符は90度ごとに分けられているし、チャクラは90度で分離しています――90度は何度も繰り返し現われます。実は私たちが4次元へ移行するためには（それを言うならば実際はどの次元へ行くにしても）、90度のターンをしなければならないのです。

たぶんここで、3次元、4次元、5次元などといった次元とは一体何かということについて、みなさんが共通した認識を持っているかどうか確認しておく必要があるでしょう。私が話している次元とは、普通の数学的な感覚におけるX、Y、Z軸とか、前後、左右、上下の3つの軸があるとか、空間の次元と呼ばれるものとは異なります。そうした軸を3次元と呼び、時間が4次元になるという見方もありますが、そのような次元について話しているのではありません。

次元、ハーモニクス、および波動体系宇宙

私は、他のどんなことよりも特に音楽やハーモニクスに関して、さまざまな次元レベルというものに着目しています。この分野のたいていの研究者もこのことにほぼ同意していますが、私が話す内容にはたぶんそれと異なった意味合いがあると思います。ピアノには、よく知られているオクターブであるドからドまでの間に、８つの白い鍵盤があります。８つの白い鍵盤と5つの黒い鍵盤の13音（実際には12音で、13音目は次のオクターブの始まり）によって、半音階と呼ばれるすべてのシャープとフラットが作り出されます。というわけで、1つの「ド」から次の「ド」までの道のりには、実は8つではなくて、13の段階があることになります。

それを頭に入れたまま、サイン波（正弦関数で示される波）についての概念を紹介することにしましょう。サイン波は光（と電磁スペクトル）と音の振動とに符合しています。図2－29はその例です。きっとみなさんはこれについては知っているでしょう。私たちの存在しているこの「現実」全体がサイン波をベースにしています。虚空そのものと、たぶんスピリットの2つ以外には、私の知るかぎり例外はありません。

もしあなたがそのように見るなら、この現実に存在しているすべてはサインかコサインだと言うこともできます。あるものと別のものに差異を作るのは、波長の長さとその型なのです。波長は曲線上のどの点からでも、その先の曲線上の同じ開始点まで伸びていきます――長い波長にあるAからBまで、あるいは短い波長にあるCからDへといったようにです。あなたがとても長い波長に入ったとしたら、ほとんど一直線のように見えるでしょう。たとえばあなたの脳波は10センチから[10]10センチで、ほとんど直線に近い形で脳から発せられています。量子物理学や量子力学では、現実に存在するものすべてをたいてい2つの見方のうちのどちらかで見ています。幾何学を深く研究すればそれがなぜなのかわかるようになりますが、そうした人々もどうしたら両方の観点を同時に見られるようになるかは理解していません。みなさんはどんな物

ハーモニクス
同時的で垂直的な複数の音の重なり合い（和声）、あるいは和音の進行に関する理論（和声学）のこと。和声は旋律、リズムとともに音楽の三大要素といわれる。純粋な音の重なり合いの法則。

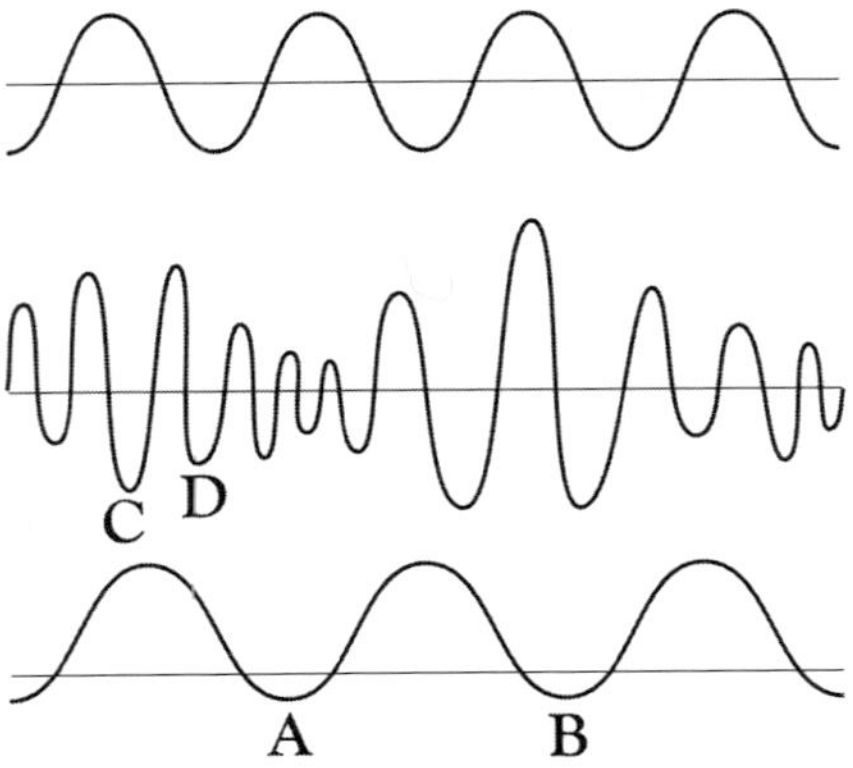

図２－29　サイン波の例

体であれ、たとえばこの本にしても、原子のような小さい粒子から成り立っていると見なしています。しかしその概念を忘れ去って、それらの物体を電磁場あるいは音のように、単に振動や波形であると見ることもできるのです——もしあなたがそう考えたければですが。あなたがそれを原子と見なせば、そのモデルに合うような原理が見つかるでしょうし、波形として見るなら、そうしたモデルに合った原理が発見されるのです。

私たちの世界のすべては波形（時には「パターン」とか「正弦波特性（シグネチャー）」と呼ばれることもあります）であり、さらには音としても見ることができます。すべてのもの——あなたの肉体、惑星など完全にすべて——は波形です。「現実（リアリティ）」に対するこの特定の見方を採用し、音楽のハーモニクス（ある音の側面）の現実と重ね合わせてみたところで、次元の違いについて話を始めることにしましょう。

波長が次元を決定する

それぞれの次元のレベルとは、「波長の基本的長さの違い」以外の何ものでもありません。この次元と別の次元のたった1つの差というのは、そこで基本になる波形の波長なのです。それはテレビやラジオの周波数と同じです。ダイヤルを回すと異なった波長を受信し、別のテレビの映像やラジオ局を見たり聞いたりできます。もしあなたが自分の意識の波長を変えて、さらに肉体全体の波長パターンを別の宇宙のものへ変えたとしたら、あなたは文字通りこの世界から消えていなくなり、あなたがチューニングした世界に現われる、というわけです。

これはＵＦＯが空を横切っていく時に見せる行動そのものなのです。彼らは信じられないようなスピードで空を横切り、90度のターンをしたかと思うと、あっという間に消えていなくなります。これらの宇宙船に乗っている人々は、私たちが飛行機で空間を横切っていくように運ばれるわけではありません。宇宙船の乗組員は意識を乗り物自体に物理的に結びつけ、別の世界へ行く用意ができたら瞑想に入り、乗組員の全側面を一つにしてつながります。それから皆でいっせいに心の中で90度、あるいは45度を2回、角度を転換し、実際に宇宙船全体を乗組員ごと一緒に持ちながら、別の次元へ移行するのです。

私はこの宇宙を、すべての星々と原子が外へも内へも無限に、永遠に広がっていくものと見なしていますが、この宇宙は約７・２３センチの波長が基本となっています。この部屋のどの地点においても、その宇宙の中ではてしなく内側へと、そしてはてしなく外側へと向かうことができます。スピリチュアルな観点で言うと、この７・２３センチというのは、宇宙の音を意味するヒンズー語の「オーム」にあたります。この宇宙内のすべての物体は、その構成によってそれぞれの音を創造しています。どの物体も独自の音を発しているのです。もしもこの宇宙、この３次元にあるすべての物体の発する音を平均すれば、この７・２３センチの波長に行き着き、それはこの次元での真実の音である「オーム」ということになります。

この波長はまた人間の両眼の間隔、すなわち瞳の中心からもう片方の瞳の中心までの長さの平均値とも、ちょうど一致します。これはもし１００人の人を集めてきて平均をとったとすればの話ですが。その他にも、あごの先から鼻の頭までの距離、手のひらの横幅、チャクラとチャクラの間隔などが例として挙げられます。この７・２３センチの距離は、私たちの体全体にいろいろなかたちで配置されています。それはなぜかというと、私たちはこの特定の宇宙の中に発現した存在で、それゆえ私たちの中にはじめから埋め込まれているものだからです。

　この波長を発見したのはベル研究所であり、どこかの洞窟に座しているスピリチュアルな探求者によって発見されたわけではありません。はじめてアメリカにマイクロ波装置が普及したとき、スイッチを入れるとシステムに雑音が生じることが発見されました。おわかりでしょうが、ベル研究所はシステムの送信波長に、たまたま７センチを少し超える波長を選んだのです。彼らがなぜその波長を選んだのかは知りません。彼らは雑音を見つけようとして、器具をチェックしたり、できるかぎりのことをしました。まずはじめは地球内部から発せられているのではないかと考えました。やがて彼らはとうとう天を見上げてそれを見つけるに至り、「おおっ、こりゃだめだ、そこいらじゅうからやって来ている！」と言いました。そしてその雑音を除去するために、私たちが民族としても惑星としてもいまだに苦しんでいる、その原因となったことを行いました。いたるところからやって来る７・２３センチの波長によって干渉されないようにと、彼らは通常の必要量の５万倍以上にまでパワーを上げて、非常に強力なフィールド（場）を作り上げたのです。

次元と音階について

　以上のような理由から、私は７・２３センチがこの３次元での私たちの宇宙の波長だと信じています。あなたが次元のレベルを上っていくごとに、波長はどんどん短くなり、エネルギーはより高いものになります。次元のレベルを降りていくと、波長はどんどん長くなり、より低いエネルギーとなって、さらに密度が濃くなります。ピアノでは音と音の間に空間があり、１つの音をたたくと次の音が存在すべき、きわめて特定的な場所が作り出されます。それと同じようにこの私たちが存在している波動体系宇宙では、次の次元レベルが存在する、きわめて特定的な場所があるのです。それはここに存在しているものに相関する特定の波長です。宇宙のたいていの文明は、この宇宙に対する基本的な理解を持っており、次元の間を行き来する方法を知っています。私たちはそれを完全に忘れ去っていますが、神かけて思い出すようにしましょう。

　音楽家や音楽理論家、物理学者たちは大昔に、音と音の間には倍音（オーバートーン）と呼ばれる場所が存在していることを発見しました。半音階のそれぞれの音の間には、12の主要な倍音（メジャー・オーバートーン）があります（カリフォルニアのあるグループでは、それぞれの音の間にさらに200以上もの副次的な倍音（マイナー・オーバートーン）がある

マイクロ波
極超短波。波長1メートル以下の電波。

倍音
基音の振動数に対して整数倍の振動数をもつ音。音楽的にいうと音色をより豊かにするとされている。

図２-30　壁にはさまれたオクターブ。黒い円は３次元を表わしている。灰色の円は１つのオクターブの終わりであり、次のオクターブの始まりにあたる。

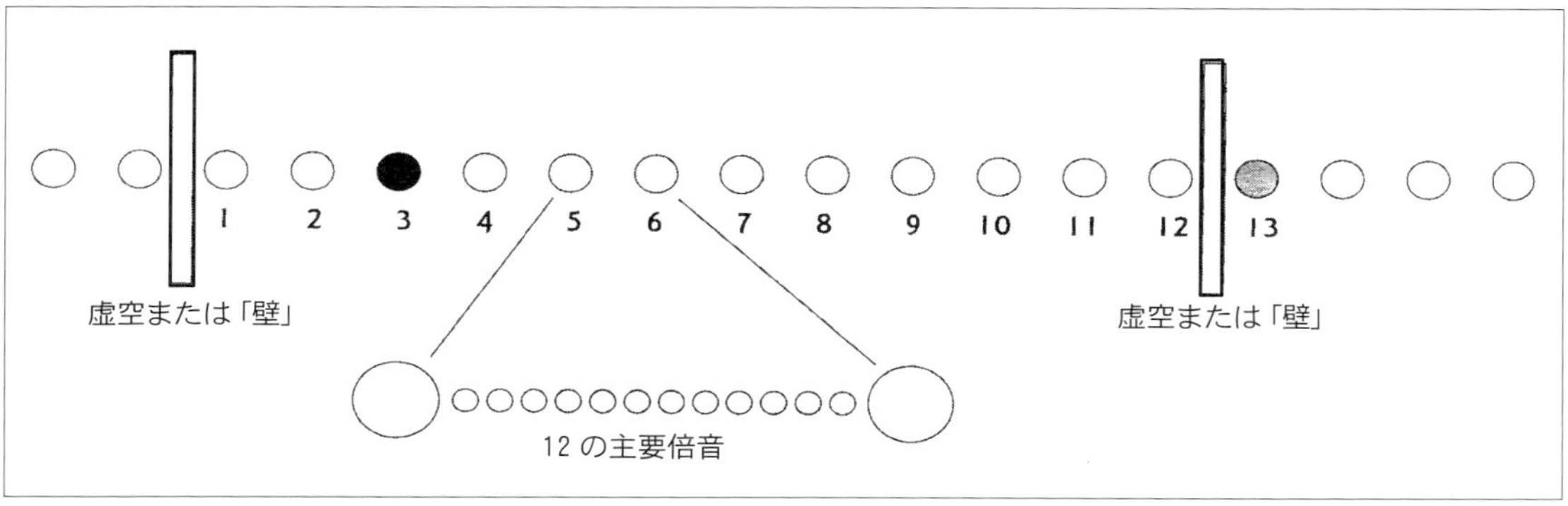

ことを見出しています)。
　もし私たちが半音階のそれぞれの音を円として表わすと、13の円があることになります(図２－30)。それぞれの円が白および黒の鍵盤を表わしており、最後の灰色の円は次のオクターブが始まる最初の音にあたります。このイラストの黒い円は、私たちの知る３次元を表わし、４つ目の円が４次元というようになります。２つの音の間、あるいは次元の間に存在している12の主要な倍音は、より大きなパターンの複製です。ホログラフィックになっているのです。もっと細かく見ていくと、倍音どうしの間には、さらに全体的なパターンを繰り返す12の倍音があります。それは上方へも下方へも、文字通り永久に連続するものです。これはハーモニクス内のみで幾何学的進行と呼ばれます。さらに研究していくと、独自の音階は、それぞれ異なったオクターブの経験を作り出すことに気がつくでしょう——さらなる多彩な宇宙の探求です！(これについてはまたあとで話しましょう)
　皆さんはたぶん、１４４の次元があり、１４４という数字は他のスピリチュアルなことに関係があるという話を、すでに誰かから聞いたことがあると思います。これはなぜかというと、オクターブには12の音があって、それぞれの音の間には12の倍音があるからです。それで12×12＝１４４の次元レベルがそれぞれのオクターブに存在しているというわけです。さらに細かく見ていくなら、(進行は永遠に続くものですが) それぞれのオクターブ内には12の主次元と、１３２の副次元が存在しています。この図は１つのオクターブを表わしています。13音が繰り返され、それからもう１つ上のオクターブへと移行します。理論的にはこの上にも下にもオクターブが存在していて、どちらへも永遠にどんどん進めるのです。そんなわけで、この宇宙がどれほど大きく無限に見えたとしても(それはいずれにしても幻影なのですが)、「現実（リアリティ）」を表現する方法はほかにも無数にあり、どの次元もそれぞれ完全に異なった体験をする場所なのです。
　このフラワー・オブ・ライフの教えの大半はそれに関することです——私たちがここ地球にいるということは、まさに今、４次元またはそれ以上の次元へと変わりつつある３次元のこの惑星の上にいるのだということを思い出させてくれます。この惑星の３次元的構成物は、しばらくのちには完全に存在しなくなるでしょう。この次元について認識していられるのもあとわずかな時間だけです。まず私たちは、4次元の特定の倍音の中に入っていきます。このプロセスを見守り、助けてくれている高次元の人々のほとんどは、いまや私たちがかなり急速に高次元へと上昇していくと信じています。

オクターブ間の壁

それぞれの音が作り出す宇宙全体、そして副次宇宙または倍音宇宙どうしの間には、なんにも存在していません――何もない、完全な無です。これらの空間は「虚空（ヴォイド）」と呼ばれています。それぞれの次元の間にある虚空は、エジプト語では「デュアト」、チベット語では「バルド」と言われます。あなたが1つの次元からもう1つの次元、あるいは1つの倍音からもう1つの倍音へと移動するたびに、それらの間に存在する虚空または暗黒を通過します。しかし、ある特定の虚空は他のものに比べてより深く、なかでもオクターブとオクターブの間に存在している虚空が一番深いのです。それらはオクターブの内部に存在する虚空よりももっと強力なものです。どうか、説明しきれない言語を使ってこの概念を説明しようとしていることを理解してください。このオクターブ間に存在する虚空は「大いなる虚空（グレート・ヴォイド）」あるいは「壁」といわれます。高次オクターブへ達するためには超えなければならない壁といったようなものです。神は、あとで次第に明らかになってくる理由のもとに、これらの虚空をある特定の法則で配置してくれました。

これらすべての次元は、内包するどの時空の点においても互いに重なり合っています。「どこでもドア」のようなものが、あらゆる場所にあるのです。それはとても便利です。あなたはそれがどこにあるのか探しに行かなくても、どうやってアクセスするのかを知るだけでいいのです。たしかに私たちの現実であるこの地球上には、いわゆる天と地をつなぐ接点となっている聖地のように、ほかの次元や倍音をより認識しやすい、幾何学的に見て一定の神聖な場所というものがあります。しかし、空間の幾何学とのつながりが深い一定の場所もまた存在するのです。それらは時には探検家たちによって、他の次元レベルへ移動しやすい空間の割れ目として、「スターゲート」と呼ばれたりします。しかし本当のことを言えば、どこにいても、どこへでも行けるのです。あなたが次元とは何かを真に理解し、そしてもちろん聖なる愛を受け入れる力があれば、別にあなたがどこにいようと問題ではなくなります。

次元の変換

先ほどの神殿の天井画に描かれている人たちに話を戻しますが、彼らは次元を変換しているのです。彼らは90度のターンをすることによって自分の波長を変えています。そしてそこにある車輪は、あとで見ていきますが音楽

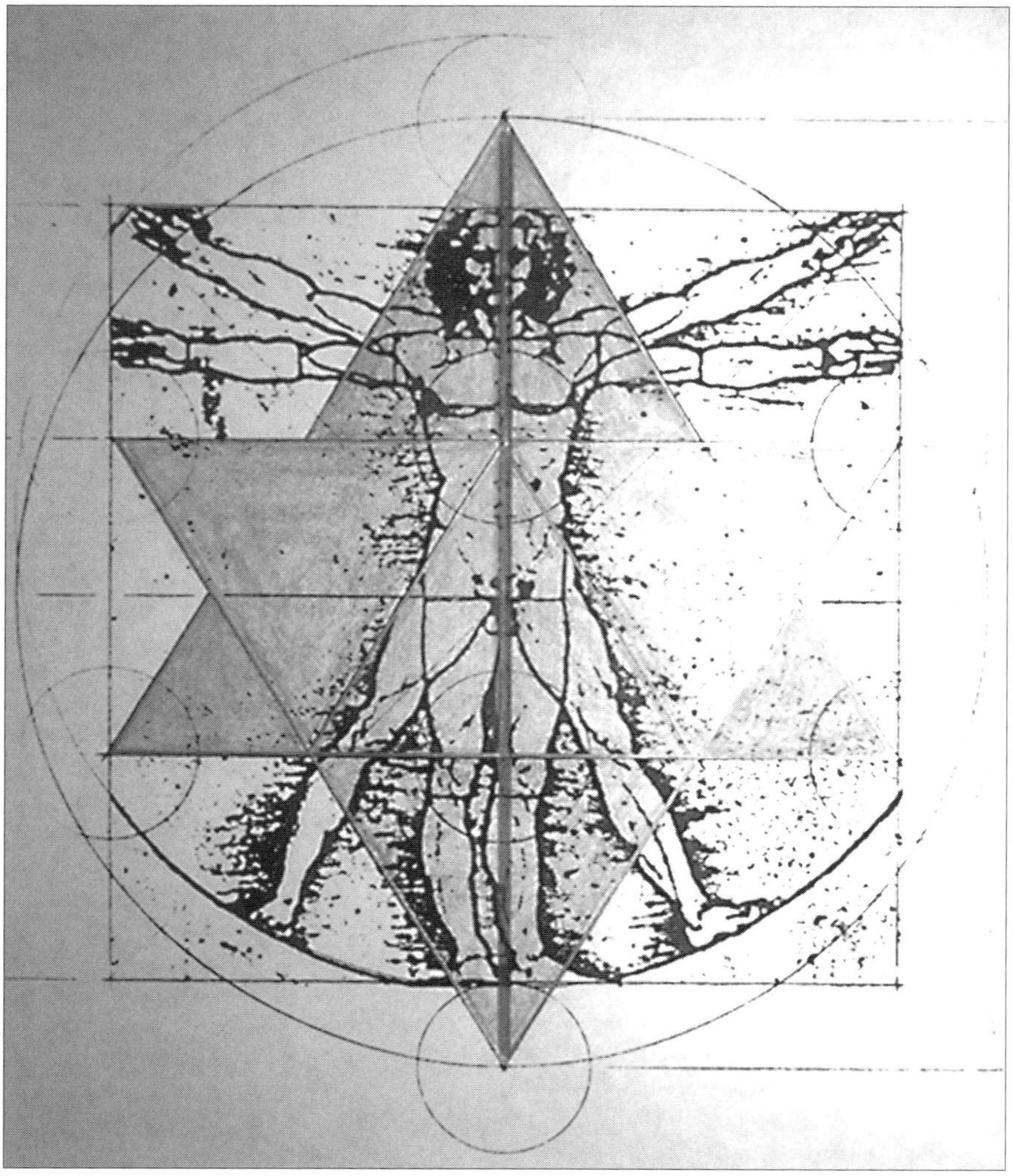

図2-31　レオナルド・ダ・ヴィンチのカノンと、マカバを象徴する星型二重四面体および中心を通るプラーナの管

のハーモニクスに関係しています──いまやおわかりのように、それは次元レベルと関係しているわけです。天井画の人々はメタモルフォーゼと復活について考えている時にこの変換を起こしているので、これらの車輪は彼らが実際はどこへ行ったのか、どの次元へ移行したのかを説明しているのだと私は見ています。みなさんがこのコースを終える頃には、私が何のことを言っているのか納得できるようになるでしょう。

星型二重四面体（スター・テトラヒドロン）

この、レオナルド・ダ・ヴィンチの絵を背景にした星型二重四面体（スター・テトラヒドロン）の図（図2−31）は、このワーク中もっとも重要なものです。あなたが目にしているのは2次元的な絵ですが、3次元的な立体として思い浮かべてください。ここに見られる星型二重四面体は、人間一人ひとりの肉体のまわりに存在しています。このイメージが体の周囲にあるのが

リチャード・ホーグランド
ヴァイキング1号がとらえた火星の遺跡群の写真について神聖幾何学的な解明を行い、NASAに報告した。

見えてくるようになるまで、かなりの時間をかけていきましょう。生命エネルギーを呼吸できる管が肉体の中央を通っているのを特に注意して見るようにしてください。この管の上端と下端にある2つの頂点が、3次元から4次元へつながるポイントなのです。この管を通してあなたは4次元のプラーナを直接吸い込むことができます。もしもあなたが真空、完全な虚空にあって、呼吸する空気がまったくなかったとしても、この知識の原理を徹底して体現すれば完璧に生存できるのです。

リチャード・ホーグランドがアメリカとNASAに示したように、私たちはいま科学的にこのエネルギー・フィールドを再び発見しつつあります。このフィールドはレオナルドの図のまわりに見えているのとまったく同じように、惑星や太陽、さらにはもっと大きなものの周囲にも存在しています。これは一体いかにして遠方の惑星が生き続けているのかという点に関する定説にもなり得ます。なぜかというと、惑星の表面が太陽から受け取るよりもはるかに大量のエネルギーを放射しているからです。それは一体どこからやって来るのでしょうか。この新たな理解に立ってレオナルドの絵を見て、人を惑星に置き換えてみるならば、北極と南極には莫大なエネルギーが他の次元から(複数の次元ということもあり得ます)もたらされることがわかります。惑星は1つ以上の次元に存在しており、もしあなたが地球全体の壮観な姿を見、いろいろなフィールドやエネルギーが惑星のまわりにあるのを目にしたら、きっとびっくりするでしょう。母なる地球は、この密度の濃いレベルで認識できる以上に入り組んでいて複雑なものです。そしてこうしたエネルギーの

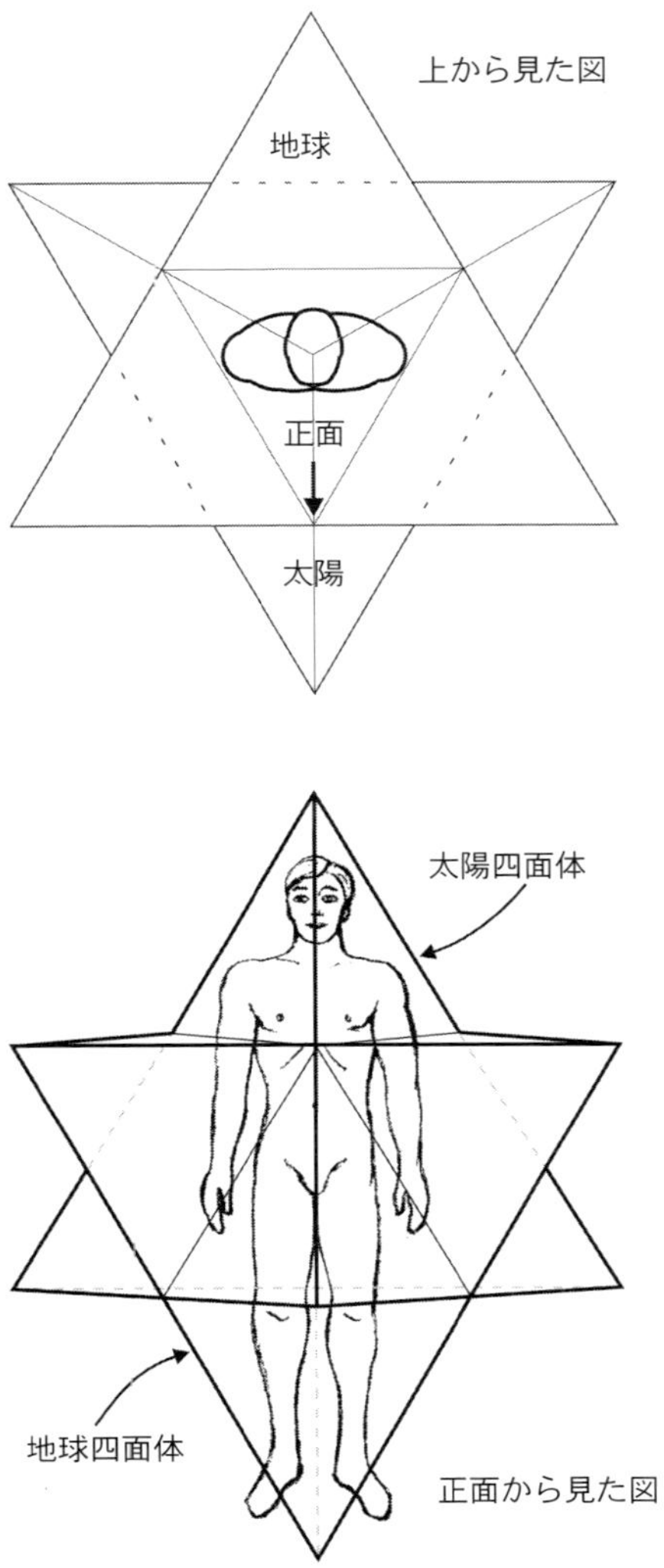

図2-32 a　星型二重四面体の中の男性

結びつき方は、実は人においても同じなのです。そのエネルギーがどこの次元（または複数次元）からやってくるかは、私たちがどう呼吸するかによって決まります。

レオナルドの絵で、太陽のほうへ向かって上る四面体は男性要素です。地球に向かって降りている四面体が女性要素です。これから男性のほうを「太陽四面体（サン・テトラヒドロン）」、女性のほうを「地球四面体（アース・テトラヒドロン）」と呼ぶことにしましょう。人間のこの星型二重四面体構造――つまり水平を見て立ったとき、1つの星形四面体の頂点が頭の上、もう1つの頂点が足の下にくるという形――には、対称的な2つの形しかありません。男性の肉体では、太陽四面体の頂点が自分の前にきて、その底面は背中にきます。そして地球四面体の頂点は背中の後ろにつき出し、その底面が体の前にきます（図2－32a）。また、女性の肉体における星型二重四面体構造は、太陽四面体の底面が体の前、頂点が背中側にあり、地球四面体の頂点が前にきて、底面は背中側になります（図2－32b）。

マカバ瞑想法については、第2巻で14呼吸までを一通り説明する予定です。まずは、みなさんのマカバという光の体（ライトボディ）をこれから再活性化させていくために、自分を思い出しはじめる準備として、さまざまな面を紹介しましょう。その次に、たぶんみなさんの多くがすでにお馴染みであろうヨガの呼吸について話します。それからムドラー（手印）を学びます。あなたに球状呼吸法を体験するための準備ができるまで一段階ずつ進んでいきましょう。そうした存在状態を作り出すことで、マカバに生命が吹き込まれるようになるのです。

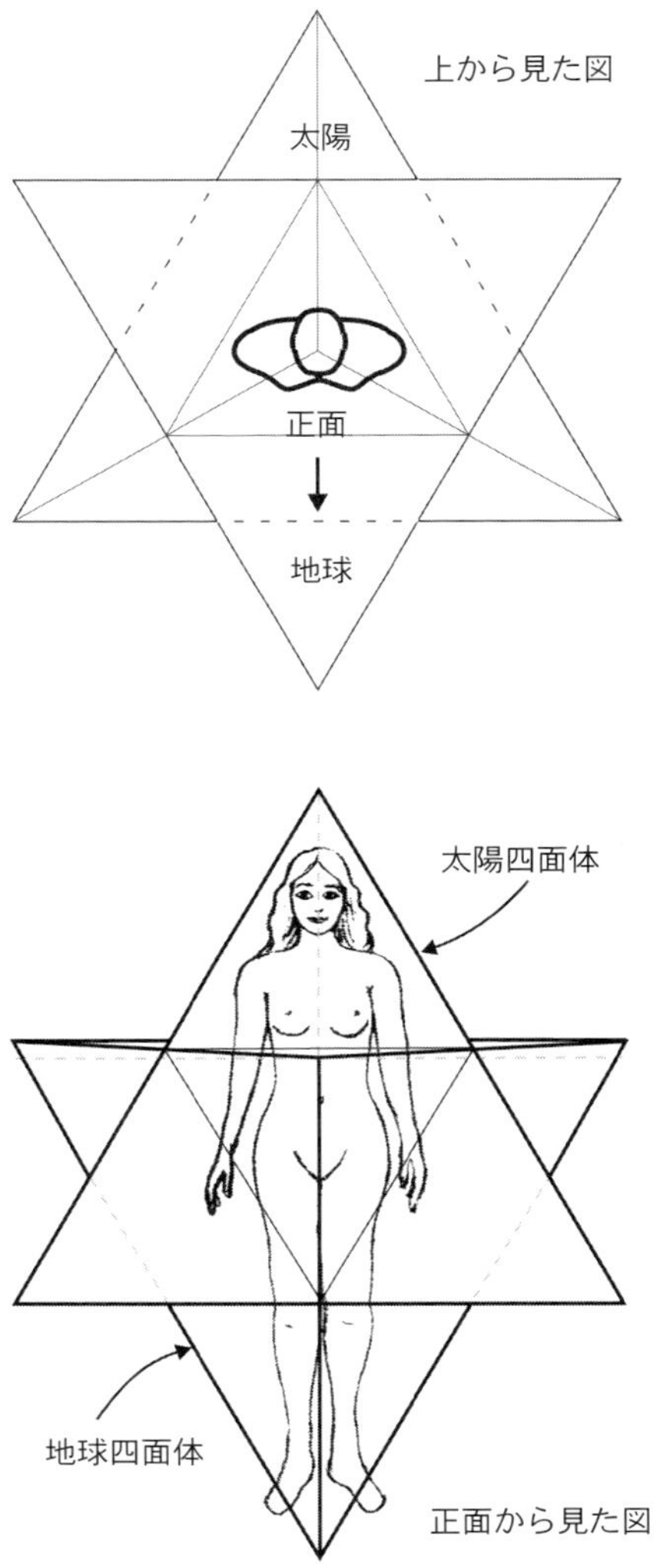

図2－32 b　星型二重四面体の中の女性

二極性に見出される3つの要素、聖なる三位一体

　地球での状況を理解するため、先へ進むに際してさらなる情報を提示しましょう。自然界では、たとえば男―女、熱い―冷たいといったように、この現実(リアリティ)のどこにでも反対の法則が具象化しているのが見られます。しかし、実際には私たちの現象には、３つの構成要素が存在しているのです。みなさんは、男性と女性の二極性や二極性意識についての話を聞いたことがあるでしょう。それは真実を充分に語ってはいません。これから話すたった１つの例外を除いて、この現実には３つ目の構成要素をもたない二極性など存在したことはありませんでした。

　三位一体はあらゆる状況に存在しています。私たちが普通、二極性と呼んでいるものについて考えてみましょう。白―黒、熱い―冷たい、上―下、男―女、それに太陽―地球というのはどうでしょうか。白―黒を見てみれば、中間に灰色が存在しています。熱い―冷たいには、ぬるいという部分がありますし、上―下には真ん中が存在します。男―女の間には子供があり、太陽―地球（男性―女性）の間には月（子供）があります。時間もまた３つの構成要素で成り立っています。過去、現在、未来です。私たちが空間をいかに認識するかについての精神的関係性はＸ軸とＹ軸とＺ軸、すなわち前後、左右、上下という軸に基づいています。これら三方向のそれぞれに、３つの要素を構成する中心点あるいはニュートラル・ポイントが存在するのです。

　たぶん一番いい例は、この３次元世界の物質の生成でしょう。物質は３つの基本的な構成要素から成り立っています。すなわち陽子、電子、中性子です。これら３つの基本的な粒子のレベルより１つ上のレベルには原子があり、すぐ下のレベルにはより細分化された粒子構成があります。同じように、意識はそれ自身を大宇宙と小宇宙の間に見出します。どちらの方向にせよ、近づいて見てみればいつでも３つの要素を見つけることになります。

　たいていそうであるように、ここにも特別な例外というものがあります。それは物事の始まりに関係しています。原初の様相は通常、２つの要素だけを持つのです。これは滅多に見られるものではありませんが、その１つの例は数列にあります。１２３４５６７８９……、２―４―８―16―32……、１―１―２―３―５―８―13―21……などのように実際に知られている数列のすべては、奇妙なことにその数列を導き出すために少なくとも３つの連続した数が必要となるのです――たった１つを除いて。それは２つの要素しか必要としない、黄金比対数曲線です。これはなぜかというと、黄金比対数曲線である螺旋(らせん)は他のすべての数列の源になっているからです。同様に、前にお話ししたようにあらゆる原子は３つの構成要素から成りますが、一番最初の原子だけは例外です。それは水素です。水素は１つの陽子と１つの電子しか持っていません。中性子を持たないのです。中性子を持つ水素は、次の段階へ進んだものとして重水素と呼ばれます。しかし、物

質のまさに始まりにおいては、２つの要素のみです。

三要素を表わす数について話したところで、色彩についても触れましょう。まず三原色があり、そこから副次的にまた３つの色が創られます。これはいま私たちが宇宙として知るもの、全被造物にわたって、特殊な原初の領域を除いては、すべて３つの構成要素から成り立っていることを意味しています。さらに加えると、宇宙はいかに人間の意識によって認識されるかという性質そのものも、時間、空間、物質という、まさに３つの主な視点から成っています。それらのすべてが聖なる三位一体を反映しているのです。

知識のなだれ

多くの人たちがすでにもう、この地球に何か尋常ではないことが起きていると気がついています。私たちは極端にスピードアップした時間の流れの中にいて、今までに見られなかったような事件がたくさん起きています。これまでは決して見られなかった大量の人口がこの惑星上に存在し、もし私たち人類が今と同じ率で増え続けたら、わずか数年以内に人口は約１１０～１２０億へと倍増します。

この惑星上での情報の供給量は、私たち人類の学習の進み具合を示す相対評価になりますが、人口増加の速度よりもはるかに速いスピードで増大しています。ここで大英百科事典に載っている事実を紹介しましょう。それによると、私たちが最古の人類として知っている古代シュメール文明（およそ紀元前３８００年）から１９００年頃までの約５８００年間かけて、人類は一定数の情報、すなわち私たちがどれほどのことを知っているかを決定するための一定量の「事実」と呼ばれるものを付け加え、集積し続けてきました。そしてそれに続く１９００年から１９５０年の50年間で、その知識は2倍になりました。ということは、５８００年かけて学んだ一定量の知識を50年間で倍増させてしまったということです――これはものすごいことです！　しかしそれは１９７０年ぐらいまでの次の20年間に、さらにまた2倍になりました。その次には１９８０年ぐらいまでのわずか10年間で、またまた2倍になってしまったのです！　そのあとは２～３年ごとにどんどん倍増しています。

知識はなだれのように押し寄せています。１９８０年代半ばには、情報があまりにも速いスピードで入ってきすぎて、ＮＡＳＡはコンピューターに情報をインプットするのが追いつかないほどでした。１９８８年頃には、次々と入ってくるデータの対応に8～9年もの遅れをとっていると聞いたことがあります。そのそばからも、この知識のなだれはどんどん降り積もっていきます。コンピューター自体が加速に火をつけ、それによって大きな変化が起きようとしています。コンピューターはそのスピードとメモリーを、約18カ月ごとに倍増させています。最初に出たのは２８６で、それから３８６、それから４８６が出て、いまや５８６が出て（これは１９９３年当時の

●付記 Update

1997年の春現在、ペンタゴンは、50MH、3GBのパソコンで3万年かかる解析を、1秒で成し遂げるコンピューターを所有していると公表しました。パソコンでは260万年かかる計算が、たった1日でできてしまうわけです！ 私に言わせれば、これはもう飛躍的進歩どころではありません。

ことです）、486はもはや旧式になってしまいました。486をどうやって使いこなすかも充分わからないうちに、今度は586です。そして686がすでに計画されています。しかし、現在NASAやペンタゴンで使われているようなどれほど強力で速いコンピューターにしても、20世紀が終わる頃かその直後には、家庭用コンピューターがそれらを凌駕してしまうでしょう。

　端末のコンピューターの処理能力が非常に速く強力になって、実際の地球の全体像が見られるようになり、地上2・5センチ四方ごとの気象データまで常に観測できるようになるでしょう。現在では絶対に不可能だと思われていることが可能になるのです。データを入力する速度はすでにスピードアップしはじめ、いまや膨大な量の情報が別のコンピューターを通じて、あるいはスキャナや音声によって、直接投入されています。このように信じられない量の知識が人類の意識になだれ込んできていることは、明らかに人類に大きな変化を生み出さずにはおかないでしょう。

　何千年もの間、スピリチュアルな情報は秘密裏に保たれてきました。世界のさまざまな宗教やカルトの僧、あるいは尼僧たちは、それらの情報が決して外部に漏れることのないよう、命を賭けて固く秘密を守ってきたのです。世界中のあらゆるスピリチュアルな集団や宗教は、みんな自分たちだけの秘密の情報を持っていました。それが1960年代半ばになって、突然秘密のヴェールが剥ぎ取られました。ほとんど世界中すべてのスピリチュアルな集団が、歴史上の同じ瞬間にその古い記録をいっせいに開示したのです。いまやあなたは近所の本屋さんの棚を眺めれば、何千年も封印され、秘密裏に守られてきた情報を、いともたやすく知ることができるのです。なぜ、どうして今なのでしょうか？

　この惑星上での生活はとどまることなくどんどん加速度を増して、明らかに新しい、今までとは違う何かが最高潮に達しつつあるのですが、それはたぶん私たちの通常の想像をとてつもなく超えたものでしょう。私たちは常に変化しています。これは世界にとって何を意味しているのでしょうか。なぜこんなことが起きているのでしょう？ もっと突っ込んで言えば、なんだって今になってこうなっているのでしょうか。どうして何千年も昔でなく、あるいは百年、千年、一万年後でもなかったのでしょう？この質問の答えを理解するのはとても重要なことです。なぜなら、もしあなたが今こうした現象が起こっている理由を知らなければ、あなた自身の人生に何が起こっているか理解できないでしょうし、きたるべき変化に向けて何を準備したらいいのかもわからないでしょう。

　これが本当に意味するところについては今はあまり踏み込まないようにしますが、その答えの1つはコンピューターがシリコンでできていて、私たちは炭素からできているという事実に関係しています。それはシリコンと炭素の関係性に由来しているのですが、ここではひとまずこのぐらいにして、地球上で起こっていることの尋常ではないその性質について話を進めましょう。

地球と宇宙との関係

再びシリウスと地球について話しましょう。私たちがいる地点(**図2-33**)からスタートして、より大きなイメージへと進めていきます。太陽から3番目の惑星、私たちの地球とシリウスとの関係を理解するのは、そうそう簡単なことではありません。次の**図2-34**のように、あなたが認識していない(少なくともほとんどの人は認識していませんが)、宇宙の果てにあるようなものにまで考えを馳せねばなりません。これはクエーサーで、ものすごく巨大です。それはあらゆる物理学の法則を無視しており、私たちはそれが一体何なのかはまったく知らないのです。しかしみなさんには、そのことに注目してほしいわけではありません。

クエーサー(恒星状電波源)
一見恒星のように見えるが、強い電波を発する星雲または銀河と考えられている。その回転方向に対してほぼ垂直に膨大なエネルギーを放出している。

宇宙の中の渦巻(スパイラル)

その次の写真はもうちょっと私たちに近く、やや親しみのある場所です(**図2-35**)。これは銀河ですが、もちろん私たちの銀河ではありません。自分たちの銀河を内側から撮影するのはものすごく難しいからです。(右下に見える星団はずっと私たちに近い星雲で、銀河よりもはるか手前にあることはほぼ確実です。したがって、2つはつ

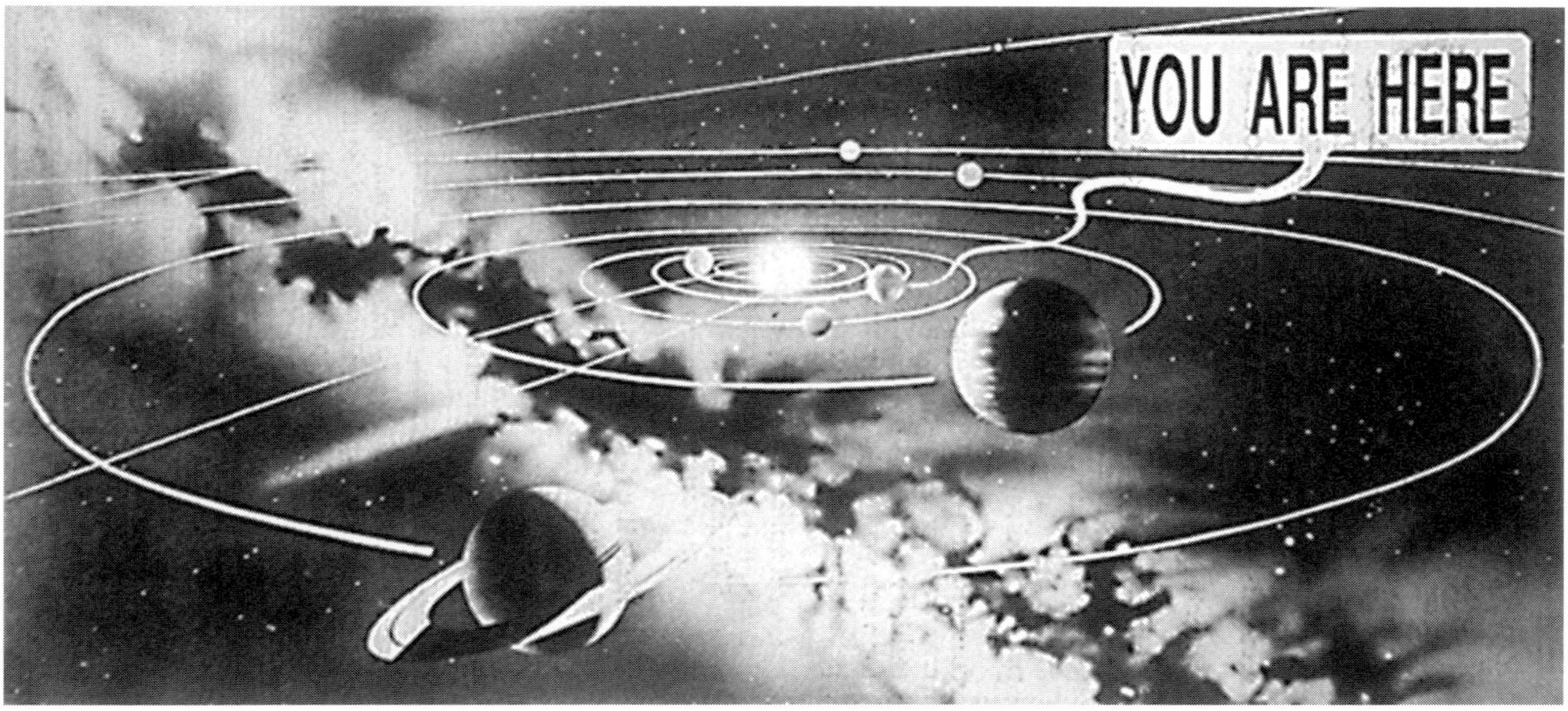

図2-33　太陽系内の地球の位置

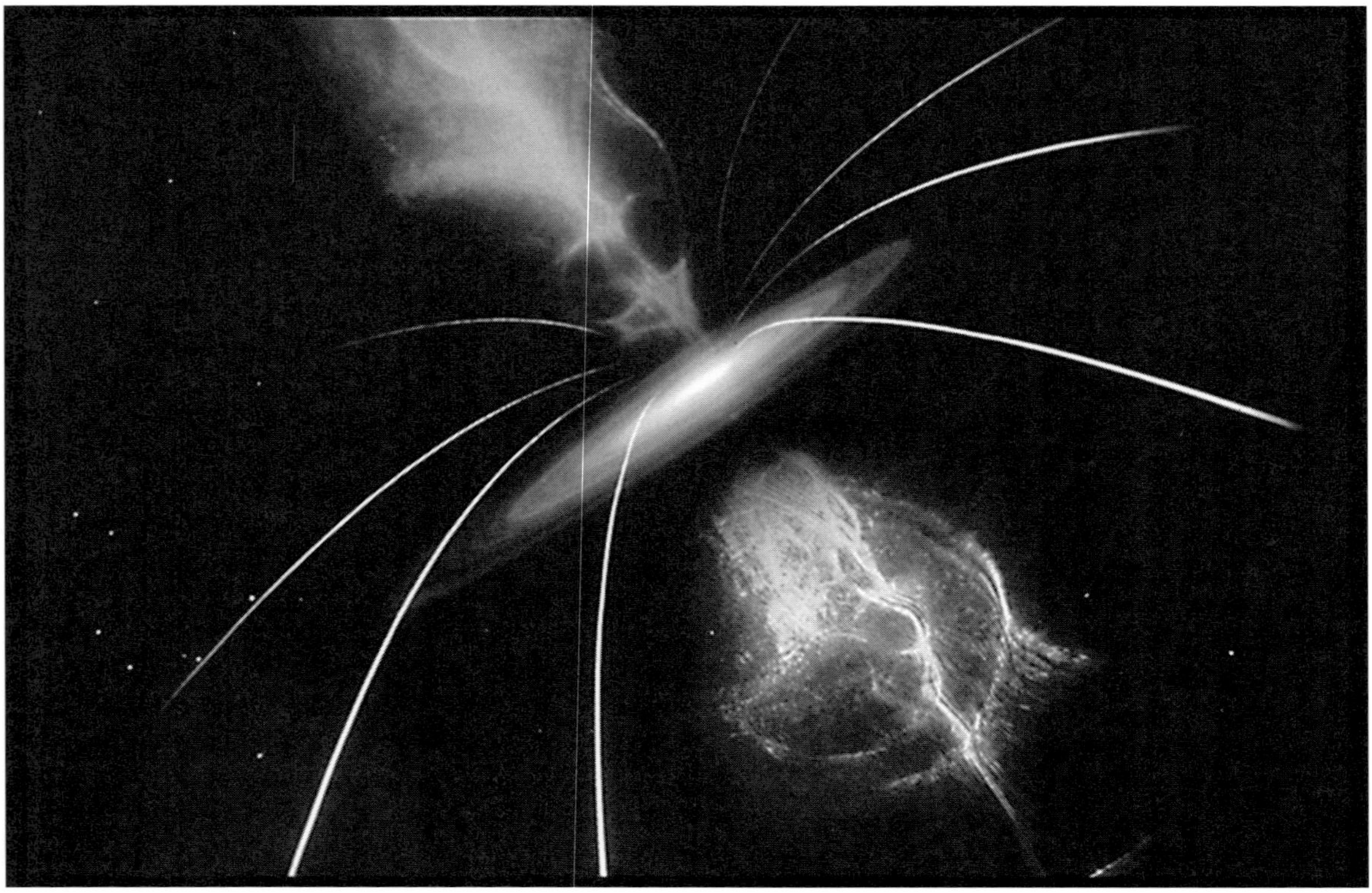

図２－３４　クエーサー（恒星状電波源）。宇宙でもっとも遠くにある発光体と考えられている。

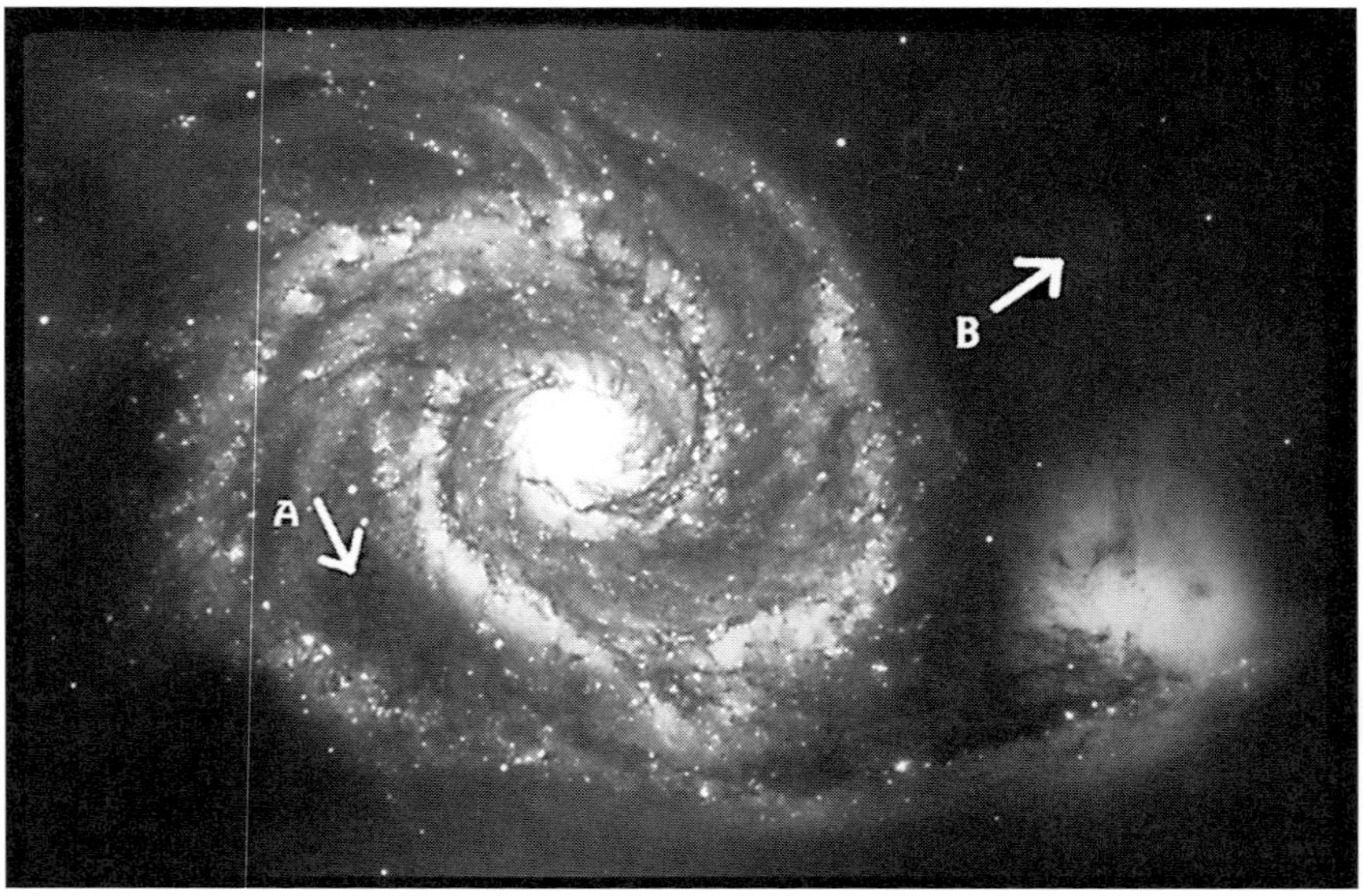

図２-35　渦巻銀河

●付記 Update

この付記は、あなたがマカバについてよく把握していないと完全には理解しにくいでしょうが、ここが一番ふさわしいと思われるのでこの場所に掲載します。

天文物理学者のウィリアム・パーセルは、ちょうど今、「無色の非物質」の管が銀河に対して90度の角度で存在していて、「それは私たちの銀河の中心から噴き出しており、宇宙空間内で何兆キロメートルにも及んでいる」と発表しています（『タイム』誌、１９９７年５月12日号）。これは銀河レベルでのマカバの幾何学にたいへんよく似ています。

時を同じくして、コーネル大学の天文学者たちは、銀河ＫＧＣ４１３８（一番年老いた星々）の80パーセントは一定方向へ回っているのに対し、残りの20パーセント（もっとも若い星々）は巨大な水素ガスの雲と一緒に

ながっていません。）白い銀河の中から星々が渦巻状に出てきているのに注意してください。１つの渦巻が発しているところの１８０度向かい側に、もう１つの渦巻が出現しています。銀河にはたしか８つの形態があったと記憶していますが、それぞれお互いに相関関係があり、これはその基本的なモデルです。

長いこと天文学者たちは、単純に言えば、そこに見えているものはそこに存在するとばかり考えていました。もし見えるのならそこにあるのだ、というわけです。目に見えない「現実（リアリティ）」の部分はまったく念頭に置かれていなかったか、あるいは重要でないと見なされたのです。しかし、「現実」の目に見えない側のほうが、目に見える側よりも実際にはずっと大きなもので、たぶんもっと重要でしょう。事実、もし完全な電磁スペクトルが約１８０センチの長さの線だったとすると、私たちが物を見られる可視光線は、約０・８ミリ幅の周波帯になります。別の言い方をするなら、目に見える「現実」の部分は全体の１パーセントにも満たない量、つまりほとんどゼロに近い量だということになります。本当は不可視の宇宙こそ、私たちの真の故郷なのです。

もっとあります。私たちがようやく理解しはじめたばかりの電磁スペクトルをも超えたものがあります。たとえば、図の右下のように年老いた太陽が爆発して死ぬとき、それはどうも渦巻の黒い部分にあたるところでのみ起こるようで（矢印Ａ）、光の渦巻の間にある黒い部分は、背後の暗い深宇宙（矢印Ｂ）とは異なったものであることを示しています。銀河の中で暗い部分と明るい部分に違いがあるのと同様に、宇宙空間のこの２つの暗い領域には明確な違いがあることがわかってきました。渦巻の暗い部分は何かしら明るい部分に関連して、背後の暗さと違っているのです。

シリウスとの結びつき

これらの渦巻銀河の特性を観察しているうちに、さらに別の発見がありました。ある科学者たちは、私たちの太陽系が空間を移動していくとき、直線状に動いてはおらず、上昇渦巻き状、すなわち螺旋（らせん）状に動いていることに気がつきました。さて、そのような螺旋運動は、私たちが重力的に別の太陽系かそれより大きな天体などに結びついていなければ起こり得ません。たとえば多くの人々が、月は地球のまわりを公転していると思っています。そうですよね？　ところが実は違うのです。そうだったことはかつて一度もありません。地球と月はお互いのまわりをめぐっていて、そこには３つ目の構成要素、すなわち地球から月までの距離の約３分の１にお互いの回転の中心点があり、地球と月はこの点を中心に螺旋運動をしながら太陽のまわりを公転しているのです。これは地球が、月というとても大きな天体と結びついているから起きることです。私たちの月はとても大きいので、地球が特定のパターンで動くような影響を及ぼしているのです。そして太陽系全体が同じように宇宙空間を螺旋状に動いているので

逆方向へと動いていることを発見しました。彼らの発見は『アメリカ天文学会誌』の1997年1月18日号に紹介されています。これは逆回転のフィールドということです。銀河はマカバ・フィールドにそっくりなだけでなく、同じ内部構造を持っているらしいのです！（もちろん私は個人的に、銀河は生き物で、実は巨大な生きたマカバ・フィールド以外の何ものでもないと考えています。）さらに、ロチェスター大学とカンサス大学の物理学者たちは、宇宙空間はどの方向へ行っても同じだという長い間信じられてきた定説をくつがえす発見をしました。研究者ジョン・ラルストンは「宇宙に方向性を与える、宇宙の北極星のような軸としか考えられないものが存在する」と報告しています。この研究は『フィジカル・レビュー』誌の1997年4月21日号に掲載されました。

図2-36　渦巻銀河の上からの図（上）と横からの図（下）

あれば、太陽系そのものが何かしらより大きな天体と重力的に結びついていなければなりません。

　そこで天文学者たちは、私たちの太陽系を引っ張っている天体を探しはじめました。まず天空のなかで私たちがつながっている一定の範囲を絞り、それに関連する範囲をもっともっとせばめていって、ほんの数年前についに特定の太陽系にまで絞り込みました。私たちはシリウス星――シリウスAとシリウスB――とつながっていたのです。私たちの太陽系とシリウス系は重力によって親密に結びついているのです。お互いが同じ1つの中心点を共有して、それを中心に螺旋状にめぐり、宇宙空間のなかを一緒に動いていています。私たちの運命とシリウスの運命はとても深い関係にあります。私たちは1つの星系なのです！

　科学者たちが渦巻き状に広がる銀河の暗い部分がただの宇宙空間とは違うことを知ったその時から、星々は単純に渦巻の腕にそってそのまま出て行ってしまうのではないことがわかりました。誰かが水の噴き出たホースをぐるぐる振りまわしているとしましょう。それをあなたが上から眺めたとすれば、水滴が渦巻き状に動いているように見えます。想像できますか？　水滴の一滴一滴は渦巻き状に動いているわけではなく、中心からものすごい速度で直線的に遠ざかっているのです。それは単に渦巻き状に動いているように見えるだけなのです。銀河にも同じことが言えます。これらの星々はどれもものすごいスピードで遠ざかりつつあるのです。

　星々は中心から急激に遠ざかりつつあると同時に、銀河の中で光の暗い腕から明るい腕へと独自の運動をしながら、銀河全体をめぐっているのです。詳しくはわかりませんが、おそらく1サイクルに何十億年もかかるのでしょう。

　図2―36は、銀河を上から見たものとして想像してください。暗い部分は黒い光の渦を表わし、明るい部分は白い光の渦を表わしています。横から見ると空飛ぶ円盤のようになっています。銀河の中心をめぐる軌道は、スプリングコイルのような螺旋状の動きをしています。私たちの太陽系だけでなく、シリウスAとシリウスBの間にも同様な螺旋運動があります（1章の**図1―4**を参照）。地球と月による螺旋運動はこれとは異なっていると思います。

彼らはまたこの軸上においては、光が他のどの場所とも違う通過のしかたをすることを発見しました。いまや光速として知られるものが2つ存在しているのです！「軸」は生きたマカバ・フィールドのカギであり、この発見は、おいおい宇宙全体が実は巨大な生きたマカバ・フィールドであるということを証明するかもしれません。あなたが自分のマカバ・フィールドを認識したあとでこの部分を読み返してみると、きっとよくわかるでしょう。

あるオーストラリア人科学者によれば、このシリウスの2つの星に見られる螺旋状の動きは、ちょうどDNA分子の幾何学構造とまったく同じだそうです。これは、もしかすると、人体がDNA内の情報に導かれて進展するのと同じように、物事の展開もある種の大きな計画にそって出来事が起こっているのではないだろうかという考えに行き着かせてくれます。それはもちろん推測にすぎませんが、「上にあるがごとく、下もかくあり」という原理で見れば、これはかなりの確率でありうることだと言えるでしょう。

というわけで、私たちは2つの疑問に答えることができます。1つは、なぜシリウスがそれほど重要なのかという疑問で、それは私たちの重力の結びつきによるものだと説明できます。もう1つは、なぜこの極端に急激な進化のパターンが、今この歴史上のこの瞬間に地球で起きているのか、ということです。この点をさらに見つめていくことにしましょう。まずはここで2つの関連情報を公開します。

渦巻銀河の腕と、それを囲む球体および熱包体

図2−37は、『ナショナル・ジオグラフィック』誌に載ったもので、最近の発見が示されています。銀河をエネルギーの球が包み込んでいることが発見されたのです。点在する一握りの星と一緒に、渦巻き状の腕を伸ばしている銀河があり、その全体がエネルギーでできた球体に包まれていることに注目してください。さらにその外側には、ここでは六角形のグリッドとして表わされた巨大なエネルギーの球があります。つまり、巨大な球が小さな球を内蔵していて、その球の中に小さな銀河があるわけで

図2−37　銀河の球状エネルギー体

図2-38　銀河レベルの熱包体

す。もっと進んでいくうちに、みなさんも自分のまわりにこれと同じフィールドを持っていることを理解するでしょう。

図2－38は、赤外線カメラで撮影された、ちょっと傾いた銀河を包み込んでいる熱包体の写真です。まるで空飛ぶ円盤みたいに見えます。外縁部はたいへんな高速で回転しているために、大きな輪が暗く映っています。この熱包体は、呼吸と瞑想を通して活性化させられた時にあなたの肉体のまわりにできるマカバとまったく同じもので、そのずっと大きなものにあたります。あなたが特定のパターンに従って呼吸すると、体のまわり約17メートルほどの範囲に、この熱包体のようなフィールドが形成されます。それはある電磁成分をマイクロ波の周波数域に有しているので、適切な設備さえあればコンピューターのスクリーンでも見ることができます。これは正真正銘、本物です。あなたの肉体のまわりで活性化させられるマカバは、ちょうどこれと同じ形をしているのです。

歳差運動とその他のゆらぎ運動について

さて、なぜこの変化が今この時に起きているのかという点についてお話ししましょう。私たちの地球は現在、太陽を公転する軌道に対して約23度傾いており、地球がその軌道上どこに位置しているかによって、地表に光があたる角度が変化します。地球に四季が生じるのはこのためです。

この年ごとの公転には、別にもう1つ、とてもゆっくりした地軸のゆらぎが加わっています。これは「歳差運動」として知られており、1サイクルに約2万6000年かかります。より正確に言えば約2万5920年ですが、誰の意見かによってそれぞれの推定には何年か差があります。さらに別のゆらぎ運動もあります。たとえば太陽に対してプラス23度の地軸の傾きは、そのまま変わらないわけではありません。およそ23～26度の、約3度の傾きにも4万年ほどかかるという代物です。その小さな3度の傾きのうちには、14カ月で1サイクルを終えてしまうという別のゆらぎがあります。そして今度は14年間を1サイクルとするさらなる運動も発見されました。今ではまたもう1つのサイクルを発見したと言われています。古代サンスクリット語の書物を読むと、これらすべてのゆらぎ運動は、惑星上の意識を根本から揺るがす重要なものであるとされています。こうした惑星のゆらぎは、惑星上に起きる特定の出来事とその時期とに直接関わっていま

遠地点
ある星のまわりを公転する天体がその軌道上で星から一番遠くなる地点で、近地点と対をなす。

す。それは私たちのＤＮＡが人体の成長におけるさまざまな段階と密接に関わっているのと同じなのです。

ここでは、「歳差運動」と呼ばれる最大の地軸の傾きのみに目を向けましょう（**図２−39**）。このゆらぎは楕円形のパターンで運動しており、**図２−40**はそのゆらぎ運動のサイクルを表わしています。楕円の横軸の右端は遠地点で、銀河の中心方向に近くなります。楕円の下半分は銀河の中心から時期を示し、上半分はもと来たほうへ引き返して銀河の中心から遠ざかる時期を示しています。この銀河の中心から離れていく運動は「銀河風に乗る」とも言われます。サンスクリット語の書物を書いた古代の存

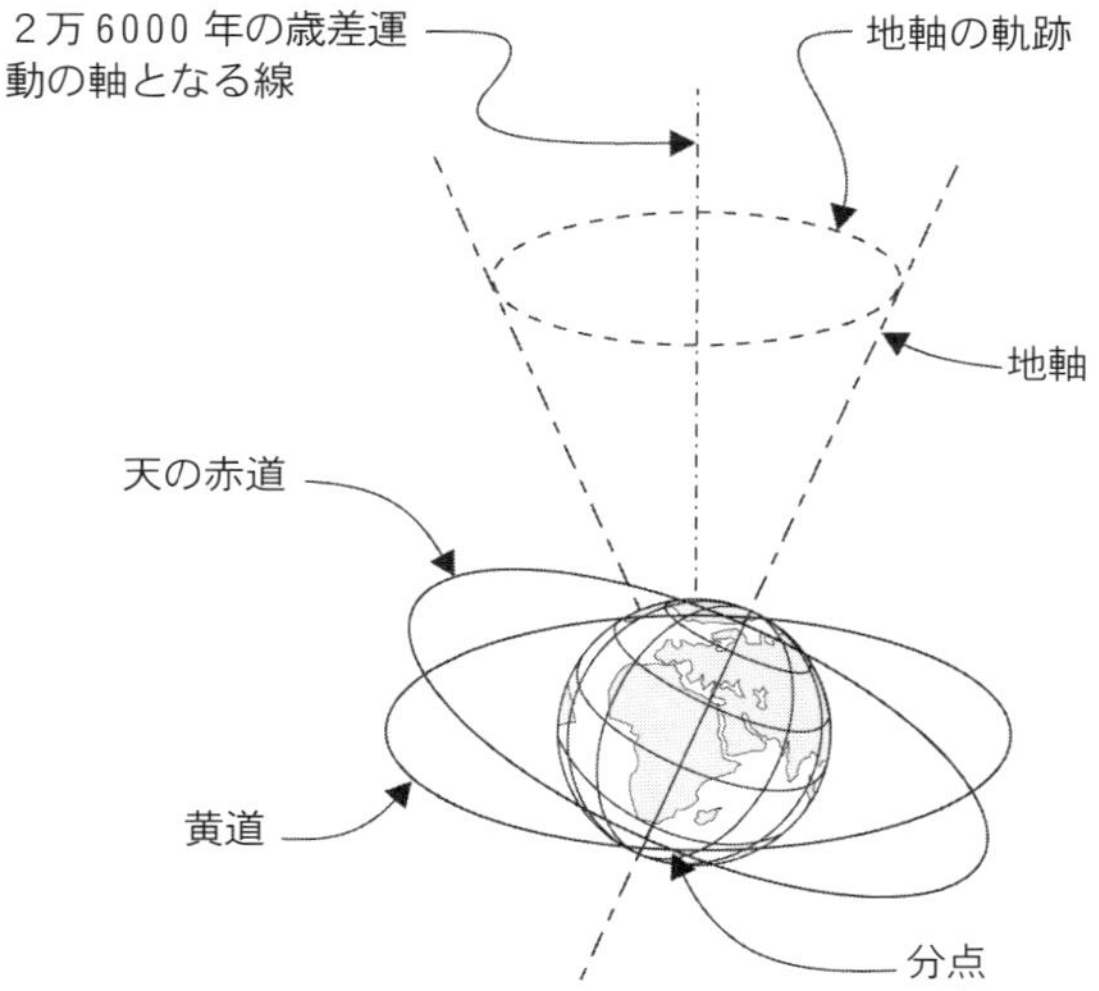

図２-39　歳差運動
分点（地球の天の赤道が黄道と交差する春分点と秋分点）は、黄道との垂直線を中心軸とするゆっくりした地軸の回転運動により、徐々にその位置を変えていく。

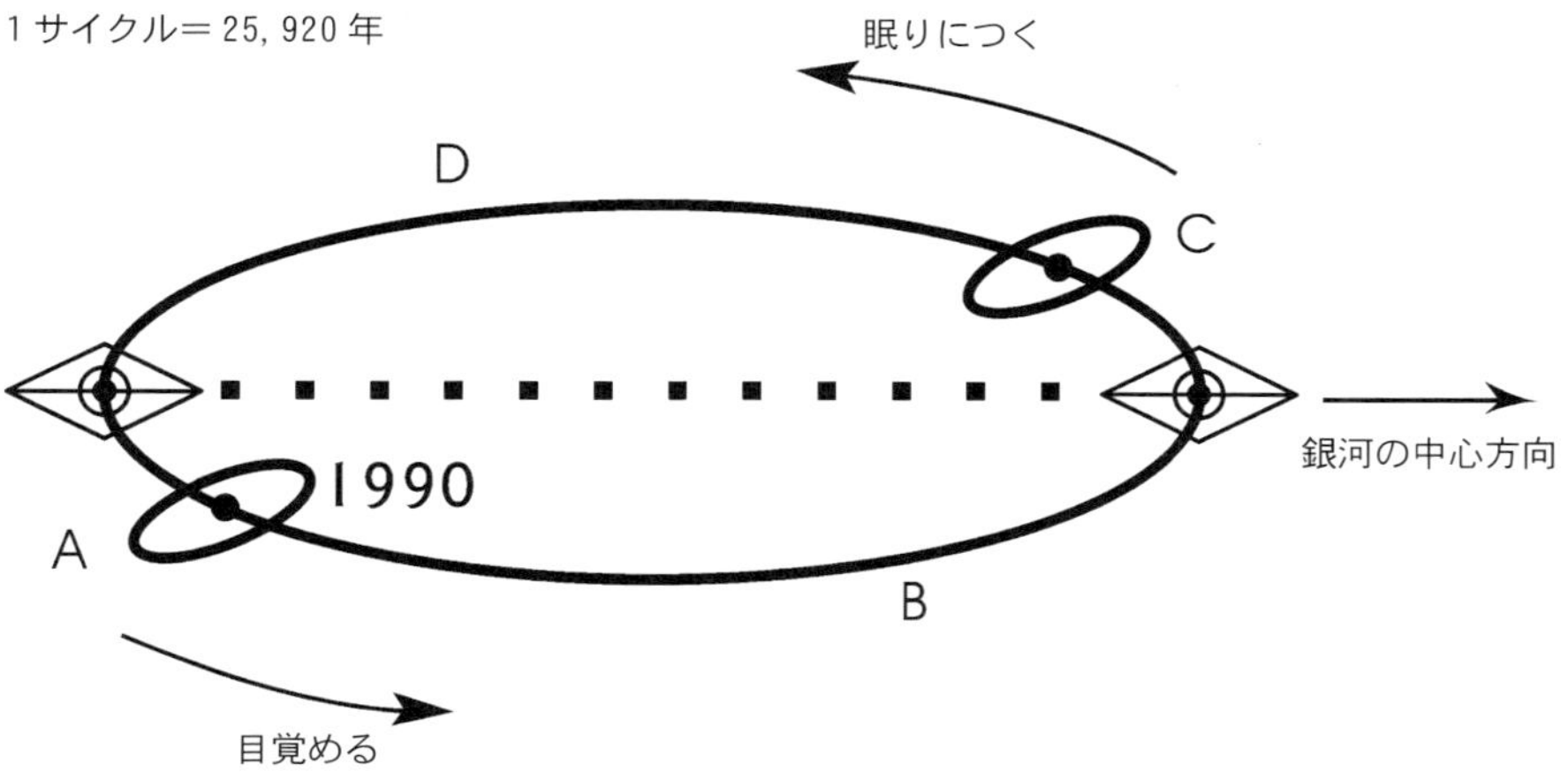

図２-40　歳差運動の周期が描く軌跡。
大きな楕円は地軸の通り道。

在たち（なぜかこの歳差運動について知っていた人々です）いわく、一番大きな変化は楕円軌道の両極点の上ではなく、それらの極点をちょっと過ぎたところで起こると言っています。つまりAとCの、小さな楕円が記されている地点です。大いなる変化がこれらの地点で起きるようになっているのです。これらの小さな楕円の中間にも２つの重要なポイント、すなわちBとDという地点がありますが、この時の変化はAやCの時ほどものすごくはありません。今の１９９０年代、私たちはとてつもない変化の到来の時である、下のほうの小さな楕円、A地点に位置しているのです。

古代に記された文献によれば、私たちが銀河の中心から離れていく時期である上方の小さな楕円、C地点に至ったとき、私たちは眠りはじめ（図２−41）、下方の小さな楕円の位置に到達して再び目覚めはじめ、次元を上昇しだすまで、どんどん意識をなくし、次元レベルを転落し続けていきます。そして上方の小さな楕円の位置に至り、再び眠りに落ちはじめる時までの一定期間は目覚め続けるようになっています。しかしながら私たちは空間を移動しているので、これは閉鎖性のパターンではありません。この動きはスプリングコイルのような螺旋状の開放性のパターンであり、同じサイクルが円を描くようにずっと続くというのではありません。そのため、私たちが眠りにつくたびに、以前と比べて少しだけ眠っている期間が少なくなり、逆に目覚めている期間のほうがちょっとずつ長くなってきています。

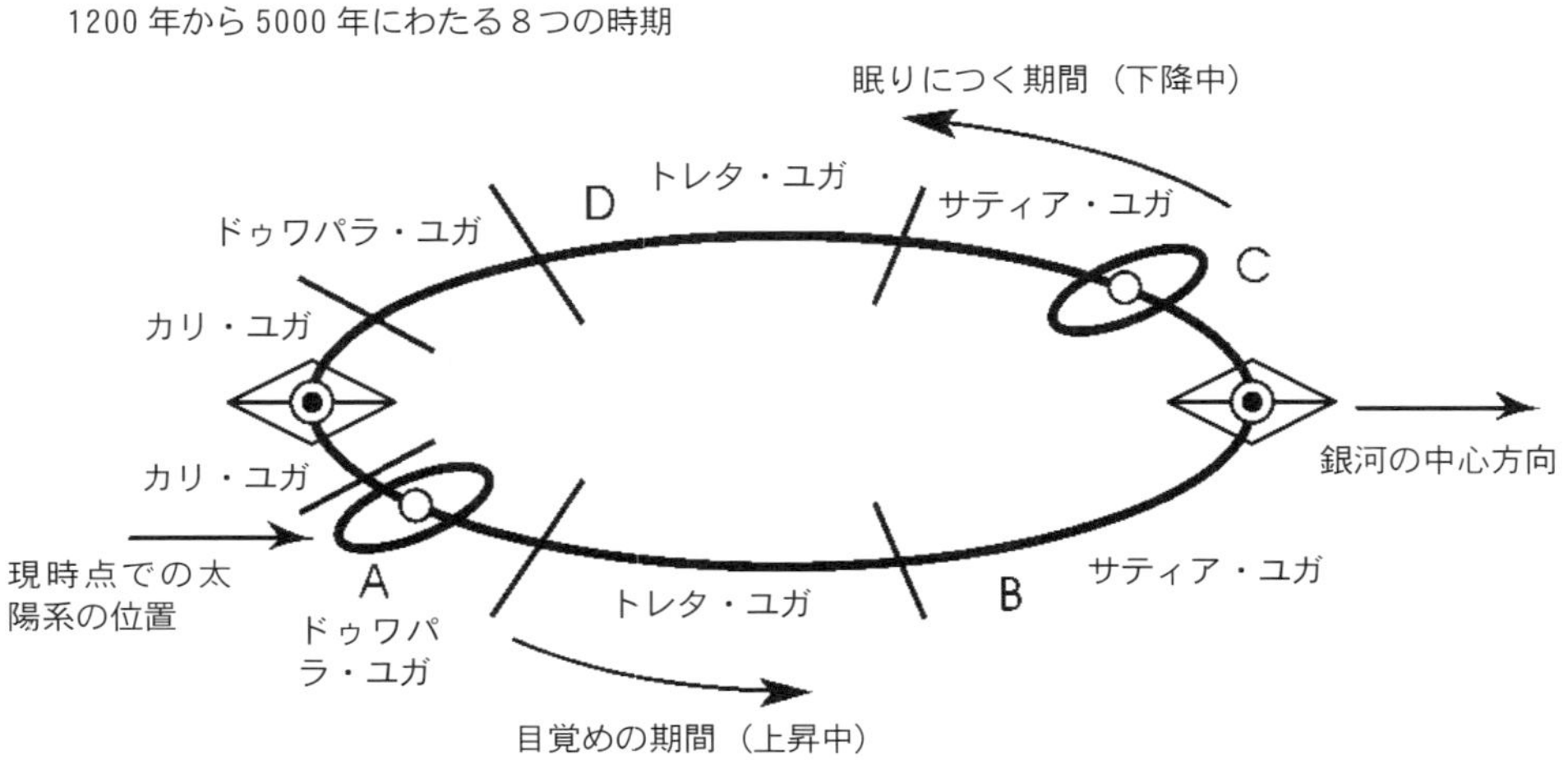

図２-41　ヒンズー教で示される
４つの「ユガ」の上昇と下降

これと同じようなことは地球の毎日にも見られます。もしあなたが宇宙から地球を眺めたなら、いつでもその半分は暗く、半分は明るいのが見えるでしょう。そして暗い側の人たちはほとんど眠りについていて、明るい側の人たちはほとんど起きています。いつも同じように昼と夜があるとはいえ、私たちはまったく同じことをえんえん繰り返しているわけではありません。できれば日に日に意識が目覚めていくことを望みたいものです。私たちは毎日眠りについては、また目覚めるということを繰り返していますが、そのたびに少しずつ先へ進んでいるのです。この歳差運動も、サイクルがずっと長いというだけで、実はまったく同じことです。

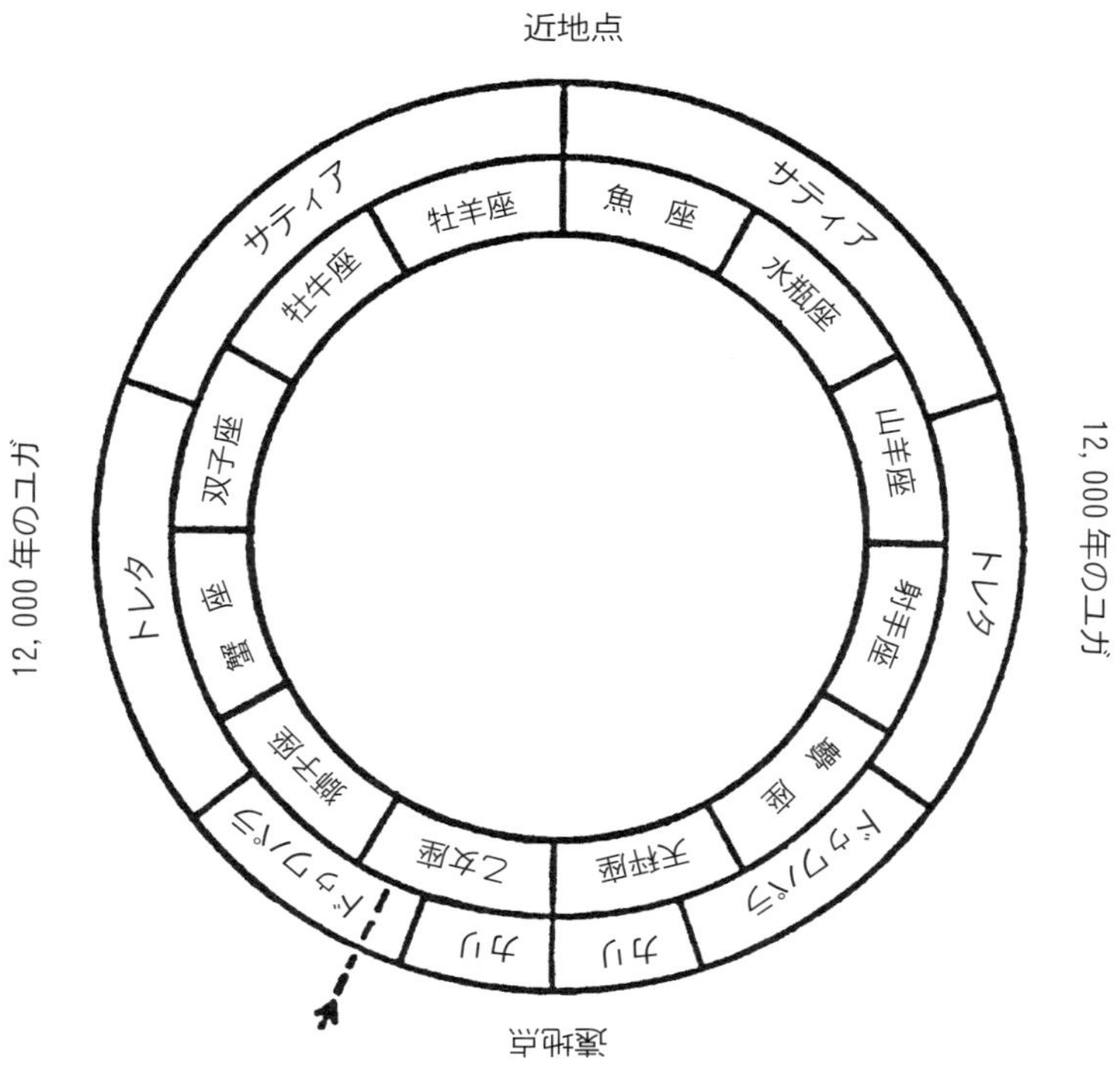

図2－42　シュリ・ユクテスワによるユガの表

ユガ

チベット仏教やヒンズー教ではこれらの特定の期間を、歳月という意味の「ユガ」という言葉で呼んでいます。ユガには、上昇（アセンション）と下降（ディセンション）の両時期があります。ゆえにヒンズー教の体系を用いれば、（**図2－41**の中で）楕円のCを頂点とする時代は下降期のサティア・ユガと呼ばれます。それから下降期のトレタ・ユガ、ドゥワパラ・ユガと続き、そして一方の極であるカリ・ユガを迎えます。カリ・ユガでは下降期と上昇期の両方を通過します。そのあとは上昇期のドゥワパラ・ユガへ入っていき……といったふうに循環していくのです。私たちは現在、上昇期のドゥワパラ・ユガ期に位置しています。カリ・ユガの約９００年間を通過してきたところで、まさに今こそ、驚異的な異変が起きると予言されていた時期なのです。世界はいまやそれ自身を再発見しはじめ、地球には大いなる変化の時期が到来しています。

図2－42はパラマハンサ・ヨガナンダの師であったシュリ・ユクテスワの手によるものです。彼は１８００年代の

終わりごろにこの世を去り、実際の歳差運動の正確なサイクルを知らなかったにもかかわらず、２万４０００年という数字を割り出しています。多くのヒンズー教徒がユガというものをあまりよく理解していなかったことを考えれば（ヒンズー教徒の人たちをけなしているわけではありませんが、実際にそうだったのです）、この数字はたいへん真実に近いと言えるでしょう。つまり私たちがカリ・ユガを通過している最中、一番深い眠りについていた時期だったのです。したがって、ここ２０００年間に書かれたものはみな、より目覚めた先人たちが残した書物を理解しようとする人々、いうなれば実際には「眠っていた」人々の手によるものなのです。彼らはまた、もっと昔に書かれた文献については理解することができませんでした。ですから、この２０００年間に著された書物はどれも、その書かれた時期ゆえに注意深く扱われねばなりません。多くのヒンズー教の学者たちは歳差運動を何千何百年間とし、あるものは１つのユガが約15万年にも及ぶと言っています。それは誤りでしたが、彼らは単によく理解していなかったのです。

ユクテスワはもっとよく理解していました。しかし、それでも正確とは言いきれないところがあります。彼がこのチャートで表わそうとしたのは、それぞれのユガを外側に配し、内側に12星座を配することで、どのユガがどの星座にあたるのかを明らかにすることでした。彼がこのチャートを作成したとき、私たちはこの図で左側下の乙女座に位置していました。現在、私たちは乙女座と獅子座の間にいることになります。占星術家にもよりますが、私たちは乙女座の第三の眼を通過しているところであり、そのまま獅子座へと移行していきます――これは物理的な話です。すなわち、地球は物理的に乙女座と獅子座の間に位置しているという意味です。しかし、天空の１８０度向かい側を見渡せば、あなたに見えるのは魚座から水瓶座にかけての空です。ちょうど今、私たちは魚座と水瓶座の間にあり、水瓶座の時代へさしかかると言われています。ところが物理的にはまったく逆の視点になります。こうした視点なくしては、これから私たちが見ていくエジプトの美術品などのいくつかはまったく意味をなさなくなるので、今これを理解しておく必要があるのです。

極移動（ポール・シフト）に関する現代の見解

　1930年代にエドガー・ケイシーが地質学者のために答えをチャネリングしていた時のこと、質問の真っ最中でケイシーは突然言葉を止めて、何やらこのようなことを言ったそうです。「おわかりでしょうが、今の地球にはみなさんが知っておくべきもう少し重要なことが起きています……」そして地球の北極と南極が近々どのように移動するかという話を始めました。彼はそれを1998年の冬と明言しましたが、その時点から、サイキックなレベルでも予測できなかったような形で物事が変化してしまったのです。地球の極はまだ移動する可能性もありますが、だとしてもケイシーが予言したのとは少し異なった形になるかもしれません。私たちには自由意思というものがあり、私たちの存在いかんによって世界の運命さえ変わってしまうのです。

　エドガー・ケイシーは並はずれた人でした。彼が話すと、人々はみな聞き入ってしまうのでした。そのケイシーの言葉によれば、世界の大半は信じないだろうが、地球の極はまもなく移動するというのです。この途方もない出来事を予言したのがエドガー・ケイシーだったもので、科学者や興味を持つ人々がその可能性を探りはじめました。地質学者たちは、極移動（ポール・シフト）はおそらく何百万年から何億年という間をおいて発生し、そのような変化には相当長い期間を要すると考えていたので、その言葉を信用しませんでした。しかしながら、ケイシーの予言ゆえに一部の科学者たちが研究を始めたのです。そしてケイシーの言葉を裏付ける、一連の大きな証拠がぞろぞろ出てきたために、いまやこのテーマに関する世界の見方が変わってしまいました。科学者たちは、もし地球の極に物理的な変化が起きるとすれば、磁気的にも変化があるはずだと考えはじめました。そしてこの可能性を研究する手立てとして、世界中の古代に形成された溶岩層について調べることにしたのです。これはたしか、1950年代から1960年代初期のことだったと思います。彼らは（1）そのような極移動が起きるとしたら、そうとう活発な火山活動があるはずだと考え、しかも（2）溶岩は過去にあった極移動を磁気的に立証し、しかもその時代を特定できるという特徴を有するはずなので、これらの理由から溶岩を研究することにしたのです。

鉄の蓄積と地層サンプル

　たいていの溶岩には鉄の蓄積層が見られますが、この層は溶岩そのものと異なる融点を持ちます。鉄の層は溶岩がまだ流れている間に固まり、鉄であるために磁極と一直線に並ぶのです。地質学者たちはこれを観察すれば、溶岩が固まったとき、どこに磁気的な極があったのかを正確に知ることができます。地球上どこでも3カ所をサンプルに採れば、鉄の層が固まった時に磁極があった場所を割り出せるのです。しかもその年代は、当時一番確実な方法であった放射性炭素原子測定によって確認することができました。このことについては他の方法もあるので、これから見ていくことにしましょう。

その結果、現在の北極とは遠く離れた場所、ハワイを中心とした場所に過去の磁気的北極が発見されたのです。一番近い過去に起こった極移動は、右上のほうの楕円の時点——すなわち1万3000年に少し満たないぐらい前のことでした。彼らはそれから別の調査をして、さらにそれ以前の極移動は下方の楕円の時点で起こったことを発見しました。これによって、地球の磁気研究についてまったく新しい分野が切り拓かれたのです。

アメリカ地質学会は、海底の地層サンプルから発見された事項をまとめて発表しました（『地質学会誌』11巻9号、1983年9月）。サンプルは直径約15センチ、長さ3・3メートルで、その堆積物は研究者によって分析されました。その結果、ときどき磁極はひっくり返るものだということが明らかになったのです。つまり北極は南極に、そして南極は北極になるのです。これはエドガー・ケイシーが話したなかでも、人々がなかなか信じられなかったことでした。しかしこれらの地層サンプルを分析したとき、それは本当だったことがわかったのです。

何億年も昔に遡ってみると、いろいろなサイクルがあることがわかってきました。磁気的北極がかなり長い期間、同じ場所に留まるという時期もありましたが、その後にはわずか1日24時間もたたないうちに、北極は南極へと入れ替わってしまったのです。その状態はかなり長い間そのまま続き、そしてまたもや両極は入れ替わりました。しかし、こうした長いサイクルの終わりに近づいてくると、磁極が再びひっくり返るまでの期間は、だんだん短くなります。この逆転現象は時おりあることなのです。そして最近に目を向けると、そのひっくり返る時がどんどん近づいているのです——北は南へ、南は北へと、同時に新しい場所に移動しはじめています。これは過去何億年にもわたり、何百回となく発生したことです。地球の磁気分布というまったく新しい視点は、「地磁気学」という名で人々に理解されるようになりました。このことは宇宙からもパルスとして見えているのではないでしょうか。

極移動（ポール・シフト）の引き金

これまでに多くの人が極移動（ポール・シフト）の原因を突きとめようとしてきました。その原動力は何なのか、一体何が極移動を呼び起こす引き金になっているのでしょうか。ジョン・ホワイトが書いた本があります。彼はエドガー・ケイシーの信奉者でもあります。彼自身は言及していませんが、私の信じるところでは、彼はこのテーマに関して世界中で発見された情報のほとんどすべてを――特にハワイがつい最近の磁極であったことに関しては――包括的に集めている人です。彼の著書は、もちろんのこと『極移動 *Pole Shift*』というタイトルです。たいへん科学的で面白い本です。読めば、きっとこの広大で驚異的なテーマが非常によくわかるでしょう。

極が移動する原因は何かということについて現在、2つの主な説があります。その1つは明らかなもので、もう1つはあまり明白でないものです。明らかなほうの説は、この理論を得たヒュー・オーチンクロス・ブラウンの名をとって、「ブラウン理論」と呼ばれています。彼の理論はこうです。何らかの理由により南極が中心からずれ（それはまさに今の地球に起こっていることです）、それからサイクルの終わりに近づくにつれて、ずれはかなり急速に激化し（これもそっくりそのまま今起きていることです）、ある日突然、地球が回転の遠心力から自由になるまで続きます。これは回転するどんなものにも言えることで、回転の中心がずれると、その物体すべての中心がずれて新たな平衡点を見出さねばならなくなります。氷の重さがどんどん増加すれば、ついには何かが起こります。地球は同じ位置で回転し続けることができなくなるのです。そして新たに中心となる軸を見出します。しかしそれでも一部の科学者たちは、南極の氷の塊は極移動の引き金になるには充分ではないと考えています。

実際に南極では何カ所かで深さ5キロメートルにも達するほどの氷がどんどんできており、たぶん温室効果によって、特にこの20年間は予想もできなかったようなスピードで構築されています。そして今日では衛星から見られるように、氷塊の下には3つの巨大な火山が存在しているのがわかっており、それらは覆いかぶさった氷塊を溶かし、今こうしている間にも溶け出した氷は大河となって大量に流れ出しているのです。たぶんこの事実は疑い深い科学者たちのために均一には広まらなかったのでしょう。ジョン・ホワイトによれば、もしアメリカの2倍ほど大きい南極の氷塊が崩れて漂流しはじめたら、バランスをとるために時速約2・7メートルの速さで赤道に向かうだろうとしています。それは当然いろいろなところで問題を引き起こします。ブラウン理論はまさに今の状態を表わしているようですが、しかし確証まではありません。

ところが、あのアルバート・アインシュタインでさえ真剣に取り組んだという、別の理論を提示した人がいます。その理論は、当時信じていなかった科学者たちが立てた方程式に対しても可能な答えを出してくれるものでした。彼の名はチャールズ・ハプグッドといいます。彼およびに一緒に働いていた科学者たちは、一定の状況下になると液化するという、奇妙な2つの岩盤を地殻中に発見しました。別の科学者たちが地球内部そっくりに作られた実験室内で同様の岩を地球のミニチュアに入れてみた結果、この理論を立証しています。この実験から、地表あるいは地殻は地球の中心塊の上をスライドし、まるで何ごともなかったかのように循環し続けていることがわかりました。これは事実です。そして起こりうることではありますが、もちろん実際の時間でいつ起こるのかはわかりません。また、これがいかにして起こるか、たとえば何が原因でこの地殻のスライドが起きるのかなどといった特定の状況については、科学者にもまだわかっていません。チャールズ・ハプグッドは、いずれ私たちの世界観を劇的に変えることになると思われる、『地球の地殻変動 *Earth's Shifting Crust*』と『極への進路 *Path to the Pole*』という2冊の本を書きました。

アルバート・アインシュタインは、チャールズ・ハプグッドの最初の著書、『地球の地殻変動』に前書きを寄せています。その一文はここに転載する価値が充分にあるものだと思います。

> 私は、未発表の説に関して意見を求める人たちからしばしば便りを受け取る。そうしたやりとりは、それらの説には滅多に科学的な妥当性が見られないということとは言わないまま続行されるのが常である。しかしながら、ハプグッド氏から最初の便りを受け取ったとき、私は電気に打たれたようになった。彼の説は独創的で、しかもきわめてシンプルであり、もしそれ自身で実証し続けていくことになれば、地球表面の歴史すべてに関わってくる非常に重要なものであった。著者はこの説を単一の発表だけに留めてはいない。また彼はその移動理論を支持する、驚くほど豊富な資料を注意深くしかも包括的に提示している。このかなり驚愕的で魅惑的ともいえる説は、地球の進化の理論に取り組もうとする者なら誰でも、真摯に注目する価値があると言えるだろう。

アルバート・アインシュタインが今までに生きた人のなかでも最高の一人であったことは周知の事実ですが、それでも多くの地質学者たちはいまだにこうした、けたはずれの理論を信じてはいません。ごく最近になってそれらが事実であるという証明が積み重なってきて、ようやくあり得ることなのだと受け入れられはじめました。科学の世界は、かつてアインシュタインがごく微量の物質中にどれほどのエネルギーが内包されているかを述べた時にも、同じように信じなかったのです。

私の信じるところでは、極移動の引き金は地球の地磁気に関係があります。これを説明すると長い時間かかるので、ここではお話ししきれません。ただ、この５００年の間に地球の磁場はどんどん弱まってきており、なかでもここ数年は突拍子もないことが起きているのが知られています。グレッグ・ブレイデンの著書『ゼロポイントの発見―集合的イニシエーション *Awakening to Zero Point: The Collective Initiation*』によれば、地球の磁場は約２０００年前から弱まりはじめたとのことです。さらに今から５００年ほど前には、弱まるスピードがますます速くなりました。(これは５２０年のことでしょうか。そうであれば、その時には大きな変化がやって来るだろうというマヤ暦の予言と一致します。）このところ地球の磁場は前代未聞の変化を起こしているのです。

磁気流の変化

概念的な磁気流のパターン（図2－43）は、地球を取り囲むように円環（トーラス）状に磁気流が発生しているというものですが、これは地質学者たちが発見したものではありません。実際には、磁気線は連続的な曲がりくねったパターンを持っていました（図2－44）。それらは固定的ではあっても、観念的に考えられていたような几帳面なものではなかったのです。そして、場所によって磁気の強弱にも差がありました。鳥や動物や魚、それにイルカ、クジラその他の生き物たちは、その移動習性にこれらの磁気線を用いています。ですから、もし磁気線が変動すれば彼らの移動パターンも方向性を見失ってしまうわけで、それがいまや世界中いたるところで見られるようになっているのです。渡り鳥は行くはずではない土地へ飛んでいったり、クジラは水があるはずの場所へ行こうとして、気づかないまま陸に乗り上げたりしています。クジラたちはただ何世紀も頼りにしてきた磁気線にそって泳いでいただけなのに、かつては存在しなかった浜辺に乗り上げることになってしまったのです。

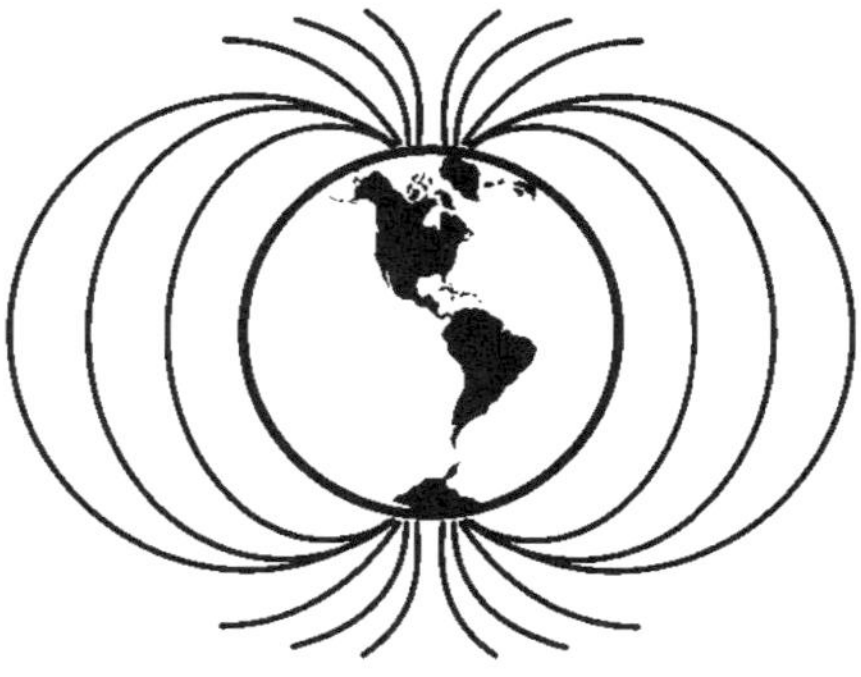

図２-43　地球を取り囲む磁気流

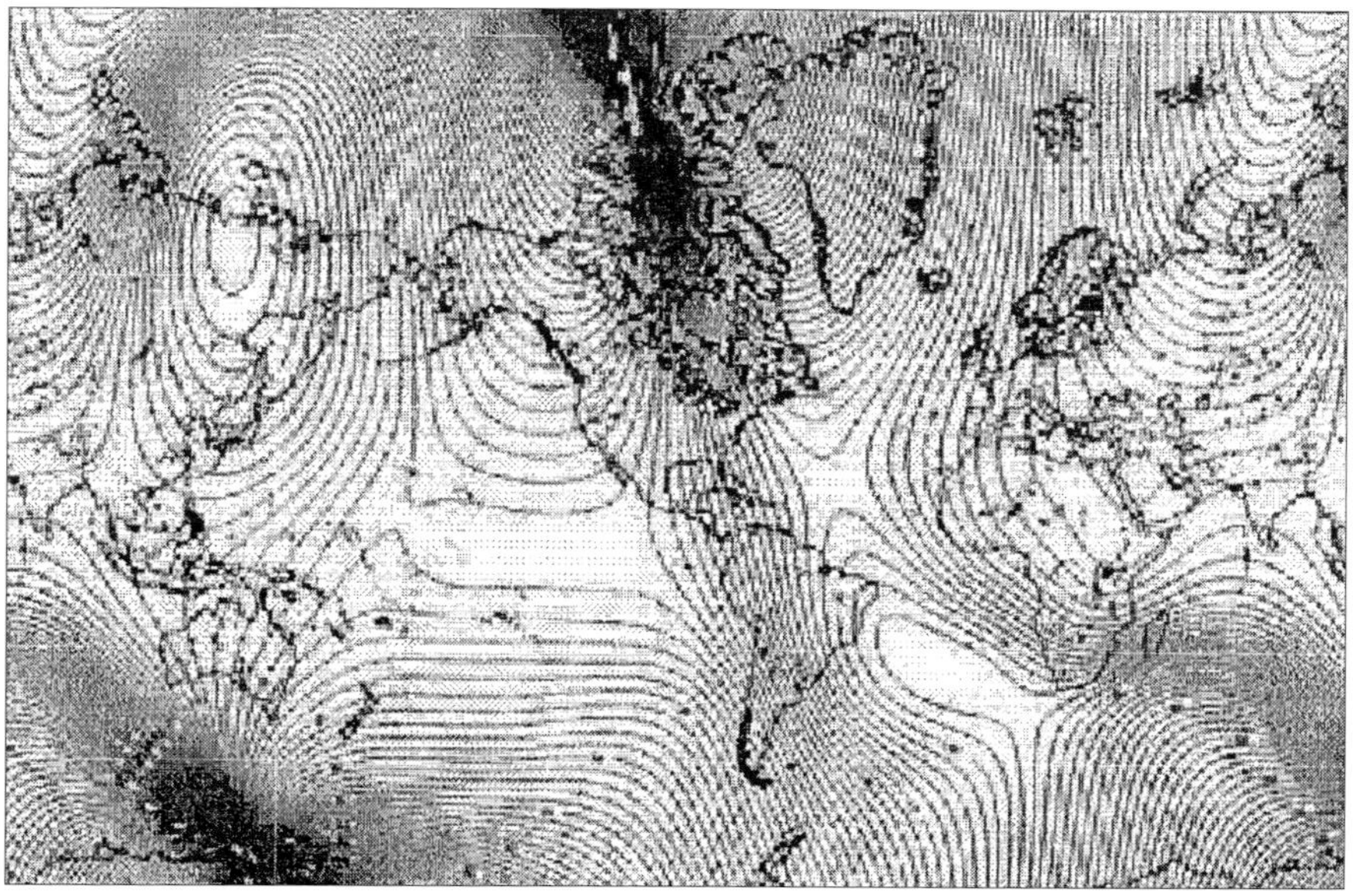

図２-44　入り組んだ地球の磁場のモデルの例。1995年にＵＳＧＳによって作成されたもの。

これらの磁場が「ゼロポイント」を通過して完全に変化した時には（それはまもなく起こる可能性もあります）、私たちはその次に何が起きるかという、新たな話題を論じることになるでしょう。もうおわかりかもしれませんが、これらの磁場は、みなさん自身の記憶とつながっていると私は考えています。これらの磁場ぬきにしては、あなたは何も憶えていられないのです。さらに言えば、あなたの感情体も磁場と深く関わり合っており、もし磁場が変化すれば、あなたの感情体も即座に影響を受けます。月の引力によって潮の満干が生まれていることはすぐ理解できるでしょう。地球の磁場は月の満ち欠けにわずかばかり影響されます。満月が頭上を通り過ぎるとき、地球の磁場はかすかに膨張し、変化するのです。満月の時期に大都会でどんなことが起きるか、ちょっと振り返ってみてください。満月の前日、当日、翌日には、ほかの日よりも強姦、殺人、奇怪な事件などという出来事が多く起こっています。どこの大都市でも警察の事件簿を見ればそれは明らかです。なぜでしょうか？　それは、こうした磁場は特に感情的な不安定がぎりぎりまで高まっている人や、常日頃から我慢が限界に達しているような人に対して強い影響を及ぼすからです。そうした人々はもともと崖っぷちに立っているところへ、月がやって来て磁場をほんのちょっと動かすだけで、一気に感情が落ち込み、普段ならしないような行動をとってしまうわけです。

ですから、地球の磁場が不安定になってきたらどうなるか、想像してみてください。１９９３年10月に航空関係者から聞いた話ですが、地球全体の磁場がある一方向へいっせいにずれてしまったために、9月の最後の2週間にわたって、主な滑走路の誘導システムをすべて修正しなければならなかったそうです。それは一時的なものであるかに見えましたが、この時は2週間にも及びました。みなさんも、もしかしたらそのとき、まわりの人や自分の内側にたいへんな感情の爆発があったことを憶えているかもしれませんね。私はと言えば、世界中の人からかかってくる電話の対応に追われていました。どこでもみんなが「ぷっつん（フリーク・アウト）」していたのです。そういうことがあったので、私もこの話を聞いて、もしかしたら本当のことかもしれないと考えました。もしこれが本当だとしたら、私たちは間違いなくこのワークの次の段階へと歩みを進めていることになります。地球の磁場の完全崩壊と極移動の時は、いよいよ近づいてきています。これはまさに「終末の時」を知らせる、１つのサインなのです。

これに関して恐怖を感じる必要はまったくありません。異常なことが起こってはいますが、それらはどれも今までに何度も経験していることなのです。みなさんのほとんどにその記憶はないでしょうが、あなたにとって「異常なこと」ではないのです。あなたが実際に次元移動をしはじめて、その感覚をつかんだ時には、きっと「ああ、そうだった、いま思い出した。私はここでまたこれを経験しているんだな」と言うでしょう。ですからこれは大したことではあるのですが、別に大変なことではありません。

あなたは赤ん坊として生まれるとき、どこかからやって来たわけですよね？　どこか別の次元からやって来て、虚空（ヴォイド）を通り越え、子宮を通って地球に現われ出たのです。この道は私たちがかつて通ってきた道であり、そして同じような種類のことをしようとしているのですが、ただ、今回はいつもとかなり違っているというだけです。あなたがすべてを思い出し、自分が誰であるのかを思い出したら、恐れる必要などどこにもなくなります。事実、このうえなくポジティブなことが起こっているのです。それはとても、とても美しいことなのです。

意識の調和的レベルと非調和的レベル

サンスクリットの文献には、歳差運動で下のほうの楕円（図2－40参照）に近づくとき、私たちは電気的なエネルギーを認識するようになると書かれています。私たちは空を飛べるようになり、普通ならできなかった多くのことができるようになるのです。世界はきわめて不安定になり、わずか1日のうちに私たちは古い世界観を放り出して、意識の莫大な変容を成し遂げます。しかしながらこの変容の時が近づくにつれて、いま私たちが置かれている特定の意識レベルを見るならば、私たちは触れるものすべてを破壊してしまうという傾向にあります。それは私たちという存在に伴う自然現象の一部なのです。何か悪いことをしているというのではなく、ただ単にそんなふうに存在しているということです。そして私たちはそれをきわめて正確に実行しています。私たちはあらゆるものを打ち壊し、すべてに不調和を生み出しています。またあとで詳しくお話ししますが、このことは今ここで伝えておいたほうがいいでしょう。

トートによると、地球にはそれぞれの人間が通過する、まったく異なった5つの生命の段階、あるいはレベルというものが存在するのだそうです。私たちが5段階目に達するとき、生命として知られているもの自体を超越して変容します。これが通常のパターンなのです。各意識レベルは、さまざまな面で異なっています。まず、染色体レベルがまったく違います。人類の意識の第1レベルでは染色体数が42＋2であり、第2レベルでは44＋2、第3レベルは46＋2、第4レベルは48＋2で、最終レベルでは50＋2となります。それぞれの意識レベルでは身長も異なります（これは初めて聞くと、なにか奇異に感じるかもしれません）。

この最初の42＋2の意識レベルでは、身長は1・2～1・8メートルぐらいです。この分類に属する人々としてはオーストラリアのアボリジニ、そしてまたアフリカや南米のいくつかの部族もそれに属すると見られます。

第2レベルの意識は44＋2の染色体を有しており、私たちはこれに属します。身長は約1・5～2メートルぐらいで、最初のグループよりも少しだけ背が高くなっています。第3レベルの身長になると、かなり大きく違ってきます。46＋2の染色体レベルでは、みなさんが融合意識あるいはキリスト意識などと呼ぶものを通して「現実（リアリティ）」に干渉します。身長は約3～5メートルになります。

次に、48＋2の染色体を持つ第4レベルの意識があり、身長はだいたい9～11メートルほどになります。

最終レベルである「完成された人間」では、身長が15～18メートルくらいになります。彼らは52の染色体を持っています。トランプが52枚なのは、人間の持てる最大の可能性が52の染色体であることと関係しているのではないかと思います。ユダヤ人のみなさんは、完成された人間というとメタトロンを思い出すかもしれません。私たちも、ああなるのです。メタトロンは青く、背たけは約17メートルほどあったそうです（この人についてはまた、エジプトに関するところでお話ししましょう）。

たとえばダウン症のように、意識レベルの狭間にあるような状態もあります。ダウン症は、私たちのいる第2レベルから第3レベルへ移行しようとして、それが完璧にはいかなかった人たちです。指示がすべて正しく受け取られず、ほとんどの場合に欠損があるのは染色体の左脳の指示野の部分なのです。ダウン症の人の染色体は45＋2です――1個は得られたのですが、もう1個は得られませんでした。その人が得たのは感情的なほう、つまりハートのほうであることは明白です。もしあなたがダウン症の子供たちを知っていたらおわかりでしょうが、彼らは純粋な愛そのものです。ただし、どうやって人間意識の第3レベルへと移行するのかがわからないのです。彼らはそれを学んでいるところです。

第2レベルと第4レベルの意識は非調和的（ディスハーモニック）で、第1レベルと第3レベルは調和的（ハーモニック）です。幾何学を見ていくことで、もうすぐあなたもこれがわかるようになります。人間の意識を幾何学的見地から見ると、調和的なレベルと、そうでない非調和的なレベルがあり、非調和的な部分はバランスを乱しているので、すぐにそうとわかります。それが今の私たちの状態で、ゆえにバランスを欠いているのです。これらの非調和的なレベルはどうしても必要なものです。あなたが第2レベルを飛ばして、第1レベルから第3レベルに行こうとしても、それは無理な話です。第2レベルは完全に非調和的な意識なのです。混沌（カオス）は変化を呼び込んでくれるのではありませんか？

意識が第2レベルまたは第4レベルに移行するとき、そこには短い期間しか留まれないと意識自身は知っています。これらの意識レベルは川の真ん中にある石のように、足場として使われるのです。すなわち少しでも早く向こう岸へ渡るために、飛び乗ったらすぐに飛び立つ場所なのです。いつまでも石にしがみついてはいられません。そんなことをしたら川に落ちてしまうからです。もし私たちがこの地球にこのままの状態でわずかでも長く留まっていたら、私たちは地球を破壊してしまいます。私たちはただ私たちであるがゆえに、破壊してしまうのです。それでも私たちは神聖な存在であり、それは進化には必要なステップなのです。私たちは別世界への架け橋です。そしてこの驚異的な時期に生きているというだけで、私たちはまさにこの橋を生きぬいていると言えるでしょう。

ダウン症
ダウン症候群。21番目の染色体の異常によって発生し、特有の顔貌、知的障害、心臓疾患などが見られる。発生率は約1000人に1人といわれる。

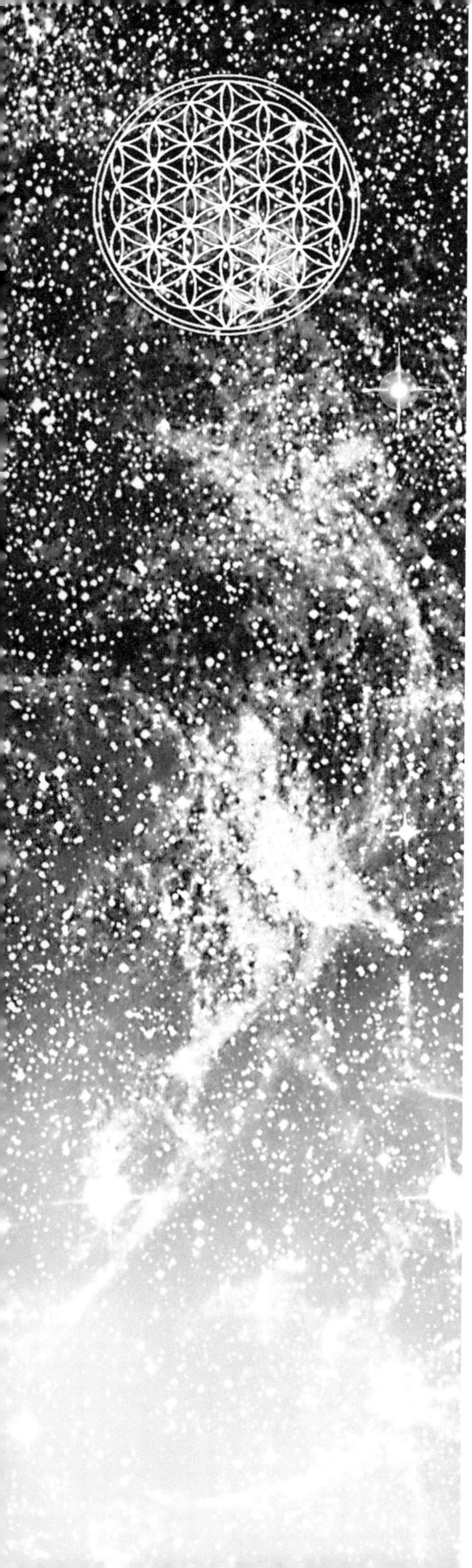

3.

現在と過去の暗い側面

The Darker Side of Our Present and Past

ここでは少々ネガティブなテーマについて話すことになります。「恐怖にはまるなと言っておきながら、すぐにもう恐怖を煽るようなことを言い出すんだから」と言われるかもしれませんが、私はここ惑星地球での人生において、ポジティブなこともネガティブなことも含めて、すべての面を観察していきたいと思っています。ポジティブなことだけを見たいのではありません。みなさんに全体像を見てほしいのです。そして良いことも悪いことも両方含めて全体像を見るとき、混沌（カオス）は単に真実の一部であり、誕生の一部であることがわかるようになるでしょう。出来事の片鱗をかいま見たり、あらゆる戦争や飢餓や、新聞を埋めつくす人間的感情のゴミの山などを見ていると未来はそんなに良いようには思えなくても、現在、人間の意識には途方もない変化が生まれています。生命の全体像を掌握できたとき、すべての否定性を超えて、何かもっと偉大で崇高かつ神聖で尊いことが歴史の今という瞬間に起こっているのが見えてきます。生命はいま、完全、完璧でパーフェクトであることが明らかになります。

絶滅に瀕した私たちの地球

しかしながら、私が見出せるかぎりの世界中の保守的な科学者のほとんどでさえ、この惑星はあと50年もたないだろうと言っています――50年です！　たいていの保守的な科学者たちは、もし私たちが今のあり方を続けるのであれば、地球は50年以内に死に絶えるか、それと似たような状態になるというのです。多くの科学者はあとわずか3～4年と言い、または10年と言う人もいます。ほとんどの人は15年以上の数値を出していません。説によって違います。でも、もし仮にあと１００年か１０００年あったとして、それならよいと言えるのでしょうか？

この８年間の米国政府の変化がなければ、この情報が表に出ることは許されなかったし、今日私たちが耳にすることもなかったでしょう。政府はみなさんにすべてを伝えてはいませんが、その権力の方向性が生命と協力しあうほうへ変化しはじめたのです。端的に言って彼らは状況の全容を伝えることはできません。そんなことをすれば、世界中の人がみんな仕事などどうでもよくなって、途中で放り出してしまい、完全な混沌状態を招いてしまうと信じているからです。しかし、仕事を辞めるどころか、仕事に集中する時なのではないでしょうか。人間の意識はパワフルです。私たちは何をすべきか、ちゃんと知っているはずです。私たちは一般社会に知られている以上の存在なのです。それを思い出してください。

はい、それでは暗いほうの話に入りましょう。これは、

●付記 Update

１９９２年に世界各国の人が地球の環境問題について話し合うために、「地球サミット」と称してリオデジャネイロに参集しました。政府要人の集まる世界最大のこのサミットは、私たちの惑星の存亡の危機ゆえに開催されました。多くの国々が参加しましたが、世界最大の公害放出国であるアメリカ合衆国は参加の気配すら示しませんでした。政治行政は地球が生き残るかどうかよりも、金融や職務や経済のほうを大切と見なしたことは明白です。

それから5カ月後である１９９２年2月18日、「世界の科学者から人類への警告」が発表されました。この文書には現存するノーベル賞受賞者の半数以上を含む、世界71カ国１６００名を上回る科学者が署名したのです。それはこのような強力な研究者グループが世界に発したものとして、

図３－１　真実が公表された『タイム』誌（1989年1月2日発行）

１９８９年1月2日発行の『タイム』誌（**図３－１**）です。１９８８年、世界の秘密政府は、あちこちで起きている環境問題について私たちがある程度知ることを許可しようと決めました。これはこの問題に関する世界初の大々的な報道でした。『タイム』誌は地球がその年の「プラネット・オブ・ザ・イヤー」に選ばれたと宣言しました。伝統をみずから破り、その年でトップの男性や女性を選ぶのをやめて地球を選んだのです。雑誌全体が絶滅に瀕している地球とその問題で埋めつくされました。もしあなたが１９８９年に言われたことを、今日の記事に提示されている問題と比較してみれば、１９８９年に私たちに与えられた情報はあまりにも真実とはほど遠い、究極なまでに薄められた事実だったことがわかるでしょう。それはまったく近いとさえ言えない数字でした。しかし少なくともそれらの報道は、私たちが母なる地球に一体何をしでかしたのかという真実をこの世界に知らせるきっかけとなったのです。

さまざまなシナリオが同時に進行していますが、ここで私たちが取り上げるのはそのうちわずか4つか5つの問題です。これらのシナリオどれ1つとっても、もし頓挫すれば遅かれ早かれ地球上の全生命に絶滅を招くというものばかりです。そして現在のところ、これらの全部が頓挫しそうな状態なのです。どれが一番最初に危機に瀕するかというだけで、それは時間の問題です。そして１つのシステムが崩壊すると、いずれは他もすべて崩壊するので、そうなったら「はい、それまで」です。もはや人類の未来はなくなります。ちょうど火星や恐竜のように、それでおしまいです。

20世紀が始まる数年前、地球上には３０００万種の生命が棲息していました。それが１９９３年には約１５００万種になっています。これらの生命体が形成されるのに何十億年もの年月が費やされたというのに、それに比べたらまばたきするくらいの瞬間であるたった数百年間で、愛すべき地球の生命の半分が死に絶えてしまったのです。およそ1分間に30の種がどこかで絶滅している勘定になります。もしあなたがこの惑星を宇宙から見ることができたら、ひどく大変なスピードで死滅しつつあるのが見てとれるでしょう。それでも私たちは、何事もなく、あたかもすべては最高であるかのように振舞っているのです。銀行にお金を投入し、車に乗って、ただ右往左往しています。正直な目で見れば、私たちは現に今ここで地球の死活問題に

かつてないほど大きな警鐘を鳴らすものでした。みなさんも、この警告は大いに尊重されて世界中が静かに耳を傾けたと思うことでしょう。それはこう始まっています。

「人類は自然界と衝突する道をたどっている。人類の行動は過酷なまでに無慈悲で、しばしば再生不可能なほどに環境ともっとも重要な資源に打撃をもたらしている。もし私たちの現在の慣行が抑制されなければ、我々が望むような人類の社会と、植物界、動物界の未来に深刻な危機をもたらすことになり、我々の今のやり方では生命の維持が不可能な世界へと変貌させてしまう可能性がある。もし我々が今とっている衝突への道を避けようとするなら、緊急に根本的な変革が求められる。」

警告文書はそれから重大危機をリストアップします。水、海洋、土壌、大気の汚染、動植物の減少、人口の過剰（すでにこの惑星の半分以

直面しているにもかかわらず、それについて本当に考えている人はごく少数のように見えます。

１９９０年代のはじめ、地球の環境問題を話し合うために世界中がリオデジャネイロに集まろうとしたとき、アメリカ大統領は行こうともしませんでした。なぜでしょうか。問題はそれほど深刻なもので、もし私たちがそれを何とかしようとし始めたら、大統領にとってはさらに深刻な問題が生まれてしまうからです。世界的な金融機関の崩壊に見舞われ、そのあとには地球の人口のほとんどが飢饉か他の理由で死ぬことになるからです。ようするに、私たちは環境を回復させることができずにいるのです。それは裏を返せば、何もせずにいていいのか、ということになります。

死にゆく海

それは１９８８年８月１日発行の１冊（図３−２）でした。『タイム』誌は海に注目して、そこで何が発生しているかを取り上げました。ジャック・クストーはこれについて１９７８年頃に本を書いています。彼はたいへん尊敬されていた人でしたが、この本を書いた時には誰も信じられないことを発表したため、科学界での信用を失いました。彼は自分の宣言を純粋な科学の上に築いたのですが、人々は単に真実を受け入れられなかったり、受け入れたくなかったのです。彼は、特に地中海は１９９０年の終わりまで、そして大西洋は20世紀末までには死に絶えた海になるであろうと言っています。人々はこう考えました、「馬鹿な。そんなこと絶対にあるわけがない」と。

しかしそれは今、進行している真っ最中です。地中海はいまや約95パーセントまで死に絶えました。まだ１００パーセントではないので、彼は少しだけ正確ではなかったことになります。それにしても、もしみんなが生き方を変えずに今までのあり方を継続するのであれば、やはり死の海になります。そして大西洋も急速に同じ道をたどっています。２０００年にはまだかもしれませんが、その後まもなく、そうなります。何かが劇的に変化しないかぎり、それは死に絶えます——魚も、イルカも、大西洋に何の生命も存在しなくなるのです。

私たちは海なしには生きていけません。もし食物連鎖の一番下位にあるプランクトンがいなくなれば、私たちもいなくなることになります。私たちがこのことを真剣

図３−２　海の状態を暴露した『タイム』誌（1988年８月１日発行）

上の種が死に絶え、今も絶滅し続けています）。言葉は厳しい調子になります。

「現在我々が直面している脅威を回避できるチャンスは、あと10年か数十年を超えないうちに失われ、人類の未来は計りつくせないかたちで衰退するだろう。以下に署名する我々は、世界的科学者の先駆的メンバーとして、人類を待ち受けている未来をここに警告するものである。もし広大な人類の悲劇を避けて、この惑星が再生不可能なずたずたの状態に陥らないようにするのであれば、地球と地上の生命に対する私たちの責務に大いなる変化が求められる。」

しかし、地球上で最高に尊敬される科学者たちの結集によって作成されたにもかかわらず、この声明は世界のほとんどで否定されました。みなさんなら、ちょっと立ち止まって「もしこれが本当だとしたら何ができるというんだ？すべてを捨て

図３－３　赤潮

に受けとめないとしたら、それは「ふうん、別に心臓なんてなくてもいいや」と言っているのと同じです。プランクトンは地球の生態系の重要な一員です。そして、ものすごい速さで死につつあります。これは議論の余地のない科学的な事実です。議論できる唯一の部分は、それがいつかという点のみです。それは本当に進行していることです。なのにこの真実を受け入れられないという理由だけで、誰も信じなかったのです。

たとえばニューヨーク市では沖合約32キロ離れたところまで海中にパイプラインをひいて、全市民の汚物を放出しています。まあ海が何とかしてくれるさ、と考えたわけです。しかし、この60年かそこらで巨大な汚物の山が堆積してしまいました。さあ、いまやニューヨークめがけて山脈と化した糞の山が向かってきているわけです。実際のところ、もう波止場にまで押し寄せており、みんなどうしたらいいのかわかりません。その改善にかかる費用は、ニューヨーク市だけではとてもまかないきれない金額です。これが私たち人類が呈している、将来の見通しの一例なのです。

人間の有機肥料がニューヨークに押し寄せるというのは、大西洋での問題です。しかしながら問題は大西洋や地中海に限ったことではありません。太平洋は地球で最大の水量をたたえていますが、たぶんもう少し長期間かかるにしても、特定の場所に大変な問題を抱えているところです。

赤潮（**図３－３**）は致命的な汚染の最初のしるしです。それはその海面下に存在する生き物をすべて壊滅させる藻類で、なんでも殺してしまうのです。これらの赤潮は急速に海面上に広がり、特に汚染の激しい日本の近海に見られます。私たちは地球上いたるところでたくさんの過ちを犯しましたが、それは私たち自身の肉体でもある母なる地球に対してどう調和して生きていくかという叡智が欠如した意識を持っているからです。これはガンやその他の難病の症状にも似ています。

オゾン・ホール

別の問題に移りましょう。**図３－４**は南極上空のオゾン層にできた穴を表わしています。オゾンは約１８０センチほどの厚さに層を形成します。オゾン層はとても薄くて壊れやすい、常に再生し続ける生きた層です。それにつ

て、とにかく必要なことを何でもしよう」と言うと思うでしょう。ところが政府にしてみれば、この危機を回避しようとするなら今までの生き方を変えねばならず、それは政治的に居心地いいものではなくなることを知っているのです。どの政治家も、こうした歓迎されない変化を持ち込もうとはしません。政府はもし汚染を止めようとすれば、経済が苦難に陥るどころか破綻してしまうだろうという見解に達します。というわけで、これは「お金」対「生命」の戦争になってしまったのです――恐ろしい話ですが、これが真実です。

　私たちの世界ではニュース報道で一番定評のある二大紙、『ニューヨークタイムズ』と『ワシントンポスト』は、この宣言は載せるに足らぬとして無視しました。これは私たちが地球そのものに対してほとんど意義を認めていないことを示す、いい例です。（これについてはまだわずかしか知られていませんが、オゾン層の穴を通してやってくるＵＶＣ（紫外線Ｃ）のおかげで、少しはわかってきました。ここに見られるように、特に南極で大量のＵＶＣが検出されはじめたとき、コンピューター上にそれが表示されなかったため、どうして紫外線がそんなに急増したのか謎でした。やがてコンピューターがこうしたことを無視するようにプログラミングされていたことがわかったので、ソフトを書き換えてみたところ、穴は本当にそこに存在していることが発見されたのです。これは数年前のことでした。

　彼らが実際に探していたのは一酸化塩素で、**図３－５**の右端に見られる分子がそれです。オゾン・

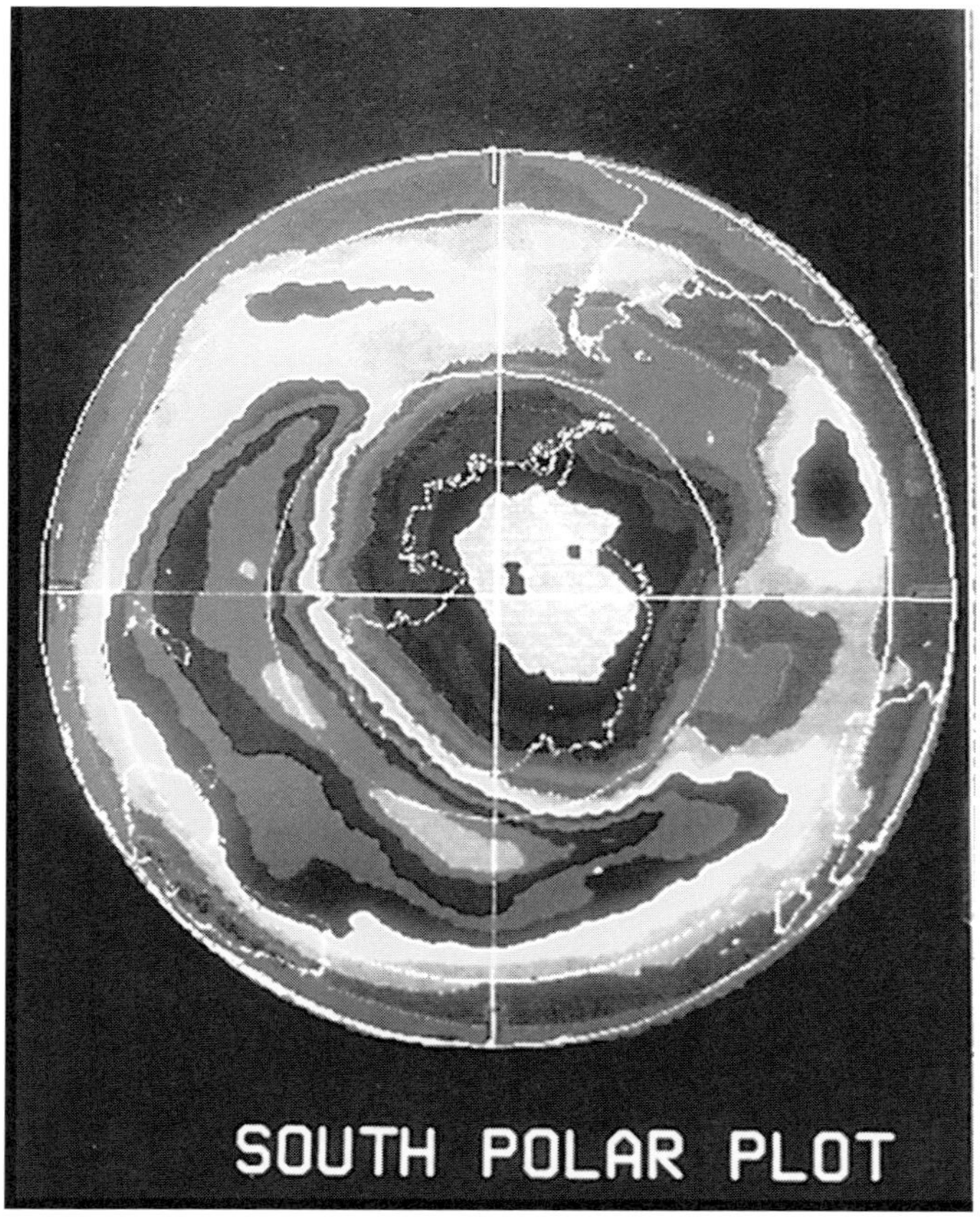

図３-４　南極上空にできたオゾン・ホール

図３－５　オゾンの分子反応

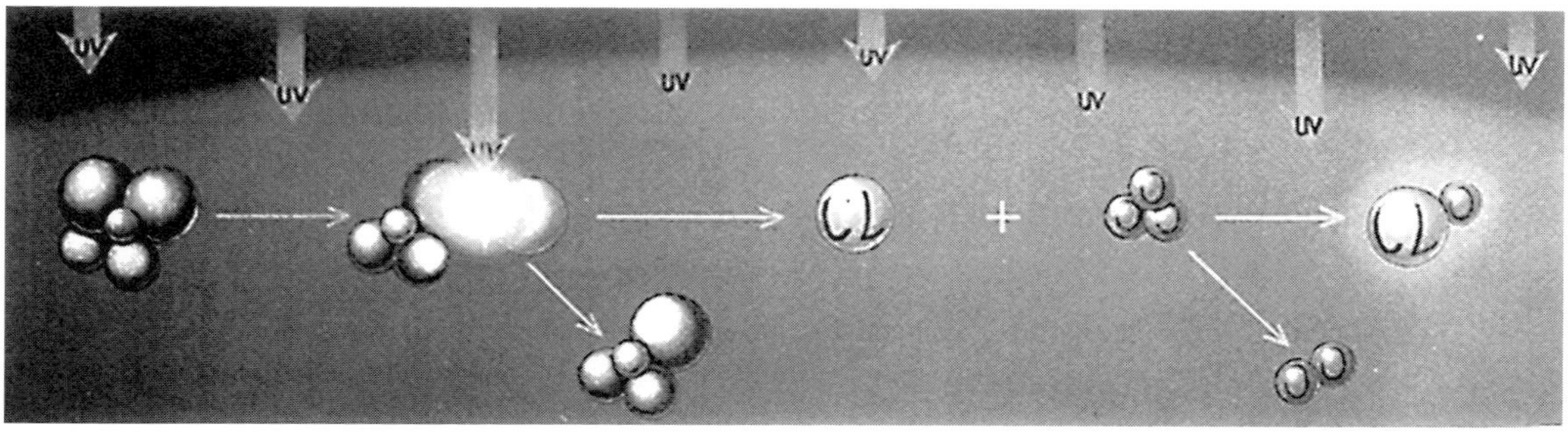

いては、デイヴィッド・スズキによる『神聖なるバランス *The Sacred Balance*』と『自然の中に私たちの場所を再発見する *Rediscovering Our Place in Nature*』に詳しく出ています。）

　ちょっと考えてみてください、この警告文書は私たちが危機に瀕するまでに「10年か数十年」の猶予しかないと言っています——そしてこれは7年も前にまとめられたものです。この地球は何十億歳かで、人間がこのレベルの意識に到達するまでに何百万年もかかったというのに、もし私たちが積極的な行動をとらなかったら、地質学的にはまばたきする間でしかない10年や30年ぐらいで「再生不可能なずたずたの状態に陥る」のです。「絶滅」という言葉こそ用いられていませんが、私たちみんながその可能性に気がついています。

ENVIRONMENT

A Bigger Hole in the Ozone

EPA predicts 200,000 more skin-cancer deaths

The nations of the world have never agreed on how to halt the destruction of rain forests or save endangered species. But when it came to saving the ozone layer, which screens out the sun's harmful ultraviolet rays, they knew just what to do. Or so it seemed. In 1987, 24 nations meeting in Montreal pledged that, by the year 2000, they would halve their production of chlorofluorocarbons (CFCs), chemicals that destroy ozone. That was when the only ozone hole that had been noticed was over Antarctica. But soon after, satellite data showed that ozone above the United States had dropped 1.5 percent. That persuaded more than 90 countries last June to agree to ban CFCs entirely by 2000. Developing nations were given until 2010 to stop producing ozone-damaging chemicals; wealthier countries promised them up to $240 million to help make the switch.

Now it seems that the problem is far graver than anyone thought. Last week Environmental Protection Agency chief William Reilly announced that ozone loss over the United States since 1978 has amounted to a "stunning" 4 to 5 percent. The preliminary satellite data, which scientists have been analyzing since last autumn, show that Europe, the Soviet Union and northern Asia experienced similar losses, while areas at the latitude of Sweden and Hudson Bay saw losses of 8 percent. "Past studies had shown about half that amount," said Reilly. "As a result, there could be 200,000 deaths from skin cancer in the United States over the next 50 years" in addition to the 400,000 otherwise expected over that period. The fatality estimate was 21 times what the EPA had forecast earlier. Ultraviolet radiation can also cause cataracts, weaken the immune system, damage crops and disrupt the reproduction of plankton that anchor the marine food chain.

And the ozone loss is almost certain to get worse. CFCs stay in the atmosphere for decades. The EPA's Eileen Claussen told NEWSWEEK that the agency's models show ozone loss of 10 to 12 percent over the next 20 years—"and we've already thrown out those estimates because they are far too conservative."

Reilly vowed that the EPA would intensify its efforts to find substitutes for ozone-eating substances. Researchers have made progress in finding benign chemicals that do the job of chlorine-based solvents, but they have been less successful in replacing the CFCs used in refrigerators and air conditioners. If substitute chemicals can be found, developing nations might be persuaded to phase out CFCs by 2000 rather than 2010. Right now, countries such as China and India believe that abandoning CFCs too quickly would cripple their economies. Eliminating CFCs before 2000, though, would not make much difference, because so many of the chemicals are already on their way to the stratosphere. In effect, regulators are running out of ideas. "Because such aggressive steps have already been taken," Claussen says, "it's hard to come up with anything more that can make a difference."

Danger: Sunlight

- Every 1 percent drop in ozone allows 2 percent more ultraviolet light to reach Earth's surface.
- Every 1 percent reduction in ozone raises the incidence of skin cancer by 5 to 7 percent.
- The 5 percent loss of ozone over the U.S. is expected to cause 4,000 more skin-cancer deaths a year.
- The ozone loss is greater at higher latitudes. Over Leningrad, it is as much as 8 percent.

図３－６　開かずの扉を開いた記事

ホールはいろいろな化学薬品によって引き起こされたものであることがわかり、その1つはフロンガス（クロロフルオロカーボン＝CFC）です。フロンガスがオゾンと反応すると、オゾンに塩素が結合し、オゾン分子は酸素と一酸化塩素に分解されます。科学者たちは、フロンガスがオゾン周辺に飛来するスピードを考えると、オゾン層では一酸化塩素が通常レベルの30倍にも及んでいるだろうと見て、非常に憂慮しました。そこで世界各国の政府はもはやフロンガス（フロンその他こうした問題の原因となる各種の薬品）の製造を中止してほかに解決策を見出そうと、フロンガスを製造している企業を捕らえようとしました。その返答として、企業は声をそろえて「我々はそんなことはしていない。それは自然現象であって、我々とは何の関係もない」と言ったのです。

　そのため、世界中の政府は法廷で企業側に責があることを証明せねばならなくなり、そして実際にそうしました。必要な証拠を手に入れるために、地球の歴史上はじめて全政府が１つの目的のもとに協力しあったのです。これは今までになかったことです。南極上空の高くに航空機を飛ばし、約2年間にわたってデータを収集した後、ついにとんでもない恐るべきことを突きとめました。破壊的物質である一酸化塩素は通常の30倍どころではありませんでした——それは通常レベルの５００倍、彼らの予測よりはるかに速いスピードで進行していたのです。

　この記事はたしか１９９２年に掲載されたものだと思います（**図3－6**）。そこでは、まずはじめにオゾン層にあ

●付記 Update

　１９９６年の６月から、私たちには新たな可能性がもたらされました。地球の環境問題を癒す道が見つかったようです。これは「アース・スカイ」という新しいワークショップです。フラワー・オブ・ライフのワークが私たちをどこまで連れていってくれるかを話したいのは山々ですが、今はその時ではありません。この新しい情報は単純に付記に書けるようなものではない膨大な内容なので、別に一冊書く必要があります。いま私に言えることは、現時点での３次元の母なる地球の生存に関しては、かなり楽観的であるということです。
（訳注・「アース・スカイ」とは全生命につながって地球のマカバとともに行う、著者が新たに始めたワークである。）

いた穴によって、皮膚ガンによる20万人の死者が出るだろうというＥＰＡ（アメリカ環境保護局）の予測が載っています。しかし、右上のコラムにＥＰＡに関する小さな記事があり、それにはもともと彼らが提示した死亡率は誤りであったこと、そして本当はその21倍であることを伝えています。21倍――さて、これはどう見ても相当大きな違いです。「ええと、もうちょっと多かったかね」などという程度ではありません。

　これが政府がしてきていることです。みんなに多くを語らず、小さな記事として少しずつ情報を小出しにしていくのです。大事件のようには書きたてません。法律によって公示しなくてはいけないことなので、小さな記事に紹介して、あとは水に流します。その後、政府は別の重要ではない記事に手がかりを残すのです――たとえばこの記事の中では、彼らが最初に予想したよりも21倍も危険であると言っていたのに、その２週間後には同じ新聞紙上にまたもや登場して「ああ、ところで、２週間前に言ったことははずれていましたよ、実際にはその２倍でした」と、こうくるのです。そう、２倍と言われると、そんなに大したことには感じません――最初に21倍と報告されたものが、実は42倍だったと言われなければ。これはものすごい数字です。もし真実がはじめから語られていたら、それはあまりにもひどく聞こえて、周囲に恐怖を生み出すでしょう。

　こうしたことは世界中でずいぶん長い間、行われ続けています。各国の政府がこの状況にどう対処するかというと、彼らが知っている唯一の方法は、ちょっとずつ情報をもらし、あとからどんどん付け加えていくというものです。みんなに真実を話さねばならないことは知っていても（あとから理由が明らかになってしまうので）、たいへんな危機に直面していると発言することを恐れるのです。彼らはただ、「ふむ、そんなに悪くないですよ、でも悪くなりつつはありますが」と言ったりして、こういう記事にします。

　さて、オゾン・ホールは南極だけでなく、いまや北極の上にも存在して、その他の地域はスイスチーズ（訳注・穴がたくさんあいた硬質のチーズ）の様相を呈しています。１９９１年か１９９２年に、オゾン・ホールに関する大々的なテレビ番組が放映されました。この研究に関わっている主な人々を一堂に集め、賛否両論を繰り広げたのです。そのなかで、ある夫婦チームへのインタビューがありました。彼らの名前は憶えていませんが、オゾン・ホールの発生を予測し、まさにこの問題について論じた本を数年前に出版していた人々です。この番組によれば、すべては私たちが知る以前から研究されていたのだそうです。そしてオゾン層はいまや彼らがそうなるであろうと予測した通りに、予測された速度で変化しているのです。

　この夫婦がテレビに専門家として引っ張り出されたとき、インタビュアーはこうたずねました。「それで、どう思われますか？」インタビュアーは子犬のように明るく、さらに訊きました。「どうすればいいんでしょう？　あなた方はオゾンについて全部ご存知ですが、オゾンに対し

●付記 Update

はじめて原子爆弾が使用されたとき、アインシュタイン博士は、もともとの燃料が使用しきられた時点で核連鎖反応がそこで留まるかどうか確信がなかったことを憶えていますか? 私たちの政府は最初の原子爆弾を爆発させたときに、それは世界の終わり(全生命が、ほんの数分以内に)かもしれないと知っていたのです。しかし、それを知りつつ実行したのです! これはスピリチュアルな無能という以外、何ものでもありません。

ほかにも政府が私たちの生命でギャンブルをするという歴史的事実はいくつもあります。１９９７年の春にＨＡＡＲＰ(ハープ)が使用されたとき、それによって大気圏が破壊されないかどうかわかっていなかったのです。第二次世界大戦中のマンハッタン計画もその当時は理解されていなかったように、長期に

てどうしたらいいんですか?」ご主人がこう言いました。「何もできることはありませんね。」一流の民放でこんな発言はとびだしてほしくないと思ったのでしょう、インタビュアーは訊き直しました。「どういうことですか、何もできることがないというのは?」著者は返答しました。「そうですね、世界中が協力するとしてですか?」(これがまず最初に必要なのですが、15年ほどたった今でもまだ実現していません!)「地球全体で『オーケー、今日でみんなやめましょう。もうこんなオゾンを破壊するような薬品は二度と使用しないようにしよう』と言ったとしましょう。」

著者は続けました。「オーケー、そうなったとしましょう。世界中でストップしたとします。でも、それでも問題は解決されないんですよ。」インタビュアーはたずねました。「どういうことですか? 穴は自然にふさがるんじゃないんですか?」彼はこう答えました。「いいえ。なぜかというと、あなたが昨日使ったスプレーボトルの内容物は地上の大気に留まり、そのフロンガスがオゾン層に達するのに15年から20年かかります。もし私たちが今日すべての使用をストップしたとしても、オゾンを食いつくす層は15年から20年かけてゆっくりと上昇していくのです。しかも私たちは近年これらの薬品を大量に使用したために、侵食のスピードは今後ますます加速していきます。」たしか彼は10年後ぐらいにはと言ったと思いますが、こう続けました——「オゾン層というものはなくなっているでしょう。私には解決法など、まったくわかりません。」

もしオゾン層を失ったら、私たちはたいへんな危機に直面します。地上すべての生き物が盲目になります。体全体を1ミリあまさず覆いつくす宇宙服を着なければ、日中に外出することもできなくなります——特別なＵＶＣ用ゴーグルから何から、すべてです。ほどなく全員がＵＶＣ光線で死ぬでしょう。私たちは急速にそこに近づいています。もしそう思わないのならば、１９９３年1月の『ウォール・ストリート・ジャーナル』誌を読んでみてください。

その記事は、南極とオゾン・ホールに近いチリ南端に起こったことをリポートしています。動物たちが盲目になり始めているのです。そこに住む人々は濃い色の厚い皮膚をしていて、ほとんどの生活をずっと戸外でしてきましたが、いまや彼らは日常生活で日焼けしはじめているのです。そしてそれはチリから北部へとどんどん広がっており、いたるところで起きるようになりました。オゾン層全体がスイスチーズ状になっていることからして、地球上全体のどこにも安全な場所がなくなりつつあるのです。オゾン・ホールは毎年地球上を移動するので、こうした穴がいつどこに現われるかは知りようもありません。このオゾンの問題は現在進行していることであり、明日とか、のちのち、いつか、たぶんなんてことではありません。それはたった今、この瞬間に起きていることなのです。あと数年するうちには、私たちはきわめて危険な状況に瀕することになります。

政府はオゾン問題について、少なくともレーガンが大統領だった頃から知っていました。環境庁がレーガン大

わたる影響がどういうものか、いまだに明らかになっていません。

　ＨＡＡＲＰとは何でしょう？　みなさんは知る必要があります。それはHigh-Frequency Active Auroral Research Projectの略で、高周波によるオーロラ調査計画です。それは原子爆弾よりもはるかに強力な武器です。１・７ギガワット（１ギガワット＝10億ワット）以上の巨大な量の放射性ビームを地球の電離層へ発射して、大気圏の上部を沸騰させて鏡あるいは人工的なアンテナのようなものを作り出し、地上のどんな場所にも照射できるようにするものです。

　このエネルギーは世界の気候を操作したり、環境を痛めつけるか破壊したり、電気的通信網を切断したり、私たちの気分や精神的な安定に変化を与えるといったことに利用できます。いうまでもなく、世界を取り囲む新しいキリスト意識のグリッドを操作したり破壊す

統領に「このオゾン問題についてはどうしましょうか？」と訊いたとき、彼は非常に軽々しい反応をしました。何やら「ああ、その問題の解決策なら、レインコートと黒いサングラスを配ることにしよう」というような答えだったとか。それがどうした、とでも言わんばかりです。私たちはまさに今ここでの生活、私たちの存在そのものについて話しているのですが、政府はそんなことは問題でさえないという態度をとり続けているのです。

温室効果による氷河期

　その次のブッシュ大統領は１９８９年に就任して、初の７日間のうちに７００の環境団体から申し入れを受けました――７００もの団体が大同団結して口々に大統領にこう言ったのです、「オゾンと海よりもさらに大きな問題があります。今わかる範囲で最大の問題は地球の温暖化現象です。もし地球の温室効果をすぐに調査しなければ、地球は壊滅です」と。彼らはこれを真実と考え、一致したのです。ある期間、ゴルバチョフと世界各国の政府は、環境をモニターし責任ある行動をとるために、宇宙ステーションを建造する方法を討議していました。ゴルバチョフこそは、物事全体に「協力して励め（ガン・ホー）」と言い出した最初の人でした。その後、これらの問題は注意深くモニターされ続けてはいますが、今は棚上げになり、ストップしているようです。これは非常に残念な状況です。

　次の**図３−７**はオーストラリアの上空から人工衛星で撮影したものです。オーストラリアとニューギニアの上部にある黒っぽい部分は、１９９２年に史上最高温度を記録した海域です。この部分の温度は摂氏30度でした。つまり海水の温度が30度ということです。もしそれが赤道を越えて広がっていくようなら、ジョン・ハマカーが予想した通りのことになります。ハマカーいわく、海水が熱されると、惑星が熱くなるのとはまったく異なった現象を引き起こすという強力な証拠があり、その理論によれば惑星は冷たくなるのだそうです――それも、非常に冷えてしまうのです。ハマカー博士は数年後には氷河期が訪れるだろうと予想しています。

　温室効果と呼ばれるものを全部ここで解説するつもりはありませんが、その重要な部分は岩石、鉱物、樹木に密接に関係しているのです。１エーカー（約４平方キロメートル）あたりの樹木は平均５万トンの二酸化炭素をたくわえています。木が切り倒されたり燃やされたり、あるいは枯れたりすれば、そこにたくわえられていた二酸化炭素はすべて空気中に放出され、大気中の二酸化炭素が一定量以上になると、それが氷河期の始まりとして作動します。ハマカーは、それが過去数回にわたってこの惑星で氷河期を引き起こしているという証拠を突きとめました。主に古代の湖底から採取されたサンプルを分析していて発見したのです。地層サンプルの花粉数を調べただけで、地球は９万年の氷河期のあとに１万年の温暖期がやってきて、次にまた９万年間の氷河期があり、１万年の温暖期がある、というサイクルを何百万年間も繰り返し

るためにも使用できるわけです。

　ジーノ・マニングとニック・ベギーチ博士共著の『悪魔の管理システム「ハープ」』を読んでみてください。

●付記 Update

　1995年と1996年に秘密政府はフランス領タヒチ諸島のモーレア島近辺で6発の原子爆弾を爆発させました。フランスとその他数カ国は、これらの爆弾を母なる地球の神聖な体内に配置したのです。もし彼らが同じことをあなたのお母さんにしたなら、あなたはそれはひどいレイプだと抗議したはずです。それらは中性子爆弾で、構造物は破壊しませんが、「単に」その場の生命すべてを破壊するのです。

　地球を女性として見た場合、彼らが配置した爆弾の場所は会陰にあたります。そこから地球の裏側へ突き抜けると、ちょうどエジプ

The Heat Is On

A hot spot in the sea could mean global warming is finally here

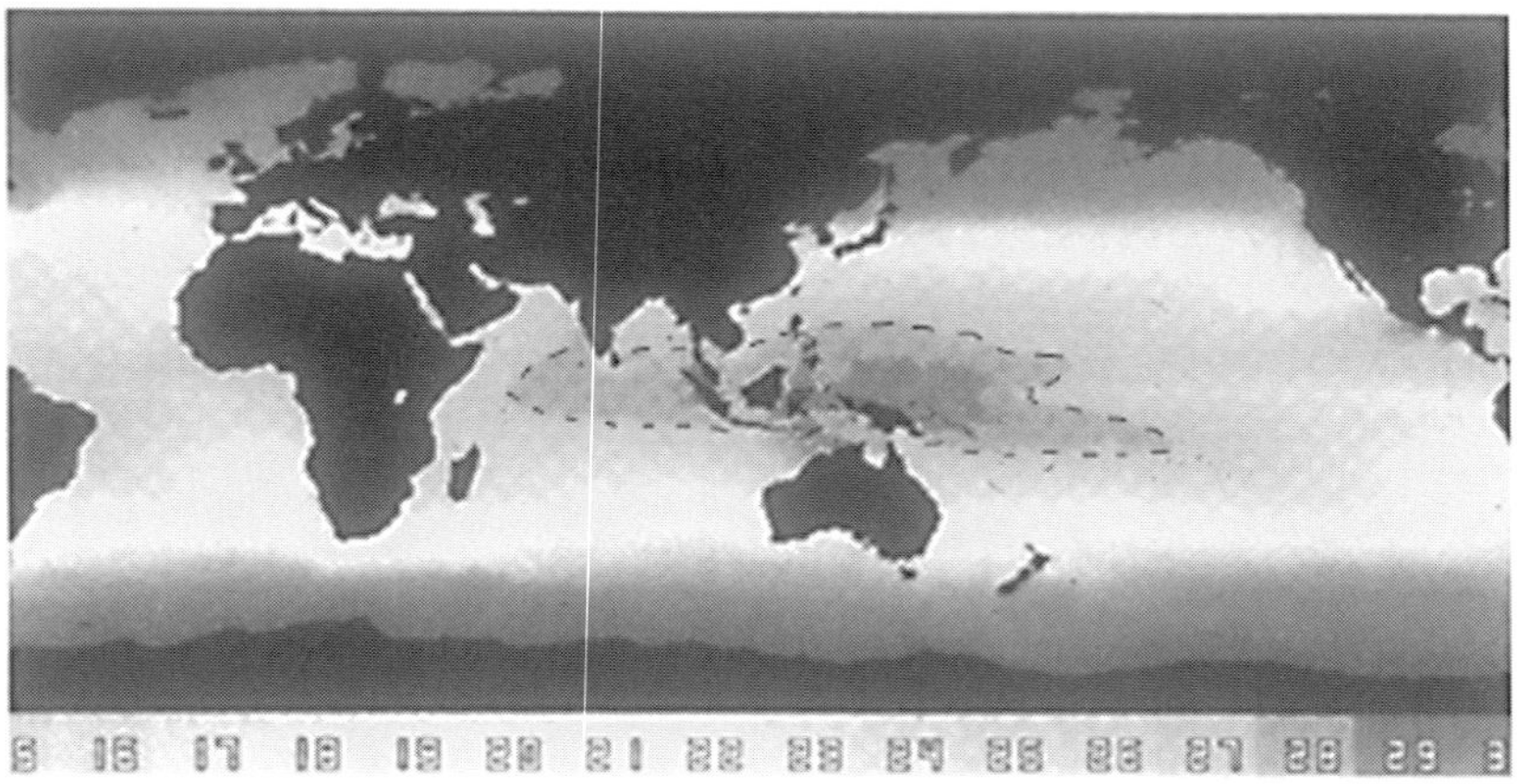

THE RED BLOTCH ABOVE AUSTRALIA AND NEW GUINEA in this satellite image, released last week, represents the ocean's hottest water, at 30°C (86°F). That's unusually steamy, and it may be partly a result of the global warming that scientists think is on its way. The good news: NASA reports that the ozone hole feared over northern latitudes this spring never showed up, but only because the winter was warmer than usual. A cooler season next year, which is quite possible, and goodbye ozone. ■

図3－7　歴史上もっとも海が熱くなったという記事。

「熱いレースは続いているのか？：高温の海域は、ついに地球の温暖化がやって来たことの警告かもしれない。

先週発表された、衛星からの映像中に見られるオーストラリアとニューギニアのポツリと赤い部分は、海の最高温度が30℃である部分を表わしている。それは異常に湿度が高く、科学者たちがもうすぐ起こるだろうと考えている地球の温暖化の結果ではないかと推測されている。グッド・ニュース：ＮＡＳＡによれば、この春、北部緯度で恐れられたオゾン・ホールは現われなかったが、それは冬が通常よりも暖かかったからにすぎない。次の年の寒い季節になれば出現が見られる可能性は高く、そうすればオゾンにさよならとなるのである。」

トの大ピラミッドのある場所、地球のクラウン・チャクラにあたる場所になります。これは注目の的になりました。なぜなら秘密政府は大ピラミッド全体を閉鎖して、3日間誰も入れず、惑星の意識に対する結果をテストできるようにしたからです。彼らは地球を包み込むように育っている、ある特定のフィールドを破壊しようとしたのです。それは地球のメモリーバンクとも呼べるものです。秘密政府は(と言いつつ、あなたも私もその一部なのですが)、この新たな意識をとても怖がっていますが、私はいまやそれはほとんど確固としたものに育っていると信じています。

　地球の二極性はゆっくりと融合しています。これが書かれた1993年には、私たちは惑星的洞察の時期に生きていました。1997年現在では、私たちは理解に基づく惑星的統合ができるかどうかの瀬戸際に立っています。

てきたことがわかりました。その一定のサイクルがとても長いこと続いてきたのです。

　さらにハマカーが発見したことには――別の人々によっても立証されていますが――温暖期から氷河期への移行には、なんとたった20年しかかからないのです！　これについて長期間研究してきた人たちは、今はその20年サイクルのうち、すでに16～17年目に入っているという可能性を信じていますが、正確に知る人は一人もいません。彼らはこの20年かそこいらの期間が切れたら、(ぱちんと指をはじいて)わずか1日のうちに、24時間足らずですべてが終わってしまうだろうと言っています。地球は雲に覆われ、平均気温は約マイナス2度まで落ち込み、世界中ほぼどこでも次に太陽が見られるまで、9万年ほど待たねばなりません。

　もしこの人たちが正しいのだとすれば、私たちが太陽を楽しめるのはあとほんの数年しかないことになります。まずはどんどん暖かくなって、その日がやって来るまでは限りなく暑くなり続け、その時が来たらとつぜんプツン、それでおしまいです。

　ハマカーの研究の詳細にまでは触れませんが、もしもっと知りたければ、あなた自身で調べてみることをお勧めします。彼は強力な証拠を握っています。彼が何を言わんとしているのかを読み取ってください。その本のタイトルは『文明のサバイバル *The Survival of Civilization*』といいます。

氷河期から温暖期への急転換

科学者自身もショックを受け、信じ難いと思っているような、さらに驚くべき発見があります。氷河期が終わった時には、きっと温暖化に何千年もの歳月を要するのだろうと考えられていました。ところが、いまやそれはわずか3日間であるという証拠が見つかったという記事が『タイム』誌に載りました。温暖期から氷河期へ変わるには20年かかりますが、氷河期から温暖期へは3日間だというのです。誰も答えを知りませんが、恐ろしいことに、科学者たちは全然確かめられていない予測値を煽り立てようとしています。彼らはみんな、誰の答えが一番正しくて、誰がどう考えるのかで争っています。しかし実際には、どうしたらいいのかなんて誰も知らないのです。それはオゾンの場合と同じです――もしかすると科学者たちはオゾン層を修復する方法を15通り発見するかもしれませんが、そのどれもが状況の向上に役立つ可能性もあるし、悪化させる可能性もあります。過去の実例がないために、誰も結果として何を招くか知らないのです。私たちはそれをするのかどうか、どうやら自分たち自身を実験台にしなければならないようです。

地下原子爆弾とフロンガス

そのうえ、ほかにも問題がいろいろ起こりはじめてい大いなる試練はまだ目前にあり、もし秘密政府がＨＡＡＲＰを使用してキリスト意識のグリッドを破壊しようとした場合には、なおのことそうでしょう。

●付記 Update

明るいニュースとしては、こういうものがあります。ＵＣＬＡ大学の博士たちが、生まれつきエイズに感染している幼い男の子を5年前に診察しました。彼は生まれた時にエイズと確認され、1年後に再確認されました。この時点では彼はまだエイズでした。その後5歳ぐらいになるまで検査しないまま過ごし、そして検査した時点では、なんと彼のエイズウイルスはまったく何の痕跡も残さず消え失せていたのです。それはまさに、エイズにかかったこともないという状態を呈していました。医師たちはどうしてこの男の子の体が免疫を持ち得たのか

ます。いくつかは実に恐ろしいことなので、政府は恐れて何も漏らさないようにしています。政府は、私がみなさんにお話ししているようなことは公表しないでしょう。でも、あまりにも重要なことなので、誰かが何かしら言わねばなりません。彼らは私がこれについて話すことを望まないのはわかっていますが、私を止めはしないでしょう。

私たちはフロンガスを大気圏上層部に発見しています。さて、政府のその道の「権威」は、フロンをはじめとしたフロンガス生成物は空気よりも軽いので、ゆっくりと上昇していくと言ってきました。しかし、科学者タイプの人は自分で調べてみるとわかりますが、フロンガス類は空気より軽くはありません。逆に、なんと空気より4倍も重いのです。それらは沈むのであって、浮上などしません。ならば一体どうやってそこまで浮上していったのでしょうか？　それは私たちの政府が世界各地で地上爆発させた２１２の原子爆弾のせいだった可能性があるのです。多くの人々が、これが原因でフロンガス類が最初に大気圏上層にばらまかれたのであり、大気中の問題の本当の原因は私たちにあったわけではないと推測しています。主な原因は原爆づいた世界の政府だったというわけです。

ある時点で政府は核実験を地下で行うことにしたので、多くの人はそれなら大丈夫だろう、地下での爆発なら、きっと何も問題はないと思いました。しかしそれは全然、大丈夫ではなかったのです、みなさん。それはたぶん今日の世界では、ＨＡＡＲＰ（訳注・高周波によるオーロラ調査計画。付記参照）を上回るほど危険なことだと言えます。そしてそれを今でも続けているのです。これから話すことはまだ証明されていないことなので、みなさん自身で証明できるまでは信じないでください。

科学界で重要な役割を果たした有名な科学者、アダム・トロンブリーは世界各地の地下核実験についてモニターしていました。彼はこの件に関してたぶん他の誰よりも世界一見識のある人だと言えるでしょう。政府でさえもこれは認めるところです。トロンブリーはこれらの原子爆弾が地下で爆破された時にどうなるかを説明しました。エネルギーはただそこに留まってはいません。それはどこかしらへ発散されねばならないので、地球をどっと貫通して内部で跳ね返り、地殻を引き裂いてピンポン玉のようにあちこち行き来しながら恐ろしいダメージを地球に与えるのです。地球内でのこの跳ね返り作用は、爆発以後30日間は続きます。

トロンブリーは、ジャック・クストーなどと同じように、あらゆる種類のことが起きるという理論を持っています――そしてそれらは今みんな起きている最中です！　インド洋が非常に短期間で約7メートルも沈下したことは、トロンブリーによって10年以上も前に予測されていました。ジャック・クストーが地中海の死を10年後と予測したのと同じです。多くの偉大な人々がみずからの真実を語りはじめていますが、まだほんの少しの人しか聞く耳を持っていません。もしトロンブリーが正しければ、惑星全体が引き裂かれて散りぢりになるには、あとほんの

まるで理解できませんでした。わかったことは、とにかく全快したということだけです。

医師らはその子のＤＮＡも含め、考えつくかぎりのことを調べました。そこである変化を発見しました。この小さな男の子は人間のＤＮＡを持っていなかったのです！

私たちはＤＮＡ中に64のコドンを持っていますが、普通の人間はこれらのコドンのうち20だけが機能しています。それ以外ではプログラミングの開始と停止に関与する3つを除いて、すべて不活性か不稼働です。しかし、この男の子においては24のコドンが機能していました——彼はエイズに免疫を持つように変異する方法を見出したのです。実際にその子を検査したところ、何に対しても免疫があることが発見されました。彼の免疫力は通常の人の３０００倍も強いことがわかったのです。

その後、博士らはほかにも同じ状態の子供

数発の原子爆弾を炸裂させるだけというところまで来ていることになります。トロンブリーが予測した地球の変動に対応するため、世界中の政府はだいたい１９９１年頃から危機準備体制に入っています。彼らは死ぬほど恐れています。しかし、たしか中国がまた１つ核実験をしたそうで、アメリカは中国がそうしたからというだけで、もう１つ爆破しようかと検討しているのです！

とにかく、生命は続きます。私たちには肉体だけでなく、スピリットという存在レベルもあってよかったと言えます。もしアセンションしたマスターたちや人間の高次の側面がなかったとしたら、私たちは絶望的な状況に置かれていたでしょう。しかし他の偉大な魂たちの仕事によって、みなさんや人類は生きはじめました。ありがたいことに、みなさんはもうすぐさらなる新しい、清浄で美しい世界の中に生まれ出るのです。みんなが神に感謝して暮らし、そうでない人は一人もいないという世界です。私たちはこれをすべて通過して、大丈夫になるのです。

……さて、話はまだまだ続きます。

エイズに関する「ストレッカー・メモ」

これが最後の話になります。実際には他にもたくさんの危険な状況があるのですが（何時間でも話し続けられます）、最後にエイズに関してお話ししましょう。もし「ストレッカー・メモ（Strecker Memorandum）」の文書を読んだりビデオを観たりしていない人は、調べてみることをお勧めします。政府はひどくこれを押さえつけようとしています。ストレッカー博士はビデオにより、エイズの周辺で何が起こったのか、彼の信じるところをメモとして作成しました。彼はすばらしい人です。レトロウイルスの研究分野におけるエキスパートです。彼はこのビデオをテレビで公開したところ、政府に脅されました。証拠はありませんが、ストレッカー博士の兄か弟と、この資金源になっていた上院議員を殺害したそうです。しかしながら政府は博士本人を殺しはしませんでした——それではあまりにも明白すぎるからでしょう。ストレッカー博士はそのビデオを配布しました。みなさんの耳にはもう入らなくなりましたが、博士はそれを世界に向けて差し出したのです。

ストレッカー博士はビデオの中で、いかにして国連が環境問題を解決しようとしているかを示しました。国連は世界における最大の難関は人口問題であり、このままでは世界の人口は２０１０年から２０１２年までの間に今の2倍になるだろうと認識していました。しかし、中国が夫婦間に一人の子供しか許さないようにしたり、そのほか世界中での精力的な試みにより問題は緩和されつつあります。それでも国連は、今でもそうなるだろうと信じているのです。人口の倍増は２０１４年頃であろうという予測を立てています。もしそうなったら、あと60億もの人口はとても面倒みていけないという結果をコンピューターの試算ははじき出し、国連によれば地球は死に絶えるか、さもなくば人々が死んだほうがましだと考えるよを見つけましたが、その子も同じようにエイズから脱し、同じく24のコドンが活性化して、エイズやその他の病気に対して免疫を持つようになっていました。そして、こういう例が100人見つかったと思ったら、あっという間に1万人になりました。UCLAでは、いまや世界人口の1パーセントがこの変異を通過したであろうと見なしています。つまり、いまや5500万人の子供たちと大人たちが、すでにDNA上の定義からすると人間とは呼べないものになっているというのです。今この変異をしている人々は相当たくさんいるので、科学者たちは新人類がこの時代に生まれつつあり、それはどうもエイズのせいらしいと考えています。これらの人々は、ほとんど何の病気にもかかることがありません。

興味深いことに、1997年にはエイズが47パーセント減少したと1998年11月に発表されるようになるか、どちらかだというのです。地球上に110～120億もの人口がいたらどういう感じか、想像できますか？　少なくとも現行のシステムでは絶対に無理なのです。

そうです、もしあなたが国連でこの災難の可能性を知っていて、決定を下さなければならない立場だとしたら、どうしますか？　誰かがしたことに裁定を下すのではありません――ちょっとその強大な権限を握る立場に自分自身を置いてみてください。地球は鉄の壁にぶつかりつつあり、何かが変化しなかったら、完全に破滅です。ゆえに彼らは決定を下しました――そしてストレッカー博士はそれに関する記録をテレビで公開しました。国連は人口110億の壁にぶち当たるよりは、その時にウイルスか病気を作り出して、地球上の人口のうち、特定の4分の3を死なせてしまおうと決めたのです。別な言い方をすれば、110億に増加すること自体を何とかするのではなくて、現在の人口を4分の3に減少させることを目的にしたのです。ストレッカー博士は、世界人口の4分の3を抹殺する計画に関する国連文書を実際に公開したのです。

ストレッカー博士は科学的に、いかにして国連が計画を実行したかを見せてくれました。羊から採ったウイルスと、牛から採ったウイルスを混合し、特定の方法でエイズウイルスを作り上げました。しかしそれらをばらまく以前に特効薬も作っておきました。博士によれば、政府はいま現在すでに解毒剤を持っているそうです。これを実行していた人々は――歴史がこれを証明しますが――明らかに偏見を持っています。なぜなら、彼らが選んだのは、黒人とホモセクシュアルという2種類の人々だったからです。

ハイチではホモセクシュアルの人々にB型肝炎が蔓延しだし、B型肝炎ワクチンを注射する必要が出てきました。そこで国連の代理人たちがエイズウイルスを持ち出して、B型肝炎ワクチンにそれを滑り込ませた後、みんなに注射したのです。これがストレッカー博士による、いかにしてウイルスが発生したかという経過です。さらに、ウイルスはホモセクシュアルの人々のみに撒かれたわけではなく、その証拠も世界中にあります。アフリカでは少なくともエイズ患者が7500万人いますが、はじめから今までずっと男女の感染率はほとんどきっかり50パーセントずつです。ハイチだけ、そして後には合衆国もですが、ほとんどホモセクシュアルの人々のみに限って広がっていったのです。アメリカの統計を調べたら、今は女性がもっとも速いスピードでエイズに感染しているのを発見するでしょう。もうすぐ自然がバランスをとりはじめ、世界中でまったく同じ現象が見られることになるでしょうが、男女の同数がエイズ感染するようになると思われます。それは決して「ゲイの病気」などではないのです――そんなことはまったく関係ありません。それを創造した者の偏見からきているのです。

ストレッカー博士によれば、この病気を作り出したWHO（世界保健機構）は、その他の病気についても疑わしされましたが、それは今までの主な病気の減少の歴史のなかでも一番大きなものでした。これがその理由の１つでしょうか。

さらに、ジェフリー・サティノヴァによる『聖書の暗号を解く *Cracking the Bible Code*』によれば、「ＡＩＤＳ」という言葉でコードを検索してみると、一般的に連想される言葉がすべて見つかるそうです。「血液中」「死」「絶滅」「ウイルスの形で」「ＨＩＶ」「破壊された」、その他多くの言葉がありました。しかしながら、今になるまで研究者には意味をなさず、わからなかった言葉がありました。それは前記のことを念頭においた時にはじめて理解できるものでした。彼らは「すべての病気の終焉」という言葉を発見したのです。

これは今日の地球で、たぶん一番重要な出来事でしょう。

いとのことです――医者はほぼどこにでもいます。たとえば、ガンを見てみましょう。医者たちは、いつかガンが公害や食物といったものによってではなく、風邪のように空気感染か水を媒介して感染するようになるのではと心配しています。あなたがガンの人の近くを歩くだけで、あなたもガンになるということです。多くのガンのウイルスはかなり小さいので、実際にそうなる可能性はきわめて低いのです。起こる可能性はあっても、実際にはほとんどないでしょう。しかしエイズウイルスには、９０００からその４乗、つまり６５６１兆もの異なった種類があります。これはものすごい数字です。そして誰かがエイズに感染するたびに、それまで見たことのない、まったく新しいウイルスが創造されます。これが意味するところは、数学的に言えば避けられないことで、あとは時間の問題であり、エイズはインフルエンザのように急速に世界中に広まり得るというものです。

ＷＨＯはこの急速に広がるタイプのエイズがすでに始まったと見ているという話が流れています。１９９０年か１９９１年頃にＷＨＯは、小さな赤ちゃんからお年寄りまで、いろいろなタイプのセクシュアリティの人を有意に取り混ぜて（小さな赤ちゃんは別にセクシュアリティは関係ありませんが）１４００人に及ぶアフリカの部族をチェックしたところ、例外なく全員がエイズに感染していることを発見しました。それはＷＨＯが秘密裏に「ウイルスはたぶん、いまや空気感染か水の媒介によって蔓延しつつあり、野火や感冒のように広がっていくだろう」と宣言したちょうどその時です。その他の新しい病気と同じように、流行には数年のずれがあるでしょう。もしそうなったら、あなたは自分が安全かどうか知っていますか？ みなさんは真実を知らなければなりません――あなたは自分で思っている以上の存在なのです！

地上の問題に対する展望

もし私たちが多次元的存在ではなく、肉体だけの存在として地球と結びついており、他に行くところがないのだとしたら、たいへん深刻な状況にいることになります。しかし私たちが私たちであるがゆえに、地球に起ころうとしていることは、非常にすばらしい成長の媒体になることが可能です。憶えているでしょうが、人生は学校なのです。マーヤー（幻影）はマーヤーなのです！

もし私たちが今みずからの置かれた非常に危険な状態を認識したなら、私たち自身を目覚めさせられるかもしれません。私がこんなことを秘密にしておかないで語る唯一の理由は、私たちは沈み行く船に乗っているようなものだからです。船には大きな穴があいて、水がどんどん流れ込んでいます。もうそこに座ってゲームをしたり、いつも通りの行動や考え方に照らし合わせているような時ではないのです。もし環境についての真実を知らなければ、みなさんは今まで通りをそのまま続けてしまい、行動に移さないで終わってしまうかもしれません。

環境保護のために行動を起こすことを勧めているわけ

ではありませんが、それもいいでしょう。ただ、もっと大切だと思われるのは、内的な行為である瞑想、あなたを意識的に全域の生命すべてと再結合させてくれる瞑想です。道教ではこう言います、「何かをなそうと思ったら、そのものとなってみよ」と。外的に行動するのはまったく間違ってはいませんが、ここに求められるもう1つの行動が存在していると私は信じています。そこで要求されるのは、私たちが状況に目覚め、真剣に受けとめて、いくらかでも自分の意識に真の変化をもたらせるよう何らかの方法ではたらきかけるという精神のあり方です。自分が目を向けて理解しなければならない内的な事柄は、続けていくうちにゆっくりと姿を現わします。高次意識が3次元の世界に入ってきた時には、たとえ3次元の視点からは生命の終焉に見えたとしても、生命のコインの裏側を理解する人はみな、本当の問題はこうした環境問題にあるのではないことを悟るでしょう。

世界の歴史

新しいテーマに移ります。世界の歴史と、それが現在にどう関係しているかについてです。それぞれのパズルのピースは視野を広めてくれます。私たちが陥っている今の状況は、偶然こうなったのではありません。思い出す必要のある、いろんな事件が起こりました。私たちの多くはすでに過去世でここに存在して、みずからの中にその記憶を保持しています。しかしそれが重要なのではありません。いかにして今日の状況に至ったのかを理解するには、過去に何があったのかを正確に知る必要があります。もちろんこの歴史は、歴史書には載っていません。なぜなら人類の「文化」についての歴史書はわずか６０００年しか遡りませんが、私たちはこれを始めるのに45万年前まで戻らなければならないからです。

この情報はトートにより、１９８５年頃から私に伝えられたものです。その後トートが１９９１年に出て行ってから、私はゼカリア・シッチンを知り、彼の研究を読んだところ、シッチンとトートの情報がほとんど完全に符合していることを発見しました。あまりにも完全で、偶然ということは考えられません。どれほどそれが似ているかと言ったら、まったく驚異です。トートが言っていたたくさんのこと、なかでもトートはあまり深く言及しなかったアトランティスに住んでいた巨人のことなどがシッチンの本で説明されているのです。そしてシッチンが見過ごしたかのように見えることは、トートが非常に念入りに説明してくれていました。ですからこれら２つの情報は、かなり面白い視点を切りひらいてくれるでしょう。この視点が受け入れられなくても、別にかまいません。神話か何かでも聞いているように受けとって、あとで有用かどうかを見てください。もし、あなたには真実として感じられないものがあるなら、もちろん受け入れなくてかまいません。私自身はこれが真実に一番近いことだと感じており、それをみなさんにお知らせします。私はトートの幾何学的な構造やヒエログリフのイメージを言葉に翻訳していることを思い出してください。言葉にすることで全体像のいくぶんかは失われてしまいますが、みなさんの記憶の引き金になるには充分なものだと思います。

まず最初に、あなたは書き記された歴史について、あることを認識しなければなりません。誰かがペンをとって書きつけなければならないので、書き記された歴史というものは、常にそれを書いた人の視点を通しています。書き記された歴史は６０００年前から始まっていますが、もし違う人々によって書かれていたとしたら、同じものになったでしょうか？ たいていの場合、歴史の本を書いたのは戦争の勝者だった点に留意してください。戦争に勝った誰かが「こういう事実があった」と言ったのです。敗者の意見など差しはさむ余地はありません。大きな戦争を見てください。特に感情的な戦争であった第二次世界大戦ですが、もしもヒトラーが第二次世界大戦で勝っていたら、世界史の本はまるで違うものになっていたでしょう。私たちはまったく異なった一揃いの「事実」を実証していたはずです。私たちは悪者であり、ナチスはユダヤ人に対して行ったことに相応の理由を示したことでしょう。しかし、私たちが勝ったので、それは私たちの視点から書かれたのです。

さて、いつでも歴史とはそんなものです。火を見るより明らかなのに、誰もこの問題については言及しません。トートもこれに関しては気にしており、こう言ったものです。「おまえに私の視点を授けよう。私は何世紀もの間、見つめ続けてきており、それをしてきた、ただ一人の人間だ。これは私が真実だと信じることだが、他のものたちは歴史について違った視点を持っているかもしれないから、そのことを心にとめておきなさい。」ですから、トートといえども「これがこうだったのだ、それが受け入れられないなら立ち去りなさい」とは言わないのです。というわけで、そのスタンスを保ちつつ進んでいくことにしましょう。

シッチンとシュメール

まずゼカリア・シッチンの研究から始めることにします。もしまだ彼の本を読んでいなかったら、最初にこれを読むと大いに楽しみを増やすことになるでしょう。彼の主な著書は『人類を創成した宇宙人』(原題 *The 12th Planet*)ですが、私は他の2冊、『失われた領域 *The Lost Realm*』と『創世記再来 *Genesis Revisited*』を（この順序で）お勧めします。彼は、ずっと存在を実証できる人がいなかったために長いこと神話だと思われてきた、バビロン、アッカド、ウルクなどのキリスト教聖書に出てくる多くの都市について書いています。それらが現に実在していたという証拠はこれっぽっちもなかったのです。ところがついに1つの都市が発見され、それは次なる都市の発見につながり、そしてまた別の都市の発見へと連鎖的に導かれていきました。そうして結局、聖書に出てくるすべての都市を見つけ出したのです。

これらすべての古代都市はついこの１２０年ぐらいの間に発見され、しかもそのほとんどは最近と言えることに注意してください。古代都市の層を掘り下げていったとき、何百年、何千年前まで過去に遡ってシュメールと地球の歴史をつづった円筒形の粘土版が、何千枚も発掘されたのです。シュメールの文字は楔形（くさび）文字と呼ばれます。私が話しているのは、なにもシッチンの解釈だけではありません。現在では楔形文字を判読できるようになっており、多くの研究者がこれらの文章を翻訳していくにつれて、私たちが真実だと思ってきた世界観は変化させられています。ジョン・アンソニー・ウエストのスフィンクスに関する研究が、現代の人類の歴史に対する考え方を変化させているのと同様です。

どうやってシュメール人がそんな情報を受け取ったのかについては、あとでまた説明しましょう。シュメールの記録は今から5800年前まで遡る、この惑星で最古の文書ですが、それらは何十億年も昔にあったことを描写しており、特に45万年前より後のことに関してはきわめて詳細に記録されています。科学的知識によっても、トートの知識によっても、私たちの種はだいたい20万年前から存在しています。シッチンは、私たちはひょっとすると30万年前頃あるいはもっと昔から存在していたかもしれないと言っていますが、記録もトートもそうは言っていませんし、メルキゼデクたちもそうは言いません。私たちはここに20万年よりちょっと前くらいの頃からいましたが、今のサイクルや、ネフィリムよりもはるかずっと以前から地球には文明が存在していたのです。それは私たちが聞いたことのあるものやネフィリムを超越する、進化した文明でした。彼らは何も残さないで消え失せてしまいました。この本の終わりに達するまでには、なぜ何の痕跡も残さずに消えてしまったのかも、理解できるでしょう。それがこの惑星の過去です。ある意味では、それは私たちが誰であるのかということに関係しています。私たちはそれらすべての情報にアクセスすることが可能です。私たち一人ひとりの内部には、この情報が記録された一構成部分があります。それには簡単にアクセスできるのですが、ほとんどの人は単にそれに気がついていないだけです。

一般的に、歴史的な出来事についてはそれに関する最古の原典が一番重視されます。なぜなら、後になって書かれた記述よりも時間的に近いからです。エジプトのヒエログリフよりも古い幾何学的言語は例外の可能性もありますが、シュメールの楔形文字は人類が保持する最古の文字です。古代シュメール人は、私たちがいま知っている過去の歴史が正しいという確信ゆえに、非常に受け入れにくい歴史を語っています。物語はあらゆる面においてとんでもない代物なので、科学者たちはそれが真実に違いないと知ってはいても、今は受け入れるのが困難なようです。それは最古の記録なのです！　もしこれほど突拍子もない内容でなかったら、そこまで古い原典に書かれているのですから、もっと早くにその通り受けとめていたはずです。

もし仮に、古代シュメール人は頭がおかしくて、実際の知識なしに物語を作り上げていたのだとしたら、私たちの歴史的観点から見て彼らが知り得るはずのない、多くの自然に関する事実を知っていたことを一体どうやって説明するというのでしょう。たとえば、すべての外惑星について知っていたのはドゴン族だけでなく、シュメール人も同様でした――彼らの文明の始まりの時から知っていたのです。紀元前3800年ぐらいまで遡る、世界最古の

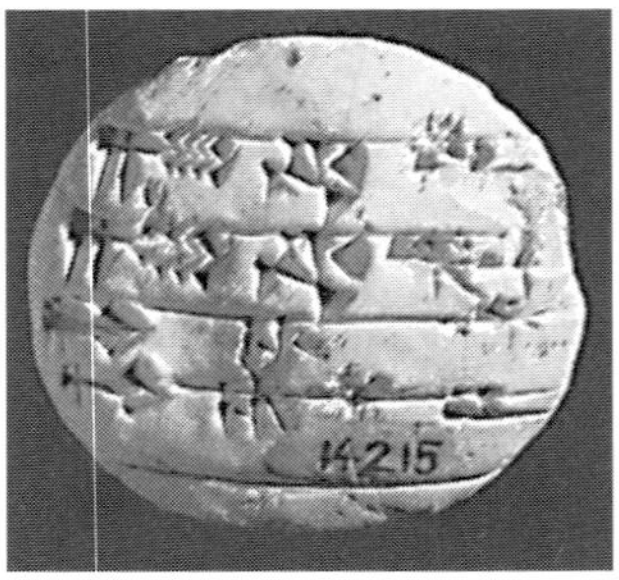

文明として知られるシュメール文明は、外宇宙から太陽系に接近してくる時にどう見えるかを正確に描写していました。全部の外惑星を認識しており、あたかも太陽系の外側からやって来たかのように、外側から内側へと順番に数え上げているのです。ちょうどドゴン族が洞窟の壁画に描いたように、シュメール人はさまざまな惑星の相関的なサイズを、まるで宇宙空間を旅しながら見てきたかのごとく、外観がどう見えるかや、水の存在、雲の色に及ぶまで描写しています。それらすべての体験が紀元前３８００年に詳細に語られているのです！ これが事実です。こんなことが一体どうして可能だったのでしょうか。それとも私たちの「始まり」には、まだあずかり知らぬ真実が存在しているというのでしょうか？

　ＮＡＳＡが外惑星を越えてさらに外宇宙へと宇宙探査機を送り出すよりも前に、ゼカリア・シッチンはＮＡＳＡにあてて、シュメール人による宇宙から見た全惑星に関する記述を送っていました。そして探査機が惑星の一つひとつを通過するごとに送ってきた映像と、シュメール人の描写は思った以上に完全に一致していました。もう１つの例を挙げましょう。シュメール人たちはその文明の始まりの時から、なんと歳差運動についても知っていたのです。地球が太陽のまわりを公転する軌道面から23度傾いていることも、そのゆらぎ運動が一周するのに約２万５９２０年かかることも知っていました。さて、これは頭のかたい歴史学者には理解しにくいことです。地球の回転にゆらぎがあることを知るには、２１６０年間にわたって連日、夜空を観測し続けなければならないという知識がある科学者タイプの人は、特に頭をひねるでしょう。最短で２１６０年ですが、シュメール人はその文明の始まった最初の日からそれを知っていました。

　一体彼らはどうやってそれを知ったのでしょう？ 一般的な考え方ではすぐに馴染めない、途方もない証拠がこれらの粘土版から見つかっています。私が学校で教わったところによれば、「創世記」（旧約聖書）は今から約３２４０年前である紀元前１２５０年頃にモーゼが書き記したというものでした。ずっとそのように本に書かれているのを読んできました。しかしシュメールの粘土版には、モーゼが生きていた時代より少なくとも２０００年以上前に、聖書の第1章とほとんど一字一句たがわぬ言葉が書かれているのです。これらの粘土版には「創世記」に語られた出来事の全範囲が網羅され、アダムとイヴを含めて彼らの息子や娘たちの名前が全員列挙されています。これらのすべてはモーゼが受け取る以前に書き記されました。これは、モーゼが「創世記」の書き手ではなかったことを証明しています。もちろん、キリスト教社会にとって受け入れがたいのは明白ですが、それが真実なのです。地球の歴史として信じられてきたこととあまりにもかけ離れているために、この知識が現代の文明に浸透するのにこんなに長くかかっているのは確かによくわかります。しかし、何にせよこのモーゼに関する密かな、あるいは公然の真実も、真実の全貌からすればほんの一部分でしかありません。

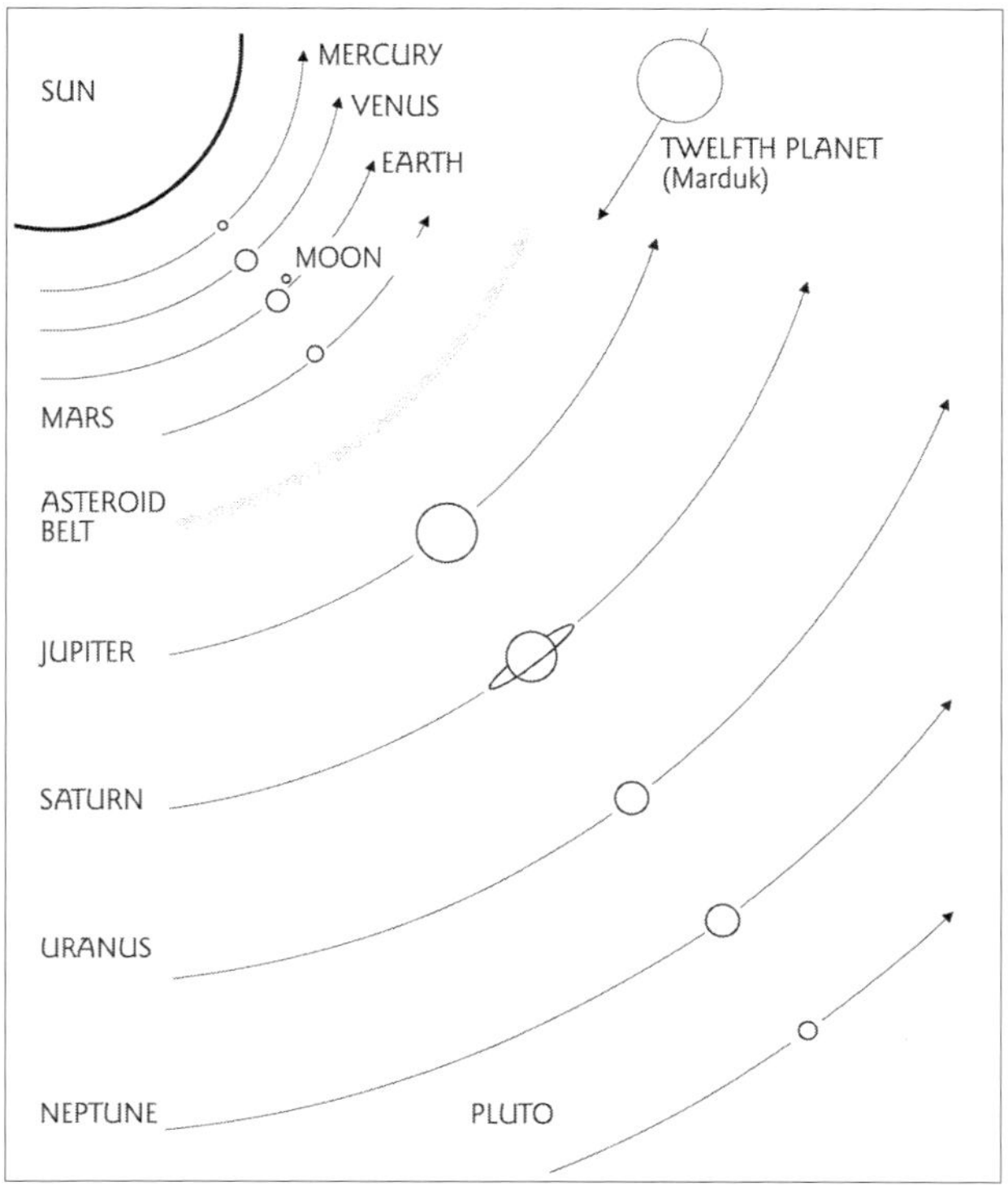

図3－8　マルドゥック（ニビル）、ティアマトの残骸（地球と小惑星帯）を含んだ太陽系

ティアマト、そしてニビル

これらの例外的で信じがたい情報（もっと他にもあるのですが）よりもさらに詳しくシュメール人が知っていたのは、アダムとイヴ以前の人類の歴史の始まりについての物語です。彼らはずっとずっとはるか遠い昔まで遡った話をしています。物語は地球がまだとても若かった時代、何十億年も昔に始まります。そのころ、地球は「ティアマト」と呼ばれる大きな惑星で、火星と木星の間にあって太陽のまわりを公転していました。古代の地球は大きな月を持っていて、彼らの記述では、いつか未来においてその月は惑星になるとされていました。

その記録によれば、私たちの太陽系には、今ではぼんやりとしか認識されていない、もう1つの惑星がありました。バビロニア人はこの惑星を「マルドゥク」と呼んでいたので、この名前が一般的になりましたが、シュメール人には「ニビル」で通っていました。それは他の惑星よりも大きい、地球とは逆行して公転している巨大な惑星でした。その他の惑星はいずれにしても軌道面を一定方向にまわっていましたが、ニビルは違う方向へ動き、他の惑星に近づくとき火星と木星の軌道の上を通過するのでした（図3－8）。

シュメール人たちは、ニビルはこの太陽系を3600年ごとに通過し、それがやって来る時は一大事だったと語っています。そのあとニビルは外惑星からずっと離れたところまで遠ざかり、やがて視界から消え去るのです。ときに、たぶんNASAはすでにこの惑星を発見しているでしょう。少なくともその可能性はかなり高いと言えます。NASAは2つの人工衛星によって、太陽から途方もなく離れたところに存在している惑星を見つけたのです。それは確かにそこに存在していて、シュメール人はそのことを何千年も昔から知っていたのです！ そして記録によれば、運命がもたらしたある軌道上、ニビルは1つの惑星に近づきすぎて、その衛星の1つがティアマト（私たちの地球）にぶつかり、その半分ほどを削り取っていきました——星を真っ二つに引き裂いたのです。シュメールの記録では、このティアマトが砕けたとき、その大きな塊の1つが大きな月と一緒に軌道からはじき飛ばされ、金星と火星の間の軌道に乗って、いま私たちが地球として知っているものになったというのです。他の塊は何百万個にも砕け散って、シュメールの記録では「打ち砕かれし腕輪」と呼ばれる、火星と木星の間にある小惑星帯になりました。この記述は天文学者たちを驚嘆させました。肉眼では見られないのに、一体どうして小惑星帯のことを知っていたのでしょう？

これはシュメールの記録がどれほど過去まで遡っているかを示しています。記録は初期の出来事について書きつづり、ある時点でニビル（マルドゥク）についてさらなる話を語りはじめます。そこでは「ネフィリム」と呼ばれる、意識を持つ存在が住んでいたことに言及しています。ネフィリムたちはとても背が高く、女性は約3～4メートル、そして男性は約4～5メートルもあったそうです。彼らは不老不死ではありませんでしたが、その寿命は地球時間で約36万年ほどあったとシュメールの記録は伝えています。それから死を迎えたというわけです。

ニビルの大気の問題

シュメールの記録によれば、およそ43万年くらい（もしかすると45万年以上かもしれません）昔のこと、ネフィリムの惑星であるニビルに問題が発生しました。それは大気に関する問題で、私たちがいま直面しているオゾン層の問題と大変よく似ていました。そしてニビルの科学者たちは、地球の科学者たちと似たような解決策を考え出したのです。地球の科学者は太陽の破壊的な光線を濾過するために、粉塵の分子をオゾン層にばらまこうと考えたことがあります。ニビルの軌道は太陽から相当遠くまで離れていくので、熱をたくわえる必要がありました。それで彼らは、鏡のように光と熱を反射させるため、大気圏の上層部に金の粉をばらまくことにしたのでした。それを霧状にして惑星上空の空中に留めておくために、大量の金を採取することを計画しました。そう、彼らが現代にも見られる類の問題について話し合っていたのは本当です——古代人たちがETやこみ入った科学的なことについて語っていたのです。これは『スター・トレック』でもSFでもありません。本当にあったことです。彼らが言っていることはあまりにも驚愕に値するので、それゆえ一般大衆の知識に浸透するまでに、かなり時間がかかっているのです。

一見、当時の彼らは今の私たちとさほど変わらない発達をしていたように見えますが、ネフィリムは宇宙旅行をすることができました。シュメールの記録には、ロケットのように後方へ火を噴いている空飛ぶ船が出てきます。これがあまり高度ではないものの、宇宙旅行の始まりでした。事実、それらはあまりにも原始的なものだったので、地球とニビルの間を行き来するには、この2つの惑星が接近する時を待たねばなりませんでした。いつでも好きな時に出発できたわけではなくて、近づくまで待たねばならなかったのです。ネフィリムは太陽系の外へは出られなかったところから、たぶん周辺の惑星を探査しつくして、その結果、地球に金が大量にあることを知ったのでしょう。それで彼らはたった1つの目的──金の採掘──のために、あるチームを40万年前にここへ送ってきました。地球にやってきたネフィリムには、統率する12人のリーダーと、その下で実際の採掘にたずさわるものが600人、そして300人ほどが軌道上の母船に留まっていました。彼らはまず最初に現代のイラクに当たるところへ降りて、自分たちが落ち着ける場所を確保し、都市を建造しましたが、その場所で金を掘ったわけではありませんでした(図3－9)。金は、アフリカ南東のとある谷で掘っていたのです。

図3－9　元祖ネフィリムの居住地と金鉱の場所

12人のうちの一人、エンリルという名前の人が採掘の統率者でした。彼らは地中深く掘り下げてゆき、大量の金を掘り当てました。それから3600年ごとにニビルすなわちマルドゥクが接近してくるたびに、自分たちの故郷の惑星へ金をシャトルに乗せて運んだのです。それからニビルが再び軌道をめぐってやって来るまでの間、また掘り続けました。シュメールの記録によれば、それがだいたい10万年から15万年ぐらい続いたころに、ネフィリムの反乱が起きたと記されています。

私はシッチンのいう反乱の時期には同意していません。彼はシュメールの記録から直接それを得たわけではなく、彼がそうであるはずだと考えた計算の結果を言っているからです。シッチンは、この反乱が起きたのは約30万年前だとしていますが、私はそれはおよそ20万年前に近かったと見ています。

ネフィリムの反乱と私たちの種の起源

30万年前から20万年前までのどこかで、ネフィリムの採掘者たちは反乱を起こしました。シュメールの記録は、この反乱についてたいそうな詳細を書きつけています。労働者たちはリーダーに抵抗しました。もう金鉱を掘り続けるのが嫌になったのです。彼らが「我々は15万年も掘り続けているんだ。もう、うんざりだ。こんなことはもう金輪際するものか」と言っているのが想像できるようです。もし私だったら、きっと1カ月ぐらいしかもたないでしょう。

反乱によって問題点が明らかになったために、12名のリーダーが集まって、どうするべきか決めることにしました。彼らはこの惑星にすでに存在していたある生命体から（私が理解したところによると）霊長類を選びました。そしてその霊長類の血液と粘土を混ぜ、ネフィリムの若い男性から得た精子をそれに混合しました。実際に粘土版には、化学薬品用のフラスコのように見える容器からもう1つのフラスコに何かを移し、この新しい生命体を創り出す様子が描かれています。この計画は、霊長類のDNAとネフィリム自身のDNAを使用して、当時の地球に存在した種よりもさらに進化した種を創り出し、この新しい種をネフィリムの金の採掘のためだけに使えるようにするというものでした。

つまりシュメールのもともとの記録によれば、私たち人類は金を掘る奴隷として造られたことになります。それだけが私たちの存在目的だったのです。そしてネフィリムたちは、彼ら自身の惑星を救うのに必要な金を採掘しつくした後は、私たちの種を消滅させて出て行くつもりでした。私たちを生き延びさせようという意図は、はなから持っていなかったのです。さて、これを聞くと、たいていの人は「これは自分たちのことではない」と考えます。我々はそんな者であるにはあまりにも気高い存在だと思うわけです。しかし、地球で書き残された最古の記録がそれを事実としているのです。思い出してください、シュメール語は聖書やコーランなどよりもっとずっと古い、世界最古の言語として知られています。いまや聖書はシュメールの灰から生まれたと言ってもいいでしょう。

科学の世界で発見されたことは同じぐらいに興味深いものです。シュメールの記録で私たちが金の採掘をしたという、まさにその場所で、考古学者たちは金鉱を発見したのです。これらの古代の金鉱は10万年も昔のものでした。本当にものすごいことは、ホモ・サピエンス（私たちです）がこれらの採掘場で金を掘っていた証拠が出たことです。人間の骨がそこで発見されました。これらの金鉱は少なくともおよそ10万年前のものと推定され、これらの金鉱内に人間がいた時代は2万年前まで遡れました。さて、10万前に、私たちは金なんか掘って一体何をしていたのでしょう？　金は柔らかい金属で、他のある種の金属のように使えるといった代物ではありません。古代の美術品にもそうしばしば見られるものではありません。では何ゆえにこんなことをしていたのか、果たしてそれで何をしようとしたのでしょう？

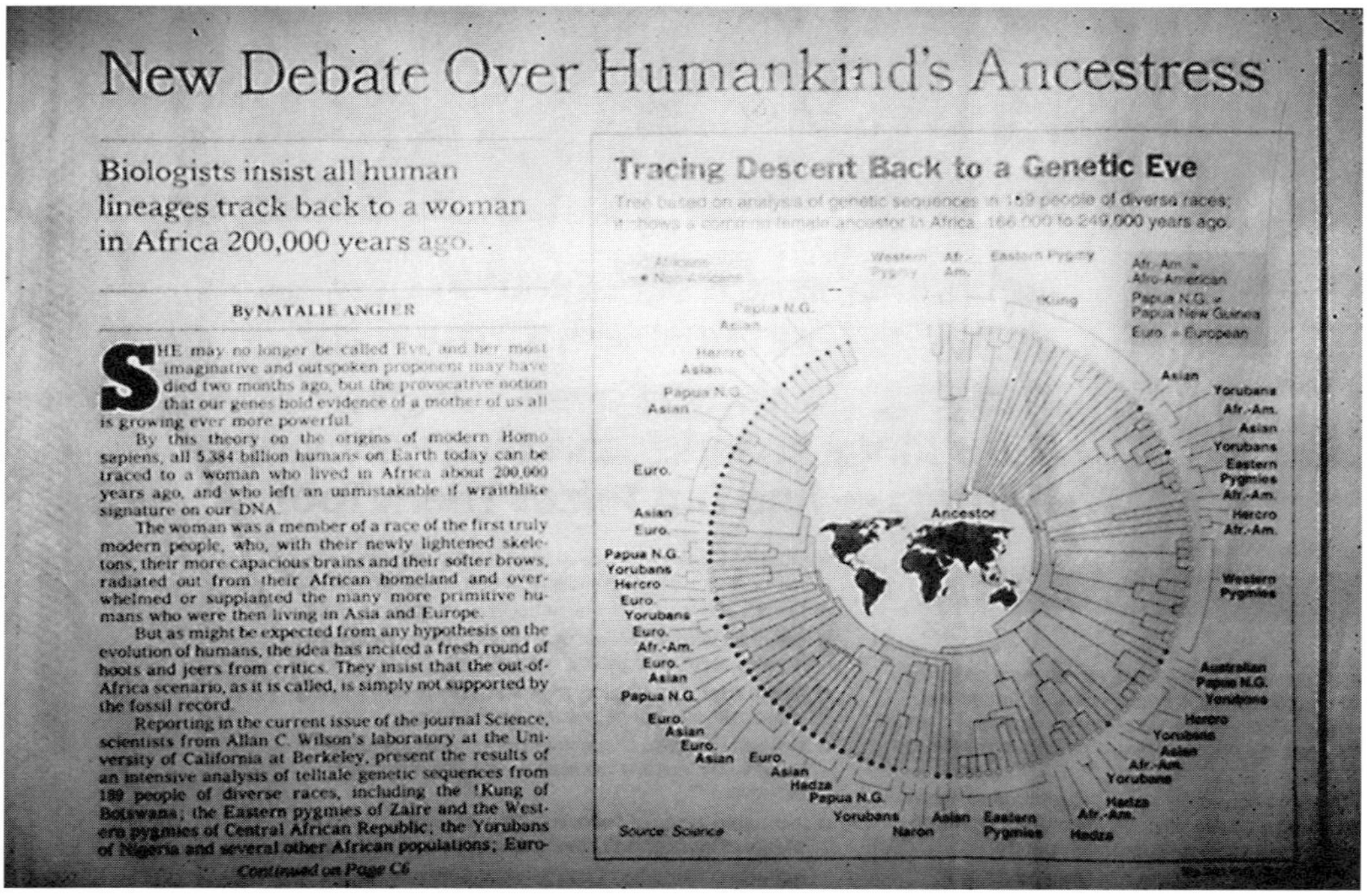

New Debate Over Humankind's Ancestress

Biologists insist all human lineages track back to a woman in Africa 200,000 years ago.

By NATALIE ANGIER

SHE may no longer be called Eve, and her most imaginative and outspoken proponent may have died two months ago, but the provocative notion that our genes hold evidence of a mother of us all is growing ever more powerful.

By this theory on the origins of modern Homo sapiens, all 5.384 billion humans on Earth today can be traced to a woman who lived in Africa about 200,000 years ago, and who left an unmistakable if wraithlike signature on our DNA.

The woman was a member of a race of the first truly modern people, who, with their newly lightened skeletons, their more capacious brains and their softer brows, radiated out from their African homeland and overwhelmed or supplanted the many more primitive humans who were then living in Asia and Europe.

But as might be expected from any hypothesis on the evolution of humans, the idea has incited a fresh round of hoots and jeers from critics. They insist that the out-of-Africa scenario, as it is called, is simply not supported by the fossil record.

Reporting in the current issue of the journal Science, scientists from Allan C. Wilson's laboratory at the University of California at Berkeley, present the results of an intensive analysis of telltale genetic sequences from 189 people of diverse races, including the !Kung of Botswana; the Eastern pygmies of Zaire and the Western pygmies of Central African Republic; the Yorubans of Nigeria and several other African populations; Euro-

Continued on Page C6

図３－10　人類の起源を遺伝的なイヴまでたどってみる

イヴは金鉱から来たのか？

それでは「イヴ説」と呼ばれる、人々が長いこと定着させようと試みてきた理論から話を始めましょう。

科学者たちはDNA分子から、ある一定の構成成分を取り出して重ね合わせ、どれが最初に発生したのかを見出そうとしたところ、最初の人間がどこかしらに存在したのは15万年から25万年前の間であるという結果をはじき出しました。彼らはその最初の人間を「イヴ」と呼びましたが、なんとそれはシュメールの記録で私たちが金を掘っていたとされる谷の名前とまったく同じなのでした！（図3－10）その後、一人の科学者が、DNAの起源には他にもさまざまな見方ができるということでこの説を退けました。しかし、私はいまだにこの説が、まさしくシュメールの記録ですべてが始まった場所とされている谷そのものを言い当てている点で、特筆に値すると考えています。

トート版・人類の起源

さて、それではトート版の人類の起源がどれだけ似ているかを見ていきましょう。トートはメルキゼデクの伝統にのっとり、シッチンのいう35万年前から私たちの特定の種が始まったという意見には同意していませんが、正確には20万２０７年前（１９９３年から数えて）、あるいは紀元前19万８２１４年とのことです。トートいわく、私たちの起源となった人々は、アフリカ南方の海岸沖にある「ゴンドワナランド」という島に下ろされたのだそうです。

図３－11　ゴンドワナランド

これが正しいゴンドワナランドの形かどうかはわかりません（図３－11）。それはさして重要な問題ではなく、だいたいの場所を示したものと考えてください。人々は一カ所に集められ、そこから外に出られないように、ここに留められたのです。そしてネフィリムにとって役立つまで充分に進化を遂げたとき、アフリカの採掘場などいろいろな場所へ、金の採掘その他の仕事に就くために移送されました。ですから私たちの起源である先祖はそのゴンドワナランド島で、約５万〜７万年ほどかけて進化発達したことになります。

この地図を見てもらうと、それぞれの大陸がかつてどう１つにまとまっていたかがわかると思いますが、それはいま科学者たちが真実ではないかと推測しているところです。彼らはばらばらに分かれる前のこの大陸をゴンドワナランドと呼んでいます。その名は西アフリカの部族の創造神話からつけられたものです。そのあたりのいろいろな部族の創造神話を読むと、いかにして世界が創造されたかについてはそれぞれ異なる概念を持っていますが、すべてに共通する一条の芯があることに気がつきます。彼らはみな一様に、西方の、アフリカ西海岸沖のゴンドワナという名の島から来たと言っているのです。たった１つの例外として、宇宙からやって来たと語るズールー族の例が知られている以外は、全部がこの話に一致しています。

シュメールの記録では、実際に人間をネフィリムの約３分の１の背たけだと描写しています。ネフィリムは私たちと比べて確実に巨人でした。記録を信じるのであれば、ネフィリムは身長が約3〜5メートルもあったことになります。私には、シュメール人たちが嘘をつかねばならなかった理由が全然見つかりません。トートは、彼らは地球の巨人だと言いましたが、彼らが誰であるのか、それ以上は語りませんでした。聖書も同じことを言っています。ここに「創世記」の6章を掲げましょう（かっこ内は著者注）。

そして地上に人は増え始め、娘たちが生まれた。（「人が増え始め」というのは非常に重要な宣言です。これについては後述します）。神の息子たちが（「息子たち」と複数形になっているところに注目してください）人の娘たちを見、美しいと思った。そして彼ら（神の息子たち）は選んだものを妻として連れ去った。そして主（しゅ）はこう言われた、「彼らもまた肉体を持つがゆえに、わがスピリットは常に人と共には在れぬ」（ということは主（しゅ）も肉体を持っていることを示唆しています）、しかし彼らは百と二十年を一生とす。当時もその後も地上には巨人たちがいた。神の息子たちが人の娘たちの間に降り立ち、娘たちが子供を得たとき、彼らはかつて古（いにしえ）の時に名を馳せたる者たちのように力強き者となった。

この聖書の部分については多くの解釈がなされてきました。しかし、シュメールの記録が語っていることを念頭に置きながら見ていくと、特に巨人たちが何と呼ばれていたか書き記されている古い版の聖書を見てみると、完全に異なった解釈に到達します。キリスト教の聖書にはシュメールの記録が残しているのとまったく同じ発音の「ネフィリム（Nephilim）」という言葉が書かれているのです。世界中には約900以上の版の聖書がありますが、そのほとんどが巨人について触れており、多くが彼らを「ネフィリム」と呼んでいるのです。

人類の創造——シリウス人の役割

トートは、地球には巨人がいたと語りました。言及したのはそれだけです。巨人たちが一体どうやって、あるいはどこから来たのかということについては触れませんでした。私たちが創造されたとき、これらの巨人たちは私たちの母親になったと言いました。また7人が一緒になって、体を意識的に死なせ、まさに「創世記パターン（ジェネシス）」（これについては5章でお話しします）と同じように、お互いに重なりあった7つの意識の球の模様（パターン）になったそうです。この融合は古代人たちが「フラワー・オブ・ライフ（生命の花）」と呼んだ青白い炎を創造し、この炎は地球の胎内に据えられました。

エジプト人たちはこの胎内をアメンティのホールと呼び、それは3次元的には地下約1600キロメートルにあって、4次元的な通路で大ピラミッドともつながっています。アメンティのホールの主な用途の1つは、新たな人種や種族を創り出すことです。その中にはフィボナッチの比率に基づいた、石のような材質で作られた部屋があります。部屋の真ん中には立方体があり、その上にはネフィリムが創造した炎があります。この炎は1・2～1・5メートルぐらいの高さで、幅は90センチほどあり、青白い光を放っています。この光は純粋なプラーナ、純粋な意識であり、私たちに人類という新たな進化の道を踏み出させるために創られた、惑星の「子宮」と言えるものです。

もし母親がいるのであれば、どこかに父親がいなければならないとトートは言いました。そして、その父親の性質――父親の精子――はそのシステムや体の外部からやって来なければなりませんでした。そこでネフィリムたちは彼らのフラスコを準備し、この新たな種族の開発のために、別の遠い星、つまりシリウスBから外側へ3番目の惑星より助っ人たちが地球へやって来るのを待ちました。その種族には32名のメンバーがいて、16人の男性と16人の女性が結婚して1つの大きな家族にまとまっていました。彼らもネフィリムと同じ背たけをもつ巨人でした。ネフィリムは種として3次元の存在でしたが、シリウス人は種として4次元の存在でした。

32人みんながお互いに結婚しているというのは奇妙に聞こえるでしょう。地球では、私たちはみずからの太陽を反映して一夫一婦制の結婚をします。私たちの太陽は水素性太陽で、それは1つの陽子と1つの電子を持っています。私たちは水素の状態を再構成し、それゆえ一対一の結婚をするのです。もしあなたが2つの陽子と2つの電子を持つヘリウム太陽、それに2つの中性子を持つ太陽といったところを訪れるなら、二人の男性と二人の女性が子供を創るために集まっているでしょう。シリウスBのような高度に進化した白色矮星で、年老いた太陽だった場合は、32（ゲルマニウム）のシステムになるのです。

シリウス人たちはここへやって来て、何をするのかを心得ていました。そこで直接アメンティのホールへ入り、ピラミッドの炎のすぐ前に立ちました。彼らはすべての存在が光であることを知っており、思考と感情との関係もよく理解していました。それから、シリウス人たちは32個のローズクオーツの石板（幅約1・2～1・5メートル、長さ約5・5～6メートル、厚さ約76センチほどの）を創りました。それらは虚空から炎のまわりに創り出されたのです――まったく完全な無からでした。それから男女交互に炎の中心へ頭を向けて、炎を取り囲むようにそれらの石板の上に横たわりました。シリウス人は誕生を成就させるべく、ネフィリムの胎内の炎と融合したのです。一方、3次元レベルでは、ネフィリム人の科学者らがいよいよ最初の人間が誕生するプロセスとして、人工的に作り出した人間の卵子を7人のネフィリム女性の子宮内に植え付けました。人間のレベルでは、はじめの8つの細胞になるまでの基本的な過程は24時間以内に起こります。ところが惑星レベルの出産はまったく異なっていました。トートによれば、彼らは地球とともにこの新たな種を懐胎するために、そこに微動だにせず約2000年間も横たわっていなければならなかったのだそうです。そして2000年後、ついにアフリカ南方の西海岸沖、ゴンドワナランドに最初の人間が誕生したのでした。

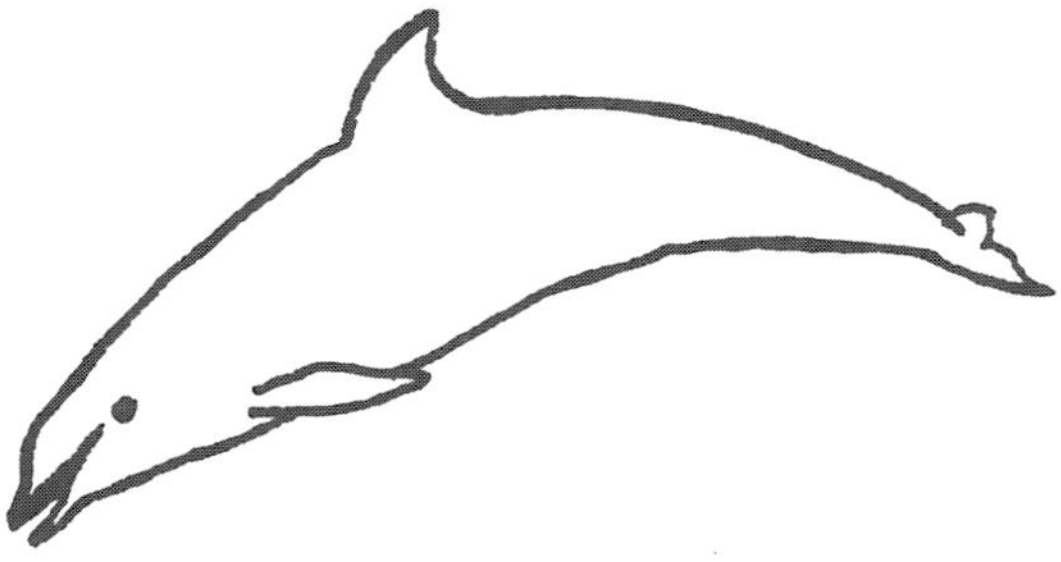

エンリルの到来

さて、この物語のなかでシリウス人が父であったという部分は、たぶんゼカリア・シッチンが理解していなかったと思われる一連の出来事を知るまでは受け入れられないかもしれません。少なくともシッチンによって語られた話からすれば、シュメールの記録と完璧に同じとは言いがたいでしょう。

地球にやって来た最初の者であり、アフリカ南方でリーダーであったエンリルが、はじめに降り立ったのは陸地ではありませんでした。彼は水に降りたのです。なぜ彼は水の中へ入ったのでしょう。それはイルカとクジラがいたからです。イルカとクジラはかつての地球で最高の意識レベルにまで達していた者たちであり、そしてそれは今もそうです。銀河的に簡単な言い方をすれば、エンリルは地球で金を掘って暮らすことの許しを得るために、まず海へ入らねばならなかったというわけです。なぜかといえば、この惑星はイルカとクジラに属するものであり、惑星外の種が異なった意識システムの中に入るには、前もって許可を得ることが銀河の法律で決まっているからです。シュメールの記録によれば、エンリルはイルカやクジラたちとずいぶん長い時を一緒に過ごし、ついに陸に上がることにしたとき、彼は半人半魚になっていたといいます。その後、いつしかエンリルは完全に人間の姿になりました。これはシュメールの記録に描かれています。

シリウスBから外側へ向かって3番目の惑星は「オセアーナ(Oceana)」という名で呼ばれることもありますが、実はイルカやクジラたちの故郷の星なのです。オーストラリアのイルカ運動の先端にいるピーター・シェンストーンという人がイルカをチャネルして書いた、『黄金のイルカ伝説 *The Legend of the Golden Dolphin*』という稀有な本がありますが、そこにはイルカがいかにして別の銀河系からシリウスBをめぐる小さな惑星にやって来て、それからどうやって地球へ来たのかが正確に描写されています。その惑星はほぼ全面が水に覆われており、オーストラリアぐらいの大きさの陸と、もう1つカリフォルニア州ぐらいの陸があるだけだそうです。これらの2つの陸地には人間タイプの存在がいましたが、その数は少なかったそうです。水に覆われたその他すべての場所にはイルカ・クジラ類がいました。人間タイプの存在とイルカ・クジラ類の間には直接的なつながりがあるのを知っていたエンリル（ネフィリムの一人）は、ここ地球に来たとき、まず最初にイルカたち（つまりシリウス人たち）の賛意を得るために結びついたのです。それから彼は陸にのぼり、私たちの種族の創造へ向かう道を歩みはじめました。

ネフィリムの母

輪郭をはっきりさせるためにお話ししておきましょう。反乱の後、この地球に新しい種を創造することに決めたとき、ネフィリム人が母方の側面になりました。シュメールの記録によれば、7人の女性が立候補したということです。それからネフィリムは大地より粘土を、霊長類より血液を、そして若いネフィリム人の男性の精液を一緒に混ぜ、その役に選ばれた若いネフィリム人の女性の子宮にその混合物を収めた、と言っています。そして人間の子供たちが産まれました。ですから原典の物語によれば、人類の7人が同時にこの世に誕生したのであって、アダムとイヴだけではなかったのです――そのうえ私たちは不妊でした。子孫を増やすことはできなかったのです。ネフィリムは小さな人間を創り続け、私たち人間を一個師団ぶんほど創り出して、ゴンドワナランド島に閉じ込めました。一部シュメールの記録、一部トートの話というこの物語を信じるならば、私たちの種族の母はネフィリム人で、父はシリウス人ということになります。さて、もしもシュメールの記録にネフィリムに関する部分がなかったら、これはほとんど法外な話に聞こえるでしょう――今だってそうなのですから。しかし、考古学的な記録を読んでみれば、驚くほど大量の科学的証拠があるのです。シリウス人が父ということについてはありませんが、ネフィリムが母であったということは確実です。

科学は、どのようにして私たちがここにいることになったのかを理解していません。最後の霊長類と私たちの間に「失われた環（ミッシング・リンク）」があることには気がついています。私たちはどこからともなく出現したかのように見えます。15万年前から25万年前の間のどこかで現われたということは知っていますが、一体どうやって我々が形成され、進化したのかは皆目見当もついていないのです。私たちは何やらまるで神秘の扉でもくぐってやって来たかのようです。

アダムとイヴ

シュメールの記録でもう1つ面白いところは、アフリカでしばらく金を掘ったあと、現代のイラク近くの北部の都市がたいへん豪華で美しいものになったと記している点です。それらは熱帯雨林の中に、とても大きな庭に囲まれて建造されていたそうです。シュメールの記録によ

失われた環（かん）（missing link）系列を完成するうえで欠けているもの。特に生物進化論において、ヒトと類人猿のあいだで現生生物としても化石としても発見されない、仮想存在の生物をさす。

れば、やがて南方の金鉱にいた奴隷たちの一部を、都市の庭園で働かせるために移動させることにしました。いかにも私たちは格好の奴隷になっていたようです。

ある日、エンリルの弟のエンキ(その名前の意味は「蛇」です)が、イヴのところへやって来ました。そして、彼の兄が人間たちに庭園の中心にある木の果実を食べさせない理由は、そうすると人間はネフィリムのようになるからだ、と伝えました(物語全体はこんなに単純なものでなく、もっと複雑な話なのですが、それはみなさんそれぞれが記録から読み取ってください)。それでエンキはイヴに、善悪の智慧の木から、そのりんごの果実を食べるように説き伏せましたが、記録によれば、そこでは単に二極的な視点を与えただけではありませんでした。それは彼女に生殖と出産の力をもたらしたのです。

そこでイヴはアダムを見出して一緒にこの木から果実を食べて子をなしましたが、それら全員の名前がシュメールの粘土版には記されています。さて、ここでアダムとイヴの物語について考えてみてください――シュメールの記録にある物語と、聖書にある物語の両方です。神が庭園を歩む――「創世記」によれば、彼は歩いています。すなわち、血肉ある肉体を持っていたということです。彼はアダムとイヴを呼びながら庭園を歩いていました。彼はイヴたちがどこにいるのか知らなかったのです。彼は「神」ですが、どこにアダムとイヴがいるのか知らないのです。彼が呼んで、そこではじめて二人がやって来るのです。彼は、アダムたちが恥ずかしがって自分自身を隠そうとしたのを見るまで、彼らがあの木の果実を食べたということを知りません。それからようやく、アダムとイヴが何をしたかに気がつくのです。

さらにまだあります。聖書の原典にとどまらず、実際すべての聖書の中で、「神」を表わす言葉の「エロヒム(elohim)」は、単数形でなく複数形で表記されています。その神が種としての存在である人類を創った「神」なのでしょうか? エンリルはアダムとイヴがそうしたのを知ったとき、ものすごく怒りました。エンリルはイヴたちにもう他の木から、特に生命の木(ツリー・オブ・ライフ)からは食べさせないようにしたかったのです。なぜならそうすると生殖能力が手に入るというだけでなく、不死にまでなってしまうからです。(これが本当に木であったかどうかはわかりません。あるいは意識につながる何らかの象徴だったのかもしれません。)そこでエンリルは、ある時点でアダムとイヴを自分の庭園から追い出しました。イヴたちをどこか別のところへ移して見張っていたのです。彼は見張っていたに違いありません。すべての息子と娘の名前を書き連ねているのですから。それだけでなく、彼らの家族全体に起こったことも逐一知っていました。それは聖書が書かれる2000年以上も昔に、すでに書き記されていたのです。

　アダムとイヴの時から、私たちの種族は2つの系統に分かれていきました。1つは（監視されてはいたものの）生殖力を有する自由な者たち、もう1つは子供が持てずに奴隷であった者たちです。現代の科学によれば、この後者の系統は少なくとも今から2万年ぐらい前までは金を掘り続けていたことになります。金鉱で発見されたこれら第2の系統の人間の骨は、私たちのものとまったく同じであることがわかりました。この系統の人々は、およそ1万2500年前に起こった「大洪水」の時に完全に絶滅しました（このことに関してはまだたくさんの話がありますが、適宜ふさわしいところでお話ししましょう）。

　このワークでは、地球の極移動（ポール・シフト）についても論じていきます――ゴンドワナランドが沈んだ時、レムリアが沈んだ時、アトランティスが沈んだ時（それが大洪水の時でした）、そして今起ころうとしているものについてです。この注意書きは理解すべき重要な点です。トートいわく、地軸の傾きと極移動の程度は、科学的にはきわめて規則的なものとされていますが、地球上の意識の変化に密接な関係があるそうなのです。たとえば、「大洪水」が起こった最後の極移動のとき、北極、少なくとも磁極がハワイにあって（これは物議をかもし出すところだと認めますが）、いまや実質的にそこから90度傾いているのです。これは大きな変化です。そしてポジティブな変化ではなく、ネガティブなものでした――意識を上昇させたのではなく、下降させたのです。

レムリアの浮上

　トートによれば、アダムとイヴのあと、ゴンドワナランドを水没に至らしめた大きな地軸の変化があったとのことです。トートいわく、ゴンドワナランドが沈んだとき、太平洋上に私たちがレムリアと呼んでいる別の陸地が浮上して、アダムとイヴの子孫たちは故郷からそのレムリアへ連れて来られました。

　図3-12は正確なレムリアの地図ではありませんが、だいたいこんな感じでした。それはハワイ諸島からイースター島のあたりまで広がっていました。それは1つの大陸ではなく、何千もの島々からなっていました。そのいくつかは大きく、いくつかは小さくて、この図に示されたよりずっとたくさんの島々があったはずです。それらの陸地は海面すれすれに顔を出している状態で、いわば水の陸地でした。

　アダムの種はそこへ連れられてきて、私の知るかぎりネフィリムの介入なしに自分たちの発展を続けることが許されました。私たちは6万5000～7万年間ぐらいレムリアに留まりました。レムリアにいた間はとても幸せでした。問題はほとんどありませんでした。そして私たちは進化の過程をものすごいスピードでこなしたのです。自分自身でたくさんのことを試し、多くの肉体的変化を成し遂げました。骨格を変化させ、尾てい骨部分を深く研究し、頭骸骨のサイズと形を変えました。ほとんどの人が右脳系で、性質は女性的でした。ある進化のサイクルでは、ちょうどあなたが地球にやって来た時と同じように、女性になるか男性になるかを決定しなければなりません。それで私たちの種は女性的になっていきました。レムリアが沈むころまでには、私たちは種としてだいたい12歳の女の子ぐらいになっていたと言えるでしょう。

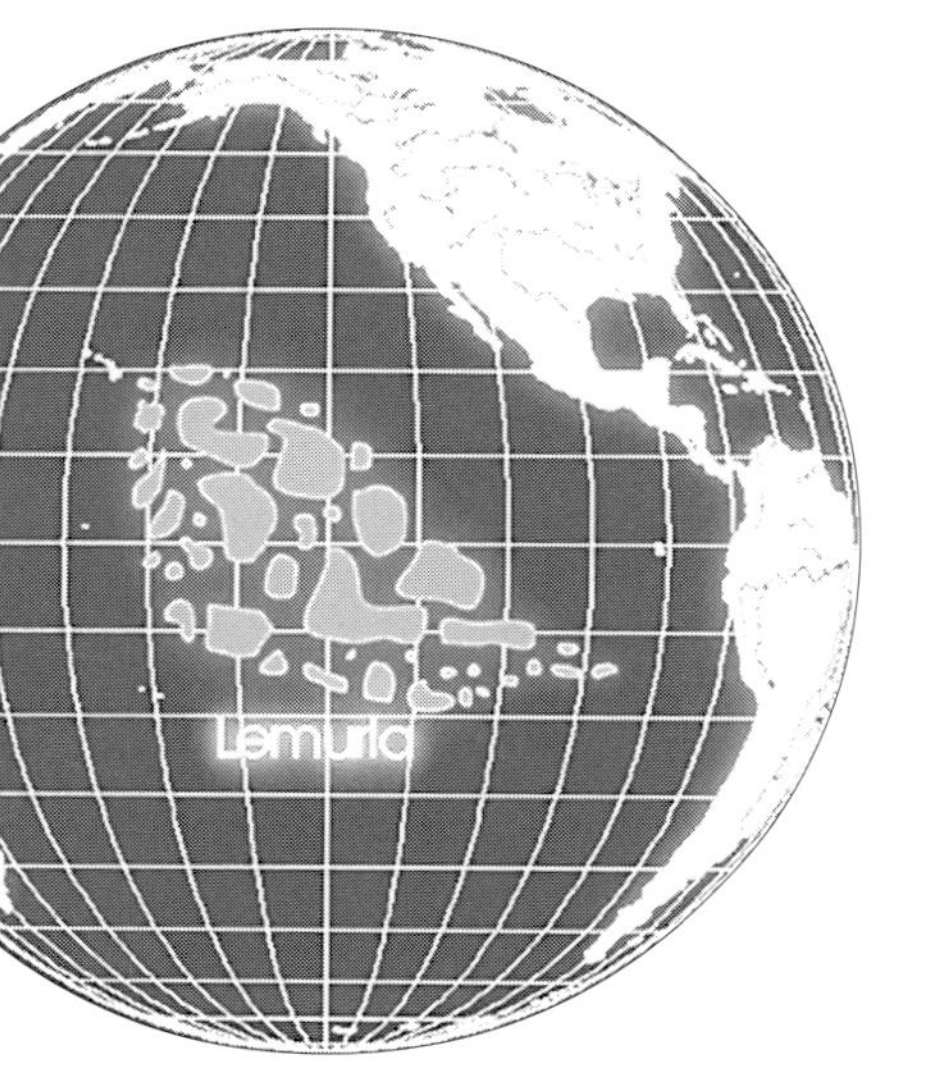

図3-12　レムリア

1910年のレムリア探査

レムリアがおそらく実在していたという事実を私たちの社会が受け入れられるようになったのは、1910年以降のことでした。私たちはこの知識についてはあまりよく憶えていません。なぜかというと、1912年に私たちの進化の方向性を変えるような出来事が生じたからです。あとで話すことになる1942年および1943年のフィラデルフィア実験と似たような実験が、1912年にも行われていました。実際には1913年に実験を行ったのですが、とんでもない惨劇と化して、私は個人的に、たぶんこの実験によって1914年に第一次世界大戦が勃発したのではないかと見ています。その時点を境に、私たちはそれまでと打って変わってしまうのです。

第一次世界大戦前の合衆国におけるスピリチュアルな成長のパターンは、現在のそれとよく似ていました。人々はスピリチュアルでサイキックなことや、瞑想、古代とそれに類すること全般に対して極端に興味を寄せていました。ジェームズ・チャーチワード大佐やフランスのオーギュストゥス・ル・プロンジョンなどがアトランティスやレムリアに関して研究していましたが、ほかにも現代と似たような思考パターンが見受けられました。それから第一次世界大戦が始まって、私たちは眠りに落ち、1960年

フィラデルフィア実験
1943年、ヴァージニア州フィラデルフィアで、アメリカ海軍が戦艦エルドリッジ号を磁力によってレーダーから消すという不可視化実験を行ったもの。「レインボー計画」とも呼ばれる。戦艦は実際に姿を消し、約4時間後に900キロ南のノーフォークに現われ、その間に時空を超えて1983年のモントーク基地に姿を現わしたともいう。

ジェームズ・チャーワード大佐
1852～1936。元イギリス陸軍大佐。インドに渡り、太古から僧院に伝わる「ナーカル」と呼ばれる粘土版を解読し、ムー大陸の存在を知る。1931年に『失われたムー大陸』を出版。

代まで目を覚ましはじめませんでした。しかし１９１０年につかんでいたレムリア実在に関する証拠はかなり特筆に価します。それは珊瑚礁に関係していました。珊瑚は水深約50メートル以下では成長できません。私は１９１０年には、太平洋の海底は今よりも高かったのではないかと見ていますが、それはなぜかというと、当時の人々はイースター島から相当遠く離れたところでも海底の珊瑚の環礁を見ることができたからです。

さて、海底は隆起したり沈下したりします。もうご存知かもしれませんが、大西洋の海底は１９６９年12月に３キロメートル以上も隆起しました。これについては、１９７０年１月発行の『ライフ』誌に載っています。そのときバミューダ海域では多くの島々が突然海面上に姿を現わしました。そのいくつかは今でもそこにありますが、ほとんどは再び海中に没してしまいました。海底はその時よりまた約３キロメートルも沈下しています。

プラトンがアトランティスは大西洋にあったと語ったころ、当時の水深はわずか３～４メートルほどしかなかったうえ、場所によってはもっと浅かったので、ギリシャ人たちは船をジブラルタル海峡の外の大西洋で操るのを苦手としていました。しかし現在は再び水深が増しています。

太平洋で発見された珊瑚礁は、水深約５５０メートルのところにありました。珊瑚が成長するには海面に近いところでなければならないことからしても、この珊瑚礁はもともとその環礁の内側に島を有していたことを示しています。もし水深５５０メートルのところに環礁があった場合、珊瑚は約50メートル以下の深さでは成長できないことから、環礁は長い長い時間をかけてゆっくりと沈んでいったことになります。１９１０年には人々はその環礁が深く沈んでいくところを見られたということは、そこに一度にたくさんの島々が存在していたはずです。たぶんもっと重要なことは、ハワイ諸島の動植物を研究してみると、ハワイからイースター島まで点々と連なる多くの島々には、弧を描くように同じ種の分布が見られることです。これらの島々の間は大きく隔たっていますが、地図を眺めてみれば、長い一本の線にそっているのが見てとれるでしょう。その線はレムリアの西海岸線をなぞるように走っています。タヒチとボレアを含むそれらの諸島はレムリアの一部でした。この線に含まれる島々のすべて――他の島々は除いて、この線の上だけです――がまったく同一の動植物を保持しているのです。同じ木々、同じ鳥、同じ蜂、同じ虫、同じバクテリア、何から何まで同じなのです。この現象は、科学的にいうと、これらの島々の間にはかつて陸地が橋のようにかなり接近して分布していたとしか説明できません。

アイとタイアによるタントラの始まり

このレムリアの新たな文明は非常によく発達していきました。すべては素晴らしくうまくいっていました。しかし、レムリアの大半は沈んだのです。沈没の約１０００年ほど前のこと、アイとタイアという名の男女がいました。この二人は少なくとも私たちの進化のサイクルでは誰もしたことがないようなことをしました。ある特定の愛する方法と呼吸法を行うことにより、子供を授かるときに三人とも―― 母、父、子供のそれぞれが―― 不死になったのです。言葉を換えれば、特定の方法で子供を授かることによって、その経験があなたを永遠に変えうるということです。

アイとタイアは彼らの経験により、みずからが不老不死になったことを察していったのだと思います。時間が経つにつれてほかの人々は死んでゆくのに、二人は生き続けていたので、自分たちが本当に何かすごいものを手にしたことに気がつきはじめたのです。そこで彼らは、ついに学校を設立しました。私の知るかぎり、地球で今のサイクルにおける最初の神秘学派（ミステリー・スクール）の誕生です。それは神秘学派という意味の「ナーカル」あるいは「ナークル」という名で呼ばれ、簡単に言えば、タントラを通して復活あるいはアセンションをどう行うかを教えていました（彼らがしていたことを正確に理解するには、私たちがもっと進化せねばなりません）。とにかく彼らは自分たちでこれを実行し、それから他の人々に教えたのでした。

レムリアが沈む前まで、二人は１０００人ぐらいの人々の指導にあたりました。つまり、三人単位で約３３３の家族が何をどうするのかを習得し、理解できたことになります。それらの人々は通常を超えた方法で愛し合うことができました。実際にはお互いに触れもしませんでした。実のところ、同じ部屋の中にいる必要さえなかったのです。それは次元を超えた愛の交流でした。それらの人々はさらに多くの人にこの方法を伝えつつあったので、おそらくあと数千年ほどあれば種族全体を新しい意識に書き換えていたことでしょう。

しかし神はそこで、いや、まだその時ではない、と言ったのです。レムリアが沈んだとき、彼らはまだ始めたばかりでした。お話ししたように、レムリアは女性的で、レムリア人たちはたいそうサイキックでした。したがって彼らは実際にそうなる前からレムリアが沈むことを知っていました。確実にその日がやって来るのがわかっており、それは議論の余地すらないことでした。ですから最後の時がやって来る前に、あらかじめ手はずを整えておきました。すべての美術品はチチカカ湖やシャスタ山その他の場所に移され、レムリアの偉大な黄金のディスクも持ち出されました。価値あるものはすべて国から運び出され、最後の時に備えたのです。そしていよいよレムリアが没したとき、人々はすでに完全に島を離れていました。チチカカ湖から中央アメリカ、メキシコ、シャスタ山という北の果てまで移動し、そこで再び出直すことになったのです。

レムリアの沈没とアトランティスの浮上

トートの語るところでは、別の地軸変化のとき、レムリアの沈没とアトランティスの浮上が同時に起こったそう

●付記 Update

１９９８年５月23日、フロリダ州マイアミにあるエジプト学会の会長、アーロン・デュヴァルは、古代アトランティスがビミニの近くに発見され、それは今までのあらゆる疑いを晴らす科学的証拠になり得るものだとの発表を行いました。彼らは水中に巨大なピラミッドを発見し、ヘルメス的錬金術で封じられていた密室を開いて、古代ギリシャ時代にプラトンが語ったアトランティスについての記述を裏付ける記録を白日のもとにさらしたのです。デュヴァルはこれらの証拠を１９９８年の終わりか、その後ほどなく発表すると話しています。

図3-13　アトランティス

です。レムリアは沈み、アトランティスと呼ばれるものが浮上したのでした。

アトランティスはここに見られるように（図3－13）、かなり大きな大陸でした。アメリカ合衆国南部は存在しておらず、フロリダ、ルイジアナ、アラバマ、ジョージア、サウスカロライナ、ノースカロライナ、テキサスの一部は海面下でした。アトランティスが実際にこれほど大きかったかどうかはわかりませんが、とにかくかなり大きかったそうです。

アトランティスはこの大陸と、9つの島で形成されていました。島は北に1つ、東に1つ、南に1つ、そして西に今のフロリダ州南岸沖諸島まで連なっていた6つがあったとのことです。

4.

意識進化の中断とキリスト意識グリッドの創造

The Aborted Evolution of Consciousness
and the Creation of the Christ Grid

レムリア人はいかにして人類の意識を進化させたか

レムリアの不死の人々は、彼らの故郷を飛び立って、新たに隆起した大陸アトランティスの北に位置する小さな島へ移動しました。彼らはウーダルと名づけたこの島で長いこと待ちつづけ、それから自分たちのスピリチュアルな科学を再び創造しはじめました。もしみなさんがその様子を見たとしたら、一体何をしているのか想像もつかないでしょう。きっと彼らは頭がおかしいのではないかと思うに違いありません。彼らが何をしていたかをお話しするには、まず別のことから説明しなければなりません。

人間の脳の構造

この図は人間の頭を上から見下ろしたところです（図4―1）。鼻（N）があります。人間の脳は右脳と左脳の2つの部分から成り立っています。

図4―2のように、左側は男性的、右側は女性的で、それらは脳梁でつながっています。トートによると、この2つの脳半球の性質は次のようなものだそうです。左脳は男性的部分で、すべて論理を通して理解します。見えるままを解析するといってもいいかもしれません。右脳は女性的部分で、何かを理解しようというよりは、むしろ何かを経験することに関心があります。女性脳と男性脳の知覚はお互いに鏡合わせの映像です――それらの間に鏡を置いたとして、「LOVE」という言葉を男性脳の部分に書き込むと、ここに出ているように見てとります。しかし女性は、そこに示されているように、その鏡像を受けとめます。もし男性脳が女性脳の認識の仕方を受けとめようとすると、男性脳はこう言います、「ここには論理がない」と。また女性脳は男性脳を見てこう言います、「感情は一体どこへ行ってしまったの」と。

脳は薄い分離膜でさらに4つの部分に分かれていま

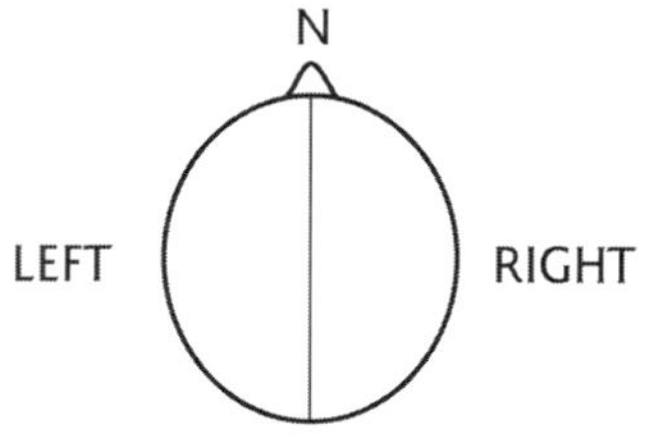

図4－1　人間の脳の両脳半球

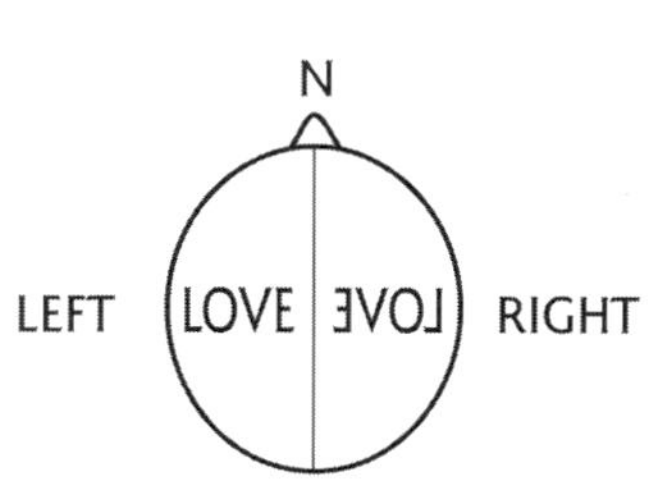

図4－2　両面を反射する2半球の原理

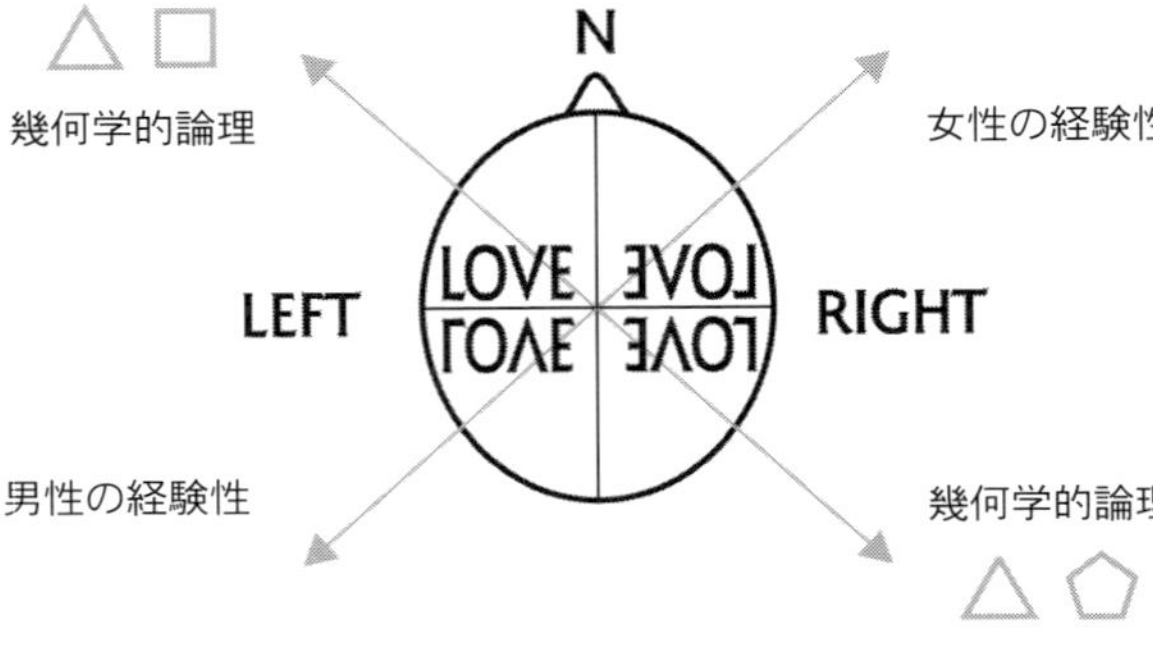

図4－3　前部と後部の鏡写し構造

す。図4－3のように、男性脳の後ろ側には前の部分を反射して鏡写しにする部分があります。女性脳の後部も、前の部分を鏡写しにします。男性の論理脳の後部には、完全に経験から物事をとらえる部分があり、女性の経験脳の後部には完全に論理的な部分があります。それはあたかも４枚の鏡が、これら４つの可能性をお互いに反射しあうようになっているかのようです。あとで幾何学を見るときに、男性側の論理脳である前部は三角形（トライアングル）と四角形（スクエア）（２次元的に）、または四面体（テトラヒドロン）と六面体（キューブ）（３次元的に）を基本にしていることがわかります。女性側の経験脳である前部は、三角形と五角形（ペンタグラム）（２次元的に）、あるいは四面体と二十面体（イコサヒドロン）および十二面体（ドデカヒドロン）（３次元的に）に基づいています。さらにまた左前の論理部分と右後ろの論理部分は対角線でつながり、そして右前の経験性と左後ろの経験性の部分も対角線でつながっています。ですから、鏡写しの性質は左右、そして前後、さらに右前と対角線上の左後ろ、左前と対角線上の右後ろの間でそれぞれ見られるようになっています。

トートによると、私たちはこのように出来上がっているのだそうです。

アトランティスに新たな意識を誕生させる試み

時が満ち、レムリアから来たナーカルの人たちは、アトランティスの彼らの島に、人間の脳のスピリチュアルな構造そのものを建築しました。その目的はレムリア時代に学んだことを基本にして、新たな意識を誕生させることでした。彼らは肉体よりもまず脳にアトランティスの新たな意識を融合させなければならないと信じていたのです。トートのいう人間の脳のイメージを念頭に置きながら考えると、だんだん彼らのしたことが理解できるようになってきます。まず彼らは島の中央に、島を半分に分ける、高さ12メートル、厚さ6メートルほどの壁を作りました。向こう側へ行くには文字通り水に入らなければならなかったそうです。それから、その壁に対して90度に交差する低めの壁を建てて、それによって島を４つの部分に区切りました。

それから人々を性質によって分け、ナーカル神秘学派に属していた１０００人のうちの半分が片側に住み、残りの半分がもう片方の側に住みました。それはすべての女性が片側に住み、すべての男性がもう片側に住んだということかもしれませんが、私が考えるには、どちらに行ったかは肉体によって決定されたわけではなく、どちら側により依存しているかで分けられたのではない

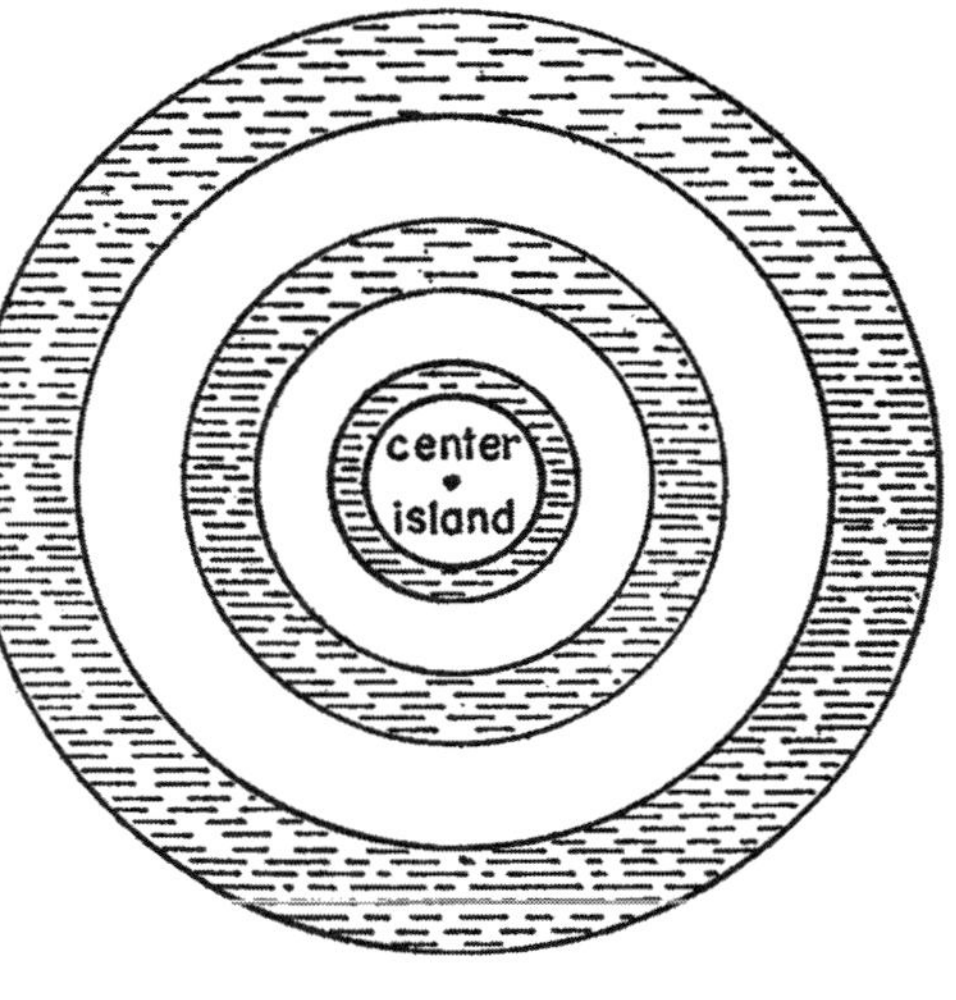

図４－５　アトランティスの都市、ポセイドン

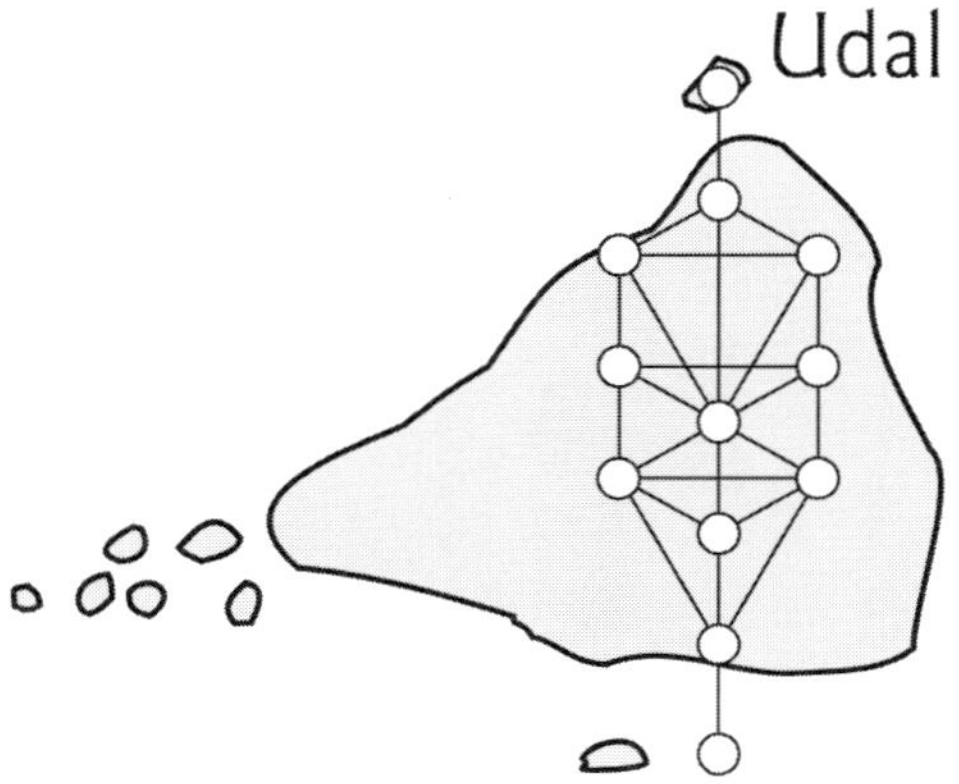

図４－４　アトランティスに形成された生命の木

かと思います。このようにして、男性的な脳の部分を構成する人と、女性的な脳の部分を構成する人がほぼ半分ずつになりました。

人々は次のステップを踏み出す準備ができたと思えるまで、何千年もこの具象化の状態に留まることになりました。右脳と左脳をつなぐ脳梁の役割を果たすために、三人の人が選ばれました。トートの父親、トームはその一人でした。彼とあと二人だけが島中どこへでも行くことを許されました。それ以外の人々は完全に分けられていました。それから三人は彼らのエネルギー、思考、感情とすべての人間性の側面を、細胞レベルでなく人体レベルで統合された人間の脳の中に整えていったのです。

次のステップは、「生命の木（ツリー・オブ・ライフ）」の形をアトランティスの地表に反映させることでした。彼らはここで10カ所でなく12カ所のセンターを使っていますが（**図４－４**）、11番目と12番目は大陸の外にありました。その1つはウーダル島で、もう1つは南の海中にあたります。この土地には私たちが親しんでいる10の構成要素があったわけです。トートによると、地面を何百キロにもわたって伸びるほど大きな建造物なのに、原子1つぶんの大きさまで正確に反映されたといいます。「生命の木」のセンターにあたる地点には、その球の形と大きさに合わせてアトランティスの都市が設計されたそうです。プラトンは著書『クリティアス』において、アトランティスの中心都市は、**図４－５**のように3つの環状の島によって隔てられていたと言及しています。その都市は赤い石、黒い石、そして白い石で建てられていたとも言っています。この最後の言葉に関しては、あとで大ピラミッドについて話すとき、すぐにピンとくるでしょう。

召喚されたレムリアの子供たち

アトランティスの頭脳であったナーカル神秘学派の人々は、突如1日にしてアトランティス上の「生命の木」に息吹を送り込みました。「生命の木」のセンターのそれぞれにおいて、回転し、移動するエネルギーのヴォルテックスを人工的に生じさせたのです。一度ヴォルテックスが確立したら、今度はアトランティスの頭脳集団はサイキックな方法でレムリアの子供たちを召喚しました。すでにそれまでには南北アメリカの西海岸やその他の場所に落ち着いていた何百万人ものレムリア人たちが、アトランティスに向かって引き寄せられていきました。大いなる民族移動が始まり、沈んだレムリアに住んでいたほとんどの人々は、アトランティスを目指しはじめました。彼らは女性的な右脳的存在でしたから、内的なコミュニケーションは簡単だったのを思い出してください。しかしながら、レムリア人の集合意識体は、惑星意識レベルではわずか12歳でしかありませんでした。まだ子供でしたから、その「生命の木」のセンターのいくつかは機能していなかったのです。彼らはこれらのエネルギーにはたらきかけて、10カ所のセンターのうち8カ所だけをマスターしていました。ですから移動しているレムリア人たちは、各人の性質によって、アトランティス上のヴォルテックスにあたる8カ所のセンターにそれぞれ惹かれて行きました。そしてそこに落ち着いて都市を作りはじめました。

その結果、2つのヴォルテックスが誰一人いないまま、無人で放置されることになりました。これらの2つのヴォルテックスは、それ自体に生命を引き寄せました。生命には空虚なスペースは存在し得ません。生命はそれを埋めていくような方法を探し出します。たとえばあなたが高速道路で、他の車の後ろについて走っ

ていたとしましょう。あなたがあんまり距離をおいたら、誰かが間に入ってきますよね? もしあなたが場所を開けておくと、生命が横から入ってきて、どんどんそこを満たしていくのです。それと同じことがアトランティスに起きたのです。

レムリア人は８つのヴォルテックスの区域にのみ定住していましたが、マヤ文明の記録によれば、アトランティスが崩壊した時には10の都市があったと明確に記されているのです。実際に、これらの記録は現在、大英博物館に保管されている『トロアノ古写本』に出ています。この文書は少なくとも３５００年前のものとされており、アトランティスの沈没の様子をこと細かに描いています。これはマヤに伝わるもので、激変について語った、歴史的に信頼できる書物だと、それを翻訳したフランス人の歴史家オーギュストゥス・ル・プロンジョンは言い、このように語っています。

６カンの年、ザックの月の第11ムルクの日、ひどい大地震が起き、第13チンまで途切れることなく続いた。ムーの土地、ムドの丘の国が二度の隆起によって犠牲になった。それは一夜のうちに消え去り、入り江は火山活動によりずっと揺れ続けた。閉ざされた地形のため、土地はさまざまな場所で沈下と隆起をいく度も繰り返した。ついに激しい振動の力に耐えきれず、地面は割れ砕け、10の国はばらばらに引き裂かれ、散らばっていった。それらは６４００万の民とともに沈んだ。

ここに記されている10の国とは、生命の木の10カ所のセンターを表わしています。この文書には、たいへん洗練された都市とその周囲一帯が爆発し、人々はボートに乗り込んで逃げようとしたことが示されています。この事件を、絵文字であるマヤ語で表わしてあります。

中断された進化

2つの空のヴォルテックスが地球外生命種を呼び込んだ

トートによると、それら2つの空っぽになったヴォルテックスを埋めるために、2つの地球外生命種がそこへ入り込んだそうです――1つではなく、2つのまったく異なった種です。最初の種は私たちの未来からやって来たヘブライ人です。トートは、彼らは惑星外からやって来たと言いましたが、特定的にどこかはわかりません。ヘブライ人たちは、言うなれば小学校五年生を一年間学んだものの、留年してもう一度やり直さねばならない子供のような状態なのです。彼らは次の進化へ向かうのに前の段階をまだ卒業していないので、その段階を再度やり直さなくてはなりませんでした。別な言い方をすれば、彼らはもう数学については知っている子供であったと言えます。私たちがまだ知らないような、たくさんのことを知っていました。彼らは銀河管轄司令部（ギャラクティック・コマンド）から法による許可を得て、その当時の私たちの進化のパターンに入り込んだのです。トートによると、彼らは、私たちには意識レベルがまだそこまで追いつかず、考えつきもしないようなたくさんの概念や考えを携えてやって来たのだそうです。この介入は実際には私たちの進化に役立ってくれたと思います。ヘブライ人が地球にやって来て住みつくことにはまったく問題はありませんでした。たぶん、もしこの種だけがやって来ていたとしたら、全然問題は起きなかったかもしれません。

その時に介入してきたもう1つの種が大いに問題を生じさせたのです。これらの存在は近所にあたる火星からやって来ました（これが奇妙に聞こえるのはわかっていますが、リチャード・ホーグランドのような人たちが語り出す前であった1985年頃にはもっと奇妙に聞こえたものです）。世界中に展開してきた状況から、この種族が大きな問題の原因となっていることが明るみに出てきました。秘密政府と世界中の兆億長者（億万長者のはるか上をいく）たちは火星人の一族か、または感情・感覚体をほとんどあるいはまったく持たない火星人の遺伝子を受け継いでいるのです。

ルシファーの反乱後の火星

トートによると、100万年近く前には、火星は地球

そっくりだったそうです。それは美しく、海があり、水も木々もたいそう見事でした。しかし、それから何かが起こったのです。それは過去にあった「ルシファーの反乱」に関係がありました。

私たちが参加しているこの実験のそもそも最初から――神の創造のすべては実験ですが――ルシファーの反乱（彼らを反乱者と呼びたければ）と似たような実験は、これまでに4回試みられています。言葉を換えれば、ルシファーのほかにも、同じようなことを試した存在が3人いたということです。そしてどれもが宇宙全体の完全なる混沌という結果を招いています。

100万年以上前、火星人たちは、生命が3度目にこの実験をしようとした「第三の反乱」に参加しました。そして実験は劇的な失敗に終わりました。いろいろな惑星が破壊され、火星もその1つになりました。今起きていることと同じで、生命は神と分離した「現実（リアリティ）」を創造しようとしたのです。言い方を変えれば、ある一部の生命がその他の生命全体から分離して、自分たちだけの現実を創り上げようとしたのです。たしかにみんなが神ではあるので、それはそれでよいのです――そうすることは可能です。ただ、今までうまくいった試しがないのです。にもかかわらず、彼らはもう一度それをやろうとしたのでした。

誰かが神から分離しようとすると、「現実」との間にあった愛のつながりが断ち切られます。ですから火星人たち（やその他大勢）は神から分離した現実を創造したとき、愛のつながりを断ち切りました――つまり感情体を切り離したのです。そしてそうする過程で完全に男性の性質と化し、女性の性質はほんのちょっとしか持たないか、あるいはまったく持たなくなったのです。彼らは純粋に論理的な存在で、感情がありません。『スター・トレック』のミスター・スポックみたいに、まったくの論理人間だったのです。火星やそのほか何千もの場所では、愛も情もなかったために、いつも戦い通しでした。火星は戦いの火がやむことのない戦場と化し、火星が死滅してしまうことが明らかになるまでそれはずっと続きました。とうとう最後には、火星の大気を吹き払ってしまい、地表を壊滅させたのです。

火星が破壊される以前に彼らは、この本の第2巻で写真を見ることになるはずの巨大な四面体ピラミッドを建造しました。それから三面、四面、そして五面のピラミッドを造り、ついには合成マカバを作り出すことができる複合構造物を建てました。それによって時空間旅行用の宇宙船のような乗り物を製造することもできれば、それと同じ構造物を複製することもできました。彼らは自分たちが過去も未来もおびただしい空間と時間にわたってカバーできる構造を具象化させたのです。

少数の火星人たちが、火星が破壊される前にそこを離れ、安全な場所へ移りました。その場所が地球でしたが、それは私たちの時間でいうと約6万5000年前のことです。彼らはアトランティス上に、まだ誰も入っていない小さなヴォルテックスを発見しました。彼らは許可を求めませんでした。反乱者の一部であるゆえに、通常の方法をとらなかったのです。単に「ちょうどいい、そうしよう」と言って、その通りにしてしまったのです。彼らはそのヴォルテックスに入り込み、そうすることによって私たちの進化の過程に入り込んだのでした。

子供だった人間の意識をレイプし、支配した火星人

実際にこの時空次元間意識機械あるいは構造物を使った火星人の数は2000～3000人でした。彼らが地球にやって来て最初にしようとしたことは、アトランティスの支配です。戦争を求め、支配をもくろみました。しかしながら、たぶん彼らには人数の少なさやその他の理由から弱みがあったのでしょう、結局はそれをなし得ませんでした。そして最後にはアトランティス人であったレムリア人に鎮圧されました。私たちは火星人に支配されることは回避できましたが、彼らを送り返すことはできませんでした。このことが私たちの進化の過程に起きたとき、私たちは14歳ぐらいの女の子に相当していたと言えるでしょう。ですから、ここで起きたことは、14歳の少女がはるかに年の離れた60～70歳くらいの男に襲われたのと同じような状況なのです。別な言い方をすれば、それはレイプでした。私たちはレイプされたのです。選択はありませんでした。火星人たちはただ踏み込んできて、そのあげく「嫌だろうがなんだろうが、俺たちはここに居座るぞ」と言ったのです。それに対して私たちがどう考えるとか、どう感じるとかいったことはお構いなしでした。それは私たち白人移民がネイティブ・アメリカンに対してしたこととまったく変わりありません。

当初の悶着が一段落したのち、火星人は自分たちに女性的な部分、感情を感じるという部分がまったく欠落していることを理解するように努めるということで、話がまとまりました。そして多少の変動はあれ、物事は長期間にわたって落ち着きました。ところが火星人たちは徐々に、レムリア人がまったく知らなかったような、左脳的テクノロジーを提供しはじめるようになったのです。レムリア人たちが知っていたのは、現在の私たちには知るよしもない右脳的テクノロジーでした。サイコトロニック・マシーンやダウジング・ロッド（訳注・水脈占いなどに用いられる杖）などといったものは右脳的テクノロジーの産物と言えます。もしもみなさんが右脳の女性的テクノロ

ジーが機能しているところを見たら肝をつぶすでしょう。それらの可能性をフルに利用できるとしたら、ちょうど左脳テクノロジーがそうであるのと同様、右脳テクノロジーで考えつくことは何でもできてしまうのです。ところが、私たちはそのどちらも心底からは必要としていないのです――これが私たちが忘れてしまった、大いなる秘密です！

火星人たちは、私たちが左脳を通してものを「見」、女性的から男性的へと転じるようになるまで、こうした左脳的発明を次から次へと引き出してきて見せ続けたため、ついに私たちは進化の道における極性を変えてしまいました。私たち自身のあり方の性質が変わってしまったのです。火星人たちはじわじわと支配力を強めていき、最後には戦うことなくしてすべてを手中に収めました。彼らはお金と権力のすべてを握ったのでした。火星人とレムリア人の間に生まれた敵意は――私はレムリア人の中にヘブライ人も含めています――アトランティス最後の時まで決して消えることはありませんでした。お互いを心底から嫌っていたのです。女性的だったレムリア人は基本的におとしめられ、劣者として扱われました。それは愛ある状況からは程遠い世界でした。それは女性側にとって望まない結婚でしたが、火星人にとっては相手がどう思うかなんて、どうでもよかったことでしょう。それは次の時代がゆっくりと明けてくる今から2万6000年ぐらい前まで、非常に長い間続いたのでした。

微細な極移動とそれに続く議論

私たちが次に微細な極移動（ポール・シフト）を経験したのは約2万6000年前のことで、そこで意識に多少の変化がありました。この極移動はまた歳差運動と呼ばれる地軸のゆらぎと同時に起こりました（図4－6）。それはそんなに大きな変動ではありませんでしたが、科学的に記録されているものです。サイクル上の2つの小さな楕円は、変化が常に起きるところを指していて、いま現在私たちはAの地点にやって来ています。

この極移動のとき、アトランティス大陸の一部、たぶんロードアイランドの半分ぐらいの大きさの土地が海中に沈みました。それは多大な恐怖をアトランティスにもたらしま

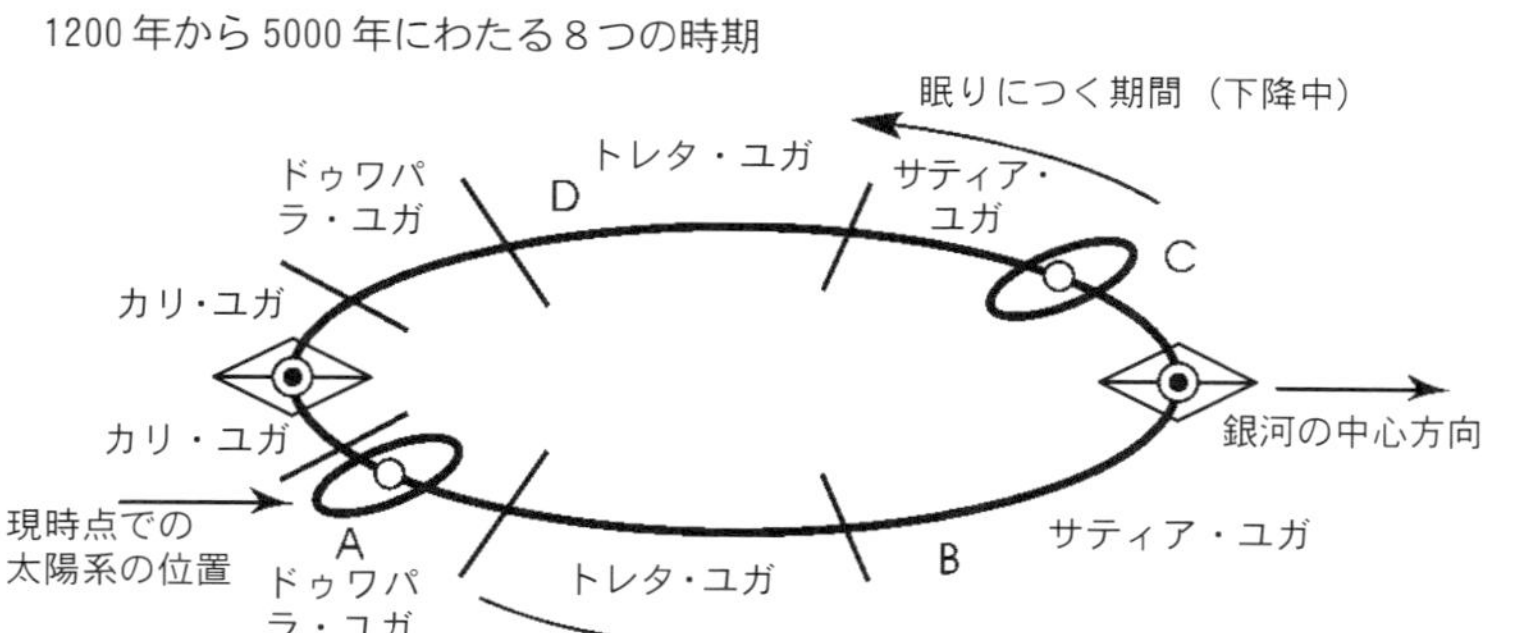

図４－６　歳差運動のサイクル；Ａが極移動の地点

した。なぜならレムリアに起こったように、大陸の全部を失うのではないかと思われたからです。その時には、人々はほとんど未来を見る能力を失っていました。一体何が起きるのかわからないまま、その場でぶるぶる震えて長いこと息をひそめていました。１００年後にもまだ怖がっていましたが、やがてようやくその恐怖も引いていきました。彼らが安全だと感じられるまでには、なんと200年も要したのです。

　アトランティスが地球の変化に対する恐怖をようやくゆるめたのは、下側の楕円のAの地点から少し先まで進んだあたりでした。しかしその記憶はまだ残っていました。しばらくはそのまま安らかに過ごせていたのですが、1万3000年前から1万6000年前頃になって、突然地球に彗星が接近しました。この彗星がまだ宇宙の深淵にあった時には、アトランティス人たちは今の私たちよりずっと発達した技術を持っていたので、このことを知っていたのです。彼らはそれが近づいてくるのを見ました。

　ここでアトランティスには大きな分裂が生じました。支配者とはいえ少数種族であった火星人たちは、そのレーザー技術で彗星を空の彼方へ噴き飛ばそうとしたのです。しかし、レムリアの人々は火星の左脳的テクノロジーの使用に猛然と反対しました。女性的側面が「この彗星は神聖なる秩序のもとにやって来たものです。私たちは自然に起こることを、あるがまま受け入れるべきです。地球を打たせるがよい。それはそうあるべきことなのです」と言ったのです。

　もちろん火星人たちはこう答えました。「なにを馬鹿な！　上空で爆破してやろう。もう時間がない、さもなければ我々は全員お陀仏だ。」しかし長い議論のはて、結局火星人たちはしぶしぶながら彗星をそのまま地球に衝突させることを承諾しました。そしてついに彗星がやって来ました。それは大気圏をつんざきながら突入してきて、アトランティスの西海岸からちょっと沖の大西洋に落下しました。その時は海底でしたが、そこは今でいえばサウスカロライナ州チャールストンの近くです。その彗星の残骸はいまや4つの州にわたって散らばっています。そこには確かに1万3000～1万6000年前の間に彗星が落ちたということが科学的にも立証されています。いまだに破片が見つかっているのです。破片の大半はチャールストン付近に集中していますが、2つの大きな破片のうちの1つがアトランティス大陸の南西部に激突しました。これらは大西洋の海底に巨大な2つの穴を穿(うが)ち、それがアトランティス沈没の本当の理由だった可能性があります。その時点では実際に沈没はしませんでしたが、何百年かたって沈没したのです。

火星人の破滅的な決断

　彗星の破片が激突したアトランティスの南西部は、ちょうど火星人が住んでいた地区にあたり、大量の人口が失われました。彗星の衝突を受け入れて一番ひどい目に遭ったのは火星人たちだったのです。さて、それは彼らにとってあまりにも屈辱的で、耐え難いことでした。それは彼らにとってあまりにも屈辱的で、耐え難いことでした。そして地球の意識の大いなる消失が始まったのでした。そのとき、今日私たちが体験している「現実（リアリティ）」という名の木、苦い木の種子が撒かれたのです。火星人たちは言いました。「もうやめた。おまえたちとは離婚だ。これからは何でも我々のしたいようにする。おまえたちは勝手にするがいい。我々は自分の生き方を優先し、我々の手で運命を支配するのだ。二度と再びおまえたちの言うことなど聞くものか。」どこかで聞いたようなせりふです。そう、世界中の離婚した家族に見られる会話です。そして子供たちは？　世界を見渡してください、私たちがその子供なのです！

当然、火星人たちは地球の支配権を奪うことを思案しました。火星人にとって現実との主要な接点であった「支配」の側面が、彼らの怒りに合わせて湧き上がってきたのです。合成マカバを再度創造するために、彼らはずいぶん前に火星に建造したような複合構造物をまた建築しはじめました。たった1つ問題だったのは、彼らが以前にそれを建造してから地球時間にして約5万年が流れており、正確にどうすべきかを思い出せなかったという点です。しかし彼らはちゃんとできたと思い込んでいました。それで構造物を完成させ、実験を始めました。その実験は、100万年近く昔に火星で行われた、連結マカバの実験と直接結びついていました。それは後になって、1913年にここ地球で執り行われ、もう一度1943年に行われ（フィラデルフィア実験と呼ばれています）、そしてさらに1983年にも行われたものですが（モントーク実験と呼ばれています）、もう1つ、私の見たところでは今年（1993年）、ビミニ諸島沖で実施しようとしているようです。これらの時期は、時間の窓が開放される時にあたり、その状況の調和性と関係しています。実験が成功するためには、これらの時間の窓が状況とぴったり合っていなければならないのです。

火星人たちがもし調和的な合成マカバを建造することに成功していたとしたら、彼らさえ望めば地球の支配権を完全に手中に収めていたでしょう。この惑星上のどんな人物であれ、彼らの思い通りに動かすことができたはずです。ただし、それは究極的にはみずからを滅ぼすことを意味しています。真に「現実」というものを理解していれば、そして高次の存在であればあるほど、そのような支配を他者に強要することはありません。

火星人によるマカバ計画の失敗

火星人たちはアトランティスにすべての実験設備を建造し終えると、エネルギーを流すためのスイッチを入れました。するとほぼその直後に時空間の中を失墜してしまい、実験のコントロールをまったく失いました。その破壊の程度たるや描写するのもおぞましいどころか、もっと凄惨で罪深いものでした。この「現実」の中では、コントロールできない合成マカバを作る以上に大きな過ちはありません。この実験によって、地球の低次元層に裂け目ができはじめました――高次元にではなく、低次元にです。たとえて言うなら、人体は異なった器官の間に膜を持っています。心臓、胃、肝臓、眼など、みんなそうです。この場合、ナイフを持ってきて自分の胃を切り開くというのが、ちょうど地球の次元層を切り裂くことにあたります。スピリットの各側面は、これらの次元間膜によって他の側面と分けられており、それらは混ぜ合わせたりするべきものではありません。つまり、血液は血管の中にあるのが正しく、胃の中にあるべきではないのです。血液細胞の目的は、胃の細胞のそれとは異なっているのです。

　火星人たちはほとんど地球の息の根をとめてしまいそうな、あることをしました。今日私たちが直面している環境災害とは比較にならないものでしたが、現在の問題は、私たちが遠い昔にしたことの直接の結果なのです。正しい理解と充分な愛があれば、環境は1日で再生させることが可能です。しかしこの火星人の実験がそのまま続いていたら、地球は永遠に滅亡させられていたでしょう。二度と地球を種まきの場所としては使えなくなっていたはずです。

　火星人はたいそうきわめて重大な間違いを犯しました。まずはじめに、この制御不可能なマカバは大量の低次元のスピリットを地球の高次元界に解き放ってしまいました。それらのスピリットは、理解できない知らない世界に強制的に連れてこられ、完全な恐怖に駆られました。彼らは生きなければなりませんでした――つまり肉体を持たねばならなかったのです。それで、アトランティスでは一人につき何百という数のこうしたスピリットたちが、よってたかって人々の体内に入り込んでいったのです。アトランティス人たちは、彼らの侵入を防ぐことはできませんでした。ついに、世界中の人々ほぼ全員が完全にこれらの別の次元からやって来た存在に取り憑かれてしまいました。これらのスピリットは私たちのようにきわめて地球人的なのですが、もともとこの次元レベルから発したものではないので、実は非常に異なっています。それは完全な破局でした――たぶん地球がかつて体験したこともなかった、最大の大惨事だったのです。

破壊的な遺産――バミューダ・トライアングル

　火星人による世界支配の試みは、いま私たちがバミューダ・トライアングルと呼んでいる海域、アトランティス諸島の1つに近いところで起きました。その海の底には、海を越え、はるか宇宙の深淵にまで到達する巨大な合成マカバを形成できる構造物が、実際にあります。それは3つの回転する星型二重四面体（スター・テトラヒドロン）の電磁場が重なり合った形をしています。このマカバが完全に制御不可能な状態なのです。バミューダ・トライアングル（三角形）としているのはなぜかというと、1つの四面体（これは固定しています）の頂点が水面から突き出ているからです。他の2つの電磁場は逆向きに回転しています――そしてより速く回転しているほうの電磁場がときどき時計回り

●付記 Update

私たちが２０１２年よりも前にこの次元から抜け出すだろうと信じている人たちは、おそらく正しいでしょう。どちらにしても地球はそれまでには４次元へ移行しているでしょうが、このアトランティスのフィールドに関する修正は、トートによればその３次元の年（２０１２年）に完了するそうです。

の動きをして、たいへん危険な状態になっているのです。（時計回りというのは、フィールドの中心から見てであって、フィールドそれ自体ではありません。フィールド自体は反時計回りに回転しているように見えます。）これはもっとマカバについて学んでいくと理解できます。より速く回転しているフィールドが反時計回りに（その中心から見て）回転する時は、すべて大丈夫なのですが、より回転の速いフィールドが（中心から見て）時計回りに動くとき、時空間のひずみが起こるのです。多くの航空機や船がバミューダ・トライアングルで消失するのは、文字通りそこが制御不可能なフィールドと化して、他の次元へ行ってしまうからなのです。

世界中のひずみのほとんどは——戦争、結婚問題、感情的動揺などといった、人と人の間のひずみですが——主にバランスを欠いたフィールドに起因しています。そのフィールドは地球にひずみを生じさせているだけでなく、現実の構築のされ方ゆえに、たいそう遠い遠い彼方の宇宙の果てまでひずみを作り出しているのです。これが別の機会にお話しする、グレイと呼ばれる種族やその他の地球外生命種が、なぜわざわざ遠い昔に起きたことを正そうとしているのかという理由です。これは地球をはるかに超えて広がる重大な問題なのです。アトランティスでかつて火星人たちがしたことは、全銀河の法則に反しています。それは違法行為でしたが、いずれにせよ彼らはそうしたのです。この問題は解決されますが、２０１２年まで待たねばなりません。その間に地球外生命種ができることはあまりありませんが、それでもたぶん試みを続けるでしょう。それは最終的には成功するはずです。

解決策――キリスト意識グリッド

アセンションしたマスターたちによる地球援助

合成マカバが失敗に終わったとき、地球上には約1600名のアセンションしたマスターが存在していましたが、彼らは状況を癒すために出来るかぎりを尽くしました。次元層に封印をして、それらのスピリットたちを人々からできるだけ引き離し、もと来た世界へ戻らせようと努めました。あらゆるレベルで、すべての面で力を注いでくれたのです。後にはほとんどのスピリットを切り離し、90〜95パーセントかそれ以上の状況を癒しましたが、それでも人々はまだたくさんのこうした異形の存在が肉体に住みついているのを見出していました。

その時のアトランティスの状況はたいへんな勢いで悪化していました。すべてのシステムが、経済的にも社会的にも、そして人生がどうあるべきかということに対する概念全般もみな急速に退化し、崩壊していったのです。アトランティス大陸とそこに住む人々すべてが病んでいきました。アトランティス人たちは不思議な病気に罹りはじめたのです。大陸全体が日々をなんとか生き抜こうとするだけのサバイバル状態に陥りました。状況はどんどん悪くなっていきました。地上の地獄が長い間続き、それはひどいものでした。もしアセンションしたマスターたちによってそのスピードが緩められていなかったら、それは本当にこの世の終わりだったでしょう。

アセンションしたマスターたち（私たちに可能な当時の最高レベルの意識状態にあった人々でしたが）は、恵まれた状態に戻すにはどうしたらよいか、その方法を知りませんでした。本当に何も知らなかったのです。みずからの上に降りかかってきたことに対して、彼らは子供のようなものでしたし、どうやって事態を収拾すべきか、なすすべも知りませんでした。そこで彼らは祈りをささげました。より高次の意識を召喚したのです。その祈りを聞く耳を持つものなら誰でも呼び入れ、そこには偉大なる銀河管轄司令部（ギャラクティック・コマンド）も入っていました。彼らは祈って祈って、祈り続けました。それでこの問題は、たくさんの生命の高次レベルにおいて顧みられたのです。

もっと以前にも、似たような事態が他の惑星に発生したことがありました。それは初めてのことではなかったのです。それで実際にそうなる前に、アセンションしたマスターや銀河系の友人たちは、私たちが恵みを忘れ、その時点までの経験に対する高いレベルの気づきから失墜しつつあることを認識していました。私たちが生命のスペクトルにおいて下降線をたどろうとしていたことに気がついていたのです。そこでは、どうすれば転落した私たちを戻せるかということと、ぐずぐずしている暇はないという点が問題でした。彼らは地球全体を、光も闇もひっくるめて癒す解決法を模索していました。彼らは火星人だけが助かるとか、あるいはレムリア人だけが助かるとか、もしくは地球の一部だけが助かるというような偏った方法は、はじめから考慮に入れていませんでした。地球とそこに住むもの全体を癒す道を探求していたのです。

高次意識はそもそも「我々」と「彼ら」という視点を持ちません。そこにはすべての生命を通じて活動しているただ一つの意識だけがあり、アセンションしたマスターたちはみんなが互いに愛し尊敬しあえる状態に戻れるようにするために努めていました。彼らは、私たちをキリスト意識の中に戻すことが唯一の方法であるとわかっていました。それは一体性が見える存在のレベルであり、そこまで来ればあとは私たち自身が愛と共感により進んでいくことを知っていたのです。もし私たちがあるべき道にそって進みはじめることができたら、この1万3000年サイクルの終わりまでに(それは今ですが)キリスト意識の中に存在しているはずだということも彼らは知っていました。それまでにキリスト意識の中に入っていないとしたら、まったく望みはありません。私たちはみずからを崩壊させます。スピリットは永遠のものですが、生命のやりとりは一時的に失われることもあります。

唯一の問題点は、私たち自身の力だけではキリスト意識の状態に戻れなかったことにありました。少なくとも短い期間では無理でした。一度このレベルまで落ちてしまうと、自然にまた浮上してこられるまでには相当な時間がかかります。ですから問題は時間でした。私たちは、私たちを愛する大いなる意識の一部であり、そしてその意識は愛ゆえに、私たちができるかぎり早急に不死の意識状態に戻るよう望んでくれたのです。それは自分の子供が頭を強く打って失神したようなものでした。みなさんにしても、そういう時は早く子供の意識が戻ってほしいと切に願うでしょう。

こうした状況に対して常にではありませんが、よく用いられる一種の標準的な手はずのようなものを試すことになりました。別の言い方をすれば、それは実験だったということです。みずからを救うためとはいえ、地球の人々は銀河レベルの実験計画の対象となったのです。私たち自身がみずからを使って実験したことになります。それは地球外生命体でも他の何者でもありませんでした。彼らは私たちにどうしたらよいかを教えてくれただけです。この実験をどうやって進めていくかの指示が伝えられ、私たちは実際にそれを実行しました――そして成功させたのです。

シリウス人たちはどうだったのでしょうか？ 私たちの援護者はぎりぎりの状況であるのを知っていましたが、私たちがそれをやり遂げると信じてくれていました。事実、彼らが本気でそう信じていなかったら、銀河管轄司

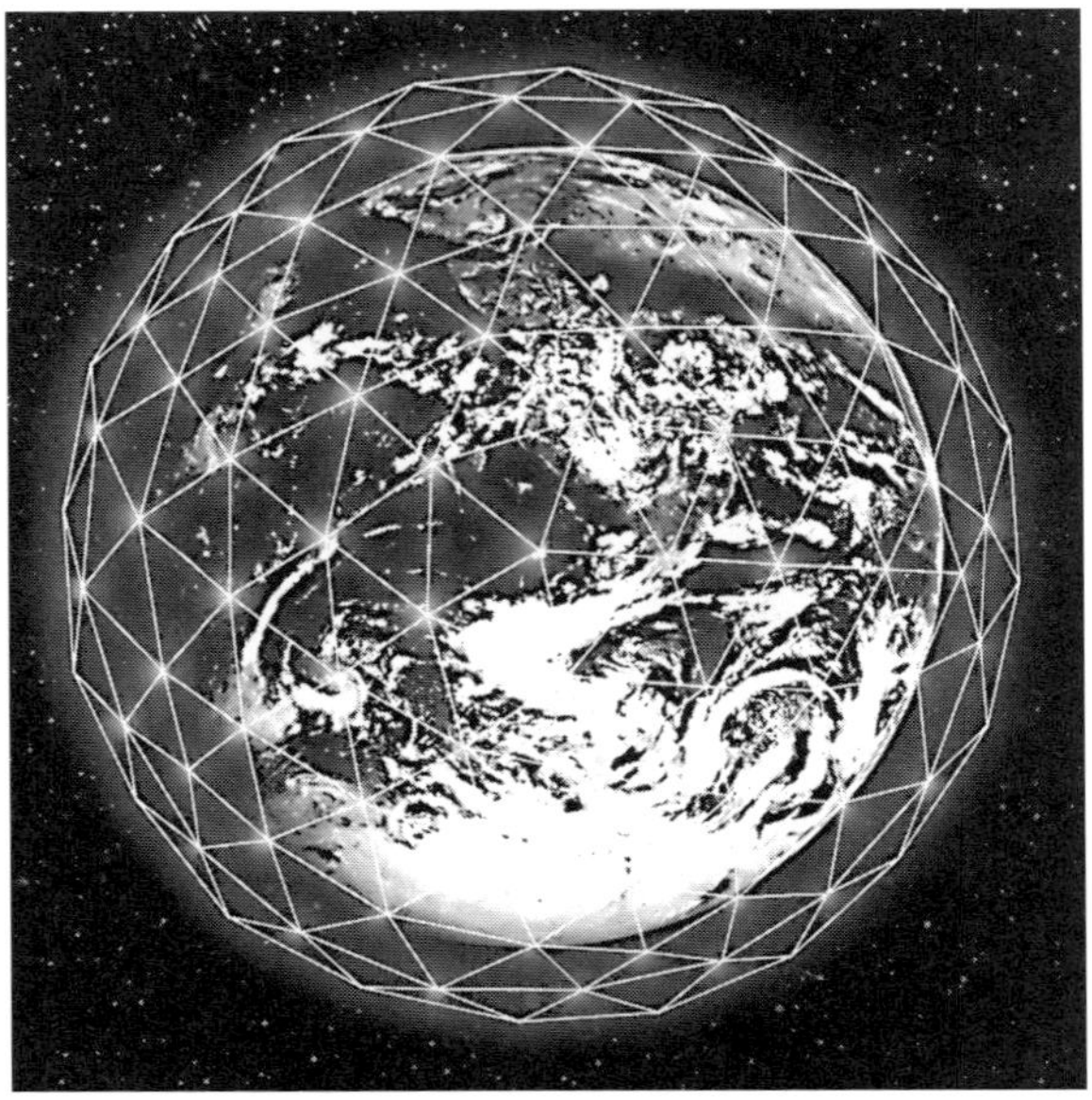

令部が実験の許可など出したはずはありません。銀河管轄司令部にうそは通じないからです。

惑星グリッド

このへんで、彼らの決めた課程をみなさんが理解できるように、グリッドについて説明する必要があるでしょう。惑星グリッドとは惑星を包み込むエーテル結晶構造体であり、どんな生命種の意識をも支えることができます。お察しの通り、そうです。惑星グリッドは電磁的な要素によって3次元と結びついているのですが、各次元に適合する高次元要素をも持ち合わせているのです。科学はいずれ、世界のどんな種にもそれぞれのグリッドがあることを発見するでしょう。地球のまわりにはもともと3000万のグリッドがあったのですが、いまやわずか1300~1500万になり、数が急激に減っているところです。もし惑星上に2匹しかいない虫の種があって、それがアイオワ州のどこかだったとしても、その虫のグリッドは惑星全体を包み込んでいるのです。さもなければ存在できません。それがこのゲームの性質なのです。

それらのグリッド一つひとつが特有の幾何学構造を持ち、独特のもので、ほかに同じ物は一つとしてありません。どんな生命種の肉体も独特であるように、その現実（リアリティ）の解釈の視点もそれぞれ独特です。キリスト意識のグリッドは惑星のキリスト意識を保持しています。もしもそのグリッドがなかったら、私たちはキリスト意識に到達することはできません。当時の私たちはたいへん幼かったのですが、このグリッドはアトランティス時代にはすでに存在しており、歳差運動のある一定時期に機能しはじめました。人々はそれが火星人たちによって自分たちを支配するために利用されるだろうと知って、地球のまわりのキリスト意識グリッドを人工的に活性化させることにしたのです。それは生きたグリッドですが、人工的に作られたものでした——生きたクリスタルの生きた結晶から合成クリスタルを作るようなものです。望むらくは私たちがみずからを滅亡させてしまわないうちに、正しいタイミングで新たなグリッドが完成して、再度もとのレベルまで上昇していけるように祈っています。この惑星グリッドの作用を知る一例として、「百匹目のサル」現象が挙げられます。

百匹目のサル現象

たぶん、みなさんはもうケン・キーズ・ジュニアの『百番目のサル』（原題 *The Hundredth Monkey*）という本や、その前に出版されている、30年来に及ぶニホンザルに対する研究プロジェクトを書き綴った、ライアル・ワトソンの『生命潮流―来たるべきものの予感』（原題 *Lifetide: The Biology of the Unconscious*）を読まれたことがあるかもしれませんね。日本の幸島という島（宮崎県）には野生ザルが群れを作っており、研究者たちはサツマイモを砂の上に置いて与えていました。サルたちはサツマイモが好きでしたが、砂や土は好きではありません。ある日、生後18カ月の「イモ」と名づけられた若いメスザルが、芋を洗うことでその問題が解決されることを発見しました。そのメスザルはこの技術を母親に伝えました。遊び仲間たちもこの新たな方法を学び、それぞれが母親に教えました。またたく間にすべての若いサルたちがサツマイモを洗いはじめましたが、子供の行動を真似した親だけにこれが伝わりました。研究者はこれらの出来事を、１９５２年から１９５８年まで記録しています。

それが１９５８年の秋になって、幸島でこれを行っていた少数のサルの数が臨界点――ワトソン博士は任意に１００匹としましたが――に達し、ビンゴ！ 突然、島中のほとんどのサルが、それ以上の伝搬行動なしに芋を洗い出したのです。その島だけに限って発生したことであれば、たぶんそれは何らかのコミュニケーションがあったに違いないと見て、それを探したことでしょう。しかし、同時に幸島周辺の島々のサルたちも芋を洗い出したのです。さらには本州の高崎山のサルまで芋を洗うようになりました。サルは私たちのような伝達手段を持っているわけではありません。研究者たちはこんなことを観察したのは初めてでした。そこでは何らかの形態発生的構造あるいは形態形成場がこれらの島々のあいだに広まり、それを通してサルたちが意思を伝えているのだろうという仮説が立てられました。

百人目の人間

多くの人が百匹目のサル現象について考えを述べました。それから数年後にオーストラリアとイギリスの研究チームが、サルにあるなら、もしかして人間にも似たようなグリッドがあるのではないかと思い立ち、ある実験をしました。彼らは、大小ふくめて１００人のさまざまな人の顔や眼が写っている、一枚の写真を用意しました。写真は人々の顔で埋めつくされているのですが、最初にこれを見た時には、一度に6つか7つぐらいの顔しか認識することができません。それ以上見られるようになるためには練習が必要で、たいていは最初にどれかを指差されなければなりませんでした。

その後、彼らはその写真をオーストラリアへ持っていき、そこで実験をしました。人口の構成比に応じて一定の人数を選び、それぞれの人にその写真をある一定時間だけ見つめてもらいました。その人の前に写真を掲げて、「この写真に何人の顔が見えますか？」とたずねたのです。それを見せられた人はその時間内に、だいたい6、7、8、9人か、せいぜい10人の顔しか挙げられませんでした。なかにはもう少し多かった人もいました。基本的なサンプリングとして数百人の実際の観察結果を記録してから、研究者の一部はイギリス――地球の裏側です――に帰りました。そしてイギリス国内だけで放映されるBBC系ケーブルテレビの番組でその写真を公開しました。そこでは一人ひとりの顔がどこにあるのかを、すべて詳細に示したのです。それからわずか数分後に、オーストラリアに残っていた研究者たちが、新しい被験者の人々を対象にして同じ実験を行いました。するとそれらの人々は、突如としてほとんどの顔を認識できるようになっていたのです。

人々はその時点から、知らなかった人間の顔について何か特定のことを知ったのです。さて、オーストラリアのアボリジニの人々は、私たちにはずっと「知られざる部分」であったものを知っていました。人々をつなぐエネルギー・フィールドが存在することを知っていたのです。私たちの社会でも、ある場所で非常に複雑なものを発明しているそのまったく同じ時に、地球の裏側で同じ原理、同じ目的の同じものを発明していることがあります。どちらの発明者も「おまえは私から盗んだんだ。それは私のものだ、私が最初に考えたんだから」と言うでしょう。こういうことは長い間にわたり、ずいぶん昔からしばしばあったものです。このオーストラリアの実験の後、科学者たちも、私たち全員を直接結びつけているものが何かしら確実に存在することに気づきはじめました。

政府によるグリッドの発見と覇権争い

アメリカ政府とロシア政府が、世界中に広がっているこれらの電磁場またはグリッドを発見したのは1960年代のことでした。人間グリッド群――そうです、複数あるのです――は地上約100キロメートルかそれ以上のところに存在しています。

地球には、異なった遺伝子の数と背たけを持つ5種類の意識レベルがあると言ったのを憶えていますか？さていま現在、地球が実際に経験している意識レベルは3つしかありません。あと2つは、現在のところ私たちの手の届かないところにあります。第1意識レベルは原初的なもので、第2レベルが現在の私たちの意識、そしてこれから私たちが移行しようとしている第3レベルが「キリスト意識」あるいは「融合意識（ユニティ・コンシャスネス）」です。約1万3000年前の転落の後、地球の周囲には、第1と第2意識レベルの2つのグリッドしか活性化していませんでした。たとえば私たちオーストラリアのアボリジニは第1レベルで、たとえば私たち

「ミュータント」は第2レベルに当たります（アボリジニの人々は私たちのことを「ミュータント」と呼ぶのだそうです。なぜなら私たちは今の状態になるまで変異（ミューテーション）したからです。）科学ではオーストラリアのアボリジニについてほんの少ししか研究されていないので、アメリカは彼らのグリッドに気がついてさえいません。しかし政府は私たちにはたくさんの実験を行い、私たちのグリッドが一体どんなふうに見えるのか、正確なところを見出しました。それは三角形と四角形をベースにしています。つまりたいへん男性的要素の強いグリッドが惑星全体を取り囲んでいたのです。さて、その上に「融合意識グリッド」あるいは単に「次の段階」とも呼ぶ、第3のグリッドがあります。それは1989年2月4日に完成して以来、そこに存在し続けています。そのグリッドなくては、私たちはすべておしまいです。でも、ちゃんと存在してくれているのです。

　政府が最初に人々の第2意識レベルのグリッドに気がついたのは、1940年代まで遡れるかもしれません。これはさっき私が言ったことと矛盾しますが、とにかくグリッドは「百匹目のサル」の理論が提示される以前から発見されていたと思います。第二次世界大戦のために、政府はグアムのような目立たない島、つまり世界で少々「どこからも離れている場所」に軍用基地を建設しはじめました。なぜそんな場所を基地にしたのでしょう。それはたぶん彼らが説明したような理由からではなかったはずです。グリッドを広げてみると、世界中にある軍用基地、特にロシアとアメリカのそれが、なんとみなさん、ほとんど、必ずと言っていいほど、まさにグリッドの交差点にあたるところに配置されているのが一目瞭然です――交差点から発する小さな螺旋の上か、あるいはちょうど交差点そのものの場所にあるのです。正確にこれらの場所に自国の軍用基地を配置してあるなど、とても偶然ではあり得ないでしょう。グリッドの支配権を獲得しようとしたのです。なぜならもしそれを支配することができたら、私たちの思考や感情をコントロールできることがわかっていたはずだからです。これらの2つの政府間で微妙な争いが起きていました。しかしながら、1970年にその争いは、後で説明するように性格をかなり変えることになりました。もちろん合衆国とロシア両国の裏には秘密政府が存在し、この対立の体裁とタイミングをコントロールしていました。

グリッドはいかにして構築されたか

　さて、必要な背景を理解したところで、アトランティスのドラマを追っていきましょう。グリッドを再構築するプロジェクトは、三人の存在によって始められました。トート、そしてラーと名乗る存在、さらにアララガットという名の存在です。（映画『スターゲート』では、ラーは正当な敬意を払われていません。彼は実際にはアセンションしたマスターの一人で、光の存在であり、悪などではありません。）これらの三人は、今ではエジプトと呼ばれている場所のギザ台地へ飛んで行きました。その当時は砂漠ではなく、あたり一帯に熱帯雨林が生い茂っており、「毛深い野蛮人の土地」という意味である「ケムの国」と呼ばれていました。かつて地球の融合意識グリッドがその地点から発せられていたために、三人はその特定の場所を目指したのです。彼らは高次意識の指示にそって、新しいグリッドを以前の軸の上に再構築するのが目的でした。

　彼らは正しい時機まで（つまり歳差運動が意識の衰退期を脱する時まで）その実行を待たねばなりませんでした。この衰退期はずっと遠い未来まで続くので、彼らはおよそ1万2900年前の当時、1サイクルの半分の少し手前にあたる12世紀末頃までに完成させればよかったのです。でもそれ以上長くかかっていたら、私たちはこの惑星を破壊してしまっていたでしょう。

　三人は、まず最初に高次元にグリッドを完成させ、それから新しい融合意識グリッドが発現するまでに、前もって神殿を物理的にこの次元に建造しておく必要がありました。いったん融合意識グリッドが発現して安定するようになれば、それは私たちを意識的により高次存在の世界へと移行させるのを助け、故郷である神のもとへ帰る新たな道を創り出してくれるのです。

　そこでトートとその仲間たちは、まさに融合意識ヴォルテックスの地表からの出口だった場所へ向かいました。ここは今でこそ砂漠で、大ピラミッドがそびえる場所から約1・5キロメートルほどの地点ですが、当時は人里はなれた広大な熱帯雨林の真ん中でした。彼らは、地上のこのヴォルテックスの軸が中心になるように穴を地下1・6キロメートルほどの深さまで穿ち、内壁をレンガで固めました。彼らは6次元の存在でしたから、思ったことはいつでもその通りになり、これに要した時間はわずか数分ばかりでした。それは簡単なことだったのです。

　ひとたび融合意識の軸を中心とする穴を完成させた彼らは、その穴から生じる10の黄金螺旋の図を作成して、地上での実際の位置を確認しました。つまりその穴は、ずっと深いところから発して宇宙まで延びていくエネルギー螺旋の軸穴として用いられたのです。螺旋の1つは、現在の大ピラミッドにほど近いところから地上に表出していました。彼らはそれを見出して、穴の前に小さな石の建造物を建てました。その建造物はギザの建築群におけるカギとなるものです。そしてその後に彼らは大ピラミッドを建てました。

　トートは、ギザの大ピラミッドはクフ王でなくトート自身が建造したものであると言っています。トートの話では、それは地軸の変動の約200年前に完成したそうです。大ピラミッドの上に冠石があったとすると、頂点はちょうど螺旋の曲線の上に位置しています。彼らは穴の中心の前にある石の建造物の南面が、ちょうど大ピラミッドの北面と一直線になるようにしました。これを見た測量技師は驚嘆しました。この2つの建物はお互いに1・5キロメートルくらい離れているのに、石の建造物の南面は、大ピラミッドの北面と完全に一直線上に並んでいるのです。現代の私たちの技術をもってしても、これ以上正確にできるかどうかは怪しいとのことです。

後になってまさにその螺旋の上にあと2つのピラミッドが建てられます。事実、穴はそれにそって航空写真によって発見されました。3つのピラミッドは対数的に配置されていることがわかったので、螺旋をもとのほうへたどっていったら、実際にそこに穴と石の建造物とが見つかったのです。その発見は、たしか1980年代初期のころでした。このことは1985年の「マカレン調査（the McCullen survey）」に記録されています。

私自身、軸穴と石の建造物をこの目で見てきました。私はその場所をエジプトで一番重要な場所と見なしていますし、エドガー・ケイシーの協会であるAREも同意見です。そしてこの螺旋からおよそ街の1ブロックぶんくらい離れたところに、もう1つ穴があり、そこからも螺旋が出ています。その螺旋は少し離れたところから始まっていますが、次第にゆっくりと漸近的に最初の螺旋の上に重なっていきます。穴のまわりに螺旋状に建物を建造していったのだとすれば、設計者たちは生命に対するたいへん洗練された知識を持っていたと言えるでしょう（この知識については、またあとからお話しします）。このようにして、ゆくゆくは地球を取り囲む融合意識グリッドとなっていくための軸が、2つの完璧な螺旋によって定められたのです。

聖地

それまでの崩壊していたグリッドの上に新しいグリッドを作り直して、螺旋の線の上に1つのピラミッドを配置したあと、トートとラーとアララガットはこれら二本のエネルギー線が曲線を描きながら交差する地点を、地球表面上に8万3000カ所以上も配しました。ここよりも1つ次元が高い4次元のレベルには、地球全体に広がるエネルギー・マトリックスの交差点に建物や構築物などを設置しました。これらすべての建物の所在地は黄金螺旋もしくはフィボナッチ螺旋の比率で割り出されていて、すべてが数学的に、今日では太陽交差点（ソーラー・クロス）と呼ばれるエジプトのある一地点へと導かれています。

世界中にある聖地といわれるような遺跡は、偶然そこに存在したものではありません。それらすべてを作り出した大もとには、ただ一つの意識が存在しています――マチュ・ピチュであれ、ストーンヘンジ、ザグアン（チュニジア）であれ、どこを見まわしてもそうなのです。それらのほとんど全部（ごくわずかの例を除いて）が一つの意識によって創造されました。私たちはいまや、これについてもっと深い認識を持つようになってきました。リチャード・ホーグランドはこれについて初めて語った人ではありませんが、彼の研究はこれを前面に押し出しています。つまり、いかにして1つの聖地から別の聖地を割り出すことができ、そこからまたもう1つ、さらにまた1

つといったように、どんどん導かれていくかを説明しているのです。これらの遺跡は時をはるかに隔て、それぞれ異なった時期に建てられましたが、特定の文化や地理的位置を超越しています。それらは明らかに一つの意識によって全体の事業計画がコーディネートされたものです。そのうち研究者たちは、このエジプトの地点こそ、すべての聖地から割り出される発祥の地であることを理解するでしょう。

このエジプトの地域は、融合意識グリッドの北極にあたります。そして地球の裏側となるタヒチ諸島の小さなモーレア島がグリッドの南極にあたります。標高3000メートルのペルーの山中にあるマチュ・ピチュは、ワイニャ・ピチュの頂上から俯瞰すると、まわりを山々が完璧な円として取り囲んでいるのが見てとれます。それはちょうど真ん中に隆起している男根のまわりを、女性の円が取り囲んでいるかのようです。さて、モーレア島はこれによく似ていますが、ただしハート型をしています。モーレア島の家にはどれもハート型の表札が掛かっています。モーレアの男根のような山は、ペルーのワイニャ・ピチュよりももっと大きなハート型の土地にあり、その形でペルーと同じように周囲を山脈に囲まれているのです。これが融合意識グリッド全体のちょうど南極にあたります。モーレアから地球を貫いて裏側にいくと、そこはエジプトです。ごく微細なずれしかありません。ほんのちょっと湾曲しますが、それは自然なことです。エジプトはマイナス極および女性的資質であり、エジプトはプラ

図4－7　ギザの大ピラミッド

ス極および男性的資質です。すべての聖地はエジプトの極とつながっており、そこからモーレアへ通じる中心軸によってお互いにすべてつながり合っています。もちろんそれは円環状（トーラス）です。

スフィンクス下の飛行船とピラミッドの発着場

これは大ピラミッドです（図4－7）。その頂上には「失われた冠石」といわれるものがあり、いろいろな推測がなされてきました。トートによれば、今はなきその冠石は高さ14センチほどの純金製だったそうで、ピラミッド全体のホログラフィック像だったのです。どういうことかというと、その中には部屋全部がすべて正確な割合で小さく収まっていて、記録保管ホールに据えられているのだそうです。他の2つのピラミッドには頂点の尖った先端までありますが、大ピラミッドだけは頂上が平らな面になっています。失われた部分は決して小さくはありません――約7・3メートル四方です。頂上に立つと、それは巨大な舞台のようです。この平らなところは、実は地球に存在しているきわめて特別な飛行船の発着場なのです。

スフィンクスは大ピラミッドからそんなに離れていません。トートが著した『エメラルド・タブレット』によれば、スフィンクスはジョン・アンソニー・ウエストによって推定された1万～1万5000年前よりもずっと以前のものだといいます。現在の研究者たちの多くが見過ごしてしまっているのは、スフィンクスは最近までほとんど砂の下に埋もれていたという点です。事実、ナポレオンがスフィンクスを見にいった時にはその頭部しか見られなかったので、そこにそんなものがあるとは気がつきませんでした。それは完全にうずもれていて、少なくともここ数百年間は砂の下だったのです。その事実はひょっとすると非常に大切なポイントかもしれず、それを考慮に入れると、風雨による侵食は現在考えられているよりずっと過去まで遡ることになります。

トートは、スフィンクスは少なくとも550万年前にはあったと言っています。それはおいおい明らかになってくるでしょう。彼の話には今まで一度も間違いがありませんでした。ジョン・アンソニー・ウエストも、もしかしたらそれは1万〜1万5000年前よりずっと古いものかもしれないと考えています。でも彼は何百万年も前に遡るとまでは推測していませんでした。ただ、それまで認められてきた地球の歴史が6000年間だという見方を打ち壊そうとしたのです。彼とそのチームはいまやそれに成功し、やがてもっと証拠が集まってくれば、建造時期をさらに過去へ飛躍させることになると思います。

トートによれば、スフィンクスの地下約1・6キロメートルのところに、平らな天井と平らな床を持つ円形の部屋があるそうです。その部屋の中には、世界で一番古い合成物が存在しています——それは地球上で組み立てられた他のどんな物体よりも古いものです。トートの話では、立証はできないが、この物体は5億年前に「人間の生命へと至るもの」が生まれた時点から存在しているということです。この物体は街の2ブロックぶんくらいの大きさがあり、CDのような円形ディスクで上下が平らな面になっています。その皮膜はわずか3〜5原子ぶんの厚みしかない特殊なものでできています。その上と下の面には**図4−8**のような一定のパターンがあります。

そのパターン自体には5原子ぶんの厚みがあり、それ

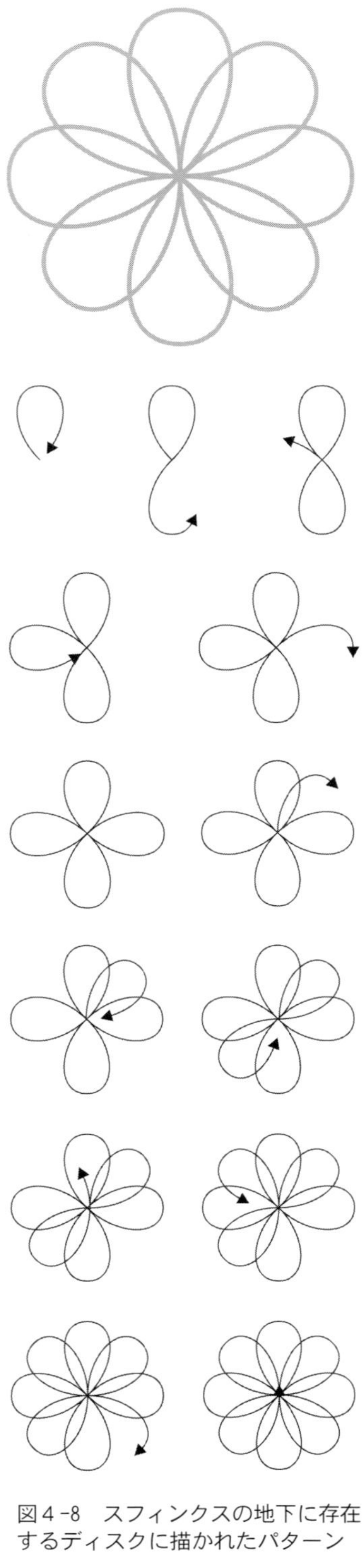

図4-8　スフィンクスの地下に存在するディスクに描かれたパターン

以外はどこも3原子ぶんの厚さです。それは透明で、中を見透すことができます。ほとんどそこに存在していないかのように見えます。これは船ですが、モーターもありませんし、目に見える動力源はどこにもありません。『エメラルド・タブレット』のドリールによる解説では、この船は原子力モーターを持っているとしていますが、トートによればそうではないといいます。ドリールはユカタン半島で1925年に『エメラルド・タブレット』を翻訳しましたが、船がいかにして原動力を得ているかの描写までは理解できなかったのでしょう。原子力という概念は、当時の動力源として考えられる中でもっとも進んだものだったのです。しかし、実際にはその船は思考と感情によって推進し、各人の生きたマカバとじかに結びついて、そのマカバを拡張するように設計されています。この船は地球のスピリットと直接つながっており、『エメラルド・タブレット』では戦艦と呼んでいます。それは地球の護衛艦なのです。

現代の弱点とヒロインの登場

『エメラルド・タブレット』には、私たちが歳差運動における分点(春分点と秋分点)を通過する時には力が弱まり、そこで地球の極がちょっと移動すると、そのたびに地球外生命体がこの惑星を乗っ取ろうとしたことが記されています。それは何億年もずっと続き、いまだに続いていることです。石版(訳注・『エメラルド・タブレット』のこと)のなかにその部分を見出したとき、私はまだグレイやその他の存在のことなど何も知らなかったので、こう思いました。「地球外から誰かがやって来て、地球を乗っ取ろうとするだって? そんな馬鹿な!」しかし今日でもまさにその通りのことが起こっているのです。それはやむことなく、ひたすら続いています。これは単純に言えば「闇と光の戦い」と呼ばれるものです。

乗っ取りが起こりそうになるたびに、常にどうやって次の意識レベルへ移行するかを見つけ出す非常に純粋な人が現われては、その人が船を発見して空中に浮き上がらせてきました。地球と太陽がその人の内側につながって偉大なパワーがもたらされ、その人の考えることや感じることが現実になるのです。それゆえに、この飛行船が「戦艦」となるわけです。いかなる種族が地球を乗っ取ろうとしても、この人はただ彼らが去ることを考えます――彼らが立ち去らざるを得ないような状況を創案するのです。これはどんな外界の干渉や影響からも、私たちの進化のプロセスを護ってくれます。少なくとも、それはそうなるはずでした。

今、私たちが干渉されていることは完全に明らかです。その純粋な人はすでに現われ、その事件はもはやこの地球で起きました。だからグレイが逃げ出しているのです。彼らにとっての問題は、たった一人の女性によって引き起こされました。23歳(彼女がこれを行った1989年当時)のペルー出身の女性です。彼女は新しいグリッドを使用して最初のアセンション・プロセスを達成し、そのグリッドと直接結びついて地球とつながり、船を見つけて空中に浮かべました。さらに地球のクリスタルと基本的なつながりを築いた後、計算し直さなければならなかったプログラミングを書き換えました。その次に彼女は、グレイやその他この地球乗っ取りのたくらみに関わるすべてのものが、もしここに留まれば病気になり、治療不可能になるという状況を思考しました。

　それから1カ月たたないうちにすべてのグレイが病気になりだし、彼女の思い描いた状況が実際に起こりはじめたのです。グレイはいまや地球を去らねばならなくなりました。彼らは計画変更を余儀なくされ、基地は放棄されました。今回宇宙からやって来た者たちの全軍団は、なんとたった一人のこの小さな聖女のおかげで現在はかなり打ちのめされ、ほとんどいなくなってしまいました。まったくものすごいことです(笑)。私たち男性諸君はそれがどんなものかよくわかりますよね——私もいく度となく妻に打ちのめされましたから。

アトランティス破局に対する準備

トートとその仲間たちは、グリッドの再構築のためにエジプトの複合建築群全体を完成させました。その後、それらを熱帯雨林の真ん中に放置して、準備のためにアトランティスへ戻りました。そこは２００年間そのまま放置されました。なぜなら歳差運動の臨界点では極移動(ポール・シフト)が起きることを彼らは知っていたからです。アトランティスが沈むのを知って、それまで待とうとしたのです。

　ある日それはついに起こりました。破局は、実際にはわずか一夜のことでした。科学によって極移動にかかる時間は約20時間と割り出されています。こんなふうに起きるわけです(指をぱちんと鳴らす)。ある朝、目が覚めて、夕方になったら、まるきり違う世界になっているのです。その進行全体には3日半ほどかかりますが、極移動そのものは約20時間で完了します。合衆国の大きな部分が水面下に沈んでいくとき、私たちもこういった莫大な変化を経験することになります——そして本当にそうだったんだと知るのです。その変化が起きる時にはさまざまな前兆があります。充分な情報がもたらされ、その後、それについてあなたがすでに記憶として持っていたことを思い出すようになっています。

　極移動が起きる最初の兆候を見たとき、トート、ラー、アララガットの三人はスフィンクスのところへ戻り、

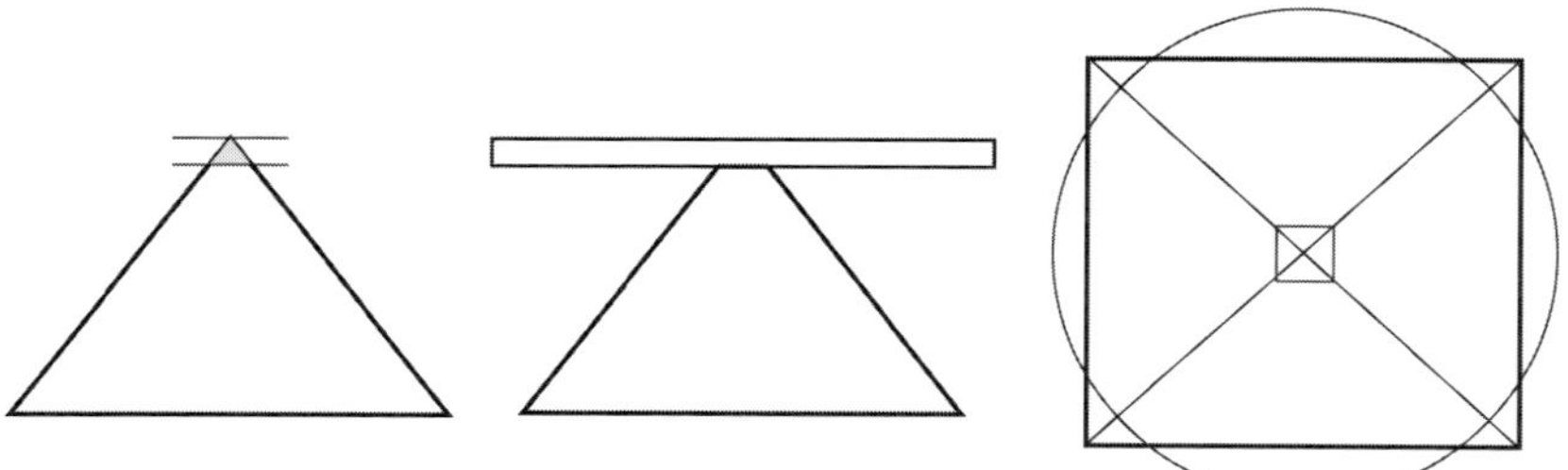

図4－9　大ピラミッドの上の戦艦

戦艦を空中に浮かべました。彼らがしたことは、地球に存在する分子の振動をそれまでよりも1倍音分のみ高めただけです。これによって船が地中をぬけて空に舞い上がるようにできたのです。それから彼らは再びアトランティスへ行き、船を地上に降ろして、もとレムリア時代からの不死者をはじめ、アトランティス時代に覚醒した人たち（そのころまでにはさらに600名ほどの人々がアセンションしていました）も加えたナーカル神秘学派の人々を乗せました。つまり、レムリアからやって来た1000人とアトランティスでの600人を合わせて、アセンションしたマスターは1600人になっていたのです。そして彼らのみがその古代飛行船の乗組員となりました。

　さて、この船に乗っていた人々はただの乗客ではありませんでした。まさに巨大な空飛ぶ円盤の形をした、回転する生きたグループ・マカバを作り出していたのです――銀河にも、あなたの体のまわりにも、マカバが活性化された時にはそれと同じ形のものができます。ゆくゆく新たにエジプトとなるケムの国に入るにあたって、彼らはとても強力な防護用フィールドを各自のまわりに張り巡らせていました。トートが言うには、ウーダル島が沈んだとき、船は神秘学派の人々を乗せて地上400メートルの高さからその情景を見下ろしていました。そのとき、2、3の小さな島を除いて、アトランティスの最後の部分が水面下に没したのでした。それから彼らは船をエジプトに向けて発進し、大ピラミッドの頂上に着陸しました。それは横から見ると、図4－9の真ん中の図のような感じでした。

　大ピラミッドの稜線を冠石が終わる頂点まで延長してみると、船とピラミッドは相互のことを考えて建造されているのがわかります。これを上から見るなら、右側の図のようになります。円は飛行船を表わし、四角が大ピラミッドを表わしています。大ピラミッドの周囲の長さと船の円周は同じです。そんなことが実際にできるかどうかは討議の余地がありますが、その2つを限りなく近くすることは可能です。数学的な相関関係が発生する時にはいつでも生命が出現します。それは宇宙全体における生命の相関関係の基本なのです（もうすぐこの幾何学について説明します）。もしもアセンションしたマスターたちが自分のまわりにマカバ・フィールドを回転させていなかったとしたら、今日彼らがここにいることはありません（そしてたぶん私たちもいなかったことでしょう）。なぜなら彼らのマカバが、その次にあったことのすべてから私たちを守ってくれたからです。

船がピラミッドに降りたあと極移動が起こり、地球の人間の意識はとことん転落しはじめました。それと同時に地球の電磁場も磁場も崩壊し、この惑星すべての生命は「大いなる虚空（グレート・ヴォイド）」へと突入し、世界中の文明に記されている、3日半の完全な闇がやって来ました。

3日半の虚無（ヴォイド）

『エメラルド・タブレット』では、歳差運動における分点を通過して地球の極が変化するたび、私たちは約3日半の虚無（ヴォイド）の空間を通り抜けるとしています。マヤ人たちは『トロアノ古写本』でこの虚空（ヴォイド）について描写しています。その物語のある部分で、3つと半分の石が黒く塗られています。これは私たちが、電磁的無効ゾーンと呼ぶものに突入する時を示しています。極が移動するにあたって、3日半にわたり暗闇の中にあるとき（それは実際には2日ないしは2日半から4日を少し超えるぐらいまでいろいろですが）、ある現象が起きます（これについては後でもっと詳しく話しましょう）。この前の時には3日半でした。それは単なる暗闇以上のものです。何もなく、虚無です。しかし虚空の中にあるとき、あなたは自分と神が一体であることに、そしてそこに何の差異もないことに気がつくのです。虚空については適当な時を見計らってお話ししていきましょう。

記憶とはマカバの磁場

もし戦艦上の人々がその変化のさなかにマカバによって護られていなかったとしたら、彼らは完全に記憶を失っていたでしょう。というのも、私たちの記憶はおおむね脳のまわり——頭蓋骨内と頭部周辺——にある磁場によってまとめられているからです。その磁場は、脳細胞の内的な磁場によってそれらの細胞とつながっています。科学はまず最初に、それぞれの細胞には内なる磁気的な粒子があることを見出し、それから外側にもっと大きな磁場があることを発見しました。それは300年来の人体生理学によってようやく明らかになったことです。記憶はコンピューターのような、安定した生きた磁場に依存しています。それと地球の磁場との関係については科学ではまだ解明されていません。もし記憶を保護する術（すべ）がない場合、それは消去されて失われてしまいます。これはファイルを作成している最中にコンピューターの電源を切ってしまうのに似ています。突如として全部失われるのです。まさにそれが、災害は乗り越えられても、回転するマカバを持たなかったアトランティス人やその他の人々に起きたことです。私たちなどよりもずっと進化し、たいへん高度な人々だったのに、突然まったく何もわからないような状態に陥ってしまったのです。彼らはハイテクな肉体と精神を持っていましたが、それはすばらしいパソコンが、すべてのソフトを抜かれて机の上にほったらかしにされたのと同じでした。

そのために、生き残ったわずかな人々は、全部一からやり直さなくてはならかったのです。いかにして暖をとるか、どうやって火を熾(おこ)すかなどといったことから再び学ばねばなりませんでした。この記憶の喪失は、彼らが呼吸の方法を忘れ、マカバのことを忘れ、その他全部を忘れてしまっていたことの結果でした。次元をどんどん落下していき、完全に守られていない状態になって、ついにこのきわめて密度の濃い世界にたどり着いたのです。そしてまた食べ物を摂るようになり、私たちがずいぶん長い間経験していなかった、いろいろなことを始めました。人々はこの惑星の非常に濃密な世界の中に投げ込まれ、どうやって生き延びるのかを再び学び直すことになりました。これらのすべてが、アトランティスで行われた合成マカバの実験の結果なのです。

少数のアセンションしたマスターのグループなくしては、私たちは生き延びられなかったでしょう――確実に人間としての経験から離れることになったはずです。地球の実験のすべてはそこで永久に終わっていたと思われます。しかし、ようやく何とかではありますが、まわりじゅうで全部が崩壊していくさなか、磁場を生かし続けてくれた人々がいました。その当時の地球には、アセンションしたマスターたちのほかに、マカバ・フィールドをきちんと保持している人々が2種類存在していました。私たちの母と父であるネフィリムとシリウス人は、彼らのマカバ・フィールドを生かし続け、いまだにここ地球にいて、それぞれの次元世界にひそんでいます。私はネフィリムがこの惑星のどの次元世界に撤退したのかは知りませんが、シリウス人たちは地中深くに存在するアメンティのホールに留まりました。

光が戻った後にトートの一団がしたこと

3日半の暗闇の後、光が戻ってきて地表は再び顔を出し、フィールドはそれぞれ揺るぎないものとなりました。そして私たちは、気がつくと今いるこの3次元世界に落ち込んでいました。すべては新しく生まれ変わっていました――何もかもです。体験することがまったく違うものに変化していたのです。たとえばアトランティス人たちは、アトランティスの地について思考するとき、実際にその土地の非常に高度なレベルの解釈の中にいたのです。彼らは私たちが体験するようには体験していませんでした。それは私たちの3次元的視点から説明するのはかなり難しいのですが、まったく違うやり方で体験していたのです。

トートの一団が大ピラミッドの頂上に降り立ってから、ラーと全体の3分の1ぐらいの人たちはこれからいつの日か発見されるであろう、ピラミッドの3分の2の高さのところにある、1つの部屋へ続くトンネルを通って下へ降りました(ついここ2~3年の間に、大ピラミッド内では4つの新しい部屋が発見されています)。将来この部屋が見つかったとき、そこはほとんどアトランティス建築における主要な配色である赤、黒、白の石でできているのがわかるでしょう。これはトートが私に言うようにと教えてくれたことです。トートとその仲間たちがこのピラミッドを建造したとき、この部屋からピラミッドの下を通って遠く離れた街や寺院へ続く通路をこしらえておいたので、彼らはその通路をつたって下降していきました。その通路は、「清めの日」までの1万3000年間にかなり大きな数字にのぼる人々がアセンションすることがわかっていたので、1万人ほど入れるように設計されています。

フィールドが安定した後に、ラーに続いて赤、黒、白の石からなる部屋を通っていった3分の1の人々は、そこから地下都市に入り、私たちの現在の文明の原点を発祥させました。これとは別に、同時期にもう1つの文明の発祥がシュメールにおいて見られます（これはこれでまた別の話になります）。それとまったく時を同じくして、残りの1067名くらいのアセンションしたマスターたちは、大ピラミッドから戦艦を浮上させ、今は(ボリビアの)チチカカ湖と呼ばれている所へ行き、そこにある「太陽の島」に降り立ちました。トートは3分の1ほどの人々と一緒に、ここに降りました。それから残りの人々を乗せた船はまた浮上して、アララガットが残りの3分の1の人々を連れてヒマラヤ山中まで行きました。最後に船には7人が残り、スフィンクスまで戦艦を飛ばして、例の部屋に降ろしたのです。それはつい最近、若いペルー女性によって再び地球大気圏の青い空に浮上させられる日まで、約1万3000年間そこに留まることになりました。

グリッドにそって点在する聖地

エジプトは新しいキリスト意識グリッドの男性面になりました。そこから男性的資質の構造が配置されていったのです。エジプトは世界の女性的な土地に比べて、ほとんど女性的な部分が存在しません。もちろん男性的資質の対極は存在します――イシスがその対になります――が、全体的なエネルギーの流れは男性的なのです。一方、中南米、特にペルーやメキシコは、キリスト意識グリッドの女性面になりました。そして最終的に、グリッドの全女性的側面は、たくさんのアトランティスの生き残りたちが待避していたユカタン半島のウシュマル複合地区が中心になっていきました。

ウシュマルから始まって、たぶんフィボナッチ螺旋上に7つの神殿が配置されており、それらはグリッドの女性的要素の7つの主要神殿となっています。これらはチャクラの中心地であり、ナイルの流れにそってチャクラの中心があるのと同じです。ウシュマルから始まる女性面の中心地は、ラブナ、カバー、それからチチェン・イツァ、さらに海に近いトゥルムへ、次にベリーズの近辺からコフンリッチへ向かい、パレンケの内陸を通って曲線を描きながらもとへ戻っていきます。それらの7つの場所は、私たちが今ようやくアクセスできるようになった、新しいキリスト意識のグリッドにおける女性面の中心的な螺旋を生み出しているのです。

グリッドの女性面は、パレンケから北と南に分かれます。ここでもまたエネルギーの二極化が見られます。グリッドの女性螺旋のうち、女性的部分は南へ向かい、グアテマラのティカルへ飛んで、そこから新たなオクターブを開始します。音楽にたとえれば、7つ目の場所は8つ目の音への橋渡しとなり、次の螺旋、つまり次のオクターブの始まりでもあるということです。それからペルーのクスコ近くのマチュ・ピチュやサクサイワマンなどに到達します。その螺旋はペルーのシャビンと呼ばれるところで終わっていますが、そこはインカ帝国の宗教において重要な地となっています。それは次にはボリビアのチチカカ湖、太陽の島から8キロメートルほど離れた場所へ向かいます。そのあとは90度曲がってイースター島のほうへ向かい、ついにはモーレア島に至り、そこで地球の内側へと螺旋の端は降りていきます。

一方、グリッドの女性螺旋のうち、男性面はパレンケから北へ向かいます。それはアステカ族の遺跡を通過し、ネイティブ・アメリカンのピラミッド群に到達します（ネイティブ・アメリカンたちは実際に物理的にピラミッドを建造しており、いくつかの遺跡がニューメキシコ州アルバカーキの周辺に見られます）。それから螺旋はチチカカ湖と対をなすニューメキシコ州タオス近くのブルーレイクへと続きます。これは合衆国内でもっとも重要な場所の1つであり、タオス・インディアンによって長い間、護られてきました。ここでもまたブルーレイクで90度曲がります。そして螺旋は山脈を越え、ウテ山中（コロラド州境にほど近いニューメキシコ州側）を通過し、たくさんの山々、建造物を通っていきます。

創造者たちは遺跡と合わせて、山のヴォルテックスも利用しました。最後に螺旋はカリフォルニアの海岸を離れて、タホー湖、ドナー湖、そしてピラミッド湖を通過していきます。そこからは海底山脈を通過

して、ハレアカラ火山を抱くハワイ諸島へと達し、また南に向かいます。ハワイ諸島を通過したあとは何千キロメートルにも及ぶ距離を南下して、やがてはモーレア島まで至ります。

ですからそれはウシュマルから始まり、キリスト意識グリッドの南極へつながっていくという、地球上をぐるりとめぐる巨大な開放性の円形をしているのです。グリッドの女性面は大々的な建造物のある地帯をつなぐ円なのです。これらの大きな遺跡の間には、文字通り何百にも及ぶ小さな遺跡があることを念頭に置いてください。それらはいろいろな宗教の教会や寺院や、あるいは山や山脈、湖、渓谷といった自然の中の聖地などです。もしさらに大きな視点から見るなら、終着点である南太平洋のモーレア島まで、まずはじめは時計回りに、次に反時計回りに、いかに完璧な螺旋が形作られているかが見てとれるでしょう。

ヒマラヤ山中に建てられたピラミッドは主に天然の結晶構造でできています。意図した通りのピラミッドを構築するために、それぞれの隅には3次元的なクリスタルが用いられました。そこには物理的なピラミッドも建てられました——いくつもです。それらのほとんどは知られていませんが、所在がわかっているものもあります。今までに知られている世界最大のピラミッドは、チベット西方の山脈の中にあります。それは堂々たる白いピラミッドで、硬いクオーツ・クリスタルの巨大な冠石を持ち、ほぼ完璧な状態で残存しています。少なくとも2チームの科学者たちがそこへ行き、空からも撮影されています。それは年間を通じてたった3週間しか見ることができません。その時には、長いこと人の足が踏み入れられたことのない谷を見下ろすように、クリスタルの冠石が深い雪の間からわずかに頭をのぞかせるそうです。

私はそのピラミッドを見に行ったというチームのリーダーと話したことがあります。彼は、それは真新しいピラミッドのように見え、外壁には何にも書かれていなかったと言いました。それは真っ白くすべすべで、大理石のように硬かったそうです。中に入り、長いトンネルを降りていくと、その先の中央に大きな部屋があったといいます。そこには文字もデザインも何も遺(のこ)されていませんでした——ただ1つ、壁の中央のはるか高いところに刻印がある以外には。なんと、それはフラワー・オブ・ライフの模様だったそうです！　そうだったのです。何か言いたいことがあれば、それを壁に残せばよいのです。それがすべてを物語ってくれます。この本の終わりまでには、それがなぜなのかをみなさんも理解するでしょう。

ごく少数の例外を除いて、地球上のすべての聖地は高次意識によって4次元レベルで計画され、今ではそのほとんどがそれと対になる3次元的な存在を持っています(別の言い方をすれば、実際の場所に物理的な構築物があるということです)。しかしながら、4次元的構造だけという、きわめて重要な場所もいくつか存在しています。それらの4次元的ピラミッドはもともとキリスト意識グリッドの中性的あるいは子供のエネルギーを表現しているのです。そこに沿うように、３つのキリスト意識グリッドの構成要素が地球を取り囲んでいます――母、父、そして子供です。父はエジプト、母はペルー、ユカタン、南太平洋にいて、子供はチベットにいるというわけです。

人間の意識の５段階と染色体上の差異

トートによると、ここ地球には５つの異なった人間の意識レベルが存在するそうです。それぞれＤＮＡが異なり、肉体もまったく異なるため、現実への認識の仕方も異なっています。どの意識レベルも、いかにして生命の表現方法を完全に新しく変換するかを学んで地球を永遠に離れるという第５レベルに行き着くまで、意識レベルを順次成長して進んでいくようになっています。

それぞれの意識レベルの目に見える主な差異は、その背の高さです。第１レベルの人々は、約１・２～１・８メートル、現在の私たちの段階である第２レベルは約１・５～２メートル、これから私たちが向かいつつある第３レベルは約３～５メートルです。第４レベルの存在は約９～11メートルで、最終的な第５レベルは約15～18メートルです。最後の２つは、私たちにはまだまだ先の話です。

ちょっと妙なたとえに聞こえるかもしれませんが、私たちは顕微鏡レベルの卵子から始まって、生まれ落ちるまでにどんどん大きくなっていったわけですよね？ ならば私たちは「成人」になるまで、どんどん背が高くなり続けていくわけです。この説に従えば、人間の大人は成長パターンの終着点ではないことになります。私たちは、15～18メートルくらいになるまで、ＤＮＡの成長段階を経ていくのです。ヘブライの大天使であるメタトロンは、人間がもてる完璧さを具現している存在ですが、彼の身長は約17メートルもあります！「創世記」の第６章で、この地球には巨人が住んでいたことが書いてあったのを憶えていますか？ シュメールの記録によれば、彼らの身長は３～５メートルほどだったといいます。３歳児と10歳児では意識レベルが異なることがわかっていますが、それはまず身長によって判断されます。

トートによれば、どの意識レベルも異なったＤＮＡを持っているそうです。もっとも明らかな差は染色体数にあります。この説に従うなら、私たちはいま第２レベルにあって、染色体数は44＋２です。第１レベルの例は、オーストラリアのある部族の染色体数が42＋２だというものです。私たちがこれから移行しつつある第３レベルでは、みんな46＋２の染色体を持ちます。その次の２つのレベルは、48＋２と50＋２になります。

これについてはこの本の第２巻でもっと詳しく話し、より明確に理解できるような神聖幾何学を見ていくつもりです。

歴史を変えるエジプトでの証拠

さて、今度はエジプトに目を向けましょう。エジプトは中心的な神秘学派が存在したところで、身長の異なった

図４-10　タイアの胸像

人間がいたという証拠があるのですが、依然として意識のレベルに関しては、全体的にまだ認められていません。エジプトは私たちの意識を最終的にもとに戻す地として選ばれ、アトランティスで生き残った人々とアセンションしたマスターたちが一緒に住んでいました。私たちは他の領域の歴史について論ずることもでき、多少はそれもお話ししますが、このワークの焦点は「父なるもの」にあります。なぜなら、記憶しなければならないマカバの主要な情報は「父なるもの」を通しているからです。

図４−10はタイアのエジプト製の胸像です。タイアとその夫アイは、はじめて次元を超えた結びつきによって子をもうけた最初のカップルで、その時の神聖なるタントラは父、母、子の三人を不死へと至らせました。タイアを見ると、だいたいレムリア人がどんなふうだったのか想像できます。タイアとアイは何千年の時を経た今も、まだこの惑星に生き続けています。この二人は世界で一番高齢の部類に属し、人類の意識への貢献によって、あらゆるアセンションしたマスターのなかでも特に尊敬されています。

大地の中の巨人

これはエジプトのアブ・シンベル神殿で（**図４−11**）、キリスト意識グリッドで言えば、男性面における背骨のチャクラの一番下に位置します。これらの像がいかに大きいかに注目してください。この高さは、これらの存在の実際の背たけだったのです。写真の右下にいる観光客とその大きさを比較してみてください。もしこれらの石像が立ち上がったとしたら、例の第5意識レベルの18メートルという範疇に入ります。

これらの像（**図４−12**）はアブ・シンベル神殿の別の壁面にあり、それは第４レベルである約11メートルの高さです。部屋の内部は彼らに合わせた大きさになっており、この門にいるのは第3意識レベルにあったハトホルの種族である金星人たちです。ハトホルについてはまた後で述べましょう。

これらの第3意識レベルの存在たち（**図４−13**）は約5メートルあり、この種族の女性は約3～4メートルほどの背たけなので、これはみな男性ということになります。彼らの像がある建物内の部屋は高さ6メートルほどで、3～5メートルの身長に合わせて天井と柱が造られてい

図4-11　アブ・シンベル神殿

図4-12　アブ・シンベル神殿とハトホル門

図４-13　アブ・シンベル神殿内。第３意識レベルの存在たち。

図４-14　王と女王の異なった意識レベル

ます。その次の部屋は入口が小さく(ここには見えていません)、私たちのために造られたような部屋で、天井が低くて狭くなっています。エジプトの人々はこれらの像をなんとなく造ったのではありません――彼らはどんなものも、絶対あやふやに造ったりはしませんでした。どの石にも傷一つありません。私が知るかぎり、無意識に造られたものは何一つ存在せず、ことごとく理由と目的があったのです。そしてそれらは通常、数多くの現実レベルに基づいて創り上げられました。たとえば、『エメラルド・タブレット』は100のレベルの意識に基づいて書かれています。ですからあなたがどういう人かによって、他の人とはまったく違う理解をするのです。もし意識の変化を通過したら、その後で『エメラルド・タブレット』をもう一度読んでみてください。それが同じ本だとは信じられないでしょう。なぜならあなたの理解のレベルによって、語りかけてくる内容が全然異なるからです。

次は地球の存在がさまざまな意識レベルを通過しているところを表現しています(図4-14)。この写真には、17メートルの背たけをもつ巨大な存在と、その足元に私たちくらいの身長の像がたたずんでいるのが見えます。これは王と女王です。考古学者たちはこれをどう解釈していいのか持てあましたあげく、王は女王よりも重要だったので、それゆえ女王を小さくしたのだと言っています。しかし、そういうことはまったく関係ありません。かつてエジプトに生きた王やファラオは、みな5つの意識レベルを象徴する5つの名前を持っていたのです。

いく人かの王や女王は人民をスピリチュアルな世界へ導いていくために、違う意識レベルの間を変換することができました。エジプトには古代の円形家屋が存在しています。私自身は見ることはできませんでしたが、有名な考古学者、アハメッド・ファイエドからこれに関していろいろな話を聞いたので、古代の円形家屋は本当にあったことを知りました。それは大昔のアイとタイアの家だったのです(もちろん現在は使用されていませんが)。その円形家屋は真ん中が壁で遮られています。そしてその一方から反対側へは、いったん外へ出て家をぐるっと回り、反対側の入口から入る以外に行く方法はありません。これはなんだかアトランティスのウーダル島のところで聞いたような話だと思いませんか?

家の片側の壁に描かれているのは、角ばったスカートをはき、ひげを生やしてさまざまなエジプト風の手回り品を携えた、いかにもエジプト人らしいアイの姿です。ここではアイはごく普通の身長のように見えます。ところが、反対側の壁にあるアイの絵は、背たけが4・6メートルくらいもあります。この2つは非常に異なった姿に見えますが、顔が同じだということはわかります。彼は高次レベルの種族がそうであるように、巨大で後ろへぐいっと伸びたような頭蓋骨をしています(少し後でお見せします)。これら2つのアイの肖像は、彼が意識を変えることで、異なった2つの認識レベルの間を行き来できたということを表わしているのです。

階梯的進化

　メルキゼデクの知識によれば、シュメール人とエジプト人はどちらもほぼ同時期に、全体的かつ完璧なかたちでこの地球世界に出現しています。完成された言語、すべての技術と理解と知識を兼ねそなえて、ほとんどそれに先立つ進化の時期なくして（少なくとも科学では知られていません）突然現われ出たのです。彼らは歴史上のある瞬間に、一番完璧な状態でひょいと登場しました。その時に生まれた文字はたいへん洗練された明確なもので、それ以降はまったく進化していません。その最初の衝撃的な出現から後は、これらの文明は次第にぼんやりとしたものとなっていき、ついに高度な文明が消滅してしまうまで衰退の一途をたどりました。みなさんは時が進むにつれてより洗練され、向上していくものだと思われるでしょうが、そうはなりませんでした。これは科学的な事実です。伝統的な考古学の世界では誰一人、どうしてこんなことが起きたのかわからず、いかにして起こり得たのかも説明することができません。それは大いなる謎なのです。

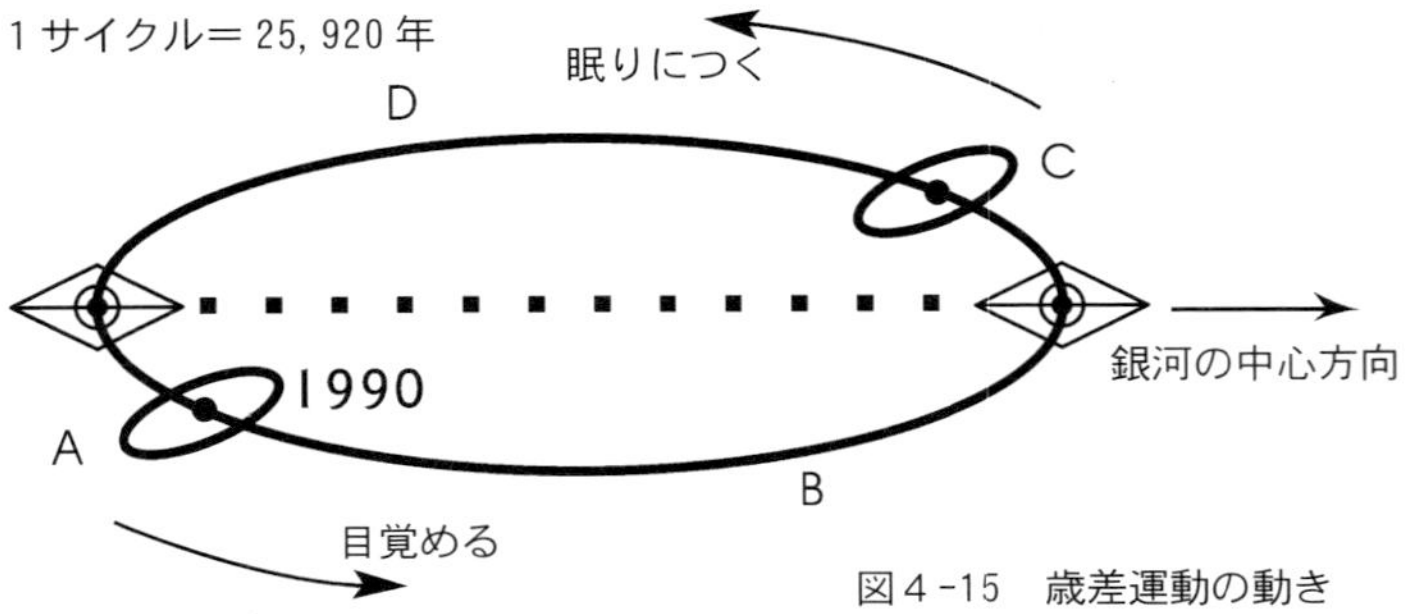

図4-15　歳差運動の動き

　エジプトとシュメールは、考古学では「階梯的進化」と呼ばれる特別な分類に入れられています。いかにして情報や知識を得たかでこのような区分がなされたのです。どういうことかというと、ある日エジプトは完成された完璧な言語を手にし、その後彼らの知識は横ばい状態になりました。それから少しあとになって、みなさんが想像できるような、おそらくある種の濠や水路といった建築などに関するすべての知識を得たのです。そしてまたもうちょっと時間がたってから、今度は突如として水圧について全部知るようになったと思われます。進化はそのようにして続いていったはずです。では、エジプト人とシュメール人は一体どうやってこれらの情報を手に入れたのでしょうか。どうしてある日突然、すべてを知っているということが可能だったのでしょう？　トートの答えをお話しします。

　まず、再びここで歳差運動の図について確認しておきましょう（図4―15）。Aがいま私たちのいるところで、Cがアトランティスの沈没が起きた時点です。Cは極が移動した時でもあり、科学においても特定されています。それはまたノアの大洪水が起きた時で、その原因は、地球規模での変動から氷冠の溶解が起きたことでした。Cが崩壊した時点です。変化が起きる時点は、このほかにBとDの２カ所があり、そこではもっと楽に変化できると言ったのを憶えていますか？　崩壊の起きたCから、新たな教育を再開できるDに達するまでの6000年という期間、アセンションしたマスターたちはひたすら待ち続けねばなりませんでした――エジプトで毛深い野蛮人と化していたアトランティス人たちが、新たに太古の叡智を受け入れられる状態までゆっくりと回復してくるのを。これら約1600人のアセンションしたマスターたちは、転落の直後より大ピラミッドの下で暮らしながら、再び教えを開始し、新しい文明を築けるようになる時まで6000年も待たなければならなかったのです。

タット同胞団

トートの息子のタットは、転落の後、ラーとともにエジプトに残りました。のちにこのグループは「タット同胞団」として知られるようになります。今日でもなおエジプトにはタット同胞団と呼ばれるグループがあり、実際に神聖な寺院での保護者や守り手として肉体を持って顕在化しています。現在のタット同胞団の背後にはアセンションしたマスターたちが控えています。

タット同胞団の不死的側面により、彼らはずっと待ちに待って、ひたすら見つめてはまた待って、エジプト人たちが再び教えを受け入れられるようになるまで待ち続けました。とうとうその日がやって来たとき、それはシュメールとエジプトの始まりでしたが、タット同胞団は古代の知識を蘇らせる準備ができたエジプトの人間やグループを見出すべく観察していました。それから同胞団のメンバーが一人、二人、三人と肉体化し、教えを受け入れる準備ができていると見える人々の前に現われたのです。彼らは地上まで昇っていって、そういう人やグループに近づいては公然と情報を与えました。彼らは人々の面前で言いました。「ほら、ちょっと見てごらんなさい。これをこうしてこうして、さらにこうすると、こんなふうになるって知っていたかい？」エジプト人たちは「おおっ、見てごらん！」と口々に叫びました。彼らはその知識を使いこなすことができたので、進化に新たな段階を生み出すことになりました。

タット同胞団からやってきた男女はそのあと再びピラミッドの下へ帰り、これらの教えを受けた人々が残りの文明にそれを継承していって、文明は急速に次の段階へと上りました。エジプト人たちがしばらくの間それを吸収するのを待って、それからまた同胞団は次なる目的に関して準備の整っているグループを探すのでした。彼らは再び地上に昇ってこう言います。「見なさい、これについてあなたが知りたいことはすべてこの通りです」と。そしてただそれを人々に示しました。アセンションしたマスターたちはこのようにして短期間のうちに人々に情報を伝えましたが、おかげで彼らは進化の階梯を大いに上りつめました。

平行して起こったシュメールでの進化

この同じ進化のパターンがシュメールにも起こりまし

た。現在の歴史の教科書は、エジプトは紀元前３３００年、シュメールはそれより５００年前の紀元前３８００年頃を発祥の時としていますが、私は両方ともほとんど同時期に始まったと見ています。もし歴史家が正確なデータを手に入れたら、きっとシュメール文明とエジプト文明がわずか数年のずれで始まっていることを発見するでしょう。ただし、シュメールの進化は母なる側面であるネフィリムにより展開され、エジプトのほうは父なる側面のシリウス人により展開されました。そこが大きな違いです。母親と父親が「今、私たちの子供が思い出す時がきた」ということで一致したのでしょう。それは親としての決断であり、研究者たちが注意深く調査研究してみれば、両方の国は同時に花開き、しかも歳差運動の軌道の、それが成功しやすい時点（D）と関係していることがわかるはずです。

これはシュメール人がいかにして歳差運動について知ったかということでもあります。歳差運動の存在を知るには２１６０年に及ぶ観測が必要ですが、シュメール人がそれを知っていたのは、ネフィリムが「歳差運動というものがあるのを知っていますか」と言ったからです。たいへん簡単なことです。少しも難しいことではありません。シュメール人たちが45万年前の情報を知っていたのは、その情報を教えられたからです。彼らは単にそれを書き残して応用したのでした。

しかしこれらの古代文明は、こうしたすべてのすばらしい情報を得たあとに衰退していきました。なぜ繁栄する代わりに衰退してしまったのでしょうか。それは人々が眠りのサイクル、歳差運動の「一呼吸ごとに「眠りにつく」時期へと入っていったからです。彼らは一呼吸ごとにどんどん眠りに落ちていき、サイクル中でもっとも眠たい時期である「カリ・ユガ」の時代まで眠りを深めていきました。イエスがやって来たのはカリ・ユガのまっただ中で（今から２０００年前です）、そのころ人類はいびきをかいてぐっすり眠り込んでいたのです。カリ・ユガの時期にあっては、それ以前のもっと目覚めた時期に書かれた書物を読んだり勉強したりしても、書かれている内容を完全に理解するのはたいへん困難でした。なぜでしょう？　それは人々がより無意識的な状態にあったからです。それがエジプトとシュメールだけでなく、世界中の文明が消滅していった理由です。今この時、私たちは完全に目覚めつつあり、私たちの存在の真実を知るところに来ています。

新たな歴史のカギとなるエジプトの秘密

これはサッカーラです（図４－16）。直線的な考古学的見解では、ここがエジプト文明の発祥の地だとされています。その考え方によれば、このピラミッドがエジプトで最初に建てられたものということになっています。はじめて建造されたとき、それは美しい白い石で覆われていました。地上に何キロメートルも広がるこの都市構造全体は、実際、地中にも何百メートルかの地下構造を含んでいるのです。真新しい時に見たら、さぞかしすばらしかったでしょう。そのほんのちょっと前の時代まで私たち人類が毛深い野蛮人だったらしいことを考えれば、ことさらそうです。毛深い野蛮人からこの超洗練された文明が、考古学的な時間ではたった一瞬にすぎないような期間に湧き起こっているのです。

図４-16　サッカーラの階段式ピラミッド

次のピラミッドは、サッカーラですべてが始まったという認識を打ち壊すものだと私は考えています（図４-17）。このピラミッドはサッカーラより少なくとも５００年は古いものです。もしそれが本当なら、エジプト人が地球に出現したのとシュメール人が出現したのは同時期と

図４-17　サッカーラ定説をくつがえすピラミッド。手前にある２つの平たいブロックには、ダビデの星が入った円が刻印されている。（✡）

いうことになります――それがまさに事実だったと私は見ています。このピラミッドは「レヒリト（Lehirit）」（発音をそのままつづったもの）と呼ばれ、いくつかある地下ピラミッドの分類の1つです。このような階段式ピラミッドはたくさん存在し、「マスタバ」と呼ばれています。エジプト人たちはこれら6000年前か、あるいはそれ以前の年代であると見なされるピラミッドのほぼすべてを囲い、軍事基地を配して周囲に巨大な電流フェンスを張り巡らしています。マシンガンを持つ兵士たちを守衛に立てている場合もあります。もしあなたがこれらのピラミッドに近づこうとしたら、たぶん彼らは殺そうとするでしょう。彼らはこれらのピラミッドのことを誰にも知られたくないのです。特に研究されるのは困るようです。もしもエジプト人に、それらについて話そうとしたり、見に連れていってほしいなどと頼んでも、誰も相手にしてくれません。

私はこんな体験をしました。彼らは「ああ、あそこにはそんな価値はないよ。原始人たちが小さな日干しレンガを積んでちょっと作っただけさ。何もありゃしないし、ほんとに何もないんだから」と言います。私はたずねました。「それじゃ、見に行くことはできるの?」「いや、時間の無駄さ。やめときなさいな」というのが彼らの答えでした。私はどうしても見たかったので、何度もしつこく食い下がらなくてはなりませんでした。そして政府関係のいろいろな事務所へ連れて行かれて、ずっと「お願いです、1つでもいいから見に行かせてください」と頼み続けました。それでも返事は「だめ、だめ、だめ」でした。ついに私はこれらの場所に入るのに賄賂（わいろ）まで使うはめになりました。とある政府官僚が800ドル払えば、カメラ抜きにして、ただ15分間見るだけですぐに出ることを条件に、ある晩こっそり見せてやってもいいと言うのです。これほどまでにして彼らはこれらのピラミッドを護ろうとしているのです。

とうとう長い悶着のすえ、私はサッカーラから30分ほど離れたところにあるピラミッドの1つは、そこに小さな村があるので周囲に軍事施設がないということをさぐり当てました。政府の管轄区域を通り越えて行かなくてもいいとわかったとたん、その村とつながりのある人が見つかりました。そこに行くためには、その人にたくさんのお金を払わなければなりませんでした――それは何千ドルというほどではありませんでしたが、でも何百ドルもでした。そうしてついに私はその小さな村へと車で入って行きました。彼らのリーダーのところへ行って許可を得るさいに、そこでもまたお金を払わねばなりませんでした。私は30分間だけそこに入ることを許されましたが、写真の撮影は許可されませんでした。ようやく撮れたのはこの1枚だけでした。

そこはピラミッドがあるというのみならず、周囲16キロ四方ぐらいのところ、どこもかしこもピラミッドだらけでした！ここはかつて巨大な複合建築群だったのです。これらのピラミッドはたぶん6000年以上昔のものなので、まったく顧みられていませんでした。そのため、私にはこれらの「価値がない」ピラミッドは、価値がないなどということは断じてないのだとわかりました。このピラミッドの外壁の石は、図4−17に見えるように斜めになっており、それぞれ約60〜80トンぐらいありそうでした。ピラミッド内部は日干しレンガでできていましたが、それらはきわめて洗練された代物でした。

土台の脇にある石の上には、ダビデの星が入った円――マカバの体験へのカギ――が刻まれています。勾配はおそらく30キロメートルほど下にある川まで伸びていて、ピラミッドはいまだに機能し、稼働していました――それは水を汲み上げているのです。ピラミッドは水のポンプの役目を果たしていたのでした。これはいまや合衆国において実証されています。もしピラミッドを正しく建造したら、1つも動く部分なしに水を吸い上げるのです。このピラミッドは水で満たされていて、誰かが中に入るには水を掻き出さなければなりませんでした。

そのうえ私はエジプトからの帰り道、機内でアメリカ人の言語学者と隣り合わせたのですが（もちろんまったくの偶然です）、その人はなんとこのピラミッドの中に入ってきたばかりだというではありませんか！ そこへはごく少数の人しか入れないのですが、彼らは30人のグループで入ったそうです。彼は、ピラミッドの内部にあった文字は完璧にサッカーラよりも古いものだと断言しました。壁いっぱいに幾何学文字が書かれていたというのです。私もそれはぜひとも見たいものです。彼はとても興奮しながら、この30人の言語学の専門家チームは、いまや世界中の言語のカギとなるものを内部で見てきたと語ってくれました。たぶん彼は正しいと思います。彼は神聖幾何学を理解しており、みなさんもすぐわかるように、神聖幾何学は宇宙の全言語の根本なのです。

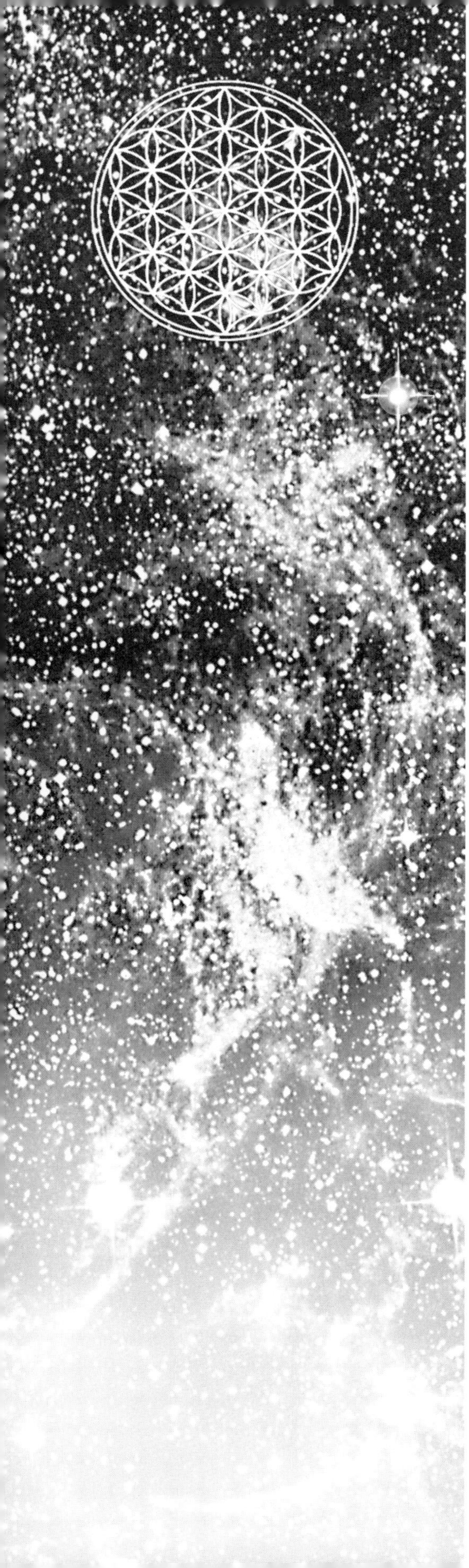

5.

意識の進化における エジプトの役割

Egypt’s Role in the Evolution of Consciousness

基本的なコンセプトについて

エジプトにおける復活のツールとシンボル

古代の人々はここ地球での逗留中に、意識の３つの側面を象徴する特定のシンボルを使っていました。それらのシンボルは世界中に見られ、地下に住む動物、地上を歩む動物、そして空を飛ぶ動物として描写されました。地下に住むものは小宇宙を表わしており、空を飛ぶものは大宇宙を表わし、地上を歩むもの――私たちのように――は両方の宇宙の中間世界を象徴しています。このシンボルはいたるところで見られます。エジプトではハゲタカが左に、ホルスの右眼が中央に、そしてコブラが右に表わされています（**図5－1**）。ペルーではコンドル、ピューマ、ガラガラヘビで表わされます。ネイティブ・アメリカンは鷲、山猫、ガラガラヘビですし、チベットでは鶏、豚、蛇となります。

次の写真（**図5－2**）には、エジプト人が使用した復活のための道具（ツール）やシンボルが見てとれます。写真中、Aの物体は普通は長さが１・２メートルぐらいの杖のようなもので、これは少し短くなっていますが、先端が

図5-1　意識の３側面を表わすシンボル

図5-2　復活のツール

フォークのような形になり、もう一方の端は45度に折れ曲がっています。これは頭の後ろで波動を肉体へ転送するために用いられました。それと一緒にフック（鈎）と殻竿（訳注・脱穀や麦打ちの農具）も使用されますが、これについてはもうすぐ見ていきましょう。Bは、たいてい赤に近いオレンジ色をした、イニシエーションを受ける者の頭上に見られる楕円を表わしています。これは私たちが復活またはアセンションを通過する時に、みずからの形と体内化学反応とを文字通り変化させてしまうメタモルフォーゼの象徴です。

　Cは、エジプト人たちが波動を上げるために時おり使用したパワー発生器です。残念ながら、私がこの物体の使用方法を完全に理解する前にトートは去ってしまいました。Dはアンクを表わし、これについては私もわかるので、それをみなさんにお伝えしましょう。アンクは彼らが理解をもたらす道具として所持していた、もっとも重要なものです。エジプト人にとって、それは永遠の命のカギにあたります。Eは、三角形の中に三角形が描かれていますが、これはエジプトではシリウス星、つまりシリウスAとシリウスBを表わしたヒエログリフなのです。Fは単に「カートゥーシュ」という名前を表現したものです。一番上にあるのはエジプト人にとって神聖な鳥、ハゲタカで、ある意識レベルから別の意識へ移行することに関係しています。それ以外の部分については言及しませんが、この写真には他にも初期エジプト人たちが使用した道具がいくつも描かれています。

図5-3　古代王朝期からの幾何学模様

死からの復活とアセンションの違い

これらのさまざまな幾何学模様（図5－3）はエジプト古代王朝期からのものです。小さなフラワー・オブ・ライフの模様はレヒリト（サッカーラ説を打破すると私が信じているピラミッド）に関係しています。

図5－4はオシリス（左側）を描いたものです。彼はその手に自在鈎（A）と、45度に曲がった、先端にフォークのようなものがついた杖（B）と、殻竿（C）を掲げています。これらの道具はアセンションではなく、復活（リザレクション）に関わるものです。復活はアセンションとは異なります。では何が違っているのでしょうか。復活ではまず最初に死のプロセス、つまり死後すぐに虚無（ヴォイド）の状態に入るという段階があります。その時には無意識で、死のプロセスを認識できないほどイメージのコントロールが不可能になります。このような死に方は、あなたを4次元の第3倍音（オーバートーン）の領域へ連れていき、その結果あなたは何度も何度もこの地球の存在として戻ってくるという転生を繰り返すことになります。こうした転生のサイクルでは、あなたが無意識であるために、無意識のレベル以上では自分のマカバを使用することができず、向こう側に至った時にはこちら側の記憶をまったく持たないことになるのです。そして地球に転生して戻ってきた時にも、どこから来たかという記憶はありません。そのようにして輪廻転生がどんどん続いていくわけです。それは大量のエネルギーと多大な時間を要する過程です。いつかは抜け出せますが、それにしても相当ゆっくりなペースと言えるでしょう。

図5-4　オシリスの復活

あなたが復活を通過すると、自分のマカバを認識するようになりますが、それもたいてい死後になるまでは完全には自覚できません。死んで肉体を解放して、それから自分のマカバについて認識しはじめるのです。そして自分の肉体を再創造し、4次元の第10、11、または12倍音へと向かう過程に入ります。すると、そこから先はもはや転生を経験しないようになります。あなたの記憶は二度と中断されることなく、永遠の人生を継続して生きるようになるのです。

死と復活の間には大きな差がありますが、アセンションとの間にはさらにもっと大きな差が存在します。アセンションは1989年にグリッドが完成したために、現在は達成可能になっています。このグリッドが完成するまでアセンションはかなり難しいことでした。アセンションでは、あなたはまったく死を体験しません。私たちが知るような死のプロセスはまるで存在しないのです。もちろん、あなたはもう地球上にはいなくなるので、その見方からすれば死んだことになるでしょう。そこではどうなるのかというと、あなたはただ自分自身で思い出すか、教えられたか、とにかく何かしらの方法で自分のマカバを認識しています。自分の肉体を光として認識しはじめるのです。その後は完全に意識を保ちながら虚無を通過することができるようになります――地球側から虚無を通り抜けて高次元へ至るまでの間ずっと意識が保たれます。このように、人間としての肉体の再構築が求められる死のプロセスを経ることなくして、ただ単にこの人生から外へ踏み出すのです。人がアセンションするとき、この次元からただ消え去り、虚無を通過して次なる次元に姿を現わします。

現在、アセンションは完全に可能となっており、この本はいかにそのプロセスを達成できるかについて一揃いの可能性を提示したものです。あなたは個人的にはアセンションを通過しないかもしれません。実際には死や復活を通過するかもしれません。それは今のところ惑星地球上の生命のゲームにおいて、大した差にはなりません。なぜなら、通常の形で死んだとしても第3倍音の領域へ行き、しばらくそのパターンに留まることになるからです。そして残りの地球のサイクルが来たるべき変化の波として寄せくる時には、その第3倍音にいるすべての人々は、復活やアセンションを通過した人たちと同じ次元レベルまで引き上げられます。聖書もこのことに言及しており、そのとき死者が蘇ると言っています。本来はみなさんがイメージするような「死」というものは存在しません。存在の状態が異なるだけなのです。たとえて言えば、それは水が液体にも固体（氷）にも気体（水蒸気）にもなり得るけれど、物質としては今のところ「水」と呼ばれる状態にあるというのと同じです。

いま現在の地球においては、特定の条件下を除いて、転生はごく少数の人にしか起こっていません。みなさん、これがたぶん最後の人生になりますよ――これでお終いです！　もちろん、どんなルールにもたいてい例外は付きものですから、ごく少数の人々はこの地球で転生するこ

デンデラの神殿
エジプトのルクソール近くにある、ハトホル神殿の遺跡。

とに決めている場合もあるでしょう。時間はどんどんなくなっています。もし私たちが20世紀の終わりまでもったとしたら、驚きです。（訳注・２００１年現在、人類はすでに地球ごと4次元低倍音域に位置しているといわれ、思いの具象化等も急速に達成されやすくなっている。）まじめな話、私はそのころも人類の生活に3次元がまだ存在しているかどうかあやしいと思っています。神のみぞ知ることです。今日、地球に生まれてきている人たちはどこからやって来たのかって？　ここからではありません！　それは新たに生まれてきた子供たちについて話すところで説明しましょう。

太陽が西から昇っていた時代

エジプトはその発展の初期において、上エジプトと下エジプトという2つの国に分かれていました。上エジプトは南、下エジプトは北でした。アトランティスとしての国であったその歴史の早期には、地球は今と逆方向に自転し、磁極が逆だったことから、エジプト人たちは上下のエジプトを今とは正反対に見ていたのです。現在の私たちにとっての北は、その当時は南にあたっていました。アトランティスのあと、磁極が位置を変えただけでなく、地球は実際に逆向きに回転するようになったのです。トート自身は、極移動（ポール・シフト）を5回乗り越えてきたと言います。彼は太陽が東に昇るのを見て、西から昇るのも見て、それからまた東、西、そして再び東——なんと5回だそうです！

キリスト意識グリッドにおいて男性面のハート・チャクラにあたるデンデラの神殿の天井には、この極の入れ替わりを表現している占星学の黄道12宮が描かれていいます。ちょうど太陽が東の代わりに西から昇り、12宮が逆向きに運行しているのです（図５−５）。世界中の主な大河はたいてい北から南へと流れるのに対して、ナイル川は南から北へと流れています。これは私には、エジプト人たち

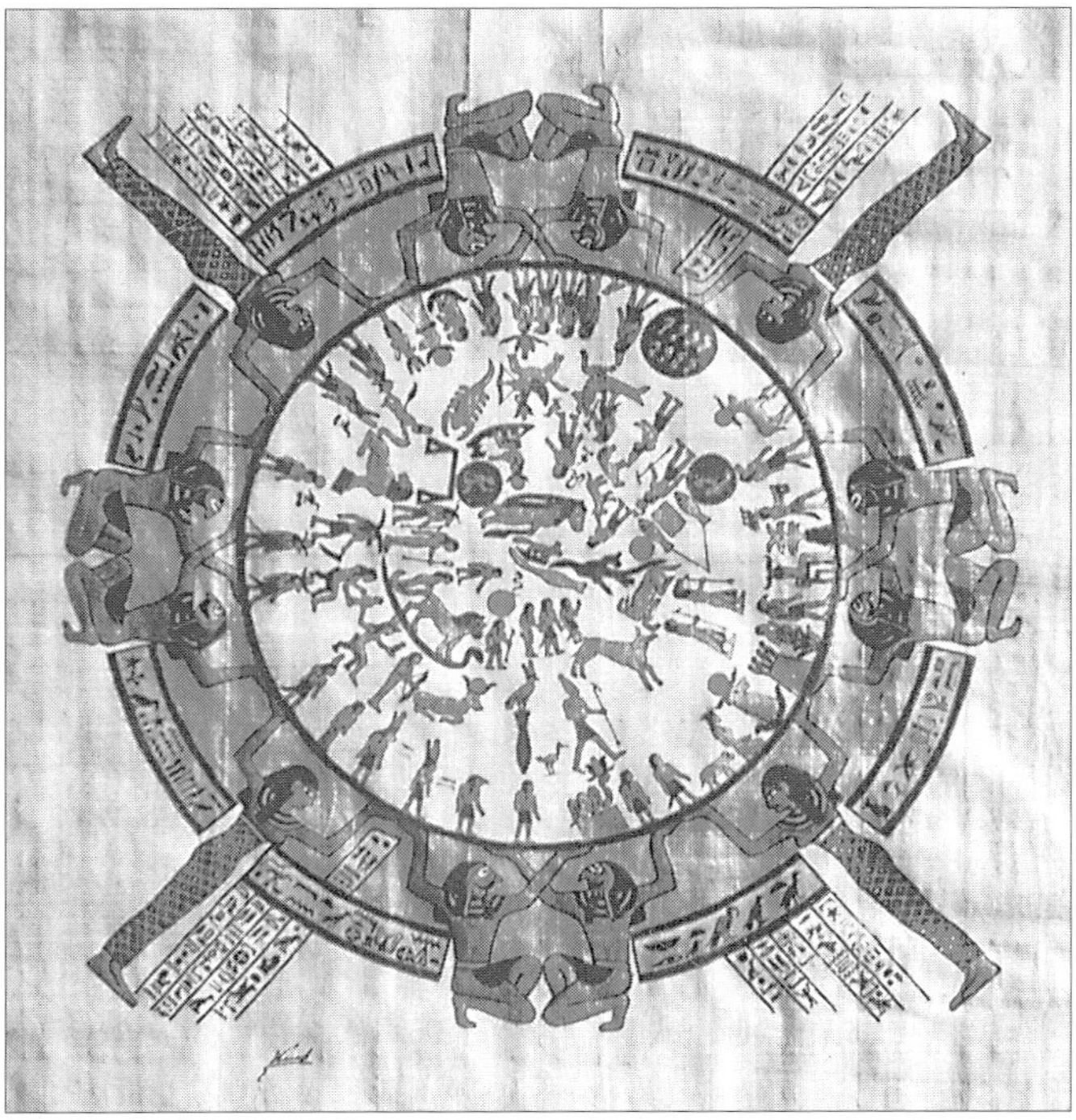
図5-5　現代に描かれたものだが、逆方向にめぐっているエジプトの黄道12 宮

が地底に流れる、より古いエネルギーの流れを使っていたように見えるのです。

私たちはみずからの宇宙の創造者です。スーフィズムに関わったことがある人なら、ムルシッド・サム・ルイスとも知られていたスーフィー・サムを思い出すかもしれません。彼はたしか1970年代はじめ頃だったと思いますが、ニューメキシコ州のラーマ教団の墓地に埋葬されました。彼の墓碑にはこういう言葉が刻まれています。「西に陽が昇るその日、すべての人は見、それによって信じるであろう。」彼は来たるべき時のことを言っているのです。次に極が入れ替わるとき、地球の自転は逆向きになり、ゆえに太陽に関する運行も逆になります。

はじめての不死者、オシリス

エジプトに先行するアトランティス時代、レムリアから来たアイとタイアを先頭に、1000人の人々によってレムリアのナーカル神秘学派（ミステリー・スクール）が構成されていました。それはアトランティス大陸の北、ウーダル島に存在していました。ナーカル神秘学派の人々は、アトランティス人たちにどうしたら不死になれるのかを教えようとしていました。ところが残念なことに、彼らは当時あまり良い教師ではなかったのか、あるいは受け取る側がまったく理解できなかったかのどちらかで、ようやく不死に到達した生徒がはじめて出たのはその後約2～3万年たってからでした。それを最初に達成したのがオシリスでした。彼はエジプト人ではなく、アトランティス人だったのです。オシリスの物語はナイルについて語っていますが、それは実はエジプトで起きたことでなく、アトランティスでのことでした。たいていの人はこの物語についてはもうご存知でしょうが、かいつまんで内容を紹介しておきましょう。

同じ家系内に二人の兄弟と二人の姉妹がいました。兄弟の名前はオシリスとセト、姉妹の名はイシスとネフティス（またはネファス）です。イシスはオシリスと結婚し、ネフティスはセトと結婚しました。物語の始まりで、セトはオシリスを殺します。彼はオシリスの肉体を箱に詰めてナイル川に流したとされていますが、これは実際にはアトランティスの川だったのです。夫を殺されて狂乱したイシスは、妹でありセトの妻であるネフティスとともにオシリスを探しに出かけました。二人はオシリスを蘇らせるつもりで肉体を持ち帰りました。ところがそれに気がついたセトは、オシリスの肉体を14の断片に切り分けて、二度とオシリスが復活できないように世界中にばら撒いてしまいます。しかしイシスとネフティスはこれらの断片を探しだし、つなぎ直しました。そして14のうちの13までは見つけて縫合したのですが、最後の14番目の部分であるペニスがどうしても見つかりませんでした。その14番目の部分は、トート（アトランティスにもいたし、エジプトにもいました）によって魔法で新たに創られました。これによって創造のエネルギーの流れが蘇り、オシリスに命が吹き込まれ、そのうえ不死の身となったのです。

エジプトの見方では、不死に至らせたものは性的なエネルギーであるとされています（レムリアでは不死が根づくためにタントラ、すなわち性的エネルギーが用いられたことを思い出してください）。この物語の最後の部分は、あらかじめ説明しておくことがあるので、もっとふさわしいところでお話ししましょう。でもオシリスは、はじめに生きていた時には第1意識レベルで肉体を持っていたことに注意してください。それから殺され、肉体をばらばらにされました。彼は自分自身と切り離されたのです――これは第2意識レベルで、私たちが今いるレベルです。それから彼の各部分は持ち寄られ、再びもとに戻るというプロセスを通過して、不死の状態である第3意識レベルへと移行しました。

つまりオシリスは3つの意識レベルを通過したのです。最初は完全で、2番目は自分自身と分離し、そして3番目には再びすべての構成要素が一つになるために集まっています。これによって彼はもう一度完全全体に戻り、かつ不死を得たのです。もう二度と死ぬことはなくなりました。オシリスはついにこれらのすべてを通過した後、アトランティスの最初の復活したマスター、不死者として蘇りました。そこで人々は、オシリスがいかにして不死になったかという彼自身の叡智を、みんなが同じ意識に到達するための手ほどきの雛型として学びました。これがアトランティスの宗教になり、後にはエジプトの宗教となったのです。

トランスパーソナルでホログラフィックな第1意識レベルの記憶力

アトランティス人たちは、彼らの脳の機能のおかげで完璧な記憶を保持していました。自分たちに起こったことは何でも憶えていました。しかも彼らの記憶はトランスパーソナル（超個人的）なものでした。つまり一人の人が憶えたことは、種族全員の記憶となったのです。オーストラリアのアボリジニの人々は今もこの種の記憶力を維持しています。アボリジニの一人に起こったことは、それを望む者なら誰でも同じように追体験できます。もしアボリジニが今この部屋にいたとしたら、その人は自分の体験を、地上のあらゆる場所にいる同じ種族の仲間たちに伝えていることになります。

もうおわかりでしょうが、彼らは自分自身と切り離されていない第1意識レベルにあるのです。私たちは第2意識レベルにあり、自分自身と大きく分断されています。アボリジニの人々はアトランティス人と同じように、私たちのようなぼんやりした回想の仕方はしません。彼らは完璧な3次元的立体ホログラフィック記憶を保持しています。たとえば彼らの一人がこのワークショップを体験したとすれば、部屋全体の記憶を一瞬一瞬、再構成することができ、また他のアボリジニの人々もみんな同時に部屋の中を歩き回ったりすることができるというわけです。あなたの机のところまでやって来て、目をのぞき込んでいくこともできます。それは現実の時間(リアルタイム)で起きるのではありません。彼らが「夢時間(ドリームタイム)」と呼んでいるもので、夢のようなのですが、現実そのままのレプリカなのです。彼らの記憶は完璧です。記憶違いも誤りもありません。ですから、当然ですがアトランティスのような文明では何も書き記す必要がなかったのです。「現物」があるのに、わざわざそれを言葉に置き換える必要などありませんでしたから。

アトランティス人はその必要性はありませんでしたが、ただし火星人の側面は必要としていたので、彼らは書き表わすための文字を持っていました。転落の後も、エジプト人は(そして他の人たちも)驚異的な記憶力を保っていました。その当時には、すでにホログラフィックかつトランスパーソナルな記憶力は失われていましたが、まだ映像記録的な記憶力は残っていたのです。私たちがもうすぐ実際に行なう複雑なタイプのトレーニングも、当時の神秘学派の生徒たちは全部、頭の中で行なうことができました。私たちのあまり効率のよくない記憶力では、彼らがしたようにはいきません。私たちは誰かの名前一つ憶えるにも、躍起にならねばなりません。複雑さは先に進むにつれてますます増していくので、次から次へと写真のように瞬間的に記憶に焼き付けていくのがだんだん大変になっていきますが、古代人たちはこれを頭の中でできてしまったのです。頭の中だけで行なうことにも重要な意味があるので、みなさん自身もそれができるよう、後でイラストをたくさんお見せしましょう。

その体験は創造の性質を理解するために重要なカギとなります。あなたが実際に幾何学的運動によって虚空(ヴォイド)の中を移動していく様子をイラストに再現してみました。それを体験することは、ページに描かれた実際の運動を示す円についての理解をもたらしてくれますし、虚空におけるこうしたスピリットの幾何学的運動こそ、創造の始まりであり終わりなのです。

第2意識レベルを生み出した文字の導入

『トートの42の書』では、転落の後、アトランティス人がエジプトに入って、すでに完璧な記憶を体験することがなくなってから文字がもたらされたと記しています。実際、世界に文字を導入したのはトートその人だったとエジプトの記録にもはっきり書かれています。これが完璧な「転落」をもたらす最後の一押しとなり、記憶へのアクセス方法を変化させたことで私たちを第1意識レベルから放り出して、完全に第2意識レベルへと至らしめたのです。それは私たちの運命を決定しました。

書くという訓練は、私たちの頭部の眉毛より上の部分を発達させることになりました。単に書くという行為が導入されただけで、認識する現実の数多くの要因が変化したのです。今の私たちの記憶の入手方法では、どんなものであれ自分で入り込んでいって、ほしいと思った情報を符号とともに引っ張りあげてこなければなりません。事実、私たちは特定の眼の動きぬきにしては何かを憶えることすらできないのです。私たちの眼は、記憶があふれ出てくる時に特定の動きをします。エジプト人の記憶システムは、転落の前と比べてかなり異なっていました。この記憶力の変化をオシリスの物語になぞらえてみると、エジプト人たちはみずからを断片に分割した段階に入っており、自身は肉体の内に存在していて、「現実（リアリティ）」の他の部分とは切り離されていると考えていたことがわかります。この分離の感覚はもちろん、いかにして人間が生きるかということに関する、数多くの側面を変化させることになりました。

多神教への道を封じる——染色体とネテルたち

話はここから込み入って面白くなってきます。段階を追っての進化計画はうまくいっていました。上下のエジプトがメネス王のもとに一つの国に統合されて第１王朝が始まった後、しばらくしてからのことです。時がたつにつれて、もし解決されなければ20世紀中にも非常な大惨事を引き起こしかねないという（実際、惑星として生き残らないでしょう）、とても深刻な問題が発生しました。そのままでは万が一にも生き残れる見込みはありませんでした。それはあまり重要なことのようには見えなくても、この惑星を見守る人々にとってはきわめて重大なことだったのです。それはエジプト人の宗教信仰に関することでした。

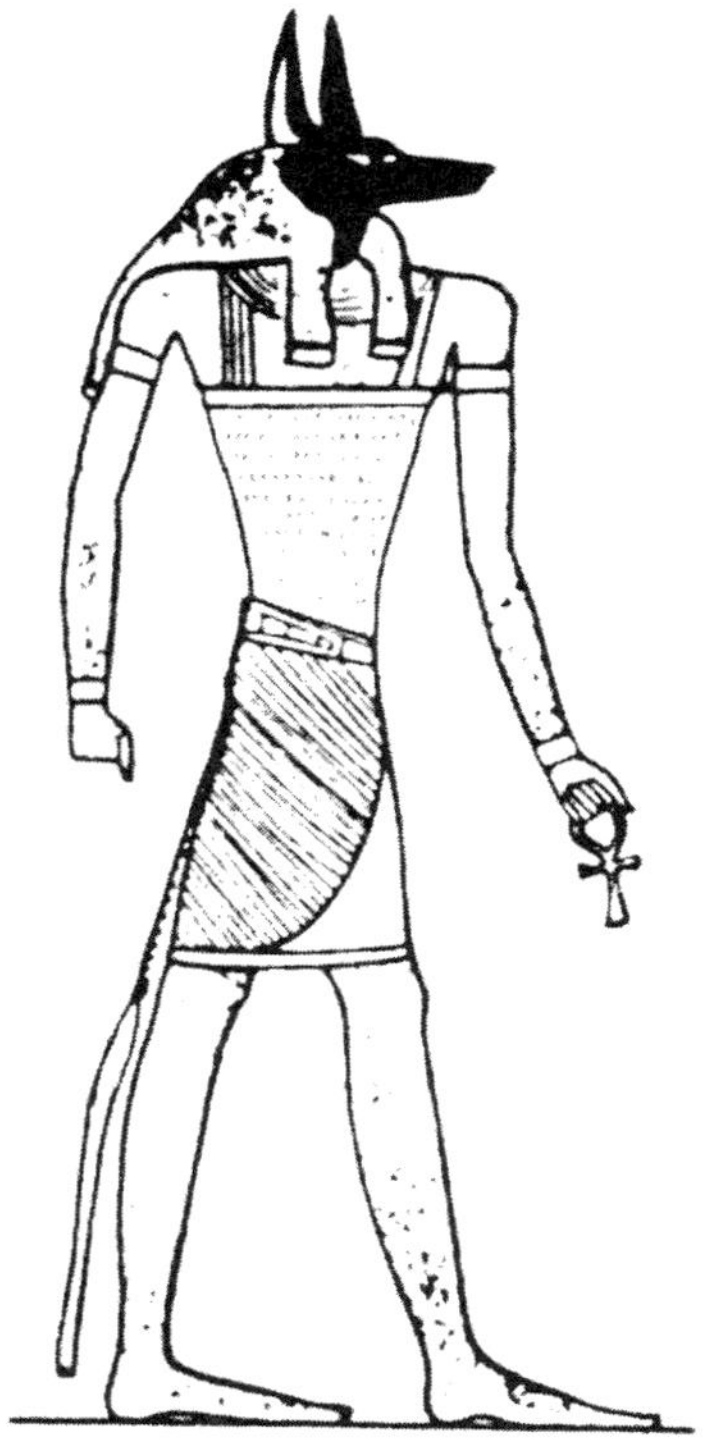
図５-６　ネテル人アヌビス

先ほど述べた通り、エジプト人はもはや完全なホログラフィックかつトランスパーソナルな記憶力は持っていませんでした。それゆえ自分たちの宗教が何だったかを書き記さなければならなかったのです。その文書は『トートの42の書』と呼ばれています。この本はボストンに住むドナルド・ビーマンによって復元されました。それには本体となる42巻に、２巻が付随しています。42＋２とは、まさしく第１意識レベルの染色体の数と同じです。肉体だけでなく、もうすぐ見ていくように、あなたの染色体は、一つひとつの原子に至るまで現実内のすべてを含めた現実全体を描き出すための幾何学的なイメージとパターンなのです。

トートの書の中には「ネテル」という存在が見られます。ネテルは小文字で始まるgods（神々）です。（訳注・大文字で始まるGodがすべての根源である神を表わすのに対し、小文字で始まるgod(s)はよりローカルで人間に近い存在を表現することが多い。）これはネテルの一人で、アヌビスです（図５－６）。ネテルはみな神話的な動物の頭をもつ人間の姿をしていて、一人ひとりが異なった染色体と、異なった生命の性質や側面を代表しています。ネテルはいかにして第1意識レベルから第2意識レベルへ移行するかを表現しているのです。アセンションしたマスターたちは、人々がどうやってアセンションするかを習得するのを助けるために、オシリスの特定の遺伝子コードを使いました。言い方を変えれば、オシリスがアセンションの体験を通過したので、彼のDNA中の染色体にそのプロセスが存在するようになったということです。つまりオシリスの染色体を表現するネテルたちのイニシエーションを受ける者に、遺伝のカギが開かれるのです。

　しかし上下エジプトが再び分離しはじめ、それとともに彼らの宗教のこうした表現方法は問題を生み出すようになりました。上下のエジプトはどちらもそれぞれ、このプロセスを表わす42＋2の神あるいはネテルを持っていたのです。上エジプトと下エジプトのネテルのイメージには少し違いがありました。その違いは、2つの国が分離していた間に時間をかけて生まれたものです。メネス王が2つの国を統一してエジプトと呼んだとき、政治的な妥当性のために両方のイメージをすべて採用してしまいました。ですから彼らは同じ宗教的概念を表現する84＋4もの神を持つことになりました。それがたぶん間違いのもとだったのでしょう、とても紛らわしくなってしまいましたから。たとえば、一部の土地ではアヌビスのようなネテルの一人を、「これは神である」として大文字のGodの意味で表現しました。また別の土地では「イシスが神だ」と言い、さらに他の土地では「セクメトが我々の神だ」と述べるようになったのです。

　そういうわけで、国内には88もの異なった神の概念が存在しました。彼らは「私の神が神（God）であって、お前たちの神々（gods）は間違っている」と言い合ったことでしょう。それはどんどん神から分離してオカルト的になっていき、しばらくの後には、本当は「神」はただ一つだということを誰もが忘れてしまったのです。彼らはタット同胞団が何を語ろうとしているのか理解しませんでした。私たちアメリカ人から見ると、これはあたかも染色体の破損のようでもあります。それは変質（ミューテーション）であり、正しくないことでした。タット同胞団から大いなる助けの手が差し伸べられても、それを正しく受け取ることができず、どんどん悪く、おかしくなっていきました。

　私が見てきたすべての証拠は、キリスト教はエジプト宗教から直接派生したものだということを示しています。両方を調べてみると、神というものに対するエジプト人の見方を除けば、キリスト教とエジプト宗教はすべてが同じように平行しているのがわかります。キリスト教は後にエジプトに戻ってきて、たぶんエジプト宗教がキリスト教の源であったにもかかわらず、それをまったく見下したのです。キリスト教徒たちはエジプト宗教をオカルトと見なしました。たしかにそうではありましたが、それはエジプト人たちの宗教的観念が崩壊していたからです。ただし、第18王朝中の17年半の期間だけは明らかに例外でした。

人間の意識を救出する

イクナートンの人生――輝ける大閃光

17年半というたいへん短い間に、大いなる光のひらめきが現われ、そして消えてゆきました。まぶしく輝くその白い閃光は、私たちのスピリチュアルな生命を救い出したのです。それはおよそ紀元前1500年頃、多くの神々に対する崇拝や論争が蔓延していた時のことでした。アセンションしたマスターたちは、ついに何かがなされねばならないと決断し、ある計画を選択しました。トートは次のような物語を私に聞かせてくれました。

アセンションしたマスターたちはまず第一段階として、実際のキリスト意識を、物理的に肉体を持つキリスト意識体の中に宿らせることに決めました。それによって私たちがアカシック・レコードの中にキリスト意識が何であるかという記憶を甦らせられるように図ったのです。キリスト意識は転落の時に失われていました。このキリスト意識体である人物は、当時地球上にいた人々よりもずっと背が高かったはずです。これは地球の人々が実際に見ることのできたいい例だったでしょう。それが計画の第一歩でした。とても大胆な一歩でしたが、彼らはそれを実行したのです。

アセンションしたマスターたちは、キリスト意識そのものである人がエジプトの王になるべきだと決定しました。それを実行するためには、彼ら全員がすべてのルールを破らなくてはなりませんでした。何をしたのかというと、その当時の王だったアメンホテプⅡ世に近づいて頼み込んだのです。トートは物質化してただ部屋に入っていって、王に歩み寄り、「私がトートだ」と言ったそうですが、王には信じ難いことだったでしょう。その頃には、エジプト人民は物語に登場するネテルたちはみな神話上の架空の存在だと考えていただろうからです。しかし、突然ネテルの一人である存在がそこに立っていたのです。トートは「このエジプトにはとても重大な問題が発生している。私には、おまえの手助けが必要なのだ」と言いました。

そうしてトートは他のエジプト王が誰もしなかったことをアメンホテプⅡ世にさせたのです。彼の息子がもうすぐ王位を継承しようとしていましたが、トートはこう言いました。「私はお前の息子が王になることを望まない。エジプトの王座には、外なる血族のものを就けたいのだ。」アメンホテプⅡ世はその言葉を受け入れました。そ

イクナートン

アクエンアテン、アクナテンとも表記する。エジプト第18王朝9代目の王アメンホテプⅣ世のことで、一般には在位紀元前1300年代とされることが多い。唯一神アテンに帰依し、国家神アメン・ラーを中心とする多神教の神官団を政治から排するためにテーベからテル・エル・アマルナに遷都し、アマルナ時代と呼ばれる独自の時代を築いた。

れはかなり深遠な体験だったに違いありません。トートが何をしたのかは知りませんが、たぶん光を放ちながら現われたり退場したりというような感じだったのではないでしょうか。ともかく、王がそれは必要なのだと信じざるを得ないような何かをしたのです。こうしてひとたび王の許可が得られるや、今度は実際に生きた肉体を創造しなければなりませんでしたが、それはそうそう簡単にいくことではありませんでした。

イクナートンとネフェルティティの肉体の創造

　さて、ではどうやって肉体を創造したのでしょう? アセンションしたマスターたちはアイとタイアのところへ行き——二人はどこから見てもたいへん年老いていました——こう言いました。「子供を作ってほしいのです」と。誰かしら不死である人から不死の遺伝子を得なければならず、この二人の染色体数は通常の44＋2とは異なり、46＋2だったのです。アイとタイアは同意し、小さな子供をもうけました。その赤ん坊は次期王になる者として、アメンホテプII世に託されました。

　というわけで、この小さな赤ちゃんは育って王になりました。アメンホテプIII世となり、のちに肉体的か異次元レベルかは定かではありませんが交わりを持ちました。相手が誰かは不明ですが、そのためには高次レベルの染色体を持つ人でなければならなかったはずです。とにかくそこで生まれた男の子が、アメンホテプIV世、もっと一般的に呼ばれている名前はみなさんもご存知のイクナートンです。

　その一方、アイとタイアは一世代待ってからもう一人の子供をもうけました。その赤ちゃんはネフェルティティという名の小さな女の子でした。ネフェルティティはイクナートンと一緒に育ち、のちに結婚しました。二人は同じ血筋であり、実際の兄妹でした。オシリス神話も似ています。兄と妹が結婚して、新たな生命の可能性を生み出すのです。こうして、この二人は成長してエジプトの王と女王になりました。

新たな治世者の代と唯一神

　しばらくの間、アメンホテプIII世とその息子イクナートンは一緒に国を統治しました。同時に二人の王が存在するのは、これもまたルール破りです。その時に彼らはテル・エル・アマルナというまったく新しい都市を、エジプトのちょうど中央にあたる場所に建設しました。いまだにどうやって国の中心を計測したのかはわかっていません。イクナートンは「ここがこの国の中心なり」と書いた石をそこに置きました。今日でもそれほどの正確さで測量できるのは人工衛星ぐらいです。何十万キロも距離のあるような国土に、1センチ単位の正確さで中心点を見出せるとは、一体どんな人たちだったのだろうと考えさせられます。まったくもって驚異的なことです。彼らはその都市全体を白い石で建造しました。それは美しく、また宇宙時代的(スペース・エイジ)でもありました。

イクナートンと彼の父は、同時にテーベとテル・エル・アマルナの2カ所で国を統治していた時期もありました。父王は存命中ずっと王座に就いていました。これもまたルール破りです。そしてエジプト初代のファラオとなるイクナートンに国を托しました。イクナートンより過去には「王」のみで、「ファラオ」は存在しませんでした。「ファラオ」とは、「そうなるであろうもの」という意味です。別の言い方をすれば、文字通り未来にはどうなるかを人々に示した者ということになります。イクナートン、ネフェルティティ、そして二人の子供らは正確にいうと「人間」ではありませんでした。

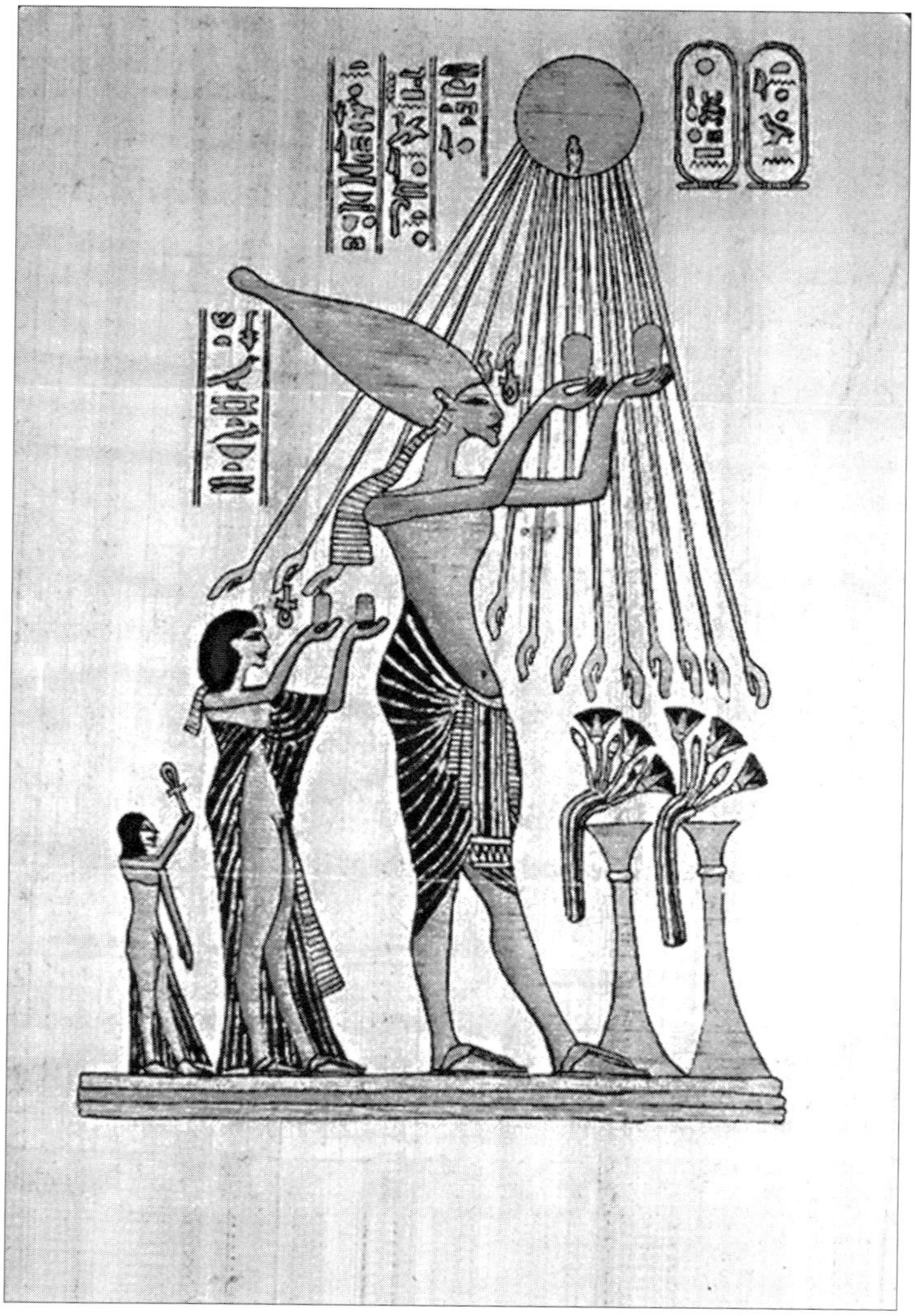

図5－7　イクナートンが神について教えているところ（図5-8の彫り物の写し）

この背の高い人（図5－7）がイクナートンです。しばしこの絵について話していきましょう。イクナートンの主要な目的は、すべてのオカルト宗教を解体して、ただ一つの神が存在することを信じる唯一神宗教のもとに再度国をまとめ直すことでした。

図5-8　イクナートンが神について教えているところ（彫り物の実物）

その当時、すべての人々は偶像崇拝に陥っていたので、物への信仰に馴れていました。イクナートンは人々が信じられるようにするために、何かしら目に見えるイメージを与えなければなりませんでした。そこで彼は、再び神が祭壇にたてまつられることのないように、太陽を神としてのイメージに据えたのです。

人々に太陽のイメージをもたらしたのには、もう1つの理由がありました。イクナートンは、生命の息吹であるプラーナのエネルギー・フィールドは太陽からやって来ると教えていたのです。実際にはどの地点にも無限量のプラーナが存在しているので、本来プラーナはどこにでもあるのですが、3次元的な見方をすればそういうことになります。プラーナは太陽からもやって来ていて、この絵は太陽光線が降り注いでくるところを描いたものです。このうち2つの光線には小さなアンクが付いていて、鼻に向かって呼吸するために支え持たれています。これは、永遠の生命が呼吸から得られることを表現しているのです。

この同じ絵の中に、アトランティスの国の花であるハスの花も見られます。インドにハスをもたらしたのは、ナーカルの人々でした。ナーカルの人々についてはインドのサンスクリット語の文献の中に言及されており、現代まで語り継がれています。彼らは仏陀よりもずっと以前にやって来て、仏教の時代まで存在していました。エジプトではハスはアトランティスを表わし、この絵では花瓶から出ているのが見えます。アトランティスが息絶えたことは人々も知っていましたが、花瓶にハスの花をそなえることで、アトランティスに対して敬意を払っていたのです。**図5-8**は壁の浮き彫りを撮影したものです。

中央にいるイクナートンが、細長い首と細い手をして、高いウエストに幅広い太もも、そして細い足を持っていることに注目してください。通常のエジプト的な解釈では、彼は病気のために奇形になったとされています――もちろんネフェルティティと娘たち全員もです（彼らが同じ病気を持っていたのは明白なのだそうです）。私の考えはそれとはまったく異なります。

異なった遺伝系統による「真実」の統治

イクナートンは再び一神教にしただけでなく、こうも言いました。「この新たな宗教には、どんなうそも偽りもない。また我々は芸術を、完全な真実を反映するものに変える。」というわけで、第18王朝時代には、それ以前にも以後にも見られない、まったく独自の芸術様式が出現しました。アーティストたちは写真のように目で見た通りを彫ったり描いたりするよう指示されました。ですからそれまでの様式的なものに代わって、リアリスティックなアートになったのです。まさに現代の絵画のように、鴨がちゃんと鴨に見えるのです（**図5–9**）。これは第18王朝時代の芸術品を見る時に憶えておくべき大切なことです。そこには全部アーティストの見たままが表現されているからです。彼らはうそを表現することは許されませんでした。

図5-9　第18王朝時代の美術

真実に関する問題はこれほど徹底して扱われたので、服を着ることさえできなかったほどです。服を着ることはすなわち隠すことになり、一種のうそをつくことだと見なされました。儀式や特別な目的がある場合でないかぎり、第18王朝時代には誰も服を着ることを許されませんでした。

図5–10のネテルの名前はマートといいます。彼女の頭上にあるのは羽です。マートはその名ゆえに、この新しい宗教で一番重要なネテルとされました。なぜならマート

図5-10　真実の象徴であるネテル、マート

図5-11　カイロのエジプト博物館にある、イクナートンの像

には「真実」あるいは「誠実」という意味があったからです。マートはすべてにおいて重要視されました。あらゆるものが絶対的な真実に沿ってぴったりと焦点が合い、何のゆがみも、うそも存在してはならない――これがイクナートンの教えの重要な部分でした。

これはカイロの博物館にあるイクナートンの像です（図5―11）。この像は、頭部装飾を除いて4・4メートルほどの背たけがあります。この像の隣に立ってみたら、私の頭のてっぺんが彼の腰の一番広いところにきました。ネフェルティティは3メートルかそこらでした。彼女は実際には種族の中では小さいほうでした。娘たちもまたかなりの長身だったそうです。これはトートによる情報です。近年、官庁関係では動かぬ証拠が手に入ったにもかかわらず、それをどう扱っていいのかわからないようです。彼らはイクナートンの都市であったテル・エル・アマルナに、2つの棺を発見したのです。1つの棺には、直接ミイラの頭上にあたるところにフラワー・オブ・ライフが描かれており、もう一方の棺には7歳の少年の骨が入っていました――が、その背たけは2・4メートルもあったのです！　棺は現在カイロ博物館の地下室に置かれています。少なくとも、おそらくはその通りでしょう。トートの教えてくれたことからすると、このイクナートンの像は彼がどのような姿だったかを、写真に撮ったように正確に示しているとのことです。

次はテル・エル・アマルナで見つかったネフェルティティの胸像です（図5―12）。テル・エル・アマルナの都市のほとんどは失われてしまいました。ある時点で石材の一つひとつまで取り外されて、世界中にばら撒かれたのです。エジプトはかつてイクナートンとネフェルティティが生きていたという事実を知られたくなかったのでしょう。ではなぜ私たちが知っているかというと、その唯一の理由は、初期の人々が発見できなかった何かが地下深くに埋めてあったからです。この胸像はそこで見つかりました。多くの人がネフェルティティをたいへん美しいと感じますが、極端に背が高く、その

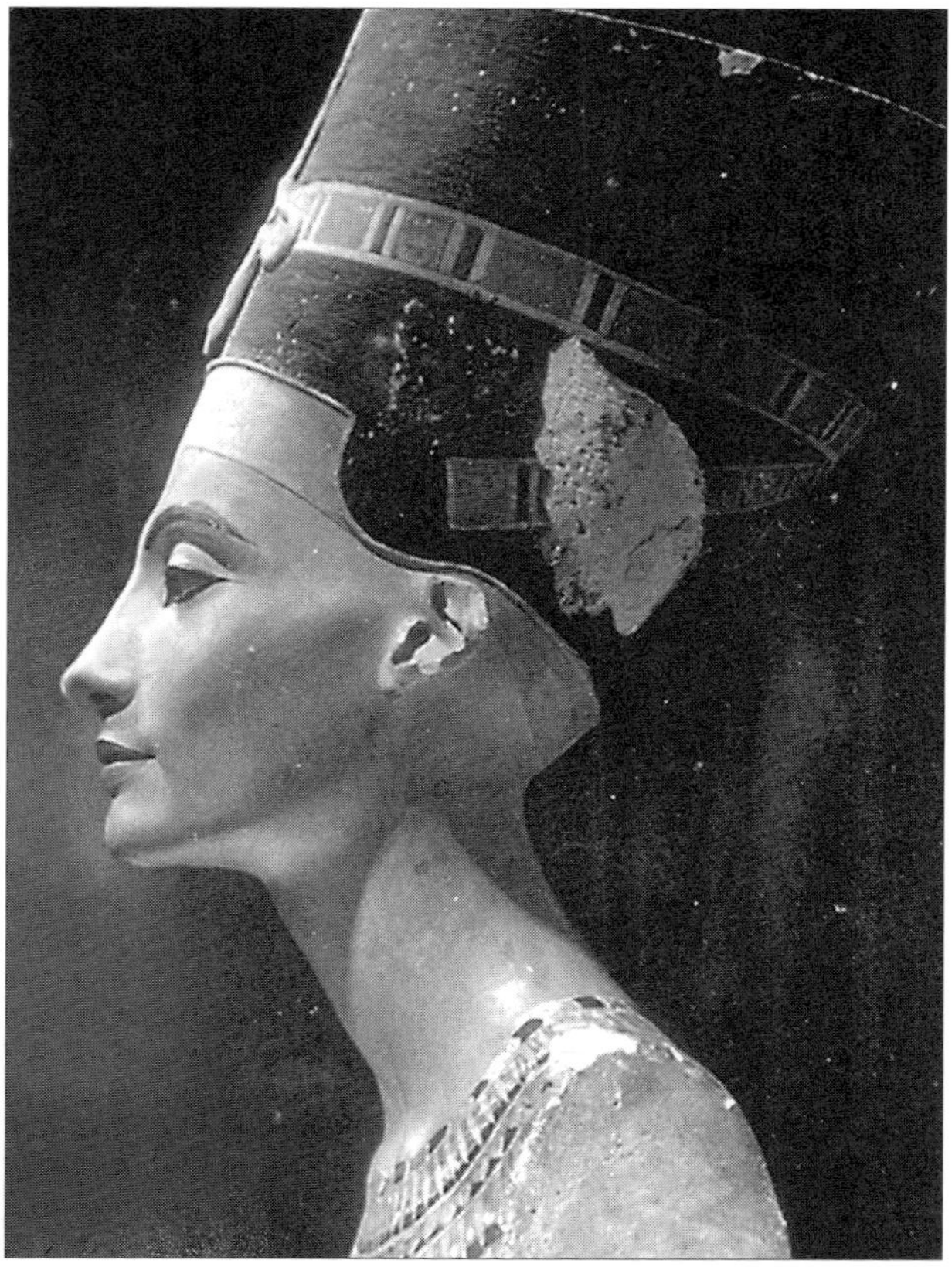

図5-12　ベルリンの州立博物館にあるネフェルティティの胸像

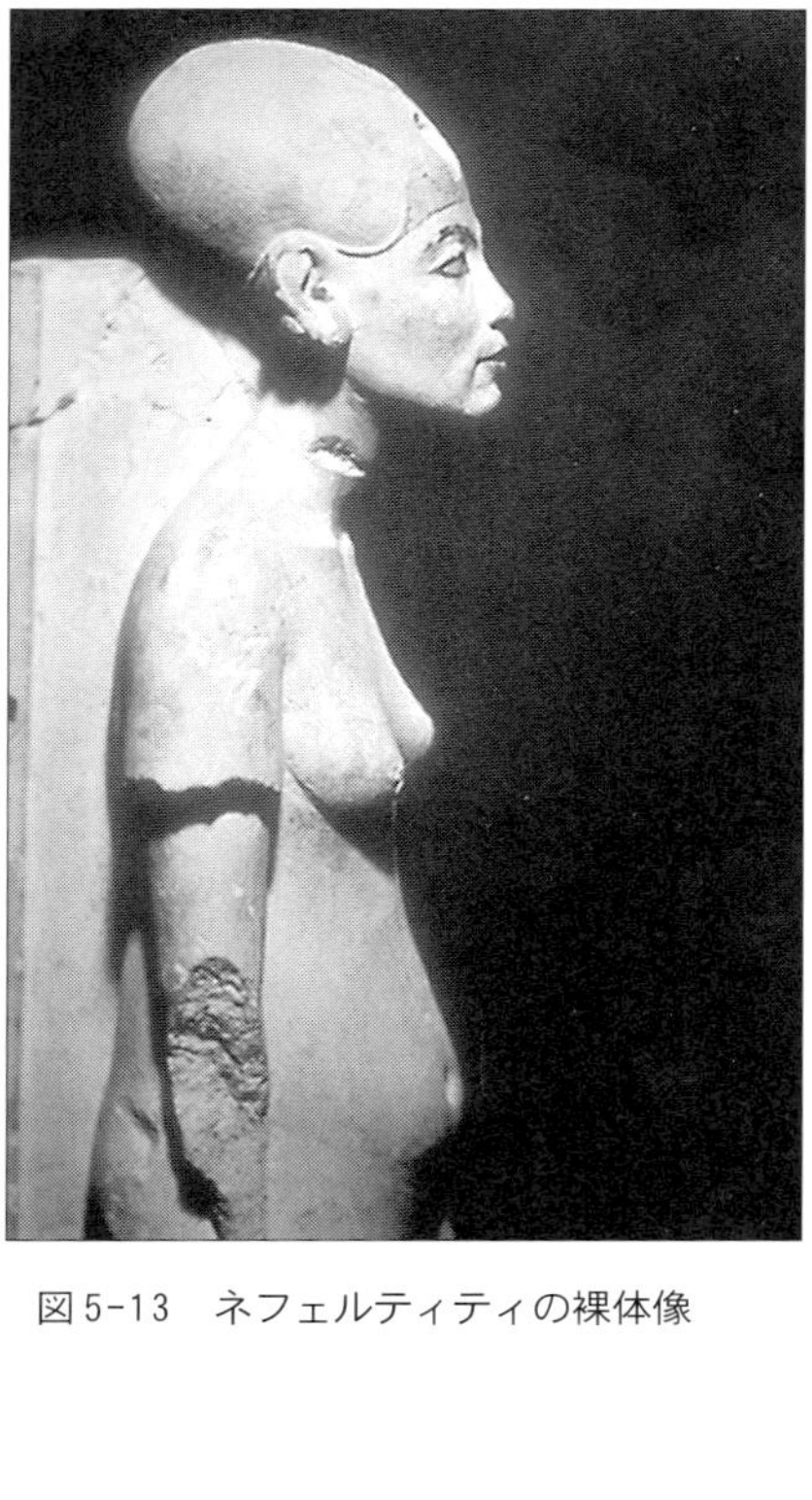

図5-13　ネフェルティティの裸体像

肉体がある意味で非常に変わったものであることには気づいていません。

図5-13は胸像が発見されたのと同じ部屋で見つかった、あまり知られていないネフェルティティの像です。当時の信仰のため、服を身につけていません。巨大な頭、大きな耳と細長い首を持ち、腰は高い位置にあります。それに、なんとなく出っ張ったおなかをしています。ほかの部分も見られたなら、細い足と幅広い太ももをしていることがわかるでしょう。

図5-14は、イクナートンとネフェルティティの娘たちです。彼女らの頭蓋骨は巨大で、腰の位置が高く、細いすねと

図5－14　ネフェルティティとイクナートンの娘の二人

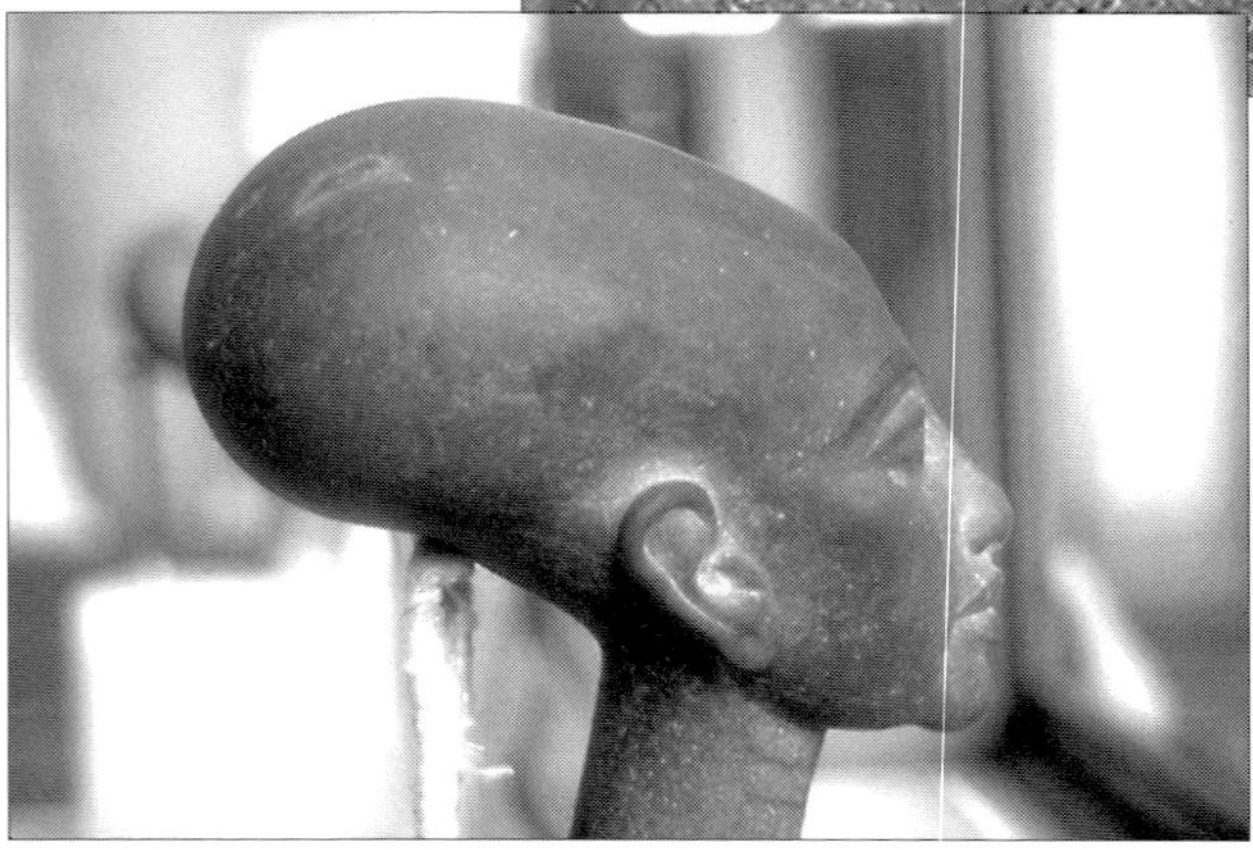

図5-16　さらに年下の娘

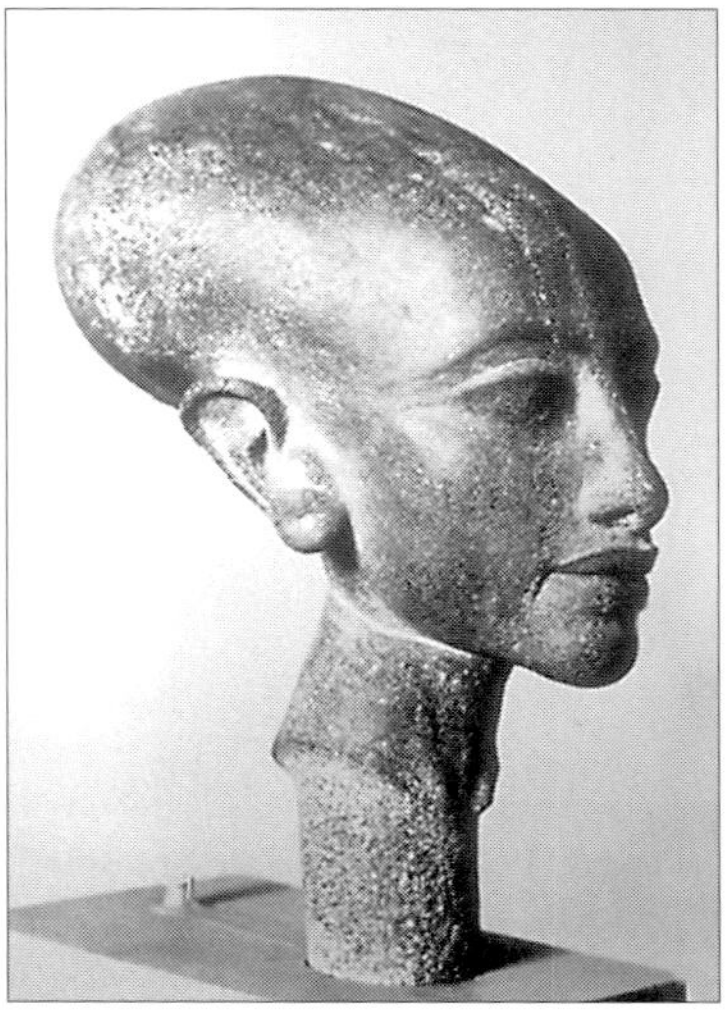

図5-15　別の娘

巨大な耳を持っています。

そして**図5－15**はもう一人の娘です。これは、彼女がまさにこのように見えたであろうことを正確に物語っていると私は感じます。後ろからこの頭部を見ると、その大きさがわかります。それは本当に大きい頭でした。これらの耳の大きさを把握するには、実際に像の横に立ってみないとわかりにくいでしょう。

図5－16はまた別の、前の娘よりも年下の妹です。首は小さく、巨大な頭蓋骨が後方に延びています。

図5－17も娘の一人で、まだ10代の少女像です。

図5－18はさらに別の娘です。体に対していかに頭が大きかったかがわかります。

図5－19は赤ちゃんです。またここでも頭蓋骨はぐいと上向きに延びてから下がっています。耳は頭の半分ぐらいのサイズがあります。

図 5-18　娘の一人、10 代の少女像

図 5-17　10 代の娘

図 5-19　イクナートン一家の赤ちゃん

これらの体は一般的な人間の肉体と生理学的に大きく異なっています。たくさんの相異点があります――頭部の違いの他にも、変わった部分があります。たとえば、彼らは２つの心臓を持っていました。私たちが１つの心臓を持っているのは、１つの太陽しか持たないからです。しかし彼らはシリウスから来た存在です。実際には彼らは原初の炎のまわりに横たわった32人の存在に入っていましたが、その肉体はシリウス星からのものでした。シリウス星系には、シリウスＡとシリウスＢという２つの太陽があります。そこでは生命体は２つの心臓を持っているのです。もし太陽が１つだけなら、そこに住む生命体は１つの心臓を持つようになります（もし２つ以上の恒星がその星系内に存在した場合でも心臓は２つのままです）。

図5-20　ツタンカーメン王の胸像

ツタンカーメン王と、その他の長い頭蓋骨の人々

これはイクナートンが排斥された後に、すぐさまその地位についたツタンカーメン王です（図5−20）。ツタンカーメン王は戴冠したとき、わずか18歳でした。彼が一体どこから出てきたのか、誰も正確なところを知りません。この像には、ネフェルティティとイクナートンの娘と結婚した義理の息子だという説明が付されています。彼の頭蓋骨はそれほどまでに大きくはありませんが、しかし明らかにイクナートンと同じ血族の一員に見えます。それにしても彼も大きな耳をしています。トートによれば、ツタンカーメン王はたった1年間だけ戴冠していることを許されたのだそうです。彼はイクナートンから次の時代へと変遷していく期間を治めました。ツタンカーメン王はその1年の間、ネフェルティティとのテレパシー的コミュニケーションによって国を統治していました。彼女は身を隠していたのです。

図5−21はペルーのリマにある博物館です。ここにはきわめて驚くべき頭蓋骨がいくつかあることを言っておきましょう。ペルーはトートが訪れた、もう1つの土地です。まさにエジプトで発見されたのとそっくりな頭蓋骨が、ペルーでも発見されています（図5−22）。これらの大きな頭蓋骨は世界で3つの地域に見つかっています。エジプトの中心部とその周辺、ペルー、そしてチベットで

図5-22　ペルーで発見された頭蓋骨

図5-21　リマの博物館

す。それ以外には私が知るかぎり、どこにも発見されていません。これらの地域は、こうした存在たちが最初に訪れた土地であることを思い出してください。

これは今は亡き私の先生の一人です(図5-23)。彼はチベット僧、カルー・リンポチェといいました。今まで多くの教師に接してきましたが、この人には特に親しみをおぼえます。私は彼のことを敬愛してやみません。ちなみに、彼の頭蓋骨の形を見てほしいと思います。

図5-23　カルー・リンポチェ

記憶——不死へのカギ

もしイクナートンやこうした人々が不死であったとすれば、なぜ彼らは死んだのかと不思議に思われるかもしれません。たぶんみなさんの役に立つであろう、メルキゼデクの視点から見た不死についての定義をご紹介しましょう。ほかの人は違う定義をするかもしれませんが、これが私には一番ぴったりくる感じがします。不死とは、ずっと同じ肉体に生きているということとはまったく違います。それとは関係なく、ずっと永遠に生き続けるということです。あなたはいつも生きていたし、これからもたえず生きていくのですが、では常に意識を保っていられるかというと、そうではないかもしれません。私たちの視点における定義は、記憶と関係しています。あなたが不死になるとき、そこから先は無意識が存在せず記憶がそっくりそのまま残されるという地点の向こうへ行ってしまいます。それはあなたが肉体に留まりたいだけ留まり、離れたい時に離れていけることを意味しています。1つの体に永久に留まることは、あなたはその体から永遠に離れられないことを意味し、それでは監獄か牢獄に幽閉されているようなものです。いつかはその肉体を離れる理由が生まれ、今いるところをはるかに超えたところへ行きたいと思うようになります。これが永遠の生命の定義です。簡潔に言えば、あなたには途切れることのない意識と記憶が備わるということです。

イクナートンが王座から追い出されてどうなったかの話に戻りましょう。物事を望んだ通りの古いやり方に戻すために、国は移行期の段階に入りました。ツタンカーメン王の次に王位に就いた人はと言えば、ほとんど喜劇といってもいいくらいです——彼らはアイとタイアに国を譲り渡したのです。私たちにとってはずいぶん大きなタイム・ラグがあるように見えるのですが、こうして二人は王と女王になりました。それは記録に書き残されています。彼らは約30年間統治した後、第19王朝の初代の王となったセティI世に国を譲りました。セティI世はすぐさま全部を元通りに造り直し、すべてを抹消し、イクナートンをイエスが呼ばれたのと同じ名で呼びました——「罪人」と。唯一の神の存在を説いたその教えのために、セティI世はイクナートンを過去の統治者の中で最低の王としたのです。

イクナートンには実際に何が起きたのか？

ある1つの集団を除いて、エジプト中のほとんどがイクナートンを忌み嫌いました。エジプトの宗教信仰は神官が中心になっていたので、神官層が彼を一番嫌っていました。神官たちは民衆の生き方から経済まで支配していたのです。彼らは裕福で、誰よりも力を持つようになっていました。そこへイクナートンがやって来て、「民に神官は必要ない。神はあなたの中にいる。この世に神は一つしか存在せず、自身の内で神とつながることができるのだ」と説いたのです。神官たちはすでに手にしていた権限を守ろうとして保身に走りました。それに加えて、当時のエジプトは世界最強の軍隊を保有しており、イクナートンがファラオになった時はじわじわとその勢力範囲を広げ、世界制覇に乗り出そうとしていたところでした。しかしイクナートンは彼らに「撤退せよ」と命じました。彼は完全なる平和主義者で、「国へ戻ってきなさい。攻撃されないかぎり、誰にも攻撃をしかけてはならない」と言ったのです。そして軍隊を撤退させ、そのまま放っておいたので、軍人たちは反感を募らせていきました。

ですから、神官層だけでなく、軍隊も彼に反対していたのです。さらにそのうえ多くの民衆もかつての小さな宗教信仰にはまっており、小さな神々への偶像崇拝を好んで行ないました。これは結局、人々に少しも良い結果をもたらしませんでした――宇宙のＤＮＡの計画上で必要なレベルまで（それは故郷の神、ただ一つの神へと帰還することです）変化しないのです。しかし、とにかく民衆はみずからのしていることに深くはまり込んでいました。

イクナートンがもはや一定の宗教的行為は行わないようにと禁じたとき、人々は強烈な反発心を抱きました。それはアメリカで大統領が「はい、それでは合衆国にはもう他の宗教はないことにします。この国には大統領の宗教があるだけです」と宣言したようなものです。そして、もし大統領が孤立主義的な観点から軍全体をアメリカ国内に引き揚げたとしたら、決して世間一般からよい評判を得ることはないでしょう。イクナートンも人々の不興を買いました。しかし彼は、たとえそれが自分の死を意味していたとしても、どうしてもそうしなければならないことを知っていたのです。イクナートンは、この現実（リアリティ）の中にコード化されていた私たちの集合的ＤＮＡの方向性を正さなくてはなりませんでした。そのうえ、キリスト意識が持つ聖なる目的の記憶をアカシック・レコードに織り込まねばならなかったのです。

それからどうなったでしょう？　一般に認められている歴史によると、神官と軍が共謀して、イクナートンに毒を盛って殺害したことになっています。トートによれば、それは実際にあったことを正確に表わしてはいないそうです。なぜなら、彼らはイクナートンを殺せなかったからです。毒を飲んでもまったく平気だったはずです。彼らはもっと風変わりなことをしたのです。トートいわく、神官たちは３人のヌビア人の黒魔術師を雇い、今日ハイチで誰かを死んだように見せかけるために使われるのと同じようなものを調合させました。それは神官と軍によって主催された公式の会合の席でイクナートンに盛られました。イクナートンがその液体を飲んだ後、生命のすべての証（あか）しは消え去りました。王室の医者が死を告げるやいなや、彼らはその体を大急ぎで奪い去り、棺が用意されていた特別な部屋へと運び込んだのです。イクナートンを中に入れて棺の蓋を閉め、魔術的封印をしてから秘密の場所に埋めました。トートが言うには、イクナートンは封印の一部が壊れて魔法が解けるまで、約２０００年間もその棺の中で待たなくてはならなかったとのことです。彼はそれからアメンティのホールへと帰還しました。それは別にイクナートンにとって大した問題ではなかったのです。トートいわく、イクナートンのような不死者にとっては、それはほんのちょっとうたた寝したようなものだったと言っています。私が疑問に思うのは、果たして彼は本当にそんなことが自分の身に起きることを黙って許していたのだろうか、という点です。

イクナートンの神秘学派（ミステリー・スクール）

ここで重要なのは１つの事実です。イクナートンは神秘学派（ミステリー・スクール）を設立しました。この学派は「エジプト・イクナートン神秘学派、一者の法」と呼ばれました。彼はわずか17年半でこのような偉業を成し遂げたのです。彼はあとで述べる、ホルスの左眼（女性面）神秘学派の生徒を（少なくとも45歳以上の卒業生たちです）、ホルスの右眼神秘学派へ引っ張ってきました。ホルスの右眼の情報は、それまでエジプトでは教えられたことがありませんでした。イクナートンが生徒たちに教え続けた期間は12年間にすぎず、実際にみんなが不死になれたかどうかを見届けるのにわずか5年半しか残されていませんでした。しかし、彼はやりました！ 不死になった人が３００人ほど出たのです。それはほとんどみんな女性だったようです。

あるとき、誰かが「どうしてイクナートンは自分の身が危険にさらされないように、もっと違う方法で人民に働きかけなかったのでしょう？」とたずねました。しかし、そんな短期間のうちにすべての人民をすんなり変えるような方法など考えられるでしょうか。今、アメリカ合衆国で1年以内に全宗教を一つにまとめることが果たして可能だと思いますか？ それがたとえ「殺されること」になったとしても、とにかく彼はただ実行する以外にはなかったのだと思います。それよりも、彼が本当にしなければならなかったのは、みずからの人生を生き切ることだけでした。するとそれはアカシック・レコードの中に浸透していき、私たち全員のＤＮＡの内に記憶として存在するようになります。それをコード化するには１日だけでも充分でしたから、その後は彼自身がどう扱われようとかまわなかったのです。イクナートンにとって、そういうことは本当にどうでもよいことでした。彼は国が、社会が、そしてすべての慣習が、またかつての通りに戻ってしまうことも知っていました。それでも彼は、彼自身やエジプトを超えてその先へと進んでいく、これら３００名の不死の人々をこの世に送り出してくれたのです。

エッセネ同胞団とイエス、マリア、ヨセフ

イクナートンが去った後、エジプトの３００人の不死者たちはタット同胞団に属し、だいたい紀元前１３５０年から紀元前５００年ぐらいまで、約８５０年間ほど待ち続けました。それから彼らはイスラエルのマサダというところに移動し、エッセネ同胞団を組織しました。今日でもマサダはエッセネ同胞団の中心地として知られてい

ます。これらの300人が核として中心メンバーとなり、それを取り巻くように大勢の一般的な人々が外部メンバーを構成して、その輪はどんどん大きく膨らんでいきました。

イエスの母、マリアはエッセネ同胞団の中心メンバーの一人でした。彼女はイエスが不死になる前に、すでに不死者だったのです。ヨセフは外部メンバーからやって来ました。これはトートによるところで、記録には残されていません。エジプト人たちの計画の次なる段階としては、普通の人間としてスタートした者が、いかにして不死者になるかという方法を正しくデモンストレーションし、その経験を現実化してアカシック・レコードに組み込むことでした。誰かがこれをやらねばならなかったのです。トートによれば、きわめて高レベルからの意識をもたらせるようにするために、マリアとヨセフが一緒になり、異次元で（それについてはまた述べますが）交わり、イエスの肉体を創造したのだそうです。

イエスは最初にここにやって来たとき、私たちと同じように人間として生きはじめました。そして彼自身の修練により、アセンションではなく復活（リザレクション）によって不死の状態へと自分自身を変化させたのです。イエスはいかにそれを成し遂げるかという正確なプロセスを、アカシック・レコードの記録に組み入れました。これがトートの語るところであり、はるか以前から計画されていたことなのだそうです。

2つの神秘学派と48の染色体像

ここで少し角度を変え、ずっと後になって再びこのシンボルが登場する時まで、新しい知識の大系についてしばらく話を進めていきましょう。これはイクナートンのエジプト神秘学派「一者の法」の紋章です（図5－24）。ホルスの右眼を象（かたど）ったものです。右眼は左脳によってコントロールされている男性的知性です。右眼に見えたものは直接右脳に反映されますが、それはエジプト人が言おうとしていたことではありません。ここでは「見えた」ものに意味があるわけではなく、「見えた」情報にどう介入

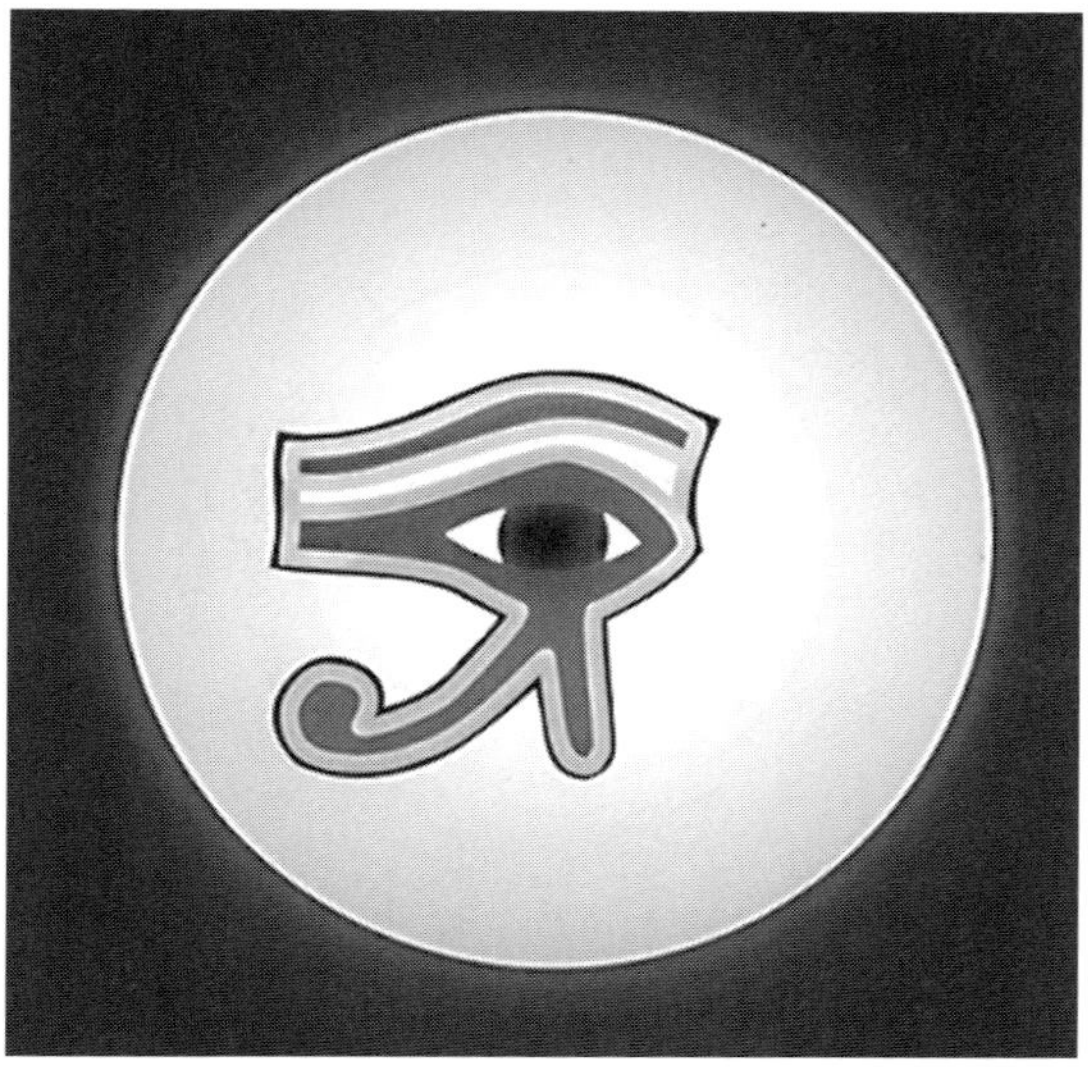

図5-24　神秘学派「ホルスの右眼」の紋章

するかが重要なのです。右眼に見えたものに介入するのは左脳です。左脳は右半身をコントロールしていて、その逆もまた同様です。同じように、ホルスの左眼は右脳にコントロールされる女性的情報で、それらはナイル川ぞいにあるエジプトの12の主要な神殿で教えられていました。13番目の神殿はギザの大ピラミッドにあたります。それぞれの神殿で1年ずつ学び、それを1サイクルとして12年間に及ぶイニシエーションを経て、意識の女性面に関するすべてを学ぶのでした。

ところが男性面であるホルスの右眼はたった一度きりしか教えられず、どこにも書き残されていません。それは純粋に口伝にのっとっていました。ただし、教えの主要部分は記録保管ホールへと続く大ピラミッドの下の一枚の壁に刻み付けられていました。廊下をずっと降りていくと最底辺部まで到達しそうになりますが、そのぎりぎり手前のところを90度曲がって壁の高いところを見上げると、そこに直径1・2メートルほどのフラワー・オブ・ライフが刻み込まれています。そのそばには、いま私たちが移行しようとしているキリスト意識レベルの染色体を表わす、他の47の図柄が一つひとつ描かれているのを見ることができます。これらに関しては、この本の第2巻が発行されたあとで画集にまとめるかもしれません。

これらの図柄は本書のさまざまなところでも紹介していきますが、混ざり合ったり、わずかに形が異なったりもしています。しかし、これこそ大ピラミッドが存在している理由です。何はさておき、その第一の目的は私たちの意識レベルを次の意識レベルへと引き上げることなのです。なぜ大ピラミッドが存在するのか、ほかにも理由はたくさんありますが、アセンションと復活がその純然たる目的なのです。

「創世記（ジェネシス）」――創造の物語

古代エジプトとキリスト教

これから私たちは、古代エジプト宗教とキリスト教では「現実（リアリティ）」についての認識がほとんど同義であったことを見ていきます。キリスト教の解釈はエジプトから貰い受けたものです。ここにまず、キリスト教聖書のはじめの3つの文章を紹介しましょう。

「はじめに神は天と地を創った。そして地は形なく虚無で、その深淵を闇が覆い、神のスピリットが水面を動いた。神はこう言われた、『光あれ。』するとそこには光があった。」（旧約聖書「創世記」）

始まりにおいて、虚無（ヴォイド）すなわち何もないところから生まれ出るまで大地には形というものが存在しなかったというくだりですが、それはエジプト人が信じていたものとまったく同じです。エジプトでもキリスト教でも、創造のプロセスが始まるにあたって必要なのは「無」と「スピリット」であり、この2つの概念が一緒になったとき、あらゆるものの創造が可能になったとしています。人々はスピリットの動きから創造が始まると信じていました。

2つ目の文章は、「地は形なく虚無で」となっており、神のスピリットが水面を動いたとしています。それからすぐ次の文で、神はそこに「光あれ」と言っています。まず最初に動きが生まれ、その直後に光が出現するのです。

エジプトの信仰に照らしてみると、現在のキリスト教聖書にはある一文が抜け落ちています。聖書は世界中に900もの版が存在しており、古い聖書も間違っていないとは言えませんが、しかし古いものの多くは最初の文章で「はじめに6ありき」と述べています。ほかの始まり方もあり、長い歳月のなかで何度も修正されてきたのです。

古代エジプト人たちは、現代の聖書にあるような創造の始まり方はあり得ないと言うでしょう。物理的な視点から見た場合には特にそうです。真っ暗で、どこまでも果てしなく続く、全方向に広がる無限の虚空を想像してみてください。そこには何もありません――何も存在しない無限の闇がただ広がるのみです。あなた自身をイメージしてみてください。あなたの肉体ではなく、あなたの意識がそのただ中にあると思い描いてください。何一つ存在しないところに、あなたはただ浮かんでいるのです。どこかへ落ちることもありません。どっちに向かって落ちていくべきかもわからないのですから。落ちているのか、昇っているのか、あるいは横に滑っているのか、それさえあなたにはわかりません――実際にこれでは何をしようと、動きを体験することは全然できません。

純粋な物理学的あるいは数学的見地では、動きそのもの、あるいは運動エネルギー(キネティック)とは、虚無の中では絶対的に起こり得ないのです。自分のまわりの空間に少なくとも1つ以上、何かしらの対象物がなければ実際に運動は起こらず、それゆえ回転すらできません。運動が発生するためには相対的な関係にある何かが存在しなければなりません。運動の相対的存在がなければ、自分が動いているのをどうやって知ることができるでしょうか。つまり、もしあなたが10メートル飛び上がったとして、一体それをどうやって知るというのでしょう? 何も変化のないところには、何の運動も存在しません。ですから古代エジプト人たちは、神が「水面を動いた」よりも以前に、まず人はその動きの相対的な関係にある何かを最初に創造せねばならなかったはずだと言うでしょう。

いかにして神と神秘学派はそれをやってのけたか

さて、あなたが暗い部屋の中に立っているのを想像してください。そばには次の部屋へ通じるドアがあります。次の部屋は真っ暗な闇なのですが、あなたには入っていく用意ができています。そこに通じるドアはほとんど見えないぐらいですが、あなたはそこを入り、後ろ手にドアを閉めます。あたりは漆黒の闇です。

このような状況になったとき、みなさんは第三の眼の部分から触感ビームを放射することができ、さらにまた手にも感じ取ることができます(実際にはどのチャクラでも感じ取れるのですが、たいていは第三の眼か両手に感じられることが多いようです)。あなたはその暗い部屋の中で、ある一定の距離に向かって意識のビームを発することができるのです。そのビームはわずか1センチしか届かないかもしれないし、あるいは30センチほど離れたところまで感じ取れるかもしれません。そしてその範囲には何にもない(あるいは何かがある)ということがわかります。あなたの意識はあなたの外へ出てその距離まで行き、そこで留まります。あなたの「知っている」という感覚は消え去り、その先に何があるのかは皆目見当もつきません。目で物を見ることに頼りきっているので、私たちの多くはこの感覚を失ってしまいましたが、たぶんみなさんは私が何を言おうとしているのか、おわかりのことでしょう。

しかしある種の人々、特に古代エジプト人はこれがたいへん得意でした。彼らは真っ暗な部屋に入っても、まわりを感じ取ることができ、目では何も見えなくても、何かがあればちゃんとそれを知ることができたのです。現に今も目の見えない人々のなかには、こうした能力を使っている人がいます。

私たちには実際、こうした感覚光線が6つの方向にそなわっていて、それらはみな頭の中心にある松果体から発せられます。1つの光線は頭部前面にある第三の眼から、もう１つは頭の後ろから出て、さらに脳の左側へ出る光線と右側へ出る光線、あとはクラウン・チャクラから上へ向かって垂直に延びる光線と、首を通って垂直に降りる光線の計６方向です。これらは幾何学のＸ、Ｙ、Ｚ軸と同じ方向です。エジプト人たちはこうした天賦の意識の性質こそ、創造を開始させたものだと信じていました。もしこの能力を持たなかったら、創造は決して起こり得なかったと考えていたのです。

　この創造のプロセスをもっとも深いレベルまで理解するために、エジプトの生徒たちは、これから私たちが見ていく過程をイメージングによって伝え学びました。以下に示していくイラストは、神秘学派のなかでどのようにそれを説明し、修得したのかを表わしています。生徒たちが学んだ方法はこれだけではありませんでしたが、ともかくこのような訓練を積んだのでした。

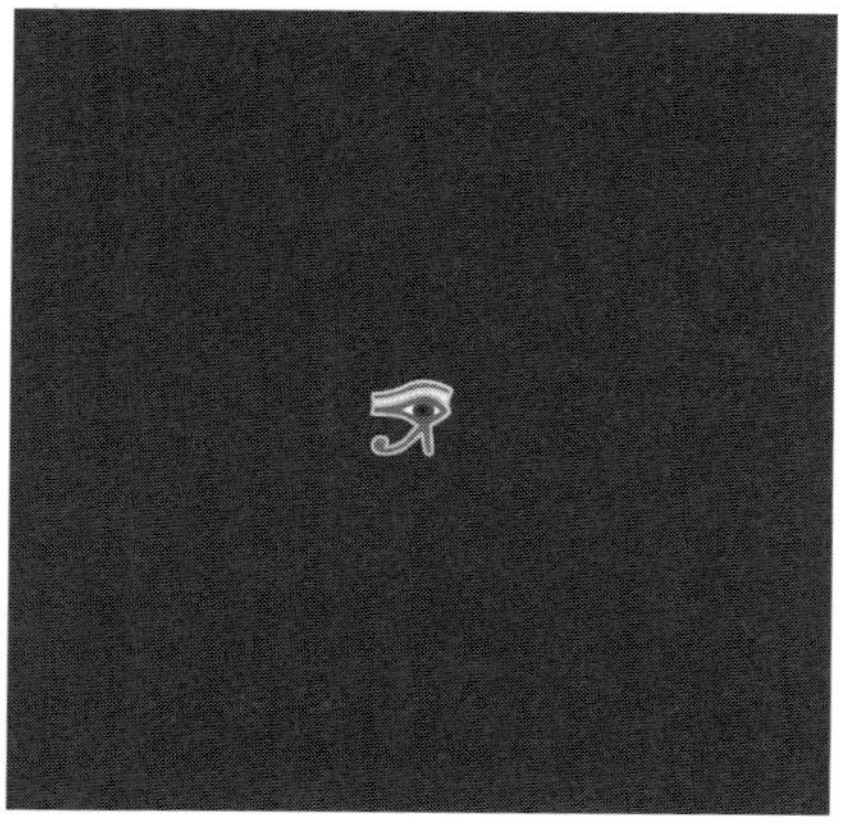

図5-25　大いなる虚空の中の神のスピリット

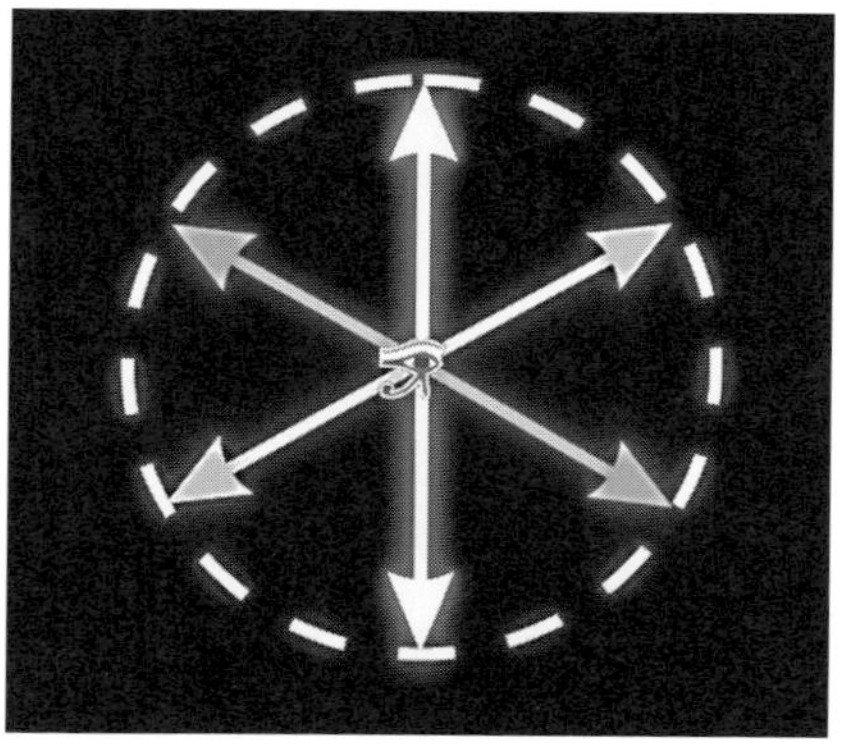

図5-26　スピリットが意識を６方向へ投射する

　このイラストの暗い背景は「大いなる虚空（グレート・ヴォイド）」を表わし、小さな眼は神のスピリットを表わしています（図５−25）。すなわち、このように神のスピリットはまったく何もない虚空（ヴォイド）の中に存在しているのです。自分が虚空の真ん中にある小さなスピリットだとイメージしてみてください（あなたが大いなる虚空の中にいる時には、あなた自身が神と一体で、どこにも分離がないことがわかります）。虚空の中に宙ぶらりんなまま長い時を過ごした後、たぶんあなたは飽きるか好奇心がわくか孤独になるかして、自分の人生に新しい冒険を求めて何か新しいことを試したくなるでしょう。

最初に空間を作る

　というわけで、スピリットである１つの「眼」は虚空（ヴォイド）の中へ意識のビームを発します。それはまず前へ、次に後ろへ、そして左、さらに右へ、それから垂直に上へ、最後に下へと発しました（図５−26）。前方に発した距離がどのくらいであれ、それと同じ距離を後方へも発します。左右、上下へも同様です。意識のビームはどの人をとっても、６方向とも同じ距離だけ発し（ある人はどの方向へも１センチずつかもしれないし、別の人は60センチずつ、またある人は15メートルずつかもしれません)、6方向のすべてが均等になります。このようにしてスピリットは意識のビームを外側に向けて6つの方向へ投射し、空間を定義するのです。すなわち北、南、東、西、上、下です。

これが、なぜネイティブ・アメリカンや世界中の先住民たちがそれほどまでに6つの方向を重要と見なすのか、その理由かもしれません。彼らの儀式では、方位を定義することがいかに大切にされているかご存知でしょうか。それはまたカバラで実践される瞑想でも重要視されていることです。

次に空間を閉じる

神秘学派では、これらの6本のビームを発して6方向へ延ばした後、次にしたことは、発したビームの先端どうしをつなぐことでした。するとそれはひし形あるいは四角形をまわりに形成します(図5−27)。この図の角度では長方形に見えますが、もちろん実際にはそれが正方形なのがわかるでしょう。彼らは自分の意識のポイントをつなぐ小さな正方形を作りました。次にその四隅からそれぞれビームを上の先端まで延ばし、正方形をベースにしたピラミッドを形成します(図5−28)。

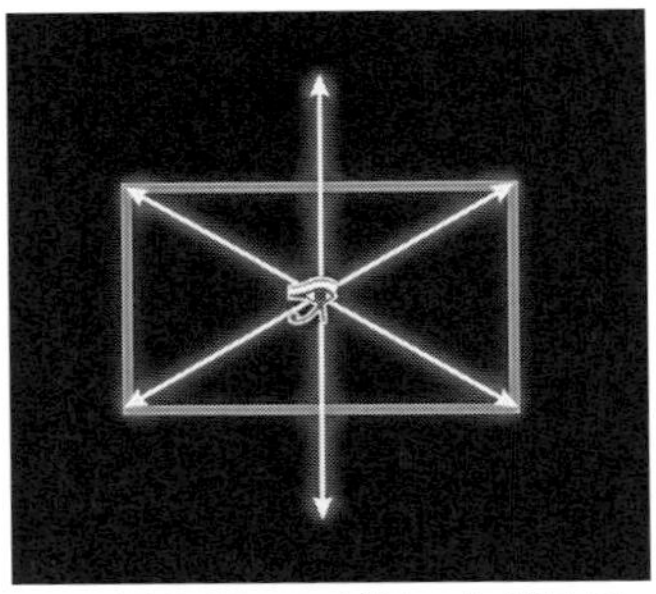
図5-27　スピリットが最初の四角形を形成する

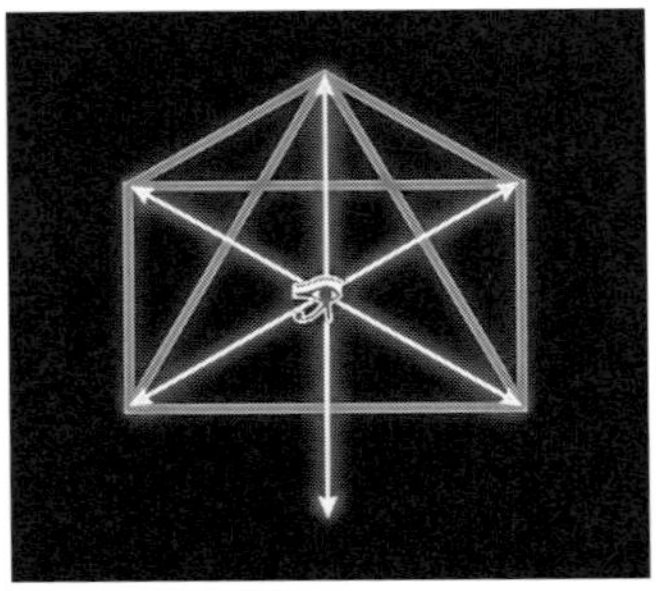
図5-28　上方へピラミッドを投射する

上側にピラミッドを作った後、今度は下方の先端までビームを投射して、下側にピラミッドを形成します(図5−29)。これを実際の立体空間で見ると、2つのピラミッドが背中合わせになって正八面体(オクタヒドロン)を形成します(図5−30)。

図5-29　下方へピラミッドを投射する

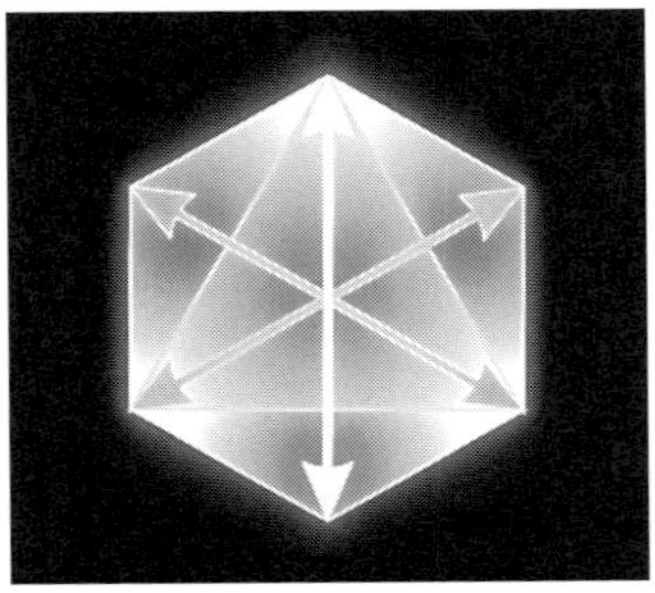
図5-30　スピリットのまわりにできた正八面体

これはスピリットであることを念頭に置いてください。虚空(ヴォイド)の中ではあなたは肉体を持ちません。あなたはただのスピリットなのです。それで大いなる虚空にあり、このフィールドを自分のまわりに作ったとしましょう。さて、こうしてひとたび2つの背中合わせのピラミッドで正八面体を設定すると空間が定義され、そこにはじめて対象が存在することになります。いまや運動エネルギーあるいは動きが可能になったのです。それまで起こり得なかったことが起こり得るようになりました。スピリットはその形の外へ出て、そのまわりを動くことができます。何キロも何万キロも、どんな方向へも行けて、それでも戻ってこられる中心点が存在するのです。あるいは、スピリット自身は動かずに形の中に留まり、形そのものを動かすこともできます。形は回転することも、ゆらぐことも、どんなふうに動くことも自由です。このようにして、いまや相対的な運動が可能となりました。

次に形を回転させて球を創造する

エジプトの生徒たちが作り出した正八面体には、このように前後、左右、上下という3つの軸がありました。次に彼らはその形を、1つの軸を中心に回転させるように言われました。どの軸でもよく、またどちらの方向へ回転させてもかまいませんでした。いずれかの軸でどちらかへ向けて回転させた後、さらに他の2つの軸でも同じことをしました。これら3つの軸のまわりをそれぞれ一回転させるだけで、完璧な球の要素が導き出されました。生徒たちは自分の意識のポイントを移動させることが許される前に、この正八面体の形を回転させて自分のまわりに球を作り上げることを教えられました。

図5-31　最初の創造物の中にあるスピリット

私の知るかぎり神聖幾何学に関わる人々はみんな同意するのですが、直線は男性的、曲線は女性的と見なされます。ですからもっとも男性的な形は四角形または立方体で、もっとも女性的な形は円または球ということになります。スピリットが投射する正八面体は全部直線から成っていますから、それは男性的形状です。そして球は曲線のみから成っているので女性的形状です。エジプト人が何をしようとしていたのかと言えば、男性的形状を作り、それを女性的形状へ変換するということです。それは男性資質から女性資質への転換でした。

これと同じ物語が聖書中にも出てきます。まずアダムが創られて、次にアダムから、あるいはアダムの肋骨から女性が創造されたということになっています。もちろんスピリットが球の内側にあるという図柄も神秘学派のイメージです。

神聖幾何学は、スピリットがその最初の投射を虚空の中にて行ない、そのまわりに最初の正八面体を創造することから始まります。虚空は無限です。そこには何もありません。これらの創造された形状はまた無でもあるのです。それらは単に意識から生み出された想像上の線にすぎません。これはみなさんに、「現実（リアリティ）」とは何かということを暗示しています——そこには何もないのです。ヒンズー教では現実を「マーヤー」と呼びますが、それは「幻影」を意味しています。

スピリットはその最初の創造物の中に長い間、留まり続けることもできますが（図5－31）、やがては何かをすることに決めます。このプロセスを再び行なうために、神秘学派の生徒たちはスピリットがしたのと同じ動きをするように指示されました。宇宙全体にあるすべてを創造し、完成させるための、ただ2つの簡潔な指示だけが出されたのです。

「創世記」における最初の動き

スピリットはいまや球の中にあることを念頭に置いてください。それらの指示とは、「新しく創造されたものへと移動」して、次に「最初とまったく同じ球をもう1つ投射して作り出す」ことです。これは「現実（リアリティ）」を創造するために絶対確実な方法です。何をしようとも、間違えようがありません。新しく作られたものに移動して、最初の球と同じサイズの球を投射すればいいだけです。このシステムでは、虚空の中にこの球面のほかには何も存在せず、球の内側は外側と同じなので、新しいところ、あるいは別のところとは、球の表面である膜自体しかないことになります。

そこでまず、意識は球の表面へと移動することに決めます。表面のどこに行こうと関係ありません。どこへでも行けます。どうやってそこへ行くかも、その間の空間を直進しようが、曲線を描きながら行こうが、渦巻き状あるいはジグザグに行こうが、いっこうにかまいません。それはたいへんクリエイティブでもありますが、結果に差はありません。いずれにせよ、とにかくその球の表面のどこかへたどり着きます。

図5-32　スピリットの最初の動き

たとえば、ここでスピリットが上に向かったとしましょう（単にそうだと対称的で説明しやすいからです）。さて、この小さな1つの眼であるスピリットが球面に行き着きます（図5－32）。それはまさに「創世記」の一番最初の動きでした。「神のスピリットは水面を動いた」というところです。そしてそのすぐ次には「神はこう言われた、『光あれ。』するとそこには光があった。」

ここでスピリットはどうするか、ただ1つの方法を知っています――実際には2つのことを知っているのですが、結果は1つなのです。それは、（1）小さな正八面体（オクタヒドロン）をどう投射して球を創造するかと、（2）新しく創造されたものへどう動いていくかの2つです。それは非常にシンプルな「現実」です。そこで表面に到達したら、それは

図5-33　最初の動き／第1日目。創造の最初の2つの球でヴェシカ・パイシスが形成される。

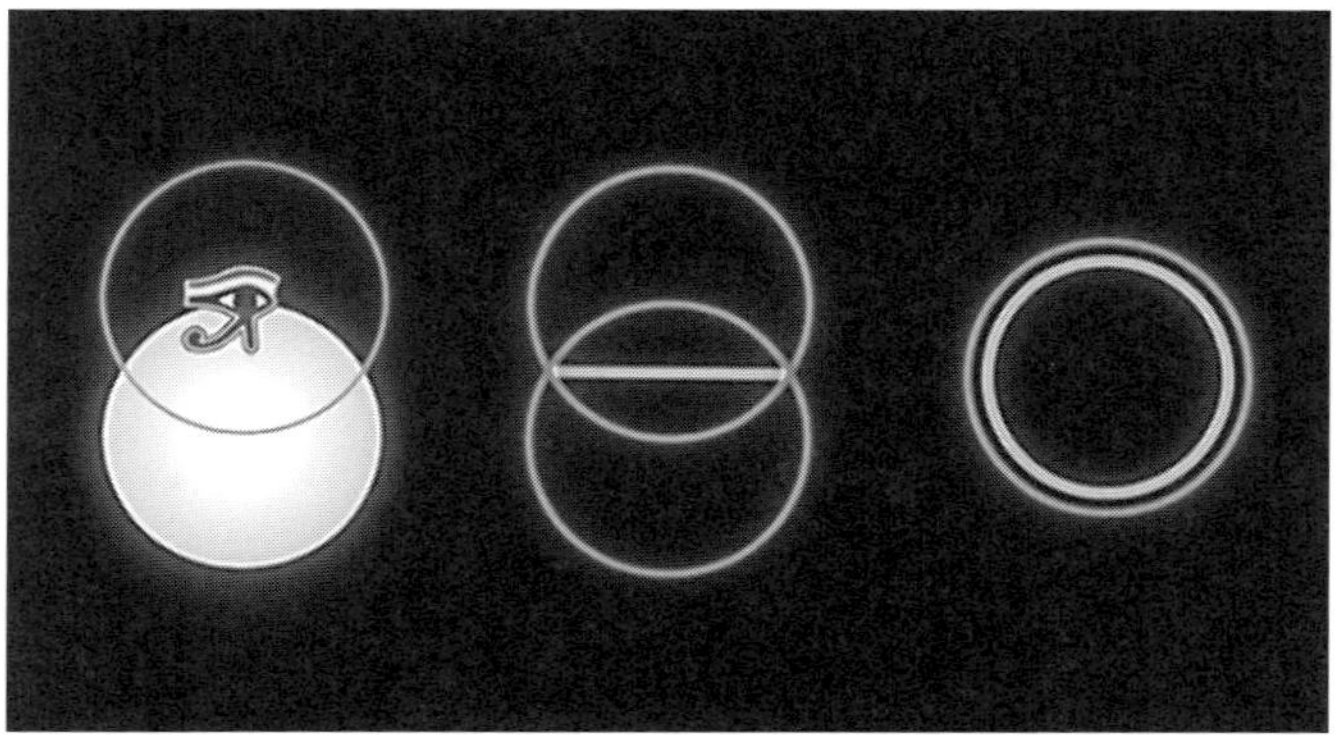

図5-34　最初の動き／第1日目。
最初に創造された2つの球（左）
横から見た断面図（中央）
上から見た平面図（右）

もう1つの正八面体を作り出して、3つの軸にそって回転させ、最初と同じサイズの球を新たに創造するのです。同一のサイズになるのは、スピリットが虚空に投射する能力は同じままだからです。その点においては何も変わりません。こうして、最初の球とまったく同じサイズの2つ目の球が作り出されました。

そこから光が創造された
——ヴェシカ・パイシス

そのとき、神聖幾何学の見地からするときわめて特別な何かをしたことになります。それは2つの球が交わった部分に、両端の先が尖ったヴェシカ・パイシスを作り出したのです**(図5-33)**。2つのシャボン玉がくっついているのを見たことがありますか？　2つのシャボン玉が合わさると、くっついた部分には線または円ができます。つまりシャボン玉を真横から見ると、くっついた部分は直線になり、真上から見ると、くっついた部分の円周が大きな球の内側にくるのが見えます。

真上から見ると、ヴェシカ・パイシスの円周は大きな球の円周に対して相対的で、より小さくなります。別の言い方をするなら、横から見ると直線に見えますが**(図5-34・中央)**、上から見ると円になります**(図5-34・右)**。ヴェシカ・パイシスはたいていコインのように2次元的に扱われることが多いのですが、3次元的にも重要な意味があります。もしも2つの球の真ん中からヴェシカ・パイシ

図5-35　２つの球から取り出されたヴェシカ・パイシスの３次元的立体像

スを取り出したとしたら、それは**図５―35**のような、フットボールみたいな形になります。

今はまだ証明できませんが、この本の後のほうで、この形が光であるのを証明することができるでしょう。それは光が作り出す幾何学形なのです。そしてまた光を受けとめる側である、あなたの眼の幾何学形でもあります。さらに光のほかに、あなたの感情やその他多くの人生の側面をつなぐパターンの形状でもあります。ここではまだ話が単純すぎて理解するのは難しいでしょう。もう少し複雑になるまで待たねばなりません。それからなら説明できます。いかにして「創世記」の最初の動きが、生命であるところのパターンを生み出すのかを紐解いていきましょう。神が「光あれ」と言ったのは、こういう理由からです。神は２つ目の球を創造してヴェシカ・パイシスを形作るまでは、それを言えなかったのです。

第２の動きが星型二重四面体（スター・テトラヒドロン）を作る

スピリットがその２つ目の球の中心にあり、その地点からヴェシカ・パイシスを見下ろすと、新しくできた円であるヴェシカ・パイシスの円周が見えます。新しいものはこの円だけで、スピリットの指示は「新しく創造されたものへと移動する」ことです。その新しい円のどこへ行くかは問題ではありません。ミスをすることはあり得ないのです。その新しいヴェシカ・パイシスの円周のどこかへ移動して、**図５―36**のように、新しくもう１つの球を投射して作り出します。

その円周のどこにスピリットが降り立とうと、球を回転させればこの図と同じようになります。それで円の上を左側のA点まで移動したとしましょう。その瞬間に莫大な量の情報が創造されます（「創世記」のどの動きにおいても、多大な量の知識が出現します）。最初の創造は球を作り出しました。そして最初の動き（第１日目）は光の基盤となるヴェシカ・パイシスを作り出しました。第２の動き（第２日目）では３つの球が交わって、星型二重四面体（スター・テトラヒドロン）の基本的な幾何学が創造されます（**図５―37**）。

私たちはこの時点で形成された情報のすべてを一度に把握するわけではなく、新しい球が１つずつ創造されると、そのたびに徐々に情報が開かれて、どんどんクリエイティブなパターンが現われるようになっているのです。第１と第２の動きが起こった後、それは最初の球面上のある1つの大円（訳注・球の均分円線、最大円周のこと）を正確にたどって動きはじめます――スピリットはどう動いても、また円や球のどこに移動しても完璧な動きをします。その球には無数の大円がありますが、常に完璧な選択をしていくのです。

完結するまで「新しく創造されたもの」へと移動し続ける

このパターンが創造されたら、その後に従う指示はたった1つしか残っていません――永遠に。時の終わりまで継続されるその唯一の動きとは、常に「一番内側に近い地点に移動して、新しい球を投射していくこと」です。

明確にするために、ここで「一番内側に近い地点」とは何かを定義しておきましょう。図5-36を見てください。

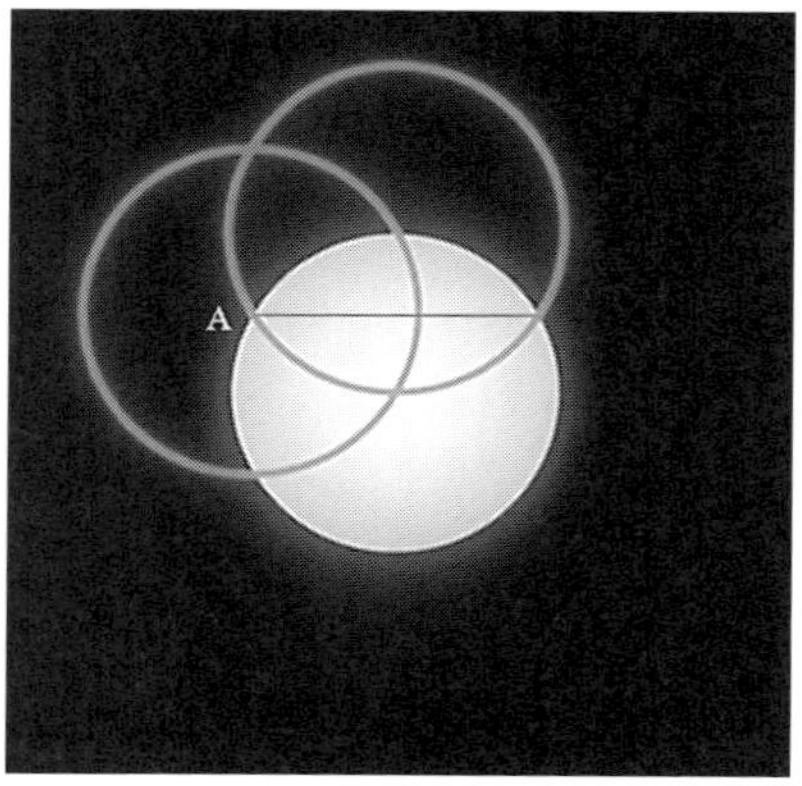

図5-36　3つの球、第2の動き／第2日目。一番上にある円（球）の中から見下ろすと、直線は円に見える。

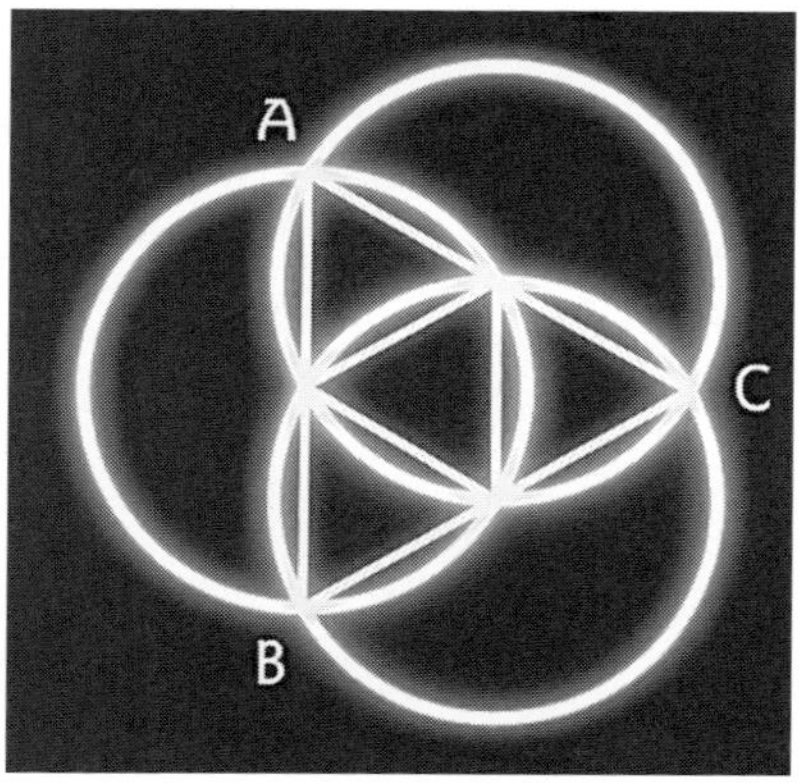

図5-37　3つの球の中にある大小の正四面体

この場合、「一番内側に近い地点」は3つあります。つまりこの図形の外側の線を目でたどっていった時に、もっとも中心に近づくところが3カ所あります。そのもっとも中心に近づくところを「一番内側に近い地点」と呼びます。スピリットの創造の動きによって「創世記」のパターンが出来上がった時には、一番内側に近い地点は6カ所になります（図5-41参照）。

ここで次のことを頭に入れておいてほしいのですが、スピリットは中心となる最初の球の大円のまわりを正確にたどって動きを開始します。そして360度くるりと一周し（6つの点あるいは動きを経て）、スタートした地点へ戻ってきた時には、第2衝動（あるいは神秘学派（ミステリー・スクール）の生徒にとっては指示）につき従う動きが起こります。それは最初の球の円周上で2つのヴェシカ・パイシスが交わった地点から、「一番内側に近い地点に移動する」ことです。端的に言えば、それらは図形の外側に近いところでの「一番内側に近い地点」ということになります。この運動は渦巻き状に継続していきます。そしてこの渦巻き状の回転運動は3次元のさまざまなタイプの形を次から次へと創造し、「現実（リアリティ）」全体を組み立てる素材あるいは青写真となるのです。

　さて、いったんスピリットが３つ目の球を創造したら、それは「一番内側に近い地点」に移動して、さらにもう１つの球を投射します（**図５−38**）。ここにも情報が生まれますが、ここで話すとあまりにも複雑になってしまいます。

　第４の動き、４日目（**図５−39**）はたいへん興味深いところです。世界中の多くの聖書では、「創世記」の第４日目で創造の半分きっかりが完成したと言っています。最初の動きから始まって、ちょうど円の半分が作られました（**図５−39ａ**）。最初の動きが始まった地点から正確に１８０度移動したのです。

　図５−40が「創世記」の５日目です——もっとたくさんの情報が生まれます。

　そしてそれから６日目（**図５−41**）に幾何学的奇跡が起こり、最後の円が６つの花弁を持った花を完成させます。これが初期の聖書の多くで「はじめに６ありき」となっている理由なのです。現在の聖書では創造は６日間で行われたとしており、これと正確に符合します。これが「創世記」のパターンで、これからは「創世記（ジェネシス）パターン」と呼ぶことにします。それは私たちが生きているこの宇宙の創造の始まりなのです。

　ここで述べたスピリットの原初の動きはたいへん重要なものです。ゆえに私はこのコースのはじめに、かなりの時間をかけて説明してきました。あとでもっと複雑な部分まで見ていきますが、今は現実の具現化というものがいかにして創造されているのか、そのさわりの部分だけお話ししたわけです。

　これらのページに描かれた図から、一つひとつじっくりと立体的イメージを思い描いてください。それらを固体の立体として作成すれば、自分の手に取って見ること

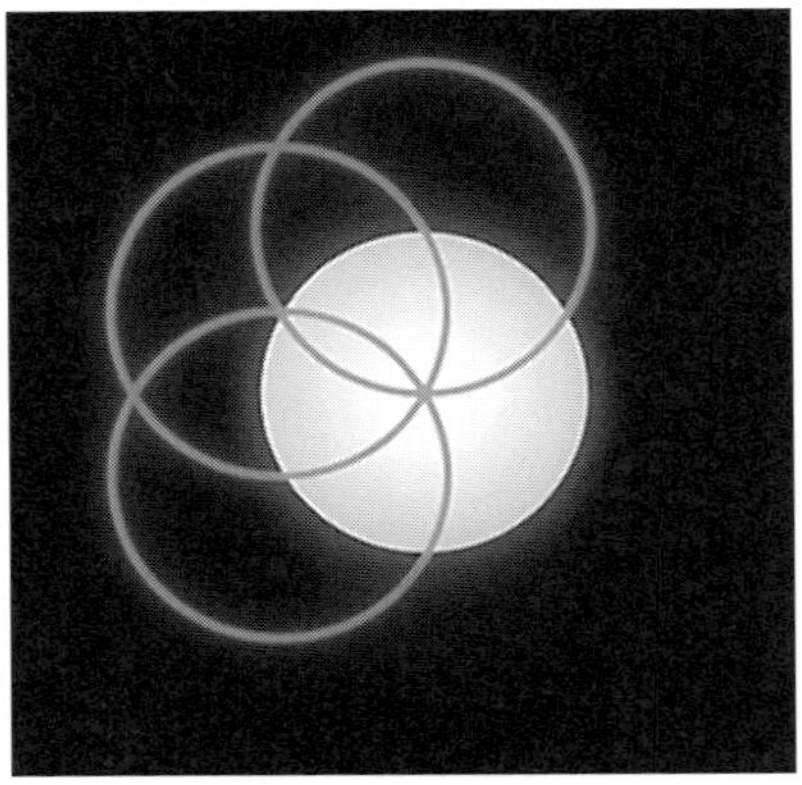
図５−38　４つの球、「創世記」第３日目

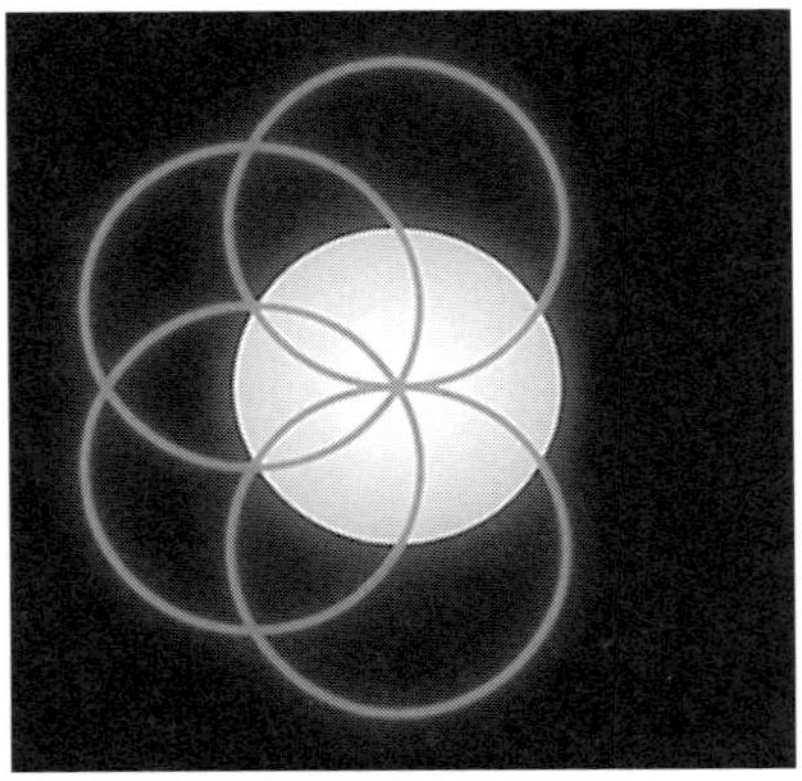
図５−39　５つの球、「創世記」第４日目

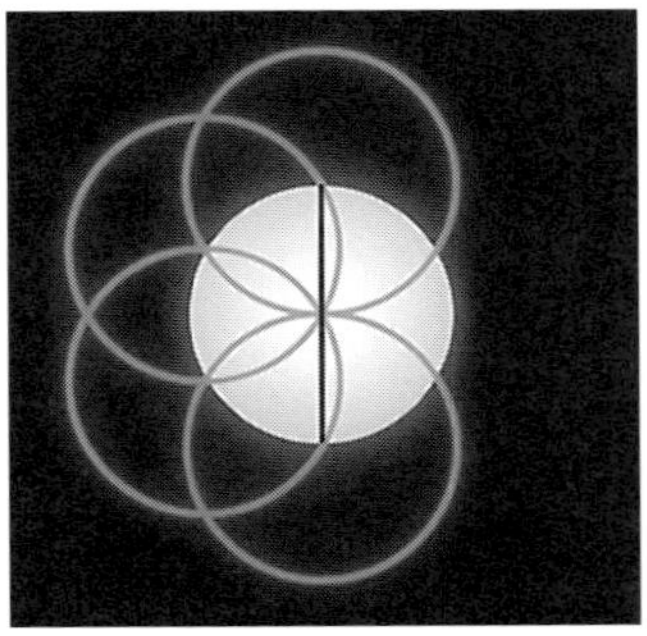
図５−39ａ　創造の半分

ができるでしょう。これからみなさんの現実に、この抽象的な情報を根づかせていきます。それから、そうしたことをもっと深く見ていって、いかにしてそれらが私たちの生きた現実を創造しているのかを見ていくことにしましょう。あなた自身がみずからの力で学んでいこうとするなら、「現実（リアリティ）」をこのような方法で解釈していくやり方は、途方もなく入念に仕上げられた創造活動の様相を見せてくれるはずです。あなたが自分でこれらの幾何学形を構成しようとすれば、神聖幾何学形状の中のどこかしらに、スピリットが虚空を動くときに作る線を引くことになります。それは何かしら途方もなく驚異的なことを意味しますし、さらにまた別の線はもっと驚くべき意味を持つことになります。生命は単純に始まり、そして私たちが生きている複雑な世界を作り出したのです。

　これはただの数学ではなく、単なる円でも幾何学でもありません。これがすべての現実における生きた創造の地図なのです。このことを理解してください。さもないとわからなくなって、この本が導いていこうとする先を見失ってしまいます。私たちがこれをしている理由は、ひとえにあなたの左脳があらゆる創造の統合性を理解するようになり、二極的な意識を超越できるようにするためなのです。

図5-40 6つの球、「創世記」第5日目

図5-41　7つの球、「創世記」第6日目

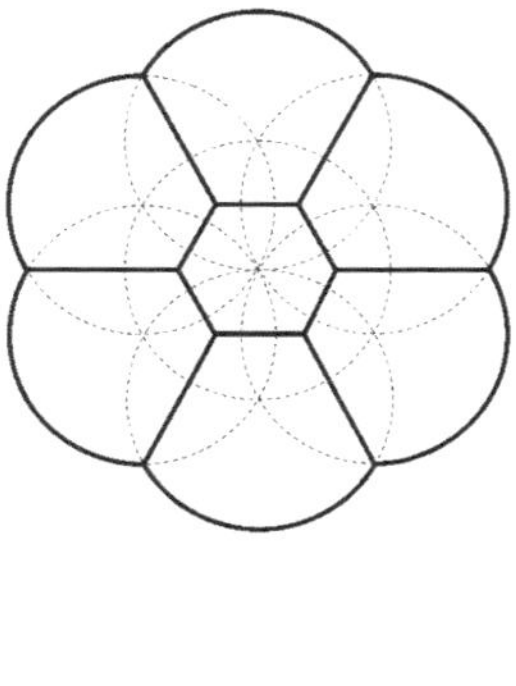

図5-41 a その立体的な見え方

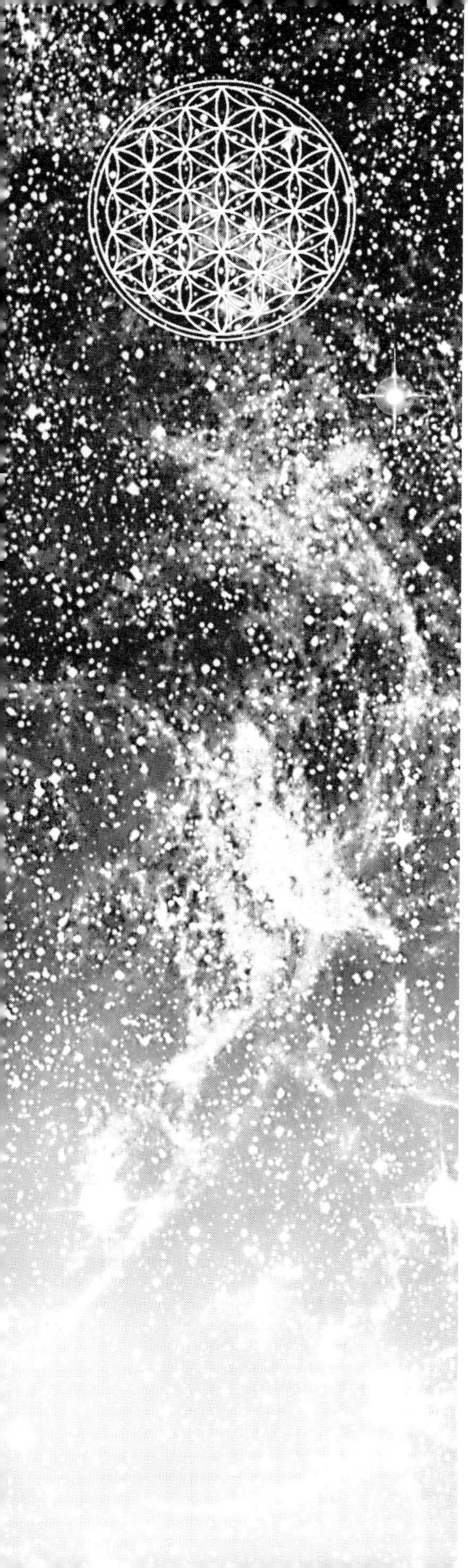

6.

形と構造の意味

The Significance of Shape and Structure

創世記（ジェネシス）パターンの発展

第1の形、管状円環体（チューブ・トーラス）

最初に少し前のページの図に戻りましょう。図5−41は「創世記（ジェネシス）パターン」そのものです。数学の本を見ると、この創世記パターンは、「円環体（トーラス）」と呼ばれる3次元的な立体形を、もっとも少ない線の数で平面上に描き表わしたものです。円環体は、創世記パターンを中心に向かってくるっと回すことで形成され、中心の穴が無限に小さいドーナツのような立体の形になります。

この特殊な円環体は内部に管が走っているように見えるので、ここでは「管状（チューブ・）円環体（トーラス）」と呼びますが（図6−1）、それは内側にも外側にも、どちらへ向かってもそれ自身を巻き込んでいけるという点で特異なものです。どんな形であれ、これと同じあるいは似たようなことができるものは他にありません。円環体は完成した創世記パターンから生まれる最初の形で、存在するすべての形のなかでもまったく独自の存在なのです。

図6-1　カラフルな管状円環体

アーサー・ヤングはこの形には7つの領域があることを発見し、それらは一くくりにして「7色マップ」と呼ばれています。数学の本で円環体のところを見ると、たいてい7色マップについて言及されています。そこには面積が等しい7つの領域があり、どこもはみでることなく管状円環体にぴったりと一致します。ちょうど創世記パターンのように、6つの円が中心にある7つ目の円のまわりをくるりと取り囲み、真ん中の円が全表面を巻き取るのです。どこにも無駄のない完璧さです。

神聖幾何学には「ラチェットする」という言葉があります。これは円または線を、車の整備でラチェットを使うように、爪車式にある一定角度だけ回転させるということです。たとえば、創世記パターンが2つ重なり合うところを想像してください。1つのパターンは固定しておいて、もう1つのパターンを30度ずらして重ねるのです。そうすると12の球が中央の球のまわりにできます。平面にす

ラチェット
爪車（つめぐるま）。のこぎり状をした歯車の一種で、爪と噛み合わせて一定間隔での回転運動や歯止めに用いる。

れば、図6－2のように見えます。これを立体化したものが管状円環体（チューブ・トーラス）になります。その中央から引けるだけの線を全部引いてみると、図6－3のようなパターンが導かれます。

12の球をさらにもう一回、今度は15度の角度でラチェットすると24の球ができ、図6－4のようなパターンになります。これは「超越パターン」と呼ばれるものに結びついています。超越パターンとは何でしょうか。数学でいうところの「超越数」は、私の考えでは別の次元からきた数だと思われます。おそらくその次元では完璧だったものが、ここに来た時に、完全にこちら側の世界には翻訳しきれなかったのです。こういう例はたくさんあります。その１つは「ファイ（φ）比率」です。くわしくはまた後でお話ししますが、これは１・６１８０３３９……で始まって永久に続く数値であり、次にどんな数字がくるのかまったく予測不可能で、それが果てしなく続いていくというものです。コンピューターで何カ月間計算し続けても、決して終点にたどり着くことはありません。簡単に説明すれば、超越数とはそういうものです。

図６－２　創世記パターンを１回ラチェットしてできる図

図６－３　ラチェットされた創世記パターンで、つなげられるすべての線をつないだ図

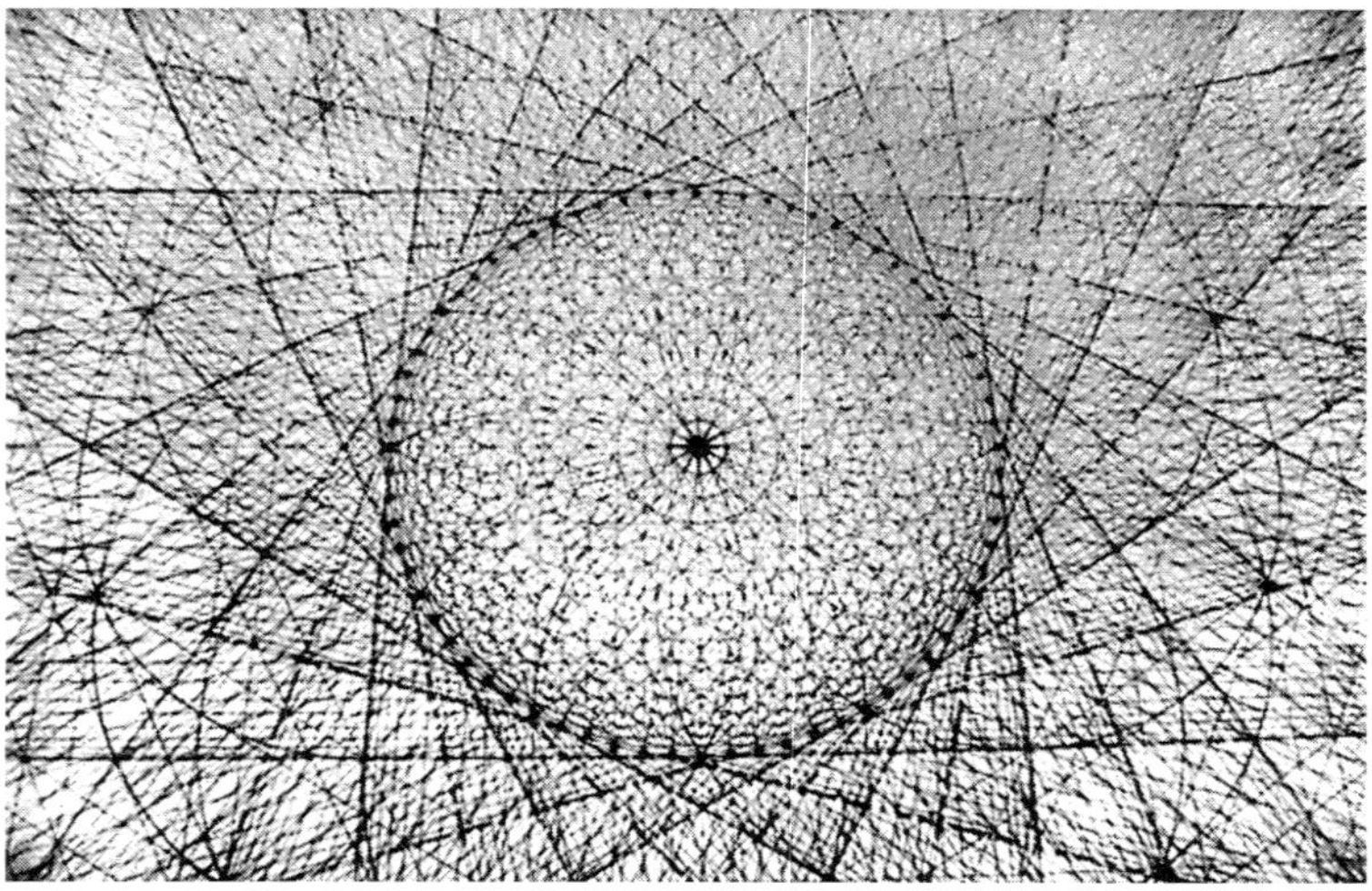

図６－４　創世記パターンを２回ラチェットして、つなげられるすべての線をつないだ図

円環体（トーラス）という形は、生命の多くの面を司っています。たとえば、人間の心臓は７つの筋肉が円環体状に形成されてできており、円環体の７色マップで見たようにその７つの領域へと、ポンプとして血液を供給しています。私たちはすべての知識を内蔵しているのです。全生命体、すべての原子、そして惑星や星や銀河などといった天体の全部、そのほかすべては文字通り円環体に囲まれています。

つまりそれは存在の根源的な形なのです。

「はじめに言葉ありき」です。私は後世において、言語／意識、音／言葉はすべて円環体によって解き明かされるだろうと信じています。今でもすでにそう信じる人々はいますが、ゆくゆくは時が教えてくれるでしょう。

生命エネルギーを動かす迷路（ラビリンス）

図6－5は「七曲りの迷路（ラビリンス）」です。これは世界中で見つかっています。中国からチベット、イギリス、アイルランド、ペルー、ネイティブ・アメリカンにまであります。つい最近、エジプトでも発見されました。またヨーロッパの教会建築の床にはしばしばこの迷路が見られます。同じ形がどこの石壁にも存在するのです。それは古代人類にとってたいへん重要なものだったに違いありません。この迷路には、円環体および人間の心臓の鼓動に関連した７つの領域があります。イギリスのアヴァロン島にはドルイド神秘学派があり、これについてはまた後で述べますが、そこの丘の上に登るにはこれと同じ迷路を、山を何度も行ったり来たりしながら歩かねばならない

図6-5　七曲りの迷路

●付記 Update

聖書のメルキゼデクの肖像画をヨーロッパで見つけました（1998年）。彼が手にしている杯の中には、迷路への鍵が入っています。

ようになっています。

私はイギリスにいたとき、迷路のエキスパートで本も書いているリチャード・フェザー・アンダースンと話をして、あることを学びました。彼は自分の研究の一端として、人々にこの迷路を歩いてもらったそうです。すると、そこを歩くあいだに異なった意識状態へと移行させられ、非常に特殊な体験をすることがわかったといいます。生命力のエネルギーが、次の順番でチャクラの中を移動していくというのです——第3、第2、第1、第4、第7、第6、第5の順です。生命力エネルギーは第3チャクラから始まって、第2チャクラ、それから第1チャクラへ行きます。次にハート（第4チャクラ）へ飛んで、そのあと頭の中心にある松果体（第7チャクラ）、頭部前面の下垂体（第6チャクラ）、そしてのど（第5チャクラ）へ降ります。

この迷路を歩くとき、体験を自分で押さえつけようとしないかぎりは、自動的にこれらの変化を通過していくことになります。そういう知識がなかったとしても、おのずとそれを体験するようになっているのです。世界中の人々が、それが真実だということを感じています。アンダースンは、この3、2、1、4、7、6、5という迷路を歩いていくときの順序を線で表現すると（つまり7つのチャクラのどこにあたるかを線の数で表わすと）、それは杯のような形になると言っています（図6-6）。この特殊な迷路は、聖杯の形とそこに秘められた知識に関連していると彼は感じています。私も経験から言ってその通りだと感じていますが、同時にいろいろな情報にも耳を傾けています。まだそれについてはわかっていませんし、本当かもしれません。

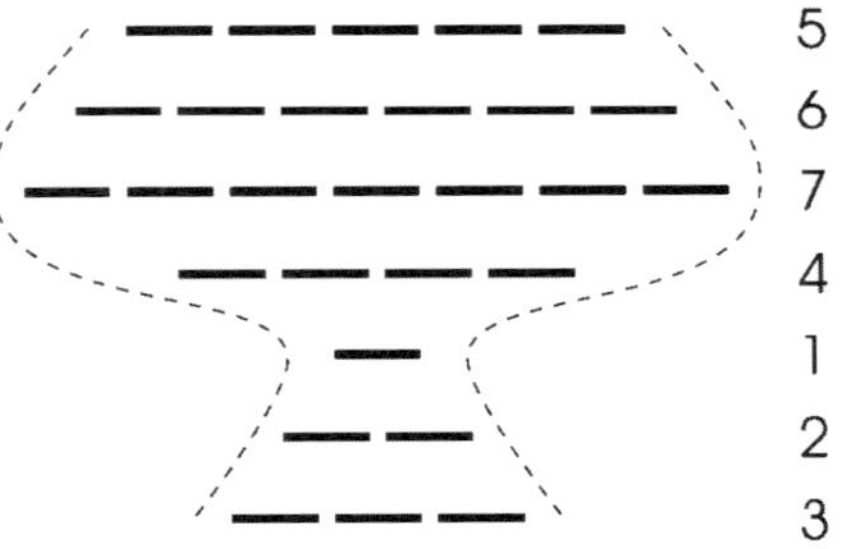

図6-6　迷路における順序の数の列が聖杯の形を作る

私自身もこの迷路を実際に歩いてみたところ、たしかにその通りの変化を体験しました。それと同じ変化は別の方法でも体験したことはありましたが。迷路の中心へ向かってひたすら歩いていくだけで、それぞれの曲がり角のところで自分の中が簡単に変化するのです。迷路の全部を歩き通さなくても同じ効果が得られました。迷路を念頭に入れておいてください。しばらくしてまたこの話に戻ってきます。

創世記を超えた第2の形、エッグ・オブ・ライフ（生命の卵）

図6-7の内側にある灰色の円と太い線は創世記の6日間を表わしています。いったん意識が最初の7つの球を投射してこの創世記（ジェネシス）パターンを完成させると、次は外側に細い線で描かれているように、創世記パターンの一番内側に近い地点を中心に次々と回転運動のパターンを続け、2巡目を完成させます。その動きは**図6-8**のような、あなたが手にとれるような3次元的な立体を形作ります。**図6-7**の中から、中間部分の線の全部と、ある一定の線を消し去ると**図6-8**のようになります。この球のパターンは、あたかもスピリットがみずからの創造物の外へ出て、「なるほど、わかったぞ！ これはこんなふうに見えるんだ」とでも言いそうなものです。

　実際には第8番目の球が、ここに見えている球の裏側に存在しています。それらすべての球の中心をつなげると、立方体（**図6-8a、b**）が浮かび上がってきます。

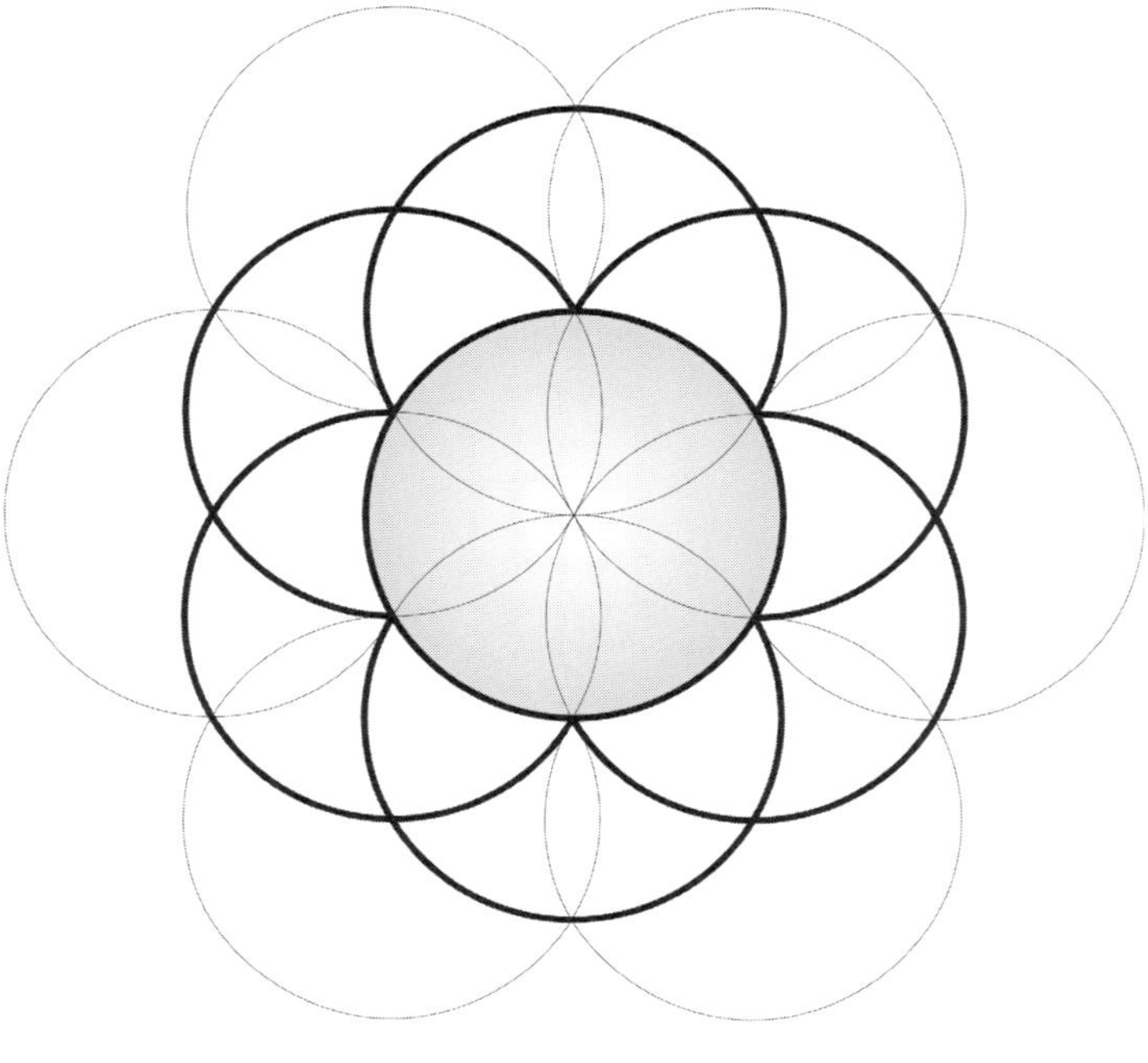

図6-7　創世記パターンを超えた回転運動

図6-8 立体の球（ボール）で見た場合

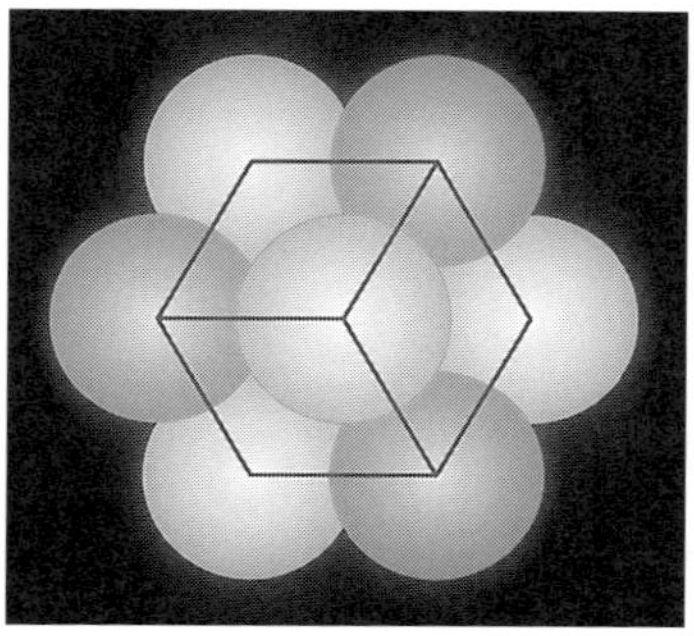

図6-8a　中心をつなげると立方体ができる

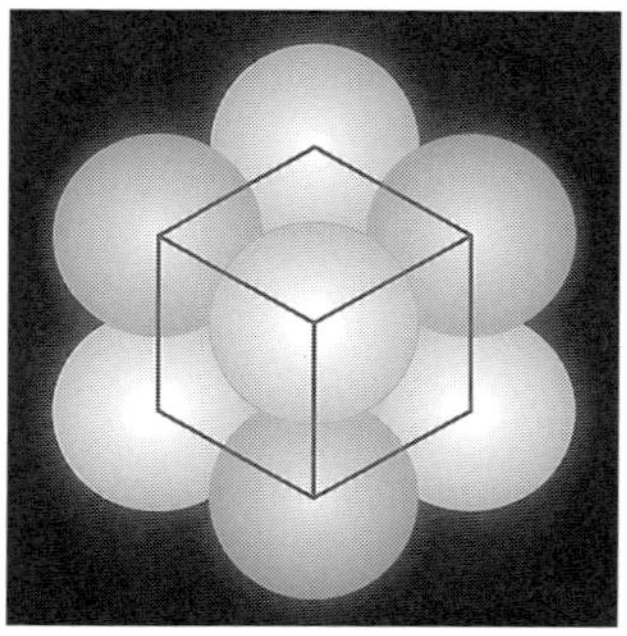

図6-8b　少し見る角度を変える

それがどうしたというのでしょう？　誰がそんなこと気にするかですって？　古代人たちは気にしました。なぜなら創造について、また生と死について深く熟慮していたからです。彼らはこの球の集まりを「エッグ・オブ・ライフ（生命の卵）」と呼びました。エッグ・オブ・ライフという形の構造がいかにしてあなたの肉体を作り出したのか、もうすぐお話ししましょう。あなたの眼、鼻の形、指の長さやその他もろもろ、あなたの肉体的存在のすべてがこのエッグ・オブ・ライフの構造に基づいています。すべてはこのたった１つの形を基本にしているのです。

第３の回転形、フルーツ・オブ・ライフ（生命の果実）

次は３巡目の回転運動になります（図６－９）。ここでの球は、６つの矢印が示すように、それ以前に作られた円形の外周部の一番内側に近い地点を中心に描かれます。ですからスピリットがこの第３巡目を一周すると、ここで灰色の輪に見えている球ができることになります。するとそれら６つの円が中心の円に接しているという新たな関係に気がつくでしょう。もしもあなたが７つのコインを持ってきて、テーブルの上でお互いにくっつけて並べたとすると、ちょうどこのように見えます。

フラワー・オブ・ライフ（図６－10）には19個の円があり、外側を二重の同心円によって囲まれています。どういうわけか、この図柄は世界中に見つけることができます。不思議なのは、なぜ世界中に同じものが存在するのかという点と、なぜそれらがみんな19個の円で終わっているのか、という点です。これは無限のグリッドで、どこでで

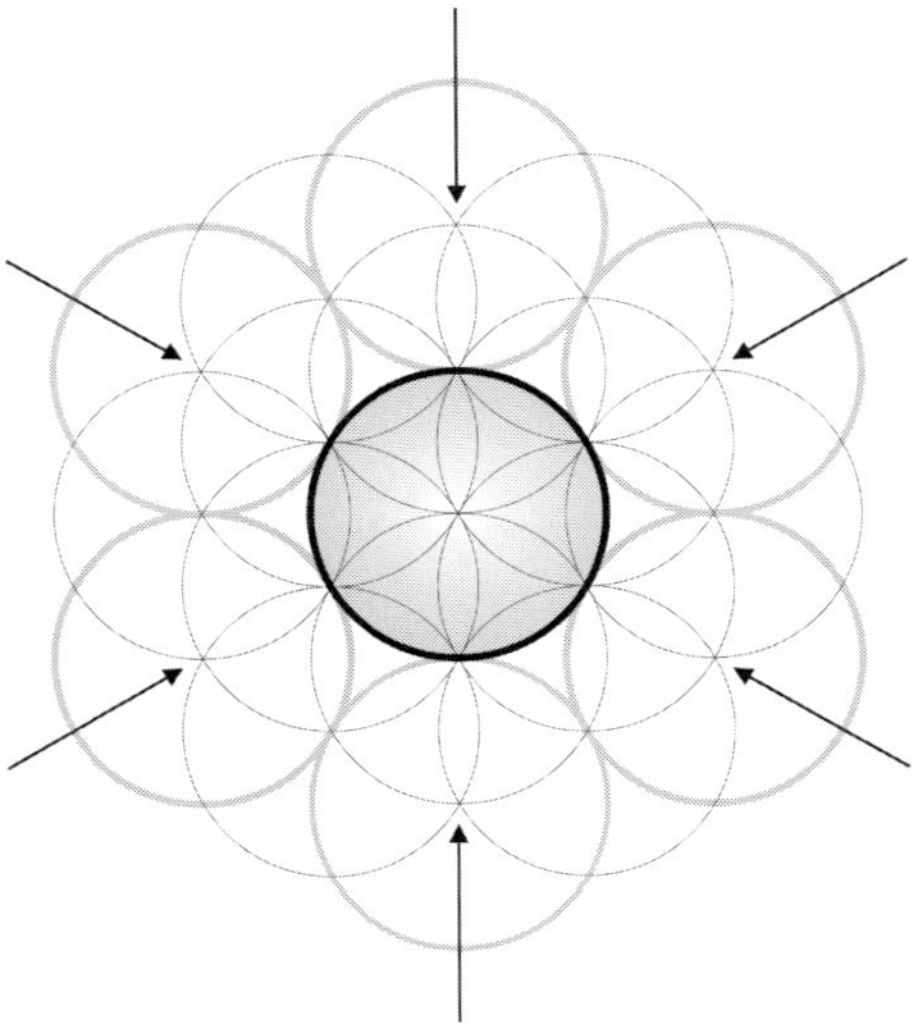

図 6-9　第３の回転

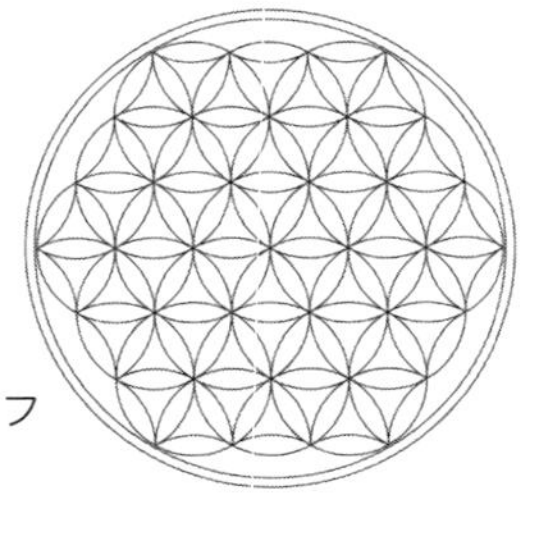

図 6-10
フラワー・
オブ・ライフ

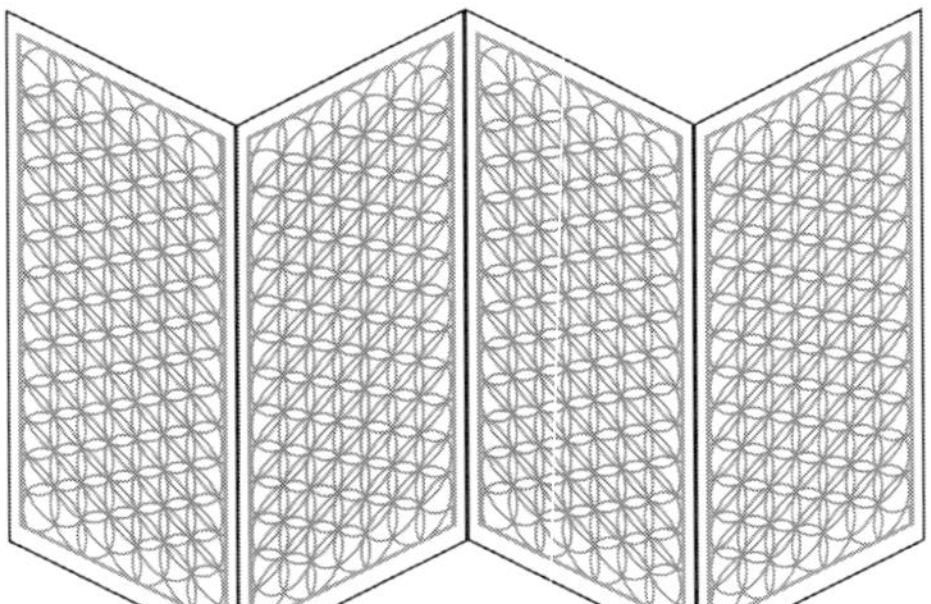

図 6-11　フラワー・オブ・ライフをモチーフにした中国の屏風

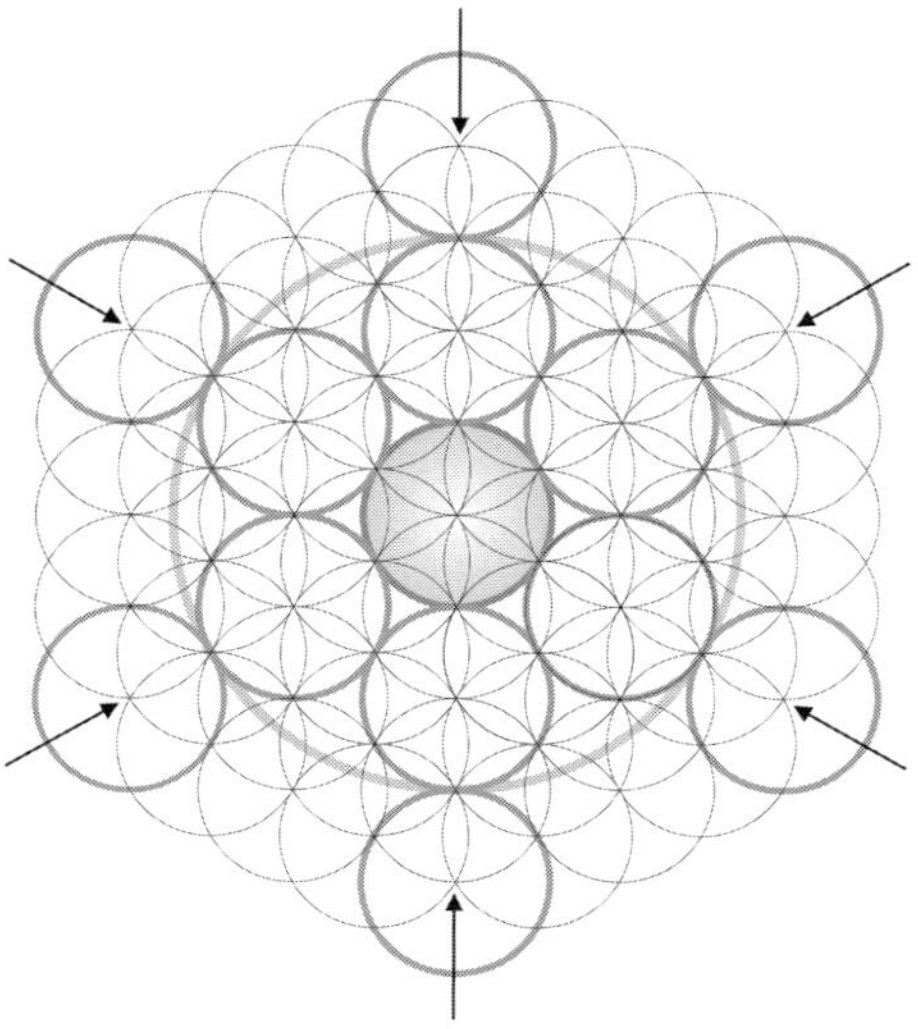
図6-12　未完成の円を完成させる

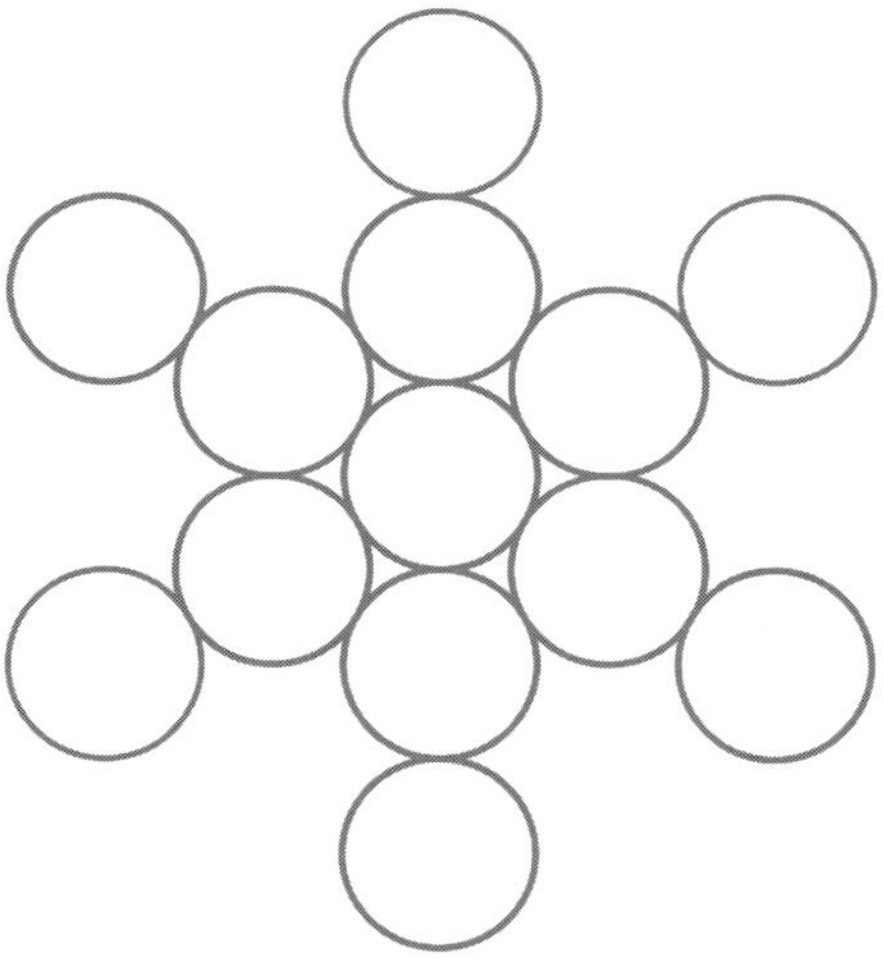
図6-13　フルーツ・オブ・ライフ

も終わらせることができるのです。地球上で私がこれまで19個以上の円が描かれているのを見たのは唯一中国だけで、それは屏風として作られたものでした（図6－11）。これらの屏風に用いられた、もっとも有名な模様の１つがフラワー・オブ・ライフだったのです。それは屏風の端に達するまで長方形一面に広がっていました。

しかしその他で見つかっているものは、たいていこのフラワー・オブ・ライフのパターンだけです。なぜかというと、古代人たちはこれ以外の構成要素が何であり、いかにそれが重要であるかに気がついたとき、それを秘密にしようとしたからです。ゆえに私がこれからみなさんにお見せしようとしている関係性は、ずっと公開されないままできました。それはたいへん神聖で重要だったので、一般的な知識としては広められなかったのです。その当時においては適切な措置でしたが、いまや私たちはこの情報を用いなければ、さらなる闇へと落ちていくばかりです。

フラワー・オブ・ライフの図柄（図6－10）の中には、たくさんの未完成な円が存在していることに注目してください。未完成といっても、もちろん球になる可能性を持ったものです。外側のふちを見まわしてみてください。それら未完の円のすべてを完成させると、秘密が解き明かされます。これが古代の情報の暗号化のやり方だったわけです。

外側のふちにある未完成の円のすべてを完成させれば、図6－12のように、太い灰色の輪の内側にあるもともとのフラワー・オブ・ライフの外側に、新たに円（球）が加わることになります。

これらの球を完成させるやいなや、秘密まであともう一歩のところにきました。矢印で示した、外側の一番内側に近い地点に行き、次なる回転運動を展開させます。するとそこには中心を含めて13個の灰色の球が表われます。それを他の部分から取り出すと図6－13になります。

この13の円で作られるパ

ターンは、存在する神聖形状のなかでも最高に神聖なものです。地球では「フルーツ・オブ・ライフ（生命の果実）」と呼ばれています。なぜこれが果実なのかと言えば、このパターンが細かく織り込まれた結果が、この「現実（リアリティ）」という果実になったからです。

男性要素と女性要素を合体させたメタトロン立方体——第一情報提供システム

さて、このパターンにあるすべての円は女性エネルギーのものです。これらの13の円に、男性エネルギー（すなわち直線）を重ね合わせる方法が13通りあります。それら13の方法すべてでこのパターンに重ね合わせたとすると、エッグ・オブ・ライフ、円環体（トーラス）に並んで、あらゆる存在を創り出す13種類のパターンが導かれます。存在するすべてのものは例外なしに、エッグ・オブ・ライフ、円環体、そしてこのフルーツ・オブ・ライフ、この3つのパターンの組み合わせから創り出されています——少なくとも私はまだ例外を知りません。私が学んだことをお教えしましょう。すべてを見せることはとうてい無理ですが、これが真実であると納得していただけるものを提示します。私はそれらを「情報提供システム」と呼ぼうと思います。フルーツ・オブ・ライフのパターンには、13の情報提供システムがあり、それぞれのシステムからは膨大で広範囲にわたる知識がもたらされます。ここではそのうちの4つだけを紹介していくことにします。それで充分だと思いますので。

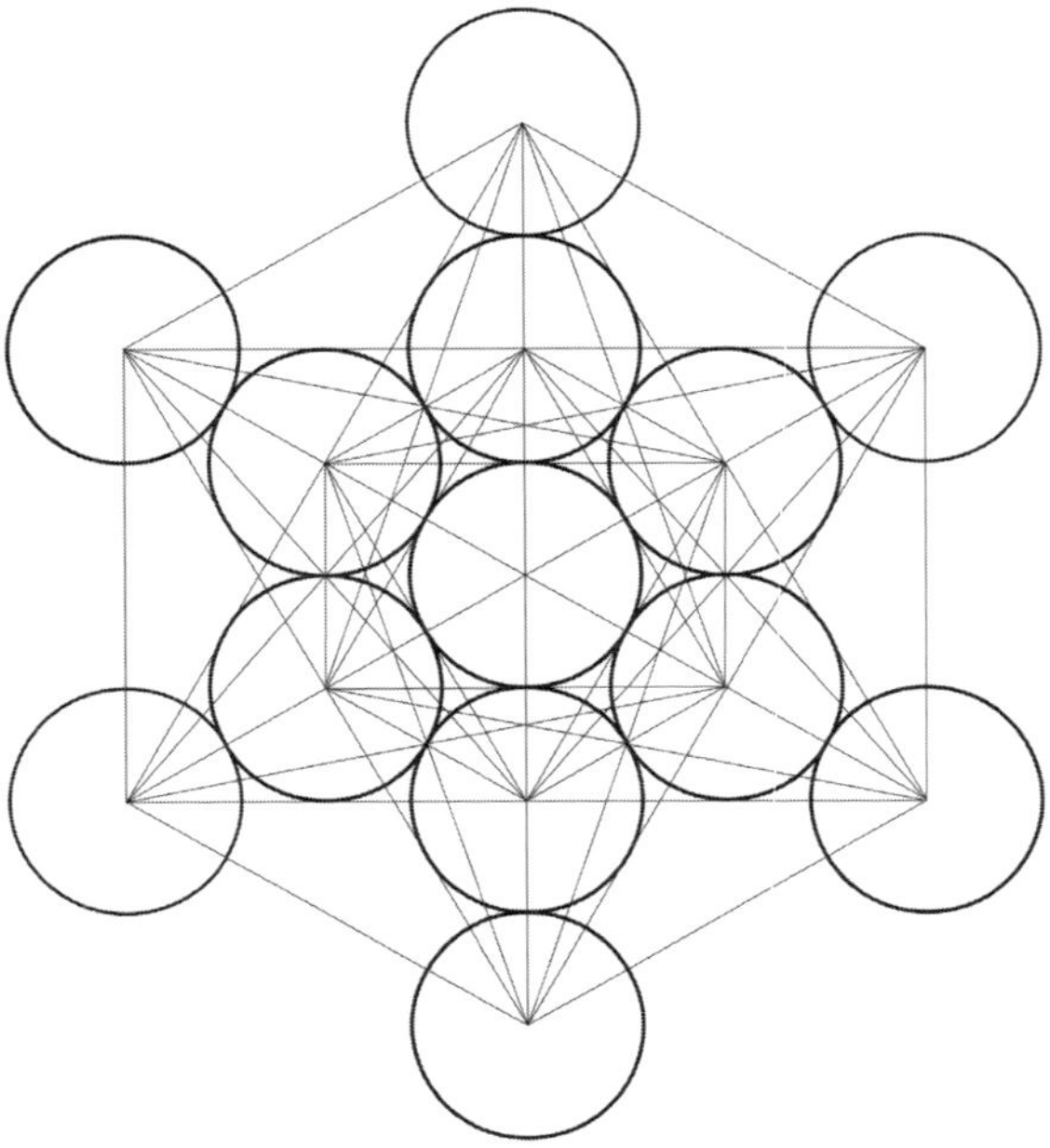

図6-14　メタトロン立方体

一番単純なシステムは、すべての円の中心を直線で結んだものです。図6−13のパターンに直線を引こうと思ったら、たぶんみなさんの90パーセントはまずこの方法を考えつくでしょう。そうすると、宇宙全体で（どこででもです）メタトロン立方体（キューブ）として知られているこのパターン（図6−14）のようになります。それは宇宙でもっとも重要な情報提供システムの1つであり、また存在を創造する基本的パターンの1つでもあります。

プラトン立体

神聖幾何学、あるいは一般的な幾何学でも、その方面の知識を勉強した人なら誰でも知っている5つの特異な立体があります。それらは神聖幾何学と一般的な幾何学の両方を理解するために決定的とも言えるもので、「プラトン立体」と呼ばれています（図6-15）。

プラトン立体は次のような一定の特徴で定義されます。まず最初に、立体を構成する面の大きさがすべて等しいこと。たとえば、プラトン立体の中で一番よく知られている立方体（キューブ）（正六面体（ヘキサヒドロン））はどの面も正方形で、すべて同じ面積です。第2に、辺の長さがすべて等しいこと。たとえば立方体も、全部の辺が同じ長さになります。第3に、面と面の間にできる内角がみな同じ角度であること。立方体ではこの角度は90度になります。そして第4に、プラトン立体をぴったりのサイズの球の中に入れたとき、球の表面にすべての角が触れることです。以上の定義からすると、その全部を満たす形は、立方体（A）のほかに4つしかありません。2つ目は大きさの等しい4つの正三角形から成る多面体、正四面体（テトラヒドロン）（テトラは4を意味する）です（B）。これはすべての面が等しく、同じ辺の長さ、同じ角度を持ち、すべての角が球の表面に接します。もう1つ、比較的単純な形に正八面体（オクタヒドロン）（オクタは8の意味）があります（C）。これは8つの大きさの等しい正三角形から成り、辺の長さと角度がどれも等しくて、球の表面にすべての角が接します。

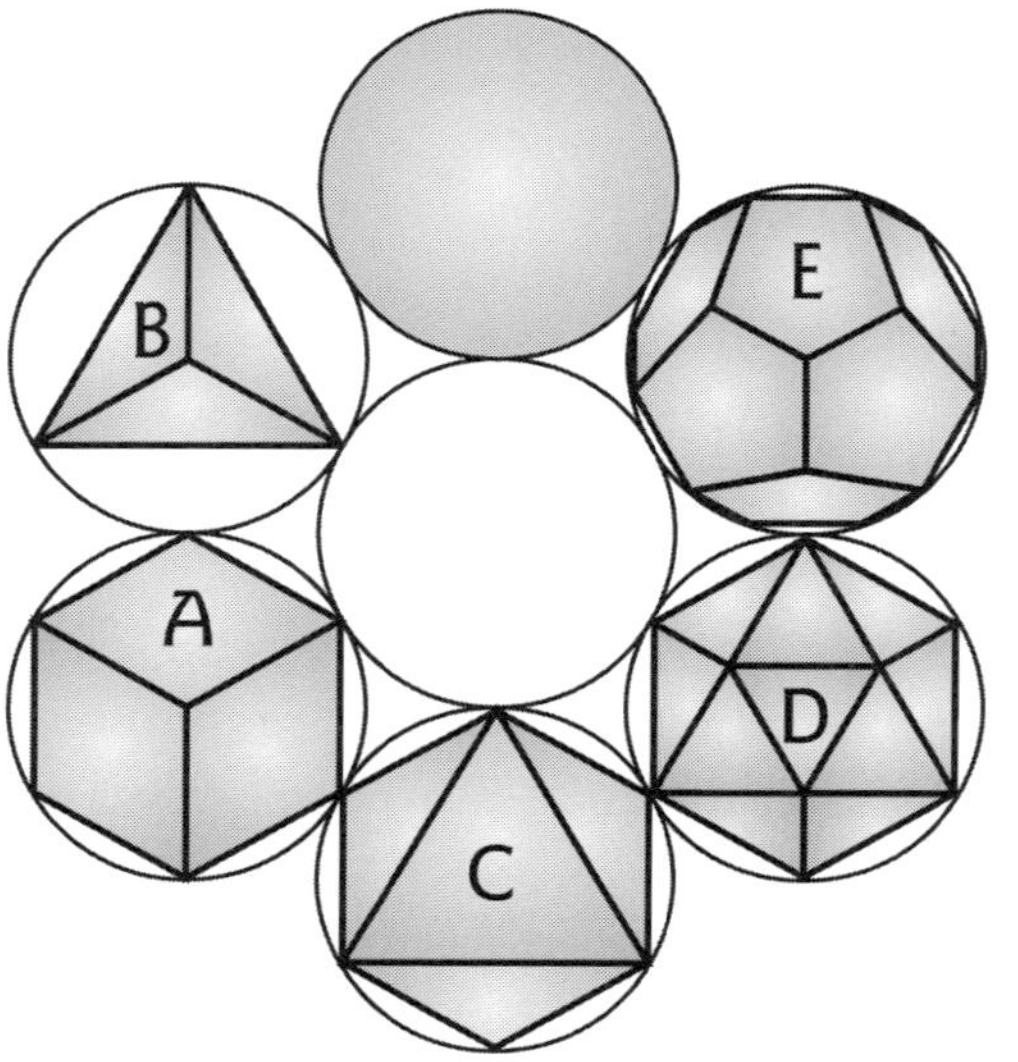

図6-15　5つのプラトン立体

プラトン立体の残りの2つはもう少し複雑です。1つは正二十面体（イコサヒドロン）で、球の表面に全部の角が触れ、同じ長さの辺と角度から成る正三角形で構成されています（D）。最後は五角正十二面体（ペンタゴナル・ドデカヒドロン）（ドデカは12の意味）で、辺の長さと角度が等しい12の正五角形（ペンタゴン）の面から成っていて、すべて

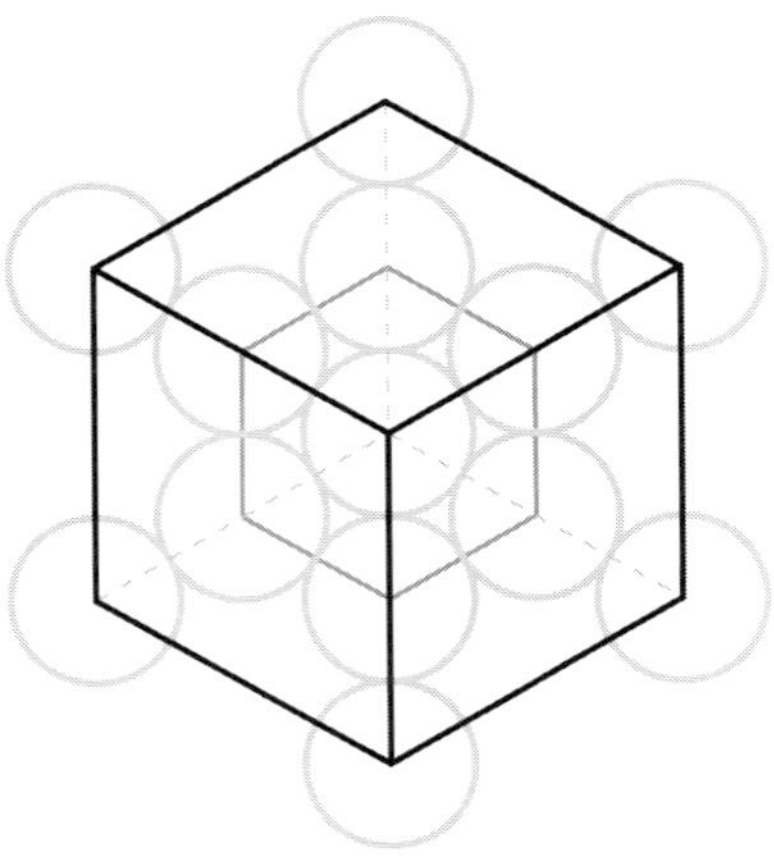

図6-16　メタトロン立方体から取り出された大小２つの立方体

図6-17　メタトロン立方体から取り出された大小２つの星型二重四面体

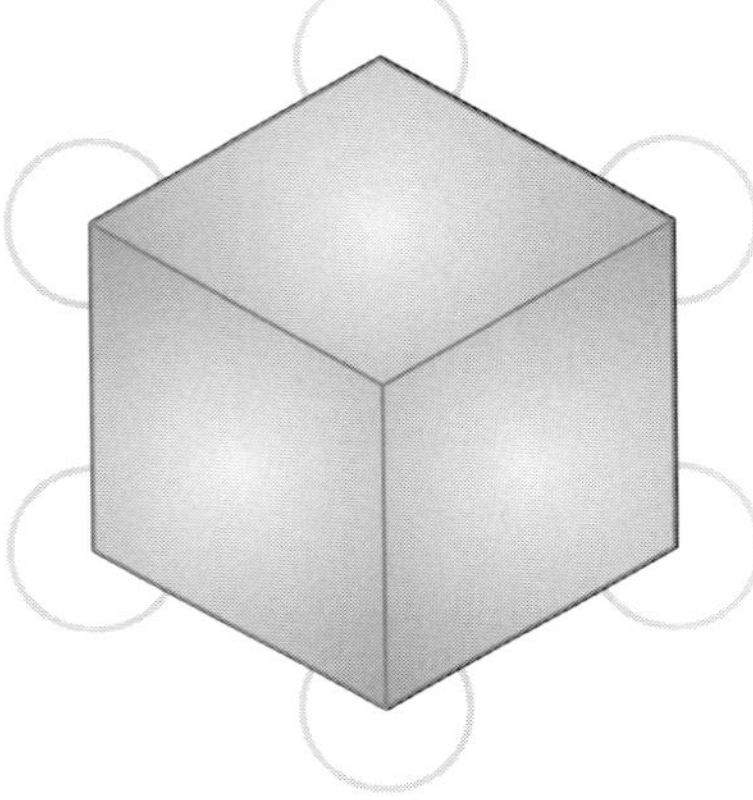

図6-16ａ　上図の大きいほうの立方体を固体にしたもの

図6-17ａ　上図の大きいほうの星型二重四面体を固体にしたもの

の角が球の表面に内接します（Ｅ）。

もしもあなたが工学技師や建築家なら、これらの５つの形は学校で習ったはずですし、そうでなくても建築構造の基本なので一通りは学んだことでしょう。

根源的な形、メタトロン立方体

神聖幾何学を学ぶとき、どの本を見ても必ずプラトン立体について書いてあります。なぜならそれは神聖幾何学のＡＢＣだからです。しかし、これらの本をすべて読んで――私はその大半を読みましたが――研究者の人たちに「プラトン立体はどこからやって来たものですか。それらの大もと、根源とは一体何なのでしょう?」と質問すると、たいていの人は知らないと言います。さて、５つのプラトン立体は、フルーツ・オブ・ライフの第一情報提供システムからやって来ました。メタトロン立方体の線の中には５つのプラトン立体すべてが含まれています（**図6―14**を見てください）。メタトロン立方体を見ると、プラトン立体の５つの形全部を一度に見ていることになります。それぞれをもっとはっきり見るには、余分な線を消してみるとよくわかります。そうやって取り出したものの１つがこの立方体（**図6―16**）です。

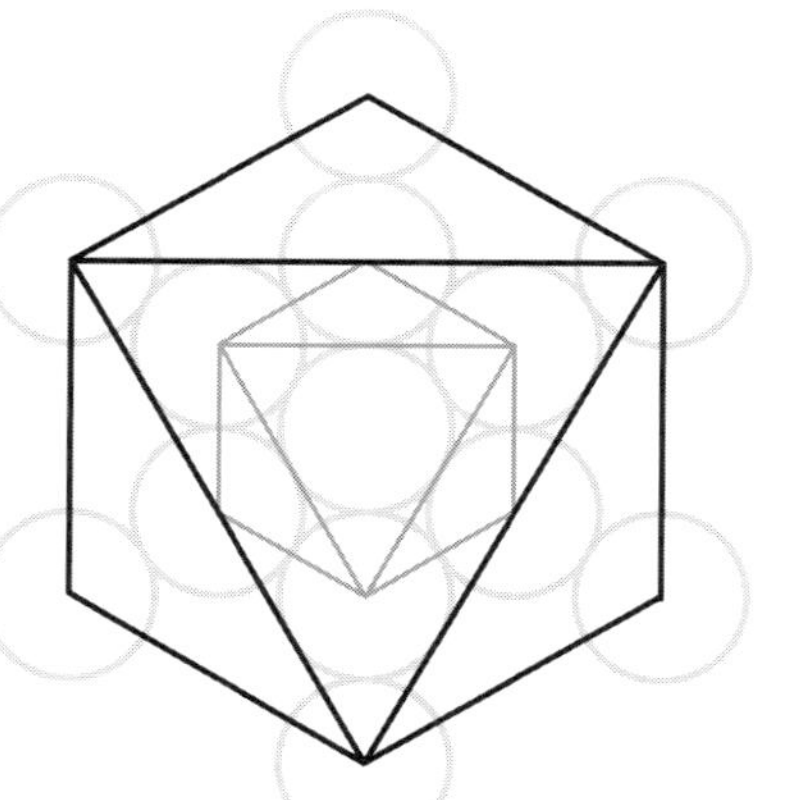

図6-18　メタトロン立方体から取り出された大小２つの正八面体

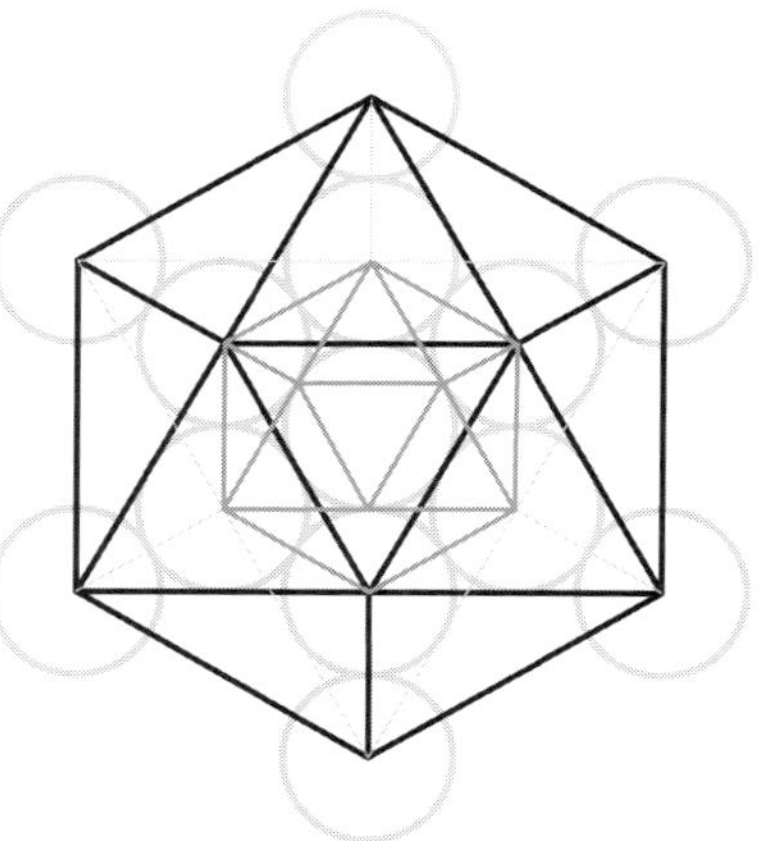

図6-19　メタトロン立方体から取り出された大小２つの正二十面体

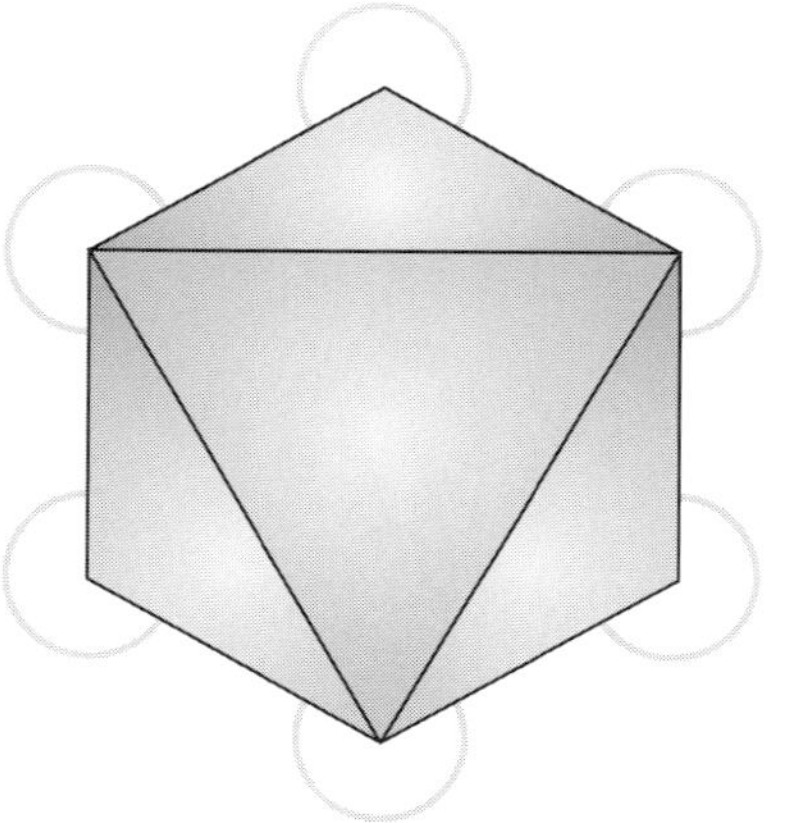

図6-18ａ　上図の大きいほうの正八面体を固体にしたもの

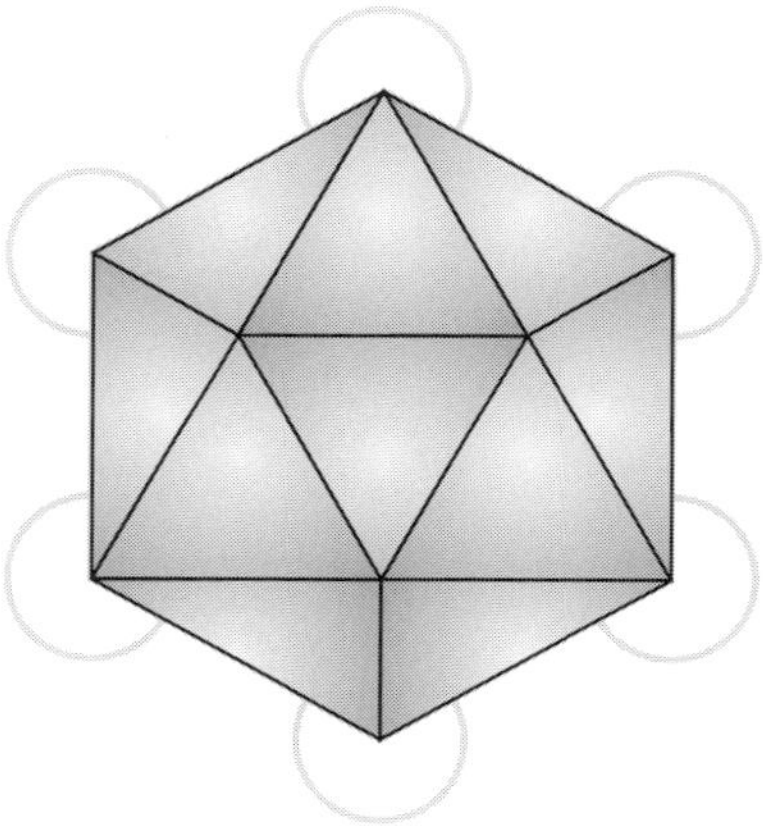

図6-19ａ　上図の大きいほうの正二十面体を固体にしたもの

立方体に見えますか？　実際には立方体の内側に、もう１つ小さな立方体が存在しています。こちらから見て背後にあたるところの線は、点線にしてあります。それらは立方体が固体である時には、見えません。**図6－16ａ**は大きいほうの立方体を固体として描いたものです（これがはっきりと見えていてほしいと思います、進むにつれてどんどん難しくなっていきますから）。

余分な線を消して一定の線を残すことによって現われる次の立体は、正四面体が重なり合った星型二重四面体です（**図6－17**）。これも立方体と同様に、実際には内側にもう１つの同じ形があり、２つの星型二重四面体が存在しています。**図6－17ａ**は固体にした大きいほうの星型二重四面体です。

図6－18は、正八面体の内側にもう１つの正八面体が存在しているのを特定の方向から見たものです。**図6－18ａ**はその大きいほうの固体像です。

図6－19は正二十面体の内側に、もう１つの正二十面体が存在している図、**図6－19ａ**はその固体像です。どういうわけか、こうすると見やすくなるでしょう？

「フルーツ・オブ・ライフ」の13の円からは、以上のような3次元的立体が現われるのです。

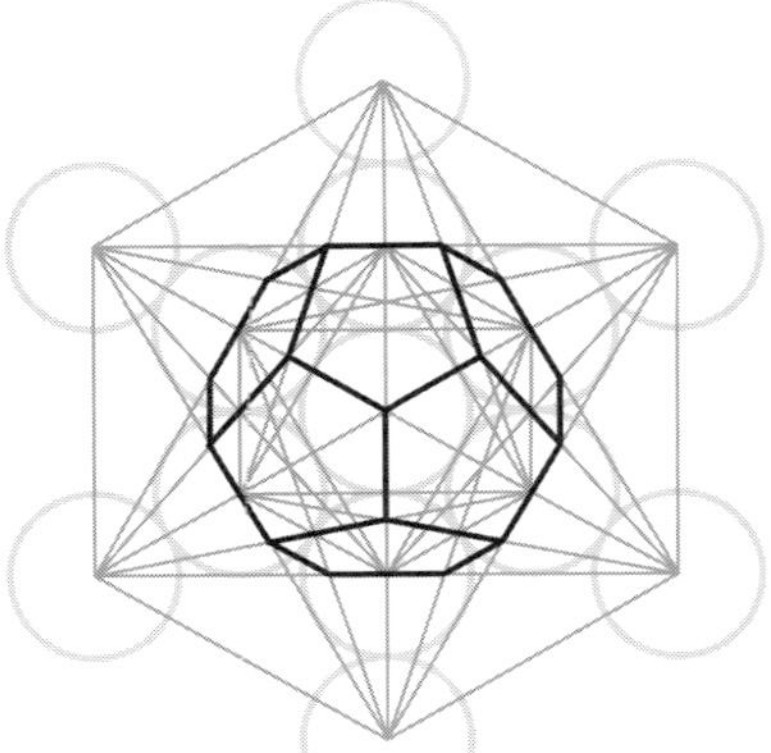

図6-21　メタトロン立方体の中の五角正十二面体

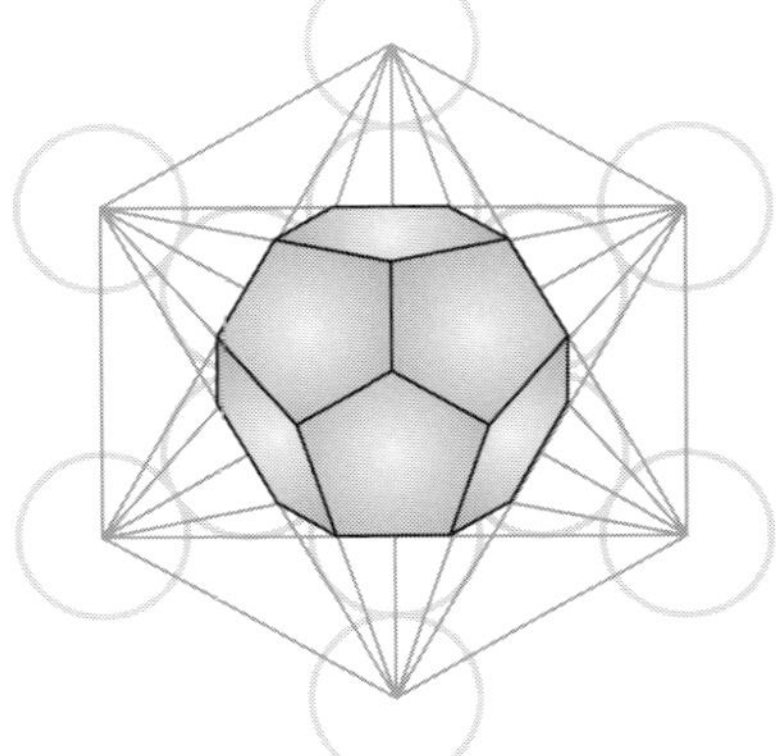

図6-21a　正十二面体を固体にしたもの

図6-20　サラミス・ヴァルフィングの絵画にある子供のキリスト

これはサラミス・ヴァルフィングによる絵で(**図6－20**)、子供のキリストが正二十面体の中に描かれています。それはまさにぴったりです。なぜなら正二十面体は水を表わし、そしてキリストは新たな意識の始まりとして、水の中で洗礼を受けたからです。

これは最後の５つ目の立体です（**図6－21**）──五角正十二面体が２つ、１つがもう１つの中に存在しています(ここでは単純化するために、内側にある正十二面体だけを表わしてあります)。**図6－21a**はその固体像です。

以上見てきたように、５つのプラトン立体はどれもメタトロン立方体(**図6－22**)の中に見出すことができるのです。

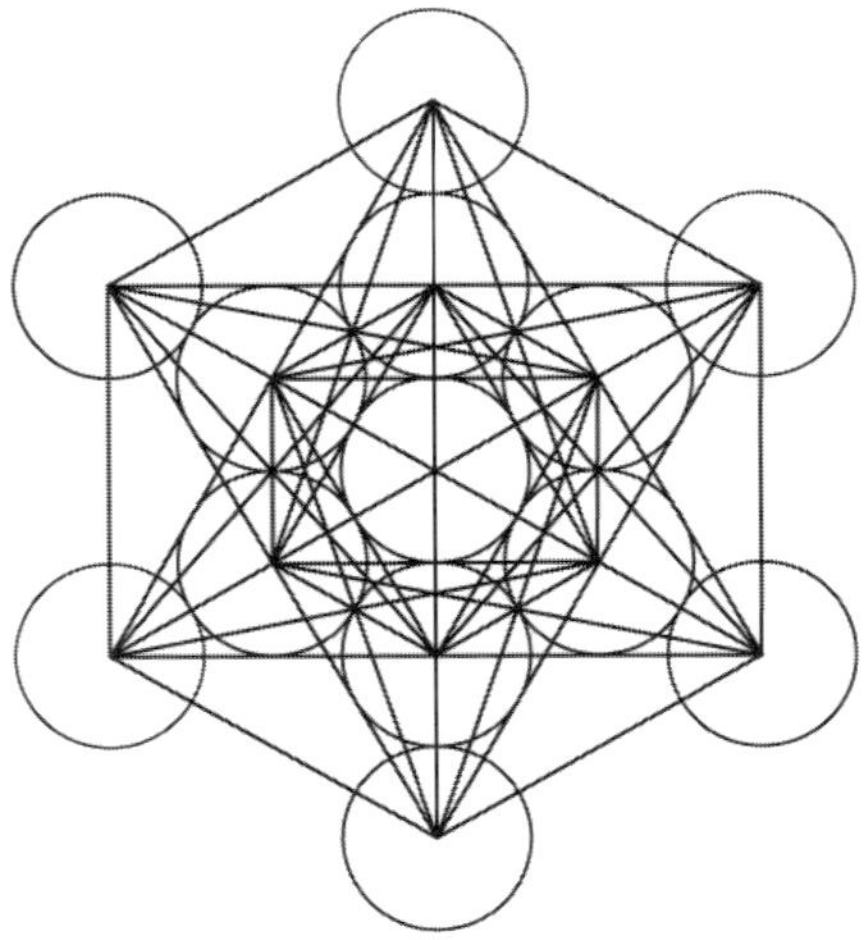

図6-22　メタトロン立方体

欠けていた線

私はメタトロン立方体の中に最後のプラトン立体である正十二面体（ドデカヒドロン）を見つけ出すまで、20年以上も費やしました。天使たちに「プラトン立体は全部ここに入っている」と言われた時からずっと探していたのに、正十二面体だけが見つからなかったのです。とうとうある日、一人の生徒がこう言ってくれました。「あの、ドランヴァロ、メタトロン立方体の線をいくつか書き忘れてますよ。」そう指摘され、私はまじまじと見つめてから「その通りだ、忘れてたよ！」と叫びました。中心をつなぐ線は全部引いたと思っていたのですが、何本か書き落としていたのです。欠けていたのはちょうど正十二面体を表わす線だったのですから、それが見つからなかったのも無理はありません。実際には全然そうではなかったのに、20年以上にもわたり、てっきりすべての線を書き終えたと信じ込んでいたのです。

これは科学界の大きな問題をよく表わしています。問題を解決したと信じきって、そのまま先へ進んでしまい、その情報を基本としてその上に積み重ねていくのです。科学は、たとえば真空で落下する物体などに関して解決せねばならない問題を抱えています。物体が落下する時はいつでも一定の比率で落下するものと見なしており、しかも高等科学の多くがこの基礎的な「法則」の上に築かれているのです。間違いだったことが証明されたにもかかわらず、科学はそれを使用し続けています。しかし、回転していないボールは、回転しているボールよりもずっと速く落下するのです。これに関してはいつか科学的に明らかにされる日がくるでしょう。

私がマッキーと結婚していた当時、彼女は神聖幾何学に深く傾倒していました。彼女のワークは女性的なもの（右脳の五角形的エネルギー）なので、私にはとても興味があります。マッキーは感情と色と形がいかにして結びついているかを示してくれました。実際、彼女は私が見つける以前にメタトロン立方体の中に正十二面体を見つけました。彼女は立方体を手にして、私には思いもつかなかったようなことをしたのです。ご承知のように、メタトロン立方体はたいてい平面に描かれていますが、実際には立体形です。それである日、私はメタトロン立方体を手にして、そこに正十二面体をさがしていたところ、マッキーが「それ見せて」と言いました。彼女はその3次元的な立体を手にとると、ファイ比率で回転させたのです（黄金比についてはまだ話していませんが、黄金比もファイ比率と同じで約1・618です）。立体をそのように回転させるなどということは、私には絶対に考えつかない類のことでした。そのあと彼女はそれを透かして影を映し出し、このようなパターンを得ました（図6−23）。

ですから、これはもともとマッキーが作って私にくれたものです。五角形Aを中心にして、Aから派生する5つの五角形（五角形B群）と、これら5つの五角形からさらに派生する五角形（五角形C群）は、正十二面体を広げた

黄金比（黄金分割）
線分をａ：ｂ＝ｂ：（ａ＋ｂ）になるように二分すること、あるいはその比率のことで、ファイ比率と同じ。黄金分割長方形とは長辺と短辺の長さがこの比率である長方形をさし、そこから導かれる螺旋を黄金螺旋という。

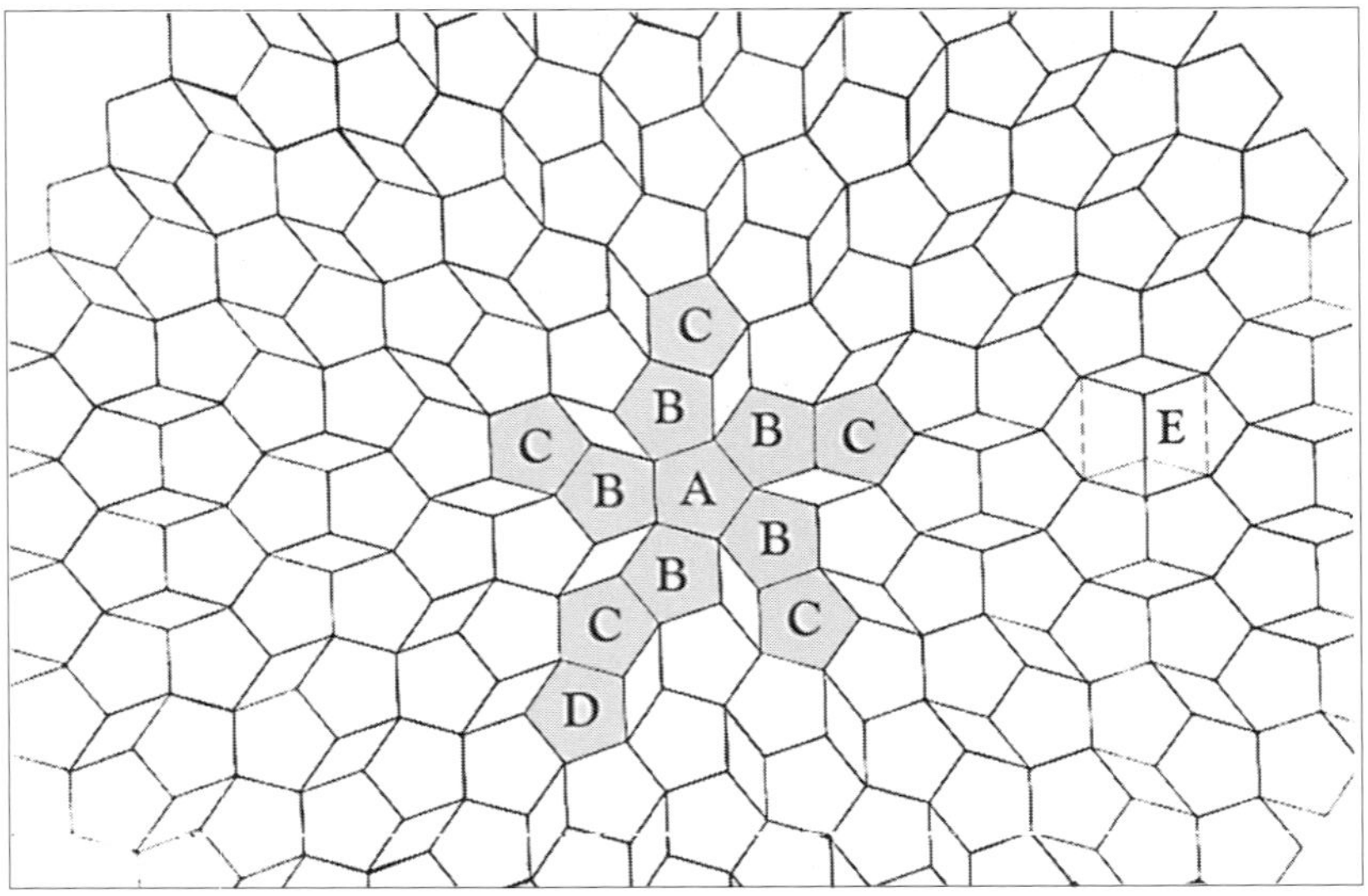

図6-23　マッキーがメタトロン立方体から起こした五角形デザイン。切り取って貼り合わせると立体的な五角正十二面体になる。

時の展開図になっています。「わあ、これはどんな正十二面体であろうと、とにかく自分にとってはじめての発見だ」と私は思いました。彼女はそれを3日でやってのけたのです。私は20年たっても見つけられませんでした。

私たちは一日中この絵を見つめて過ごした日もありました。それはとてもエキサイティングでした。なぜなら、どの線をとってもすべて黄金比で描かれていたからで

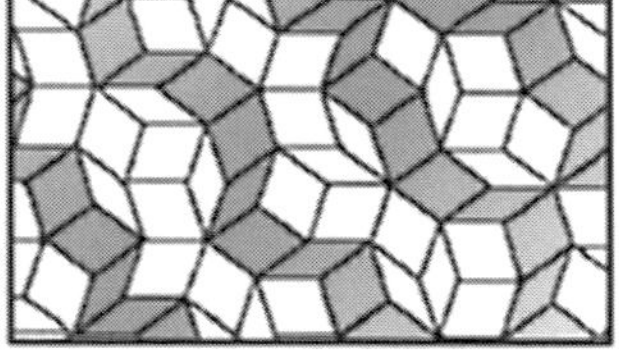

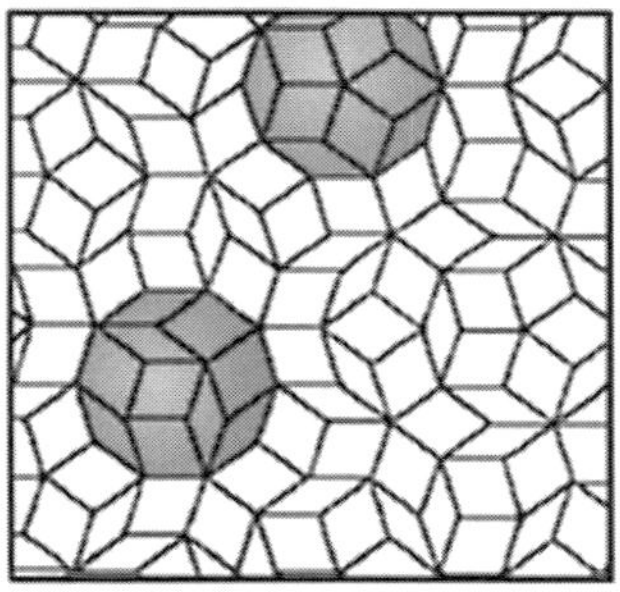

す。そして3次元的な黄金分割長方形がどこにもかしこにも見つかりました。その1つはEで、上下の2つのひし形が3次元的な黄金分割長方形の上面と底面で、点線部分が側面にあたります。これは驚くべきことです。私は「これが何かは知らないけれど、たぶん重要なものだと思う」と言いました。それ以上は別の機会にまた考えることにして、とりあえず私たちはそれを保留にしました。

準(クアジ)クリスタル

のちになって、私は最新の科学を知るようになりました。この新しい科学はテクノロジーの分野で劇的な変化を起こすでしょう。この新たなテクノロジーを使えば、みなさんに想像できるかどうかわかりませんが、冶金(やきん)学者

●付記 Update

デイヴィッド・アディアーによれば、NASAは最近、宇宙空間でチタンの500倍の強さを発揮し、しかも泡のように軽くてガラスのように透明だという金属を開発したそうです。それはこの原理にそって作り出されたものでしょうか。

によると金属をダイヤモンドより10倍以上も硬くすることができるというのです。それはとてつもない硬さです。

金属が研究されるようになってから長いこと、原子がどこにあるかを調べるためにX線回折が用いられてきました。あとでそのX線回折写真もお見せしましょう。一定のパターンが現われて、それによってある種の特定の原子構造のみが存在することがわかりました。そしてそれしか見つけられなかったので、研究すべきものはそれだけだと思い込んだのです。この姿勢は金属を作る能力を大きく制限しました。

ひところ『サイエンティフィック・アメリカン』誌でペンローズ・パターンを基本にしたゲームが流行っていました。ロジャー・ペンローズはイギリス人の数学者で、正五角形のタイルを平らな床に敷きつめる方法を見出そうとした相対主義者です。おわかりのように、平面を正五角形だけで覆うことはできません――どうやってもうまくいくはずがないのです。そこで彼は正五角形から派生した形である2つのひし形を考案しました。これら2つのひし形を併用することによって、さまざまなパターンで正五角形のタイルを平面に収めることができたのです。これらの形をつなげて新しいパターンを作り出すというゲームが1980年代の終わりごろに『サイエンティフィック・アメリカン』誌に載るようになり、そのゲームを見ていた一部の冶金学者が、物理学に何らかの新しい動きが現われたのではないかと気がつきはじめました。

ついに科学者たちは原子における新種のグリッド・パターンを発見しました。それはいつもそこにあったものを単に発見したというだけですが。これらのグリッド・パターンは、今では準クリスタル（クアジ）と呼ばれています。これは真新しいものです（1991年当時）。今は金属に可能な形とパターンが探求されているところです。科学者たちはこれらの形とパターンを使って、新たな金属を生み出そうとしているのです。私はマッキーがメタトロン立方体から得たパターンが、それらの究極であると確信していますし、どんなペンローズ・パターンもそこから発したと信じています。なぜかって？　それはすべてが黄金比だからです。それはメタトロン立方体の基本形から直接生まれたものです。私がとやかく言うことではありませんが、もしこのことが本当に真実ならば、いつか明らかになるでしょう。私だったら2つのペンローズ・パターンと正五角形を使う代わりに、そのパターン1つだけと正五角形を使うと思います（とりあえず提示しておくにとどめます）。この新しい科学にいま何が起きているのか、とても興味深いかぎりです。

この本がさらに展開していくにつれて、みなさんはどんな分野のどんなことも、神聖幾何学で詳細に描写できることがわかるでしょう。神聖幾何学で得られる知識をすべて使えば、完璧にあますところなく総合的に説明することなど不可能だと断定できるようなものは何一つありません。（知識と知恵の区別をはっきりさせておきましょう。知恵は経験を必要とします。）しかし、このワークでさらにもっと重要な目的は、あなたのまわりに生きたマカバのフィールドを作れるようにし、どうやってそれを使うかを伝えることです。私はいつもあらゆる種類の根源や枝葉について説明するために、あちこち脇道へそれながら、みなさんに考えてもらえる事項を何でもお話ししていきます。しかし、いつでも本流に戻ってきます。人間の光の体（ライトボディ）、マカバという一定の目的に向かっているからです。

私は神聖幾何学の研究に何年も費やした結果、どんなことであれ、知るべきことはその背後にある幾何学に着目することですぐにわかると信じています。あなたに必要なのはコンパスとものさしです——あれば助かりはしますが、コンピューターも必要ではありません。あなたの中にはすべての知識が入っており、単にそれを解凍すればよいだけなのです。いかにしてスピリットが大なる虚空（グレート・ヴォイド）を動くのかを表わした地図を学んでいくだけ、ただそれだけです。そうすればあなたはどんな謎についても解き明かすことができます。

まとめると、第一情報提供システムはフルーツ・オブ・ライフからメタトロン立方体を通してやって来たものだ、ということです。全部の円の中心をつなげることで、あなたは5つの立体を手にします。実際には、すべてが始まった中心の球を入れて6つになります。ですからあなたには、正四面体、立方体（正六面体）、正八面体、正二十面体、正十二面体、そして球という、6つの原型的な形が存在しているのです。

プラトン立体とその元素

これらの6つの立体形状は、古代の錬金術師やギリシャの父であるピタゴラスのような偉大な人々によって、図6-24のような元素の面を持っているはずだと考えられてきました。

正四面体（テトラヒドロン）は火と考えられ、立方体（キューブ）は土、正八面体（オクタヒドロン）は風、正二十面体（イコサヒドロン）は水で、正十二面体（ドデカヒドロン）はエーテルと見なされました。（エーテル、プラーナ、そしてタキオン・エネルギーはみな同じものを指しています。どこへでも広がっていき、どんな時空、どんな次元の地点へもアクセスすることができます。これはゼロポイント・テクノロジーの大いなる秘密です。）そして球は中が虚空になっています。これらの6つの元素は宇宙を組み立てるための素材であり、宇宙の性質を創造するものです。

錬金術では、たいてい火、土、風、水のみについて話します。エーテルあるいはプラーナに関してはあまりにも神聖なことなので、ほとんど言及していません。ピタゴラス学派では、「正十二面体」という言葉を学校の外で口にしただけで即座に命を奪われるほどでした。そのくらいその形は神聖なものだったのです。ですから議論さえしませんでした。その200年後、プラトンの頃の時代になってようやく語られるようになりましたが、それもたいへん注意深く言葉を選んでのことです。

なぜでしょうか？　それは、正十二面体はエネルギー・

●付記 Update

１９９８年、科学はナノ・テクノロジーというさらなる新しい分野へと足を踏み出したところです。金属やクリスタルの母型に入り込んで原子を再構成させられるという、顕微鏡レベルの「機械」が発明されたのです。１９９６年か１９９７年にはヨーロッパで、黒鉛からダイヤモンドを作り出すことに成功しました。このダイヤモンドは横幅が約1メートルもある本物です。準（クアジ）クリスタルの科学とナノ・テクノロジーが結びつけば、私たちの人生体験も変わってくるでしょう。１８００年代の終わりと今とを比べてみてください。

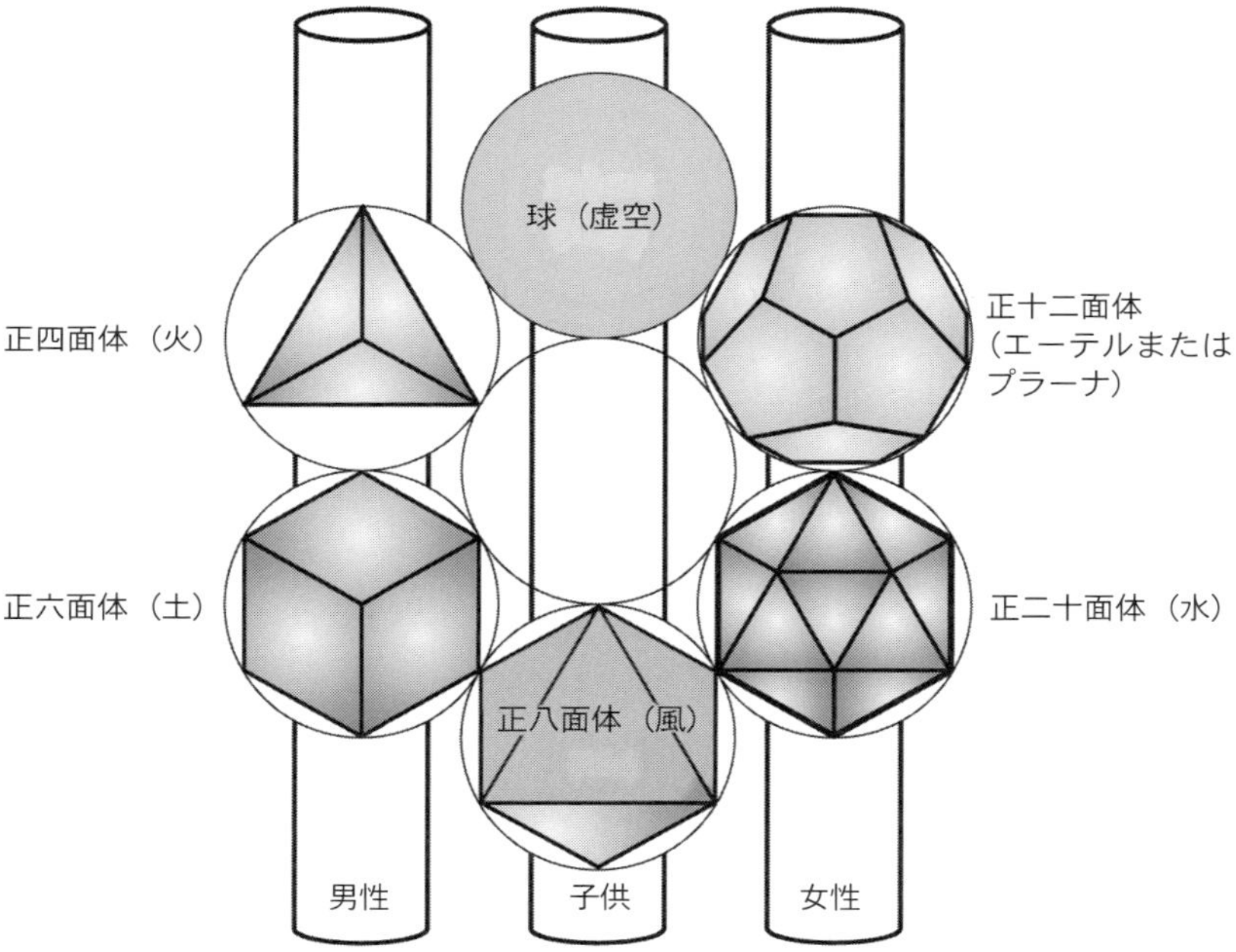

図6-24　６つの元素と６つの主要立体との関係を、二極性の三位一体を表わす３つの柱で表現した図
左（男性の柱）：左脳、陽子、３辺と４辺から成る面を象徴している。
中央（子供の柱）：脳梁、中性子を表わしている。
右（女性の柱）：右脳、電子、３辺と５辺から成る面を象徴している。
（エーテルはキリスト意識グリッドの基本的な形態である）

フィールドの外側のへり近くに存在している、最高次の意識形態だからです。自分を取り囲む約17メートルほどのエネルギー・フィールドの一番外側は球で、そのすぐ内側にある形は正十二面体（実際には正二十面体と結びついた正十二面体）なのです。付け加えるに、私たちは宇宙を包み込む巨大な正十二面体の中で生きています。あなたの心がとどく空間の果てに（果ては存在します）、球に囲まれた正十二面体が存在しているのです。私がこう言えるのは、人体は宇宙のホログラムであり、同じ原理を内包しているからです。占星学の12宮もその中に収まります。正十二面体は幾何学の終着点であり、たいへん重要なものです。顕微鏡レベルでは、正十二面体と正二十面体はすべての生命体の設計図であるＤＮＡの相関的な補助変数となっているのです。

この図の３つの柱と、生命の木（ツリー・オブ・ライフ）と、宇宙の３つの根本エネルギーを関連づけて見ることができます。男性（左側）、女性（右側）、そして子供（中央）です。あるいは宇宙の基本構造まで掘り下げて見ていくと、陽子が左、電子が右、中性子が中央になります。虚空から生まれる過程では正八面体から球へと変化したのを憶えていますか？ それは創造のプロセスの始まりであり、子供、つまり中央の柱の中に見出されます。

左側の柱には正四面体と立方体がありますが、それは意識の男性的要素で、左脳です。これらの多面体を構成する面は三角形か四角形です。中央の柱は右脳と左脳をつなぐ脳梁にあたります。右側の柱には正十二面体と正二十面体があり、それは意識の女性的要素で右脳にあたり、多面体を構成する面は三角形と五角形です。すなわち左側の多面体は3つか4つの辺でできた面を持ち、右にあるものは3つか5つの辺でできた面を持つのです。

地球の意識には、右の柱の要素が欠落しています。私たちはこれまで地球の意識の男性面（左側）を創造してきましたが、今は全体性とバランスのために女性的要素を完成させているところなのです。右側は、キリスト意識あるいは融合意識（ユニティ・コンシャスネス）と関係しています。正十二面体は地球のまわりのキリスト意識グリッドを構成する基本形です。右側の柱にある2つの形は「双対」の関係にあると言われ、その意味するところは、正十二面体のそれぞれの面の中心どうしを直線で結ぶと正二十面体ができて、正二十面体のそれぞれの面の中心を結ぶと、またまた正十二面体ができるというものです。こうした双対性（相互内包性）を持つ多面体はたくさんあります。

神聖なる「72」

ダン・ウィンターの著書『ハートの数学 *Heartmath*』には、DNA分子が正十二面体と正二十面体の双対性の関係によって構築されていることが紹介されています。DNA分子は、回転している立方体のようにも見えます。立方体をある一定のパターンで72度ずつ回転させていくと正二十面体が姿を現わし、そこから双対の関係にある正十二面体が導かれます。このように正二十面体から正十二面体になって、それからまた正二十面体になってと、2つの形をお互いに行ったり来たりする双対的パターンが、DNA螺旋中ずっとつながって続いているわけです。この立方体の回転がDNA分子を創造しているのです。まだもっと深い関係性がひそんでいるかもしれませんが、これがDNAの背後にある正確な神聖幾何学であると結論づけられています。

この72度という回転は、私たちのDNAを大いなる白色同胞団（グレートホワイト・ブラザーフッド）の目的や青写真に直結させてくれます。もうおわかりでしょうが、72という体制は大いなる白色同胞団と関係しているのです。多くの人が天使の72階級について、また、ヘブライ人たちは神の72の呼び名について言及しています。72である理由は、地球のまわりにあるキリスト意識グリッドとも関係しているプラトン立体がどうやって構築されたかに関わっているからです。

2つの正四面体を逆の方向から重ね合わせると星型二重四面体になりますが、これをある別の角度から見ると立方体になります（図6－25）。どういう関係になっているのか見てとれるでしょう。これと似たようなやり方で、正四面体を5個くっつけて、二十面体キャップを作り上げることができます（図6－26）。

この正二十面体キャップを12個作って、正十二面体のそれぞれの面にくっつけると（正十二面体のためには、5×12で60個の正四面体が必要です）、すべての面の中心が突き出た星冠正十二面体（ステイレーテッド・ドデカヒドロン）になります。この双対性とは、正十二面体のそれぞれの面の中心となる12の点が正二十面体を形成するというものです。60個の正四面体と、中心の12点を合わせると72です――またもや大いなる白色同胞団の体制と関係する数字が出てきました。同胞団は、実際には世界を包み込むキリスト意識グリッドの基本である、この正二十面体／星冠正十二面体の形を通して物理的関係を機能させています。別な言い方をすれば、同胞団は惑星の右脳の意識を浮上させようとしているのです。

もともとの聖師団はアルファ-オメガ・メルキゼデク聖師団で、それはマキヴェンタ・メルキゼデクにより約2万2000年前に結成されました。そのあとで71の聖師団が創設されました。一番新しく出来たのはペル-からボリビアにかけて存在する72番目の七光線聖師団です。

72聖師団のそれぞれが、ある一定の時間だけ存在しにきて、その後しばらく消えていなくなるという、サイン波のような生命パターンを持っています。彼らにも人体のようなバイオリズムがあるのです。たとえばバラ十字会員は１００年ごとのサイクルで活動しています。彼らは文字通り地球上から消えていなくなるのです。それから１００年たつと、また１００年間機能するようになっています。

聖師団はそれぞれ異なったサイクルに従って、全員が１つの目的のために機能しています。その目的とは、この惑星にキリスト意識をよみがえらせ、失われてしまった女性的な意識面を設定しなおして惑星の脳の左右にバランスをもたらすことです。これについてはもう１つ、実にものすごい見方があります。イギリスの話をする時にそれをお話ししましょう。

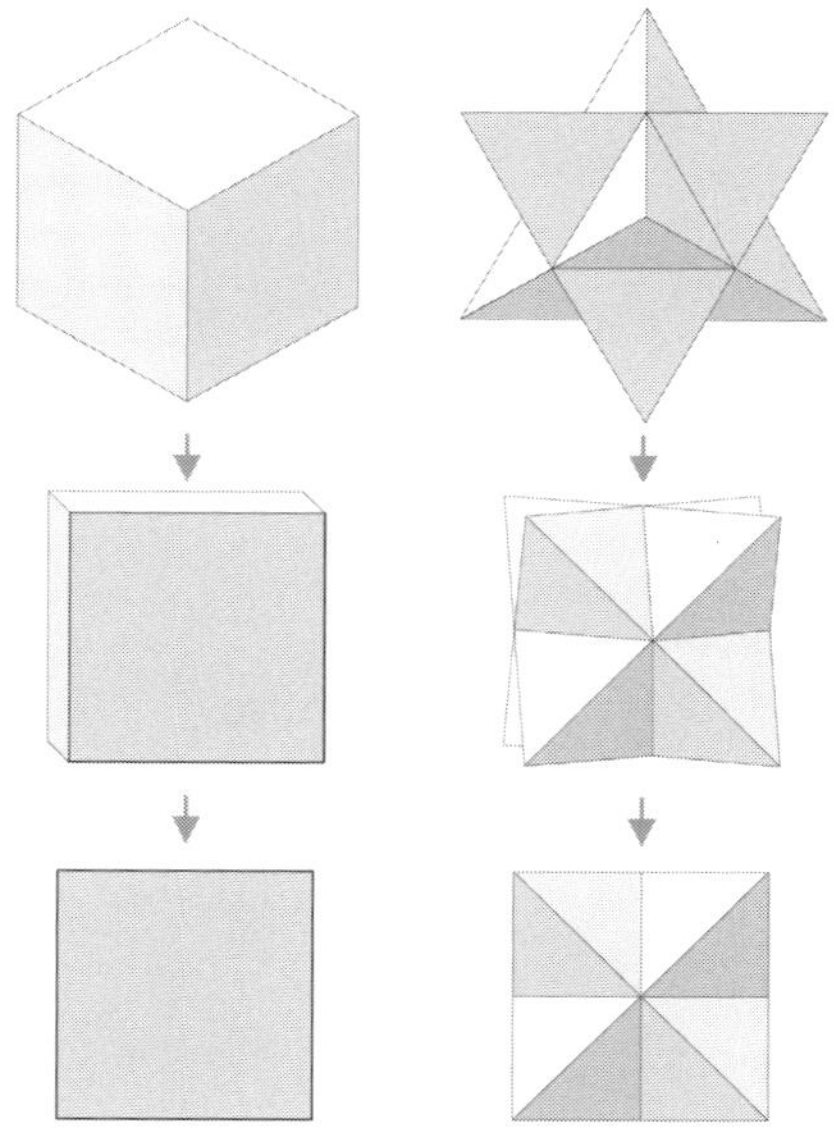

図6-25　星型二重四面体の四角がよくわかるように、立方体と星型二重四面体を隣に並べてみる

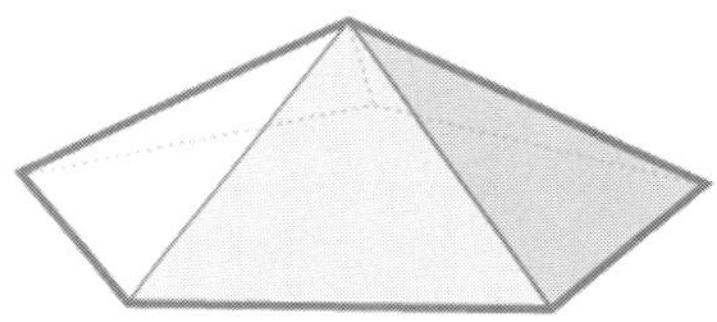

図6-26　正二十面体キャップ

爆弾の使用および、創造の基本パターンを理解すること

◆質問　原子爆弾の使用は、元素にどんな影響を与えるのですか？

元素自体に関して言えば、エネルギーや他の元素に転換されていきます。しかしまだその先があります。原子爆弾には核分裂と核融合の2種類があります。核分裂は物質を分割し、核融合は物質を合体させるものです。合体させるほうは問題なく、それに関して文句はありません。宇宙中で知られるすべての太陽は核融合反応炉です。これが科学では受け入れられていないことは承知していますが、核分裂によって物質を引き裂くとき、それに対応して

バラ十字会
エジプト神秘学派の流れを汲み、イクナートン王により創設されたともいわれる。17世紀、ドイツのクリスチャン・ローゼンクロイツ（ドイツ語でバラ十字の意）の名で本が出版され、ヨーロッパ各地に普及した同人組織。

図6-27　形の関係性

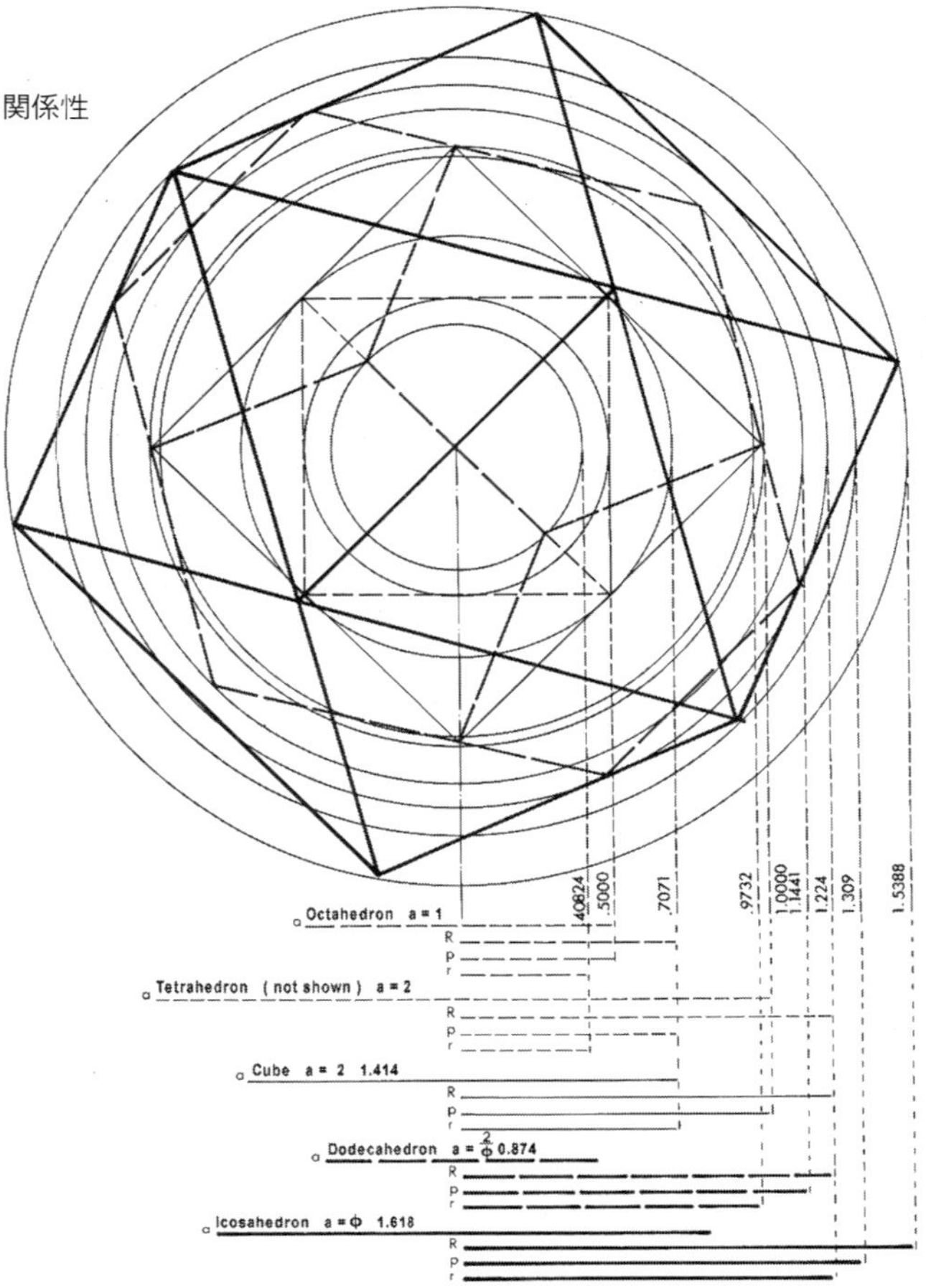

いる外宇宙のどこかの部分が影響を受けるのです――上のごとく下もかくあり、です。言葉を換えれば、内宇宙（小宇宙）と外宇宙（大宇宙）はつながっているということです。そのために核分裂は宇宙全体で禁止されているのです。

原子爆弾の爆破は、地球に対して莫大な不均衡をもたらすことになります。たとえば創造は土、風、火、エーテルをバランスよく生み出してくれたのに、原子爆弾は1カ所に途方もない量の火を作り出します。それでバランスが崩れてしまうので、地球は対応せざるを得ません。

もし80億兆トンもの水が1つの町の上に降ってきたりしたら、それもまたひどいアンバランスを引き起こすことになります。風（空気）が多すぎたり、水が多すぎたりと、何かが過剰になればバランスは崩れるのです。錬金術はいかにしてこれらのバランスを保つかという知識です。あなたもこうした幾何学を理解して、その関係性を知れば、何でも創造できるようになります。なぜこんなことを学んでいるのかというと、すべての事象の関わり合いの地図を理解するためなのです。思い出してください、その地図はスピリットがいかにして虚空を動くかを描いたものです。もしあなたが根底に流れる地図を知れば、神と一緒に共同創造するための知識と理解を持つことになります。

図6―27は、これらすべての形の関係性を示したものです。それぞれの点が次の点につながっていて、そのすべてがファイ比率に関わる一定の数学的相関性を持っています。これについてより深く研究すればするほど、この5つの形が1つになっていきます。私たちはこの古代の科学をようやく最近になって思い出しはじめたところですが、古くはエジプト、チベット、インドにおいて完全に理解されていたものです。ギリシャでも理解されていましたが、その後すっかり長いこと忘れ去られてしまい、イタリア・ルネッサンス期に思い出したと思ったら、すぐにまた忘れてしまいました。現代世界は「形」がどんな意味を持つのかをほとんど完全に忘れてしまっており、私たちはようやく今それを思い出しつつあるところなのです。

クリスタルについて

学んだことを馴染ませよう

さて、この私たちの日常にはまるで関係なさそうな抽象的な情報を、日常的な体験につなげていくことにしましょう。なかには日常の体験とは言えないものもありますが、多少とも内容を理解する手助けになるでしょう。

最初に、この情報をクリスタルを使って馴染ませようと思います。ほかにもいろいろと自然界のものを使えますが、クリスタルなら誰でも明らかにわかるので、これを使うことにします。ウイルスとか珪藻土なども用いることができます。いろんなもので説明できますが、みなさんクリスタルは好きなので、これがいいと思います。

クリスタル
原子が幾何学的に配列している、結晶構造をもつ鉱物や岩石。二酸化珪素の結晶が石英であり、なかでも純粋で透明なものを水晶（クオーツ・クリスタル）と呼ぶ。水晶にはクリアクオーツ、ローズクオーツ、アメジスト、シトリンなど色によって数多くの種類がある。

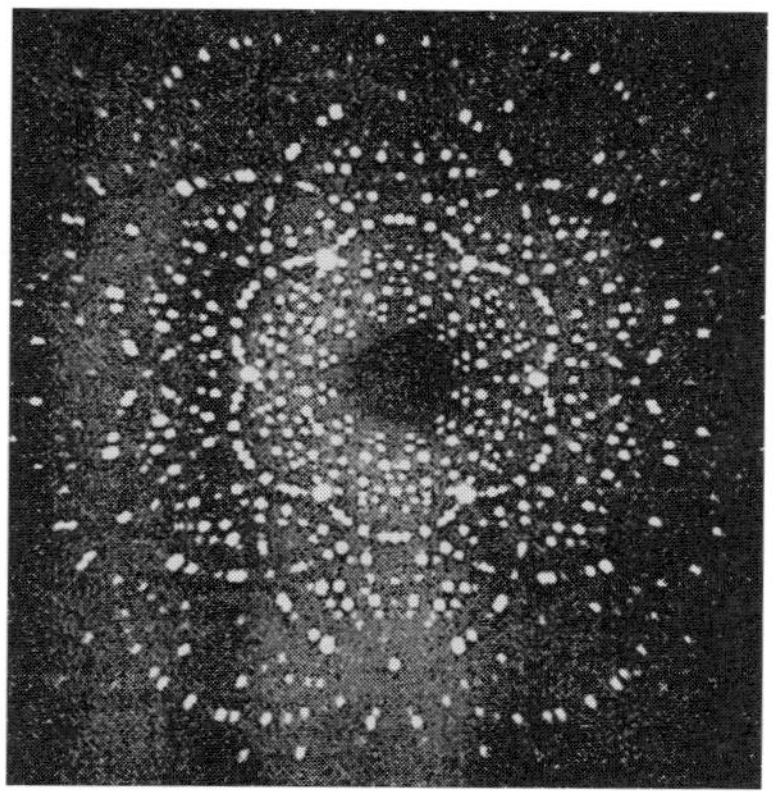

図6-28　緑柱石クリスタルの原子のパターン

クリスタルを見ていくにあたって、まず最初にX線回折パターン（図6−28）を見てみましょう。クリスタルや金属の原子構成基質のC軸にそってX線を照射すると、原子がどこにあるのかを正確に表わす小さな光の粒が映ります。これは実際にフラワー・オブ・ライフのパターンを投射している緑柱石（ベリル）クリスタルです。緑柱石クリスタルはこのパターンで原子を構成し、こうした特殊な結晶を形成するのです。これらの小さな原子たちはしばしばお互いの間に相当な距離があるというのに、空中でさっときれいに整列しているさまを見ると、本当に驚かされます。これらの顕微鏡的宇宙には、夜空に浮かぶ星と星の間のようにかなり大きな距離があります。それでも原子たちは、みずからを完璧な立方体（キューブ）や正十二面体（ドデカヒドロン）などの幾何学形状にそって並ばせるのです。それは一体なぜなのでしょう?

次もクリスタルのX線回折パターンです（図6−29）。原子が立方体のデザインに並んでいるのがわかるでしょう。この現実世界にはすべての形が具象化されているというのに、原子それ自身が球であるのは興味深いところです。この単純な事実はほとんどの研究者が見過ごしてきましたが、球はそこからすべてが派生した最初の形な

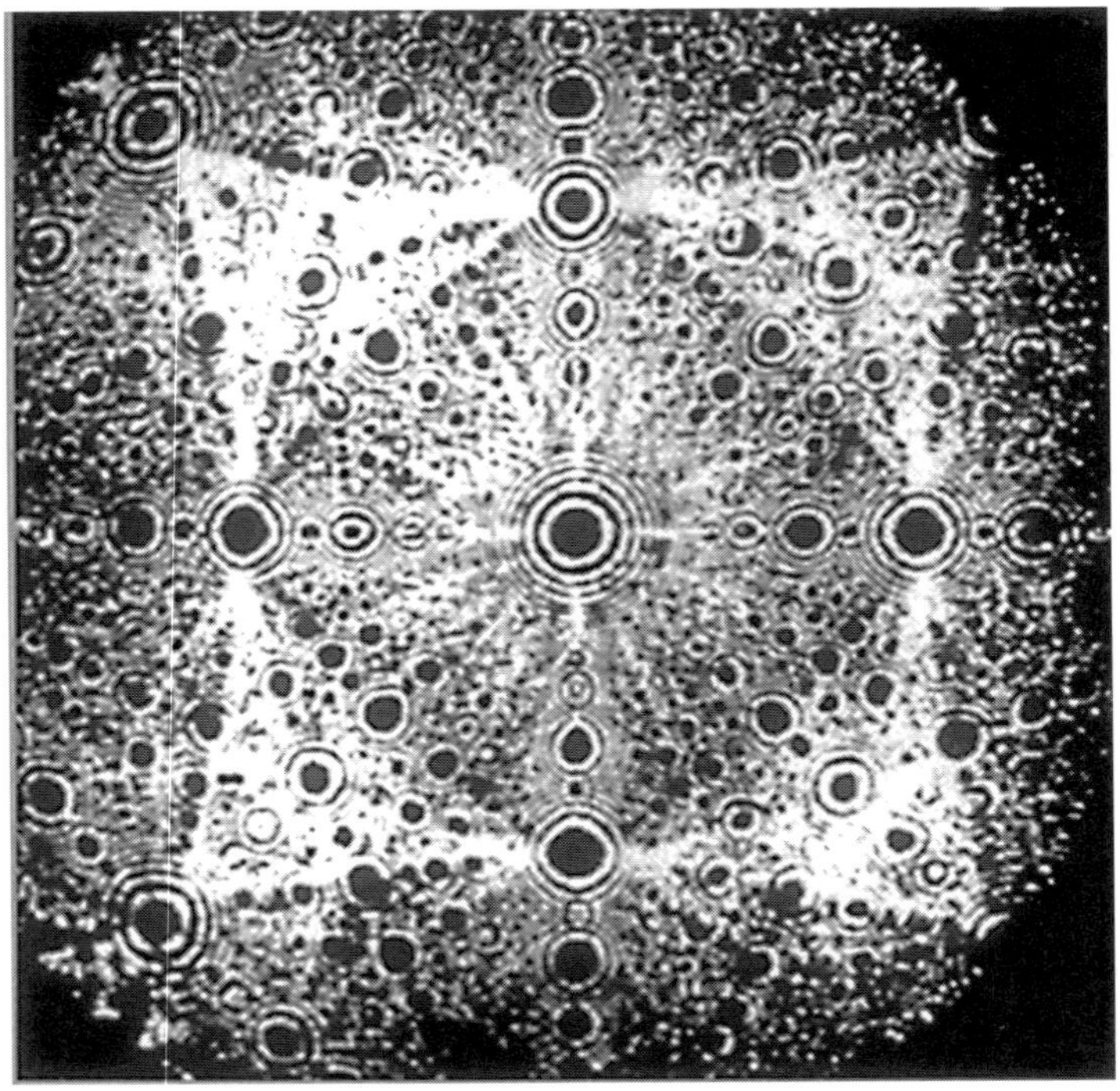

図6-29　クリスタル基質の原子のパターン

のです。これは創造を理解するうえで大切なポイントです。

　私たちあらゆる存在の全体的な基本構造はみな「ビー玉」で構成されています。つまり、いろんなサイズの球ということです。私たちは地球という球の上にいて、球体が私たちのまわりを回転しています。大宇宙から小宇宙まで、宇宙全体はさまざまに小さな球が組み合わさって成り立っているのです。宇宙を貫く光の波動はすべて球状です。私たちは光の波動と聞くとすぐに光が波形を描きながら空間を通過していくかのように想像しがちですが、それはもっと複雑な過程です。光の波動のまわりには電気の場が一定方向に回転していると同時に、磁場がその電気の場に対して90度の角度で回転して、球状に拡大しているのです。

　宇宙の奥深くに立方体を想像して、そこから強烈な光が360度すべての方向にちかちか発せられているところを思い描いてください。どうでしょう。光が立方体の形に広がっていくのが見えますか？　最初は立方体が限りなくどんどん大きくなっていくように見えるかもしれません。光の波動は毎秒約30万キロメートルという途方もないスピードで急速に発信源から遠ざかります。ですからこの立方体の表面から発せられた光は、1秒後にはすでに約30万キロの彼方にあるわけです。そして立方体の角の部分から発された光は、面の部分よりもちょっと中心から離れているために、1秒後には約30万キロプラス約2・5センチほど遠くにあることになります。もし約30万キロ先で2・5センチが見えるとしたら、スーパーマンみたいな眼を持っていることになります。それはわずか1秒間のことで、2秒後にはその形は2倍に膨れ上がり、1分たてば巨大なものになっています。

　したがって立方体から始まったものが球状に拡大放射されていくのです。もし物体がとても大きければ、光の波動は最初はその物体の形状を保とうとしますが、離れるにつれてどんどん球に近くなり、もともとの物体は光のフィールド全体との相対性から見ればどんどん小さくなっていきます。そして外側のほうでは、一連の光の球がお互いに交じり合いながら全方向に広がり続けているというわけです。

自分のほうに向かってくる光を見つめると、それは白です。しかし、もしまっすぐに自分に向かっていない場合には黒に見えます。本当は夜空全体はすばらしく真っ白な光で満たされているのですが、私たちは自分のほうにやってくる光のみを見ているのです。もし全部が見えたとしたら、まぶしくて何も見えないことでしょう。光はどこにでもあり、私の知るかぎり、宇宙に光のない場所はどこにもありません。ですから文字通り、どこもかしこも球だらけなのです。

電子雲と分子

原子もまた球からできています。水素原子を見ると、中心には陽子があり、そこからずっと離れたところを電子が軌道を描いて回っています。陽子がゴルフボールの大きさだとすると、電子はサッカー場の大きさほど離れたところを回っていることになります――しかも電子は凄まじいスピードで動いているのです！ 私は物理学を勉強していたとき、見ることもできないような針の先ほどの電子が、なんと光速の10分の9もの速度で顕微鏡レベルの空間を行ったり来たりしているということがどうしても信じられませんでした。電子は見えもしない陽子のまわりを毎秒約27万キロメートルで回っているというのです。私はその考えに、ただ呆然とするばかりでした。家へ帰ってベッドに横たわり、長いあいだ天井を見つめていたものです。私には理解の域を超えていました。

そんなものすごいスピードで運動し続ける小さな電子は、雲のように見えます。実際それは「電子雲」と呼ばれています。そこにあるのはたった1個の電子ですが、あまりにも速いスピードで動いているために、中央にある陽子のまわりに球体を作っているように見えます。それはテレビのスクリーンのようなものです。たった1個の電子ビームが一瞬一瞬スクリーンを横切り、ジグザグに行き来しながら慎重に意図的に画面を下りて、一番下まで着くとまたそれを繰り返すというのに似ています。あまりにも動きが速いために、きわめて本物らしい画像に見えるのです。

ですから、「球」は私たちが経験している現実（リアリティ）を構成する根本的な要素なのです。電子の軌道は球状とされていますが、8の字型などのパターンを描くとも言われます。物理学ではこれについて、水素だけは算出できていますが、その他についてはまだ仮説の段階です。電子の数が多すぎるか少なすぎるかして、プラスかマイナスに傾いている原子をイオンと呼びます。ですから、1つの原子の基本的な性質は、イオンの大きさとプラス・マイナスによって決まります（**図6-30**）。これらの主な2つの要素は、さまざまな原子が分子の中に収まりきるかどうかを決定します。そのほかにも細かい要素が関連してはいますが、基本になるのは大きさとプラス・マイナスです。

図6-31は原子が結びついている様子を表わしたものです。これらは準クリスタル（クアジ）が発見されるまでは、長いこと根本的なパターンとして知られていたものです。この表にはいくつかの原子のパターンが示されています。Aは小さな原子を真ん中に持つ平たいパターンです。Bは小さな原子が真ん中にあって、他の3つで三角形のパターンを作っています。小さな原子は文字通りそこに存在することもあれば、存在しないこともあります。Cは正四面体（テトラヒドロン）パターンで、真ん中に原子がある場合とない場合があります。Dは正八面体（オクタヒドロン）パターン、Eは立方体（キューブ）パターンです。さらに新たな科学的情報のおかげで、正二十面体（イコサヒドロン）パターンと正十二面体（ドデカヒドロン）パターンもあります。

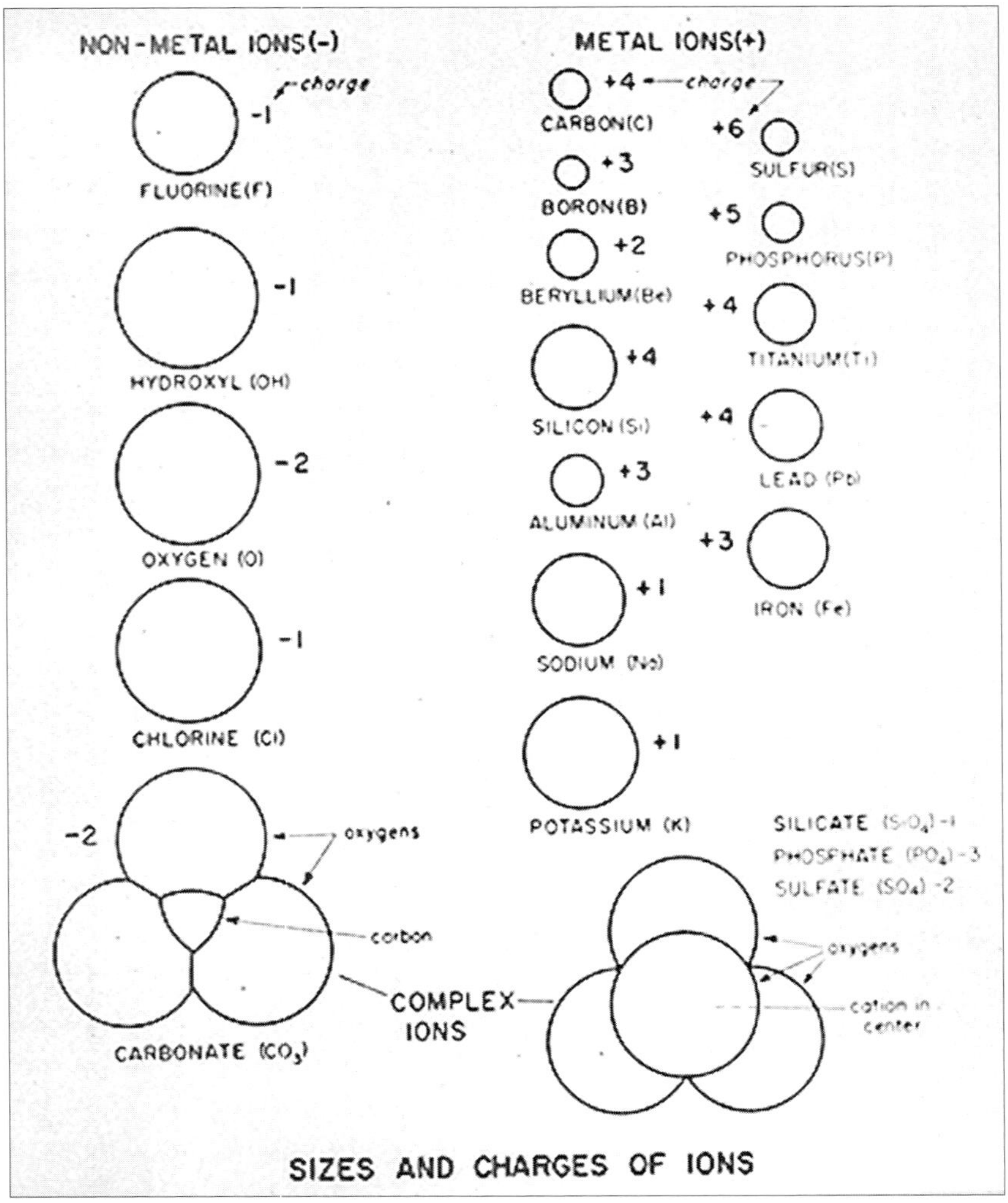

図6-30　イオンの大きさとプラス・マイナス

　結晶化するとき、原子は必ず決まった配列の仕方で並びます（**図6-32**）。たとえば立方体に並んだ場合、その立方体の隣にまた立方体ができて、さらに別の方向へも立方体が形成されていくというようにどんどん立方体状につながり、「格子（ラチス）」と呼ばれるものを構成します。原子の結びつき方には多くのパターンがあります。その結果できる分子は、常に神聖幾何学とプラトン立体に関連したものです。こんな小さな原子が一体どうやってそれぞれ自分の行くべき場所を知る

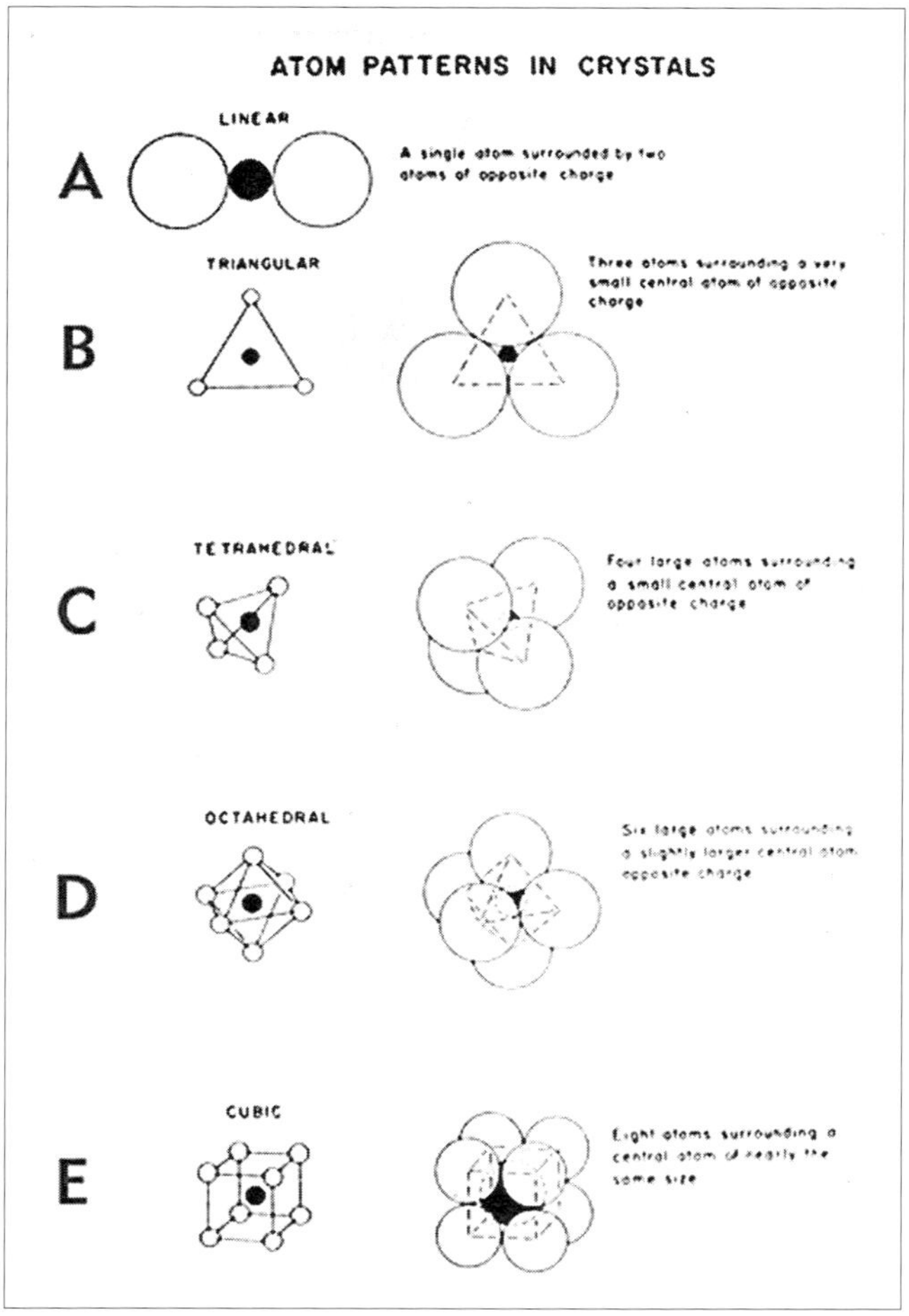

図6-31　クリスタル中の原子のパターン

のか、特にそれが非常に込み入った複雑なパターンを作り上げる時には、まったくもって不思議さに打たれます！

図6－33のような複雑な構造を持つ分子であっても、細部を見ていくとその中には形があり、それらは常に5つのプラトン立体のどれかに帰すものとなっています――どんな構造であろうとそうなのです。金属、クリスタル、そのほか何と名づけられたものであっても、それらはいつも根源的な5つの形のどれかに導かれます。あとでこういう例をもっとお目にかけましょう。

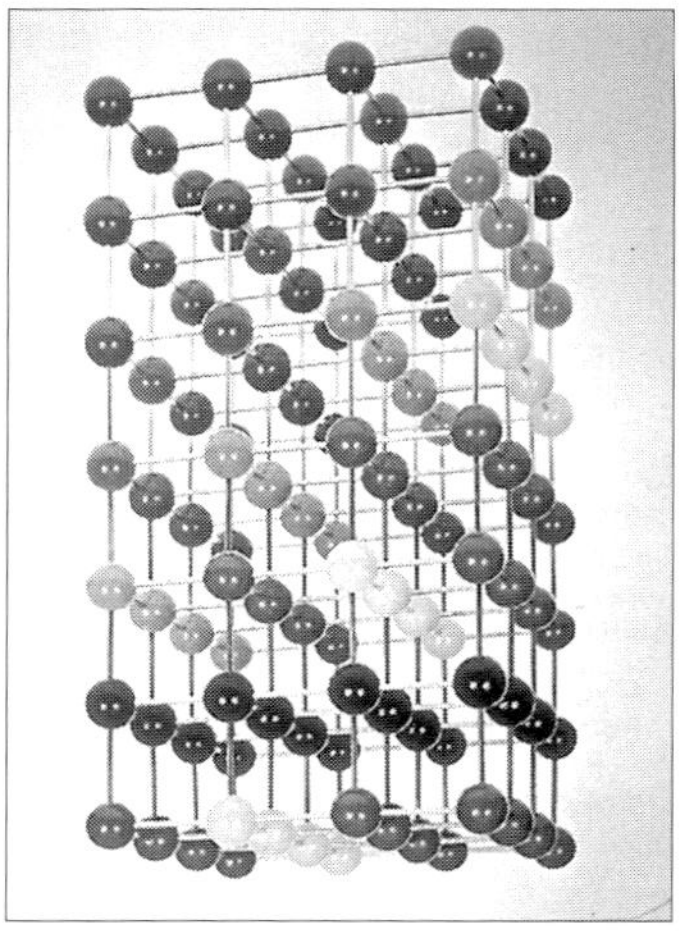

図6-32　原子の単純な形の格子

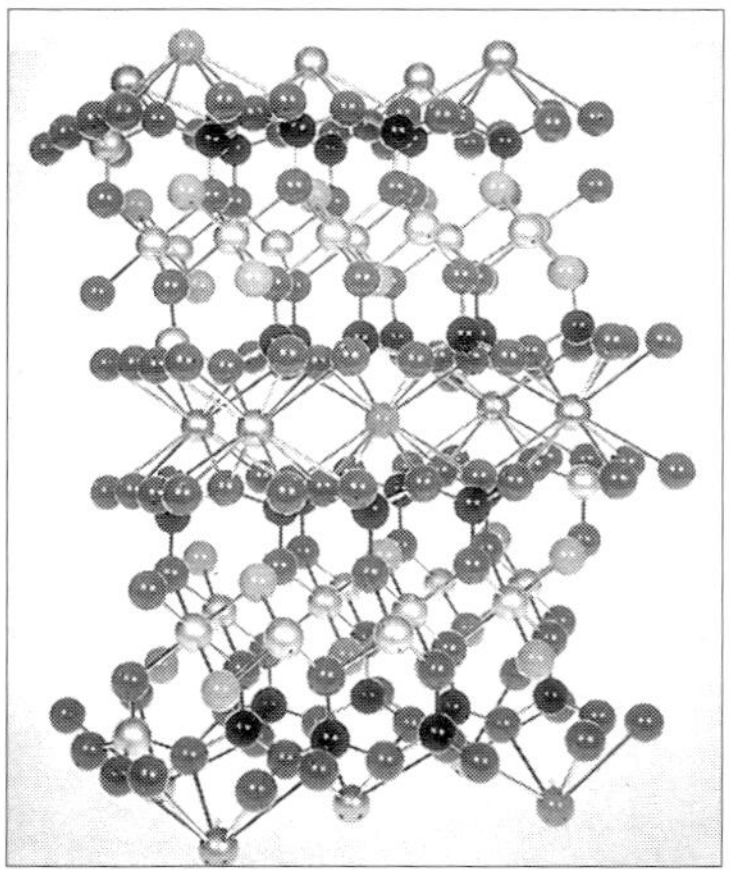

図6-33　複雑な分子構造

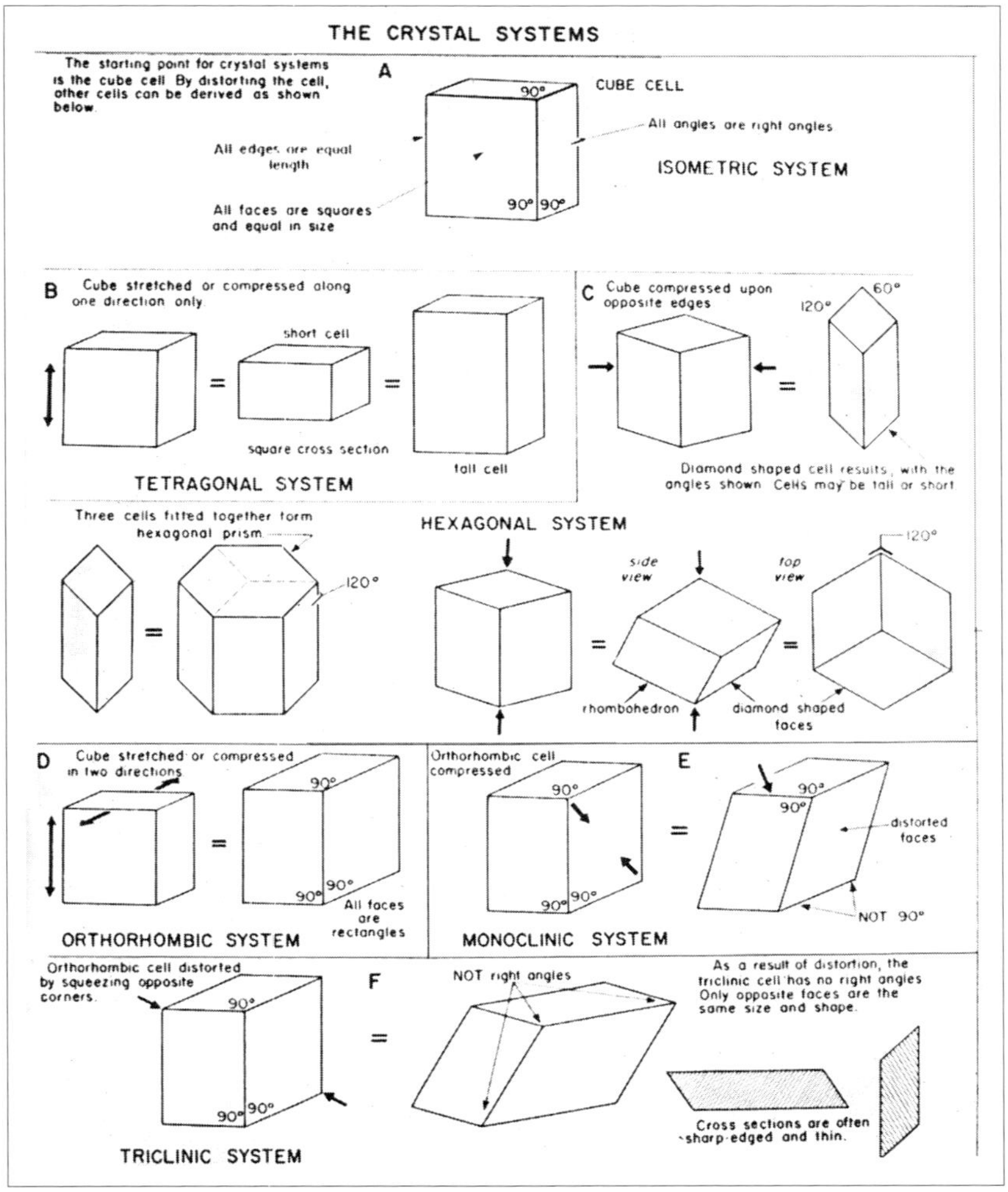

図6-34　結晶構造

クリスタルの6つの分類

さて、それではクリスタルのさらに深い部分について話していきましょう。クリスタルは少なくとも10万種類ほど存在しています。もしあなたがトゥーソンの貴石鉱物展示会に行ったことがあるなら、私が何を言おうとしているかおわかりでしょう。この展示会では8軒から10軒のホテルを借り切って、全フロア、全部屋がクリスタルで埋めつくされます。ホールではあらゆる宝石を見ることができます。クリスタルは実にたくさん、ひたすら多くの種類が存在しているのです。そしてまだまだ見つかっています。少なくとも毎年まったく新しい未知のクリスタルが8～9種類とか、10種類くらい発見されています。しかしどれだけ多くのクリスタルがあろうと、すべてを6つの分類に収めることができます。すなわち等軸晶系、正方晶系、六方晶系、斜方晶系、単斜晶系、そして三斜晶系です（**図6−34**）。知られるかぎりのすべてのクリスタルはこの6つの結晶構造のどれかに該当しますが、どの結晶構造をとっても、すべてプラトン立体の1つである立方体から派生しています。立方体を正面からまっすぐ見るのではなく、違う方向から見ると、四角形、六角形、または長方形に見えます。さて、ここからが面白くなっていくところです。少なくとも私にはそうですが、みなさんにもそうであるように願っています。

これらはフローライト(螢石)のクリスタルです(図6-35a、b)。フローライトは透明も含め、あらゆる色のものが産出されます。主な産地は世界に2カ所あります。1つは合衆国で、もう1つは中国です。フローライトには、まったく原子構造の異なる2つのタイプが見つかっています。一方は正八面体の原子構造を持ち、もう一方は立方体なのです。この紫色のフローライト・クリスタルは、小さな立方体がたくさん集まって出来ているものです。こういうふうにカットされたわけではなく、この形に成長したのです。透明なフローライト・クリスタルのほうはまさに正八面体をしています。これもそのようにカットされたのではありませんが、かといってこの形に成長したわけでもありません。たいていは岩床状に成長していますが、それを落としたり叩いたりすると、結合力の一番弱いところにそって割れるのです。フローライトが正八面体に割れるのは、その原子が正八面体の格子を形成しているからです。それを硬い床に落とせば、たくさんの赤ちゃん八面体になります。

図6-35 b　正八面体構造を持つフローライト・クリスタル

図6-35 a　立方体構造を持つフローライト・クリスタル

さらに興味深いことに、フローライトは1つの形から別の形へと成長することがわかっています。立方体タイプから正八面体タイプへと変わり、そしてまた立方体タイプに戻るのです。長い時間で見れば、立方体のクリスタルはいつしか自然に八面体になり、そして八面体のフローライト・クリスタルはいつか立方体になります。それらは時間をかけてゆっくりと、まずどちらかに成長し、その次にもう一方へと成長するということを繰り返しているのです。地質学者たちは変化しつつある最中のフローライト・クリスタルを発見しましたが、なぜそのように反復運動をするのか理解できませんでした。

多面体の切頭

ある地質学の本は、フローライトがどうやってこのように変化するかを次のように説明しています(図6−36)。右下に立方体があります。すべての角を同じ分量ずつ切り取ることを「切頭」といいます。たくさんの立体がありますが、どんな多面体であっても切頭できます。この場合は立方体ですが、それぞれの角か辺、あるいは面を等量ずつ切り取ることができます。

この立方体の角をすべて45度で切頭すると、図の一番下の右から二番目のようになります。同じことをもう一回行なうと、その左隣の形になります。

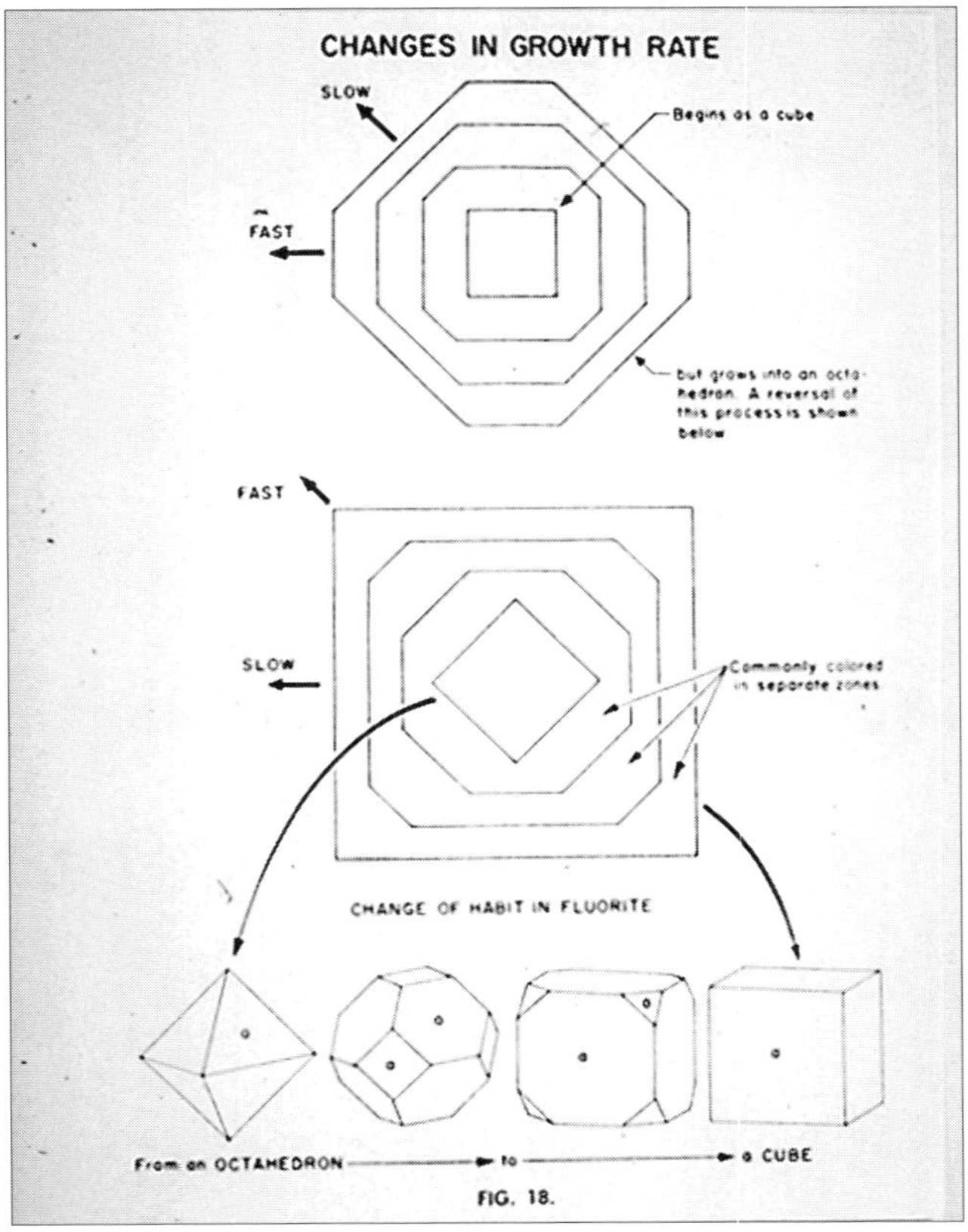

図6-36　フローライト・クリスタルの結晶

さらにもう一回繰り返すと、正八面体になります(左端)。逆に、正八面体を立方体になるまで角を切頭していくこともできます。これは地質学の本で、フローライトがどのように形を変えていくのかを説明しようとしたものです。ですから、実際にこの変化がどう幾何学的に起こり得るかということのみを述べています。しかしフローライトが変化する時には、本当はもっとたいへんなことが起きているのです。実際に別の原子格子構成に変化するためには、イオンは回転し、拡大または収縮するのです！ それは、その本に書かれているよりもずっと複雑なことです。

これはまた別なフローライト・クリスタルで(図6−37)、私の持っているものの1つです。ものすごく大きくて一辺が10センチくらいあります。こんな大きいものにはなかなか巡り会えないでしょう。よく見えないかもしれませんが、中央が盛りあ

図6-37　著者の所蔵する
フローライト・クリスタル

がっています。フローライトの結合力はとても弱いので、陽の当たる窓ぎわに置きっぱなしにしておいたら、直射日光の力で割れてしまったのです。もちろん、原子の正八面体構造にそって壊れました。

図6–38の右上は立方体です。これを二回切頭すると、十二面体になります。これはクリスタルにおける、立方体／十二面体の例です。

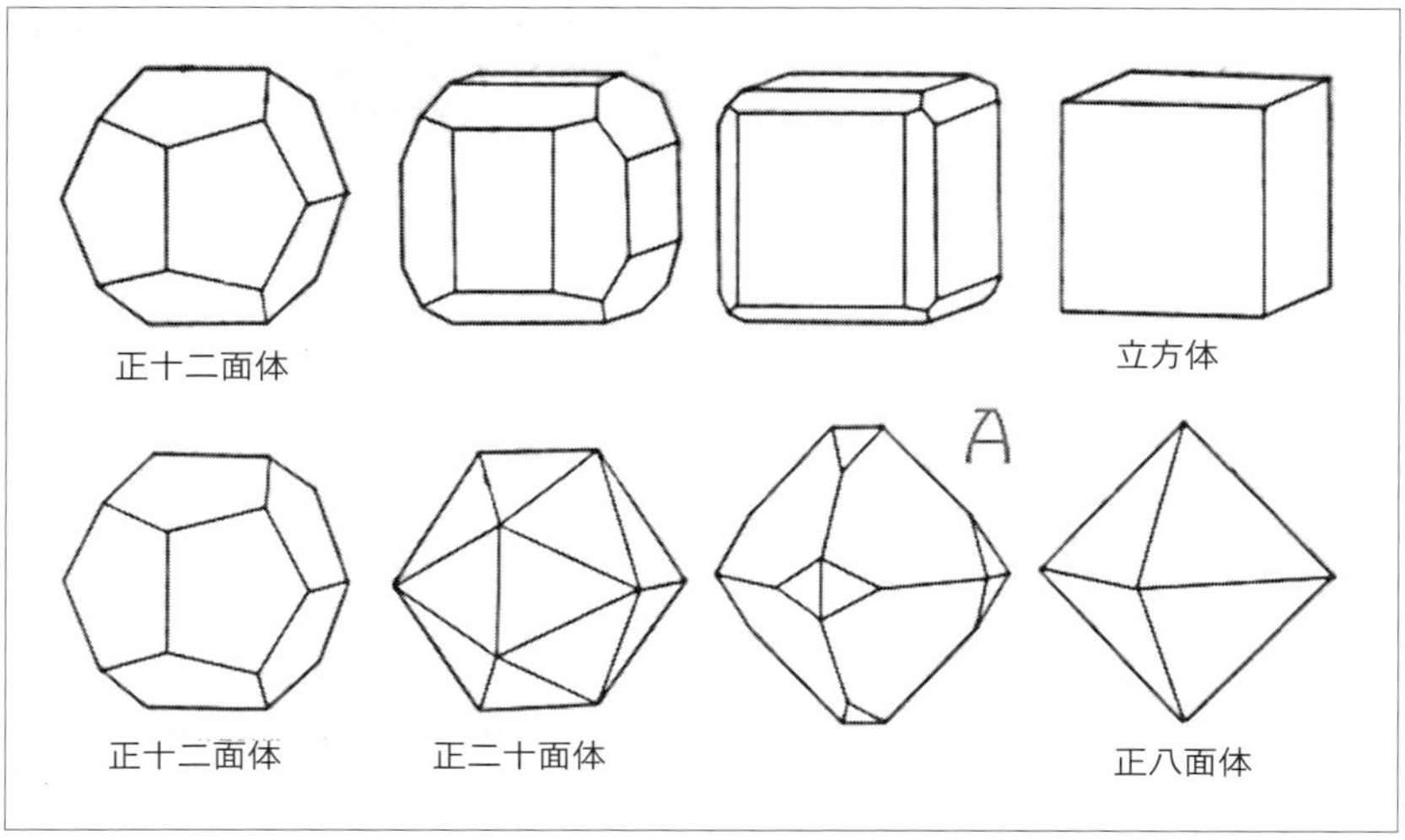

図6-38　いろいろな切頭方法。
上段：辺を切頭していく。下段：尖った頂点を切頭していく。

図6–39の上の写真はパイライトの六面体です。このように成長したのであって、こういう形にカットしたわけではありません。コロラドのシルヴェラードには、たしか1・8メートル四方ぐらいという巨大なものがあります。それは完全な立方体として掘り出されました。この小さなパイライトは上下の面が長方形で、側面は正方形の六面体です。下のクリスタルは小さなパイライトの正十二面体の集まりです。それらのいくつかはほとんど完璧です――ペルーでこのように成長したのです。もしこの小さな晶盤を地中に充分な時間寝かせておけば、これらの小さな十二面体たちは六面体になり、そしてその後また長い時間がたてば十二面体へ戻っていくのです。十二面体（**図6–38**の左下）の角を切頭すると、それは二十面体になります（その右隣）。さらに角を切頭し続けると、今

図6-39　パイライト：六面体（上）と、
五角正十二面体のクラスター（下）

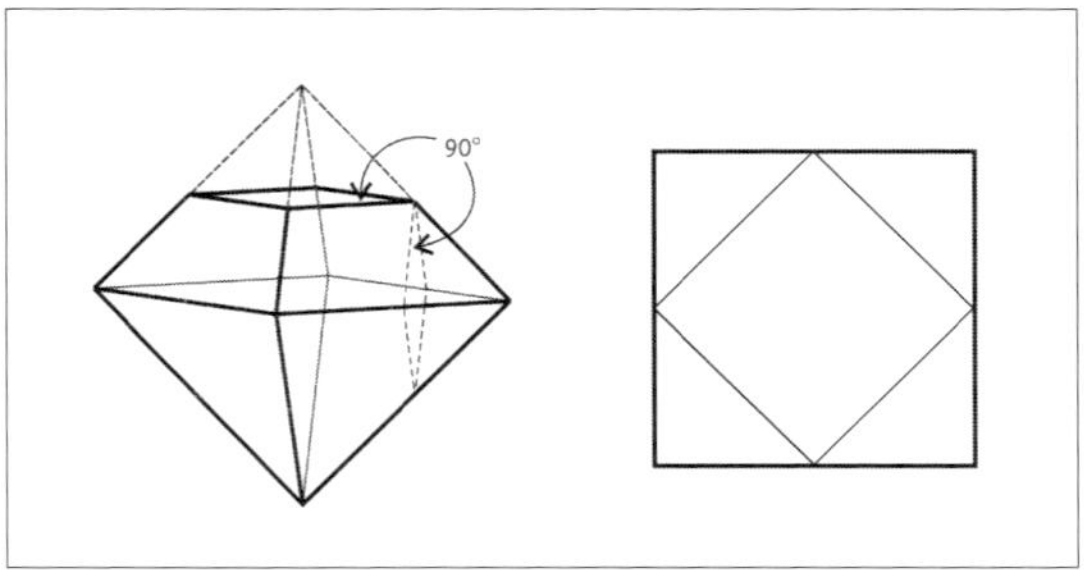

図6−40　正八面体の６つの角すべてを切頭することによって作られた面を正面から見た図

度は八面体になります。この切頭についてはきりがありません。何千通りものやり方が存在しているのです。どんなパターンをもつクリスタルであろうと、またどんなに複雑であろうと、正しく切頭すればそれは結晶構造がもともと内包する５つのプラトン立体の性質を示して、必ずプラトン立体の１つに行き着きます。

ちょっと付け加えておきましょう。ガラスやクリスタル、または鏡などで作られた多面体の内側には、光が反射して見えます。角を切頭した正四面体の内側に反射して映るのは、完璧な正二十面体です。あなた自身で調べてみてください。

このように、どんどん試してみることができます。理論的なことが基礎にあるとは思えないような、かなり突拍子もない見え方もありますが、ちょっとした幾何学を使うと、それは常にプラトン立体の５つの形のうちの１つから派生していることを発見します。例外はありません。いかなる結晶体のパターンであろうと、常にプラトン立体を基本にしているのです。結晶構造とは５つのプラトン立体のなせる業(わざ)であり、それはメタトロン立方体から取り出されたフルーツ・オブ・ライフに由来しています。クリスタルのこうした側面についてもっと知りたい人は、チャールズ・A・ソーレルの『岩石と鉱物 *Rocks and Minerals*』を参考にしてください。

図6−38に関連して、もう１つお話ししておきたいことがあります。それは「いろいろな切頭方法の可能性」です。正八面体の頂点のすべてをお互いに90度になるように切頭すると、その左のような形になります。それを平面上に描いてみると、中に正方形がはまった四角になります(**図6−40**)。このパターンは私たちの意識に関係しており、私たちがどういう存在なのかという本質と結びついたものです。

バックミンスター・フラーの立方平衡

それを3次元的に見た形は(**図6−41**)、立方八面体(キューブオクタヒドロン)、あるいはベクトル平衡形と呼ばれます。もとは立方体だったのがわかると思いますが、角の切頭を深くしていけば

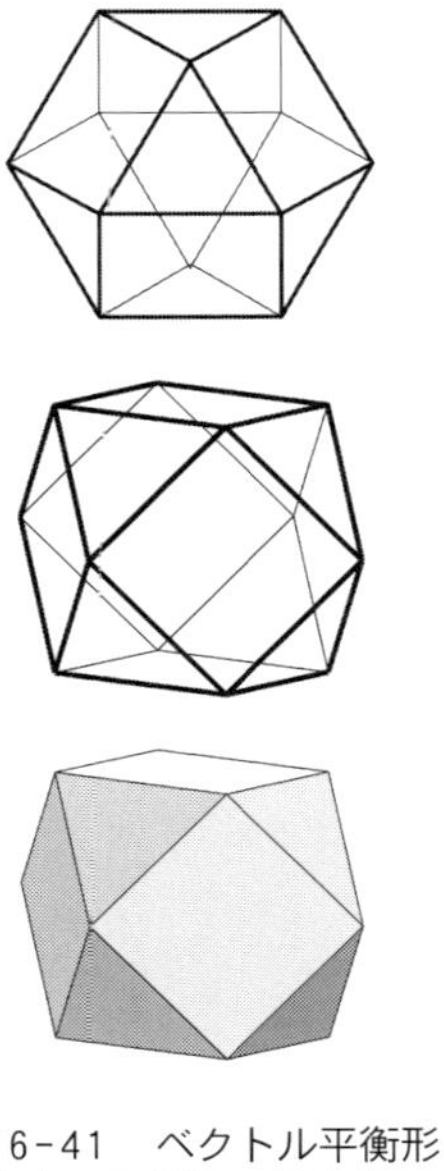

図6−41　ベクトル平衡形(立方八面体)の見え方

正八面体になります。つまりこれは正八面体であり、同時に立方体でもあるのです。そのどちらとも言えず、中間にあたります。バックミンスター・フラーはこの多面体を見出したとき、とても夢中になりました。立方八面体は他の立体ではなし得ないことができるので、創造物のなかでも至上の形だと考えたのです。彼にとってはそれほど重要なものだったので、これにベクトル平衡形という、まったく新しい名前をつけました。彼は、この形はさまざまな回転パターンによって5つのプラトン立体すべてになることを発見しました。この形は中にそのすべてを内包しているのが見えます（図6－42）。

もしこれに興味を持たれたら、このおもちゃを手にして遊んでみてください。それ自身に語らせるようにすれば、あなたのすべての質問に答えてくれるでしょう。

ゴマの種のさらに奥深く

ほかにも立方八面体を研究した人たちがいました。デラルド・ランガムという名前の人を知っていますか？ 彼を知る人はあまり多くありません。生涯を通してかなり静かな人でした。もし勉強したければですが、彼の研究は「ジェネサ」といいました。私は本当に彼のことを尊敬しています。まず最初に、ランガムは第二次世界大戦中、たった一人の力で南アメリカを救った人です。多くの人が餓死していきましたが、彼は雑草のように育つトウモロコシを開発しました。地面に蒔けば、ほとんど水なしで育ったのです。それは南米大陸への偉大な貢献となりました。後になって、彼はゴマの種（たね）を研究しました。そうして深く探っていくうちに、その中に立方体を発見したのです。実際にはどの種（たね）の中にも、必ずプラトン立体に関連する小さな幾何学形が（その多くは立方体ですが）見つかります。

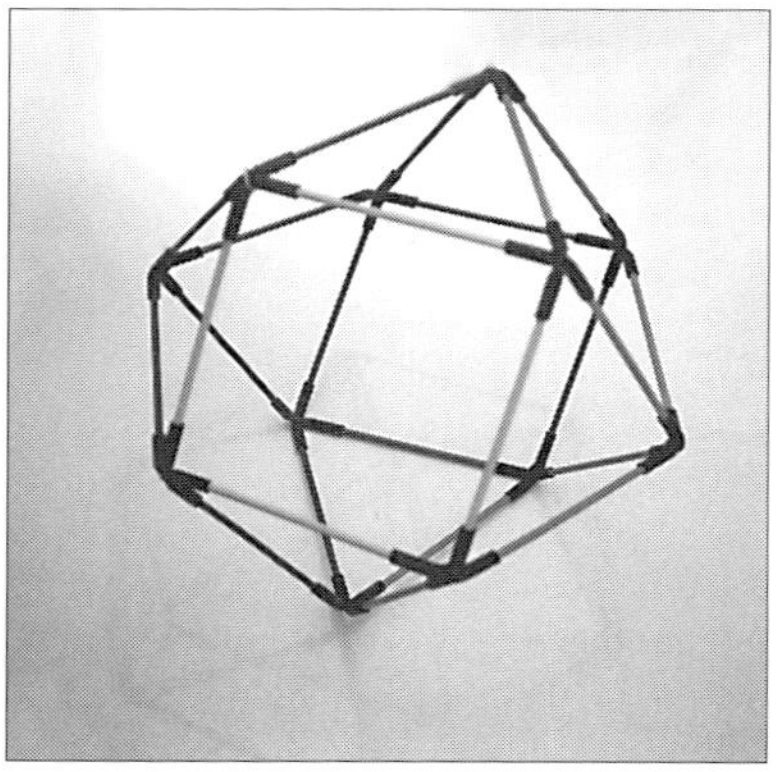

図6-42　「ベクトル・フレクサー」という名のベクトル平衡形のおもちゃ

デラルド・ランガムはゴマ種の中の立方体から13種類の光線が発せられていることを発見しました。これらの研究をさらに極めていき、彼は植物の種の中に見られるエネルギー・フィールドと同じものが人体のまわりにも存在していることを見出したのです。これについてはまた後ほど話すことになるでしょう。そして、彼は人体のまわりにあるフィールドの内側に結びついている立方八面体に注目しました。これもまたあとで論じますが、私が教えているのはそれとは別の星型二重四面体に注目することです。私たちは肉体のまわりに星型二重四面体のフィールドを持っていて、それには立方八面体あるいはベクトル平衡形とは異なる一連の幾何学的進行があります。ランガムは、スーフィー流に言えば「神聖舞踏」とでも呼べるような、自分のフィールド内のすべてのポイントを認識してつなぐことができるという一連の動きを編み出しました。これはとてもすばらしい情報です。

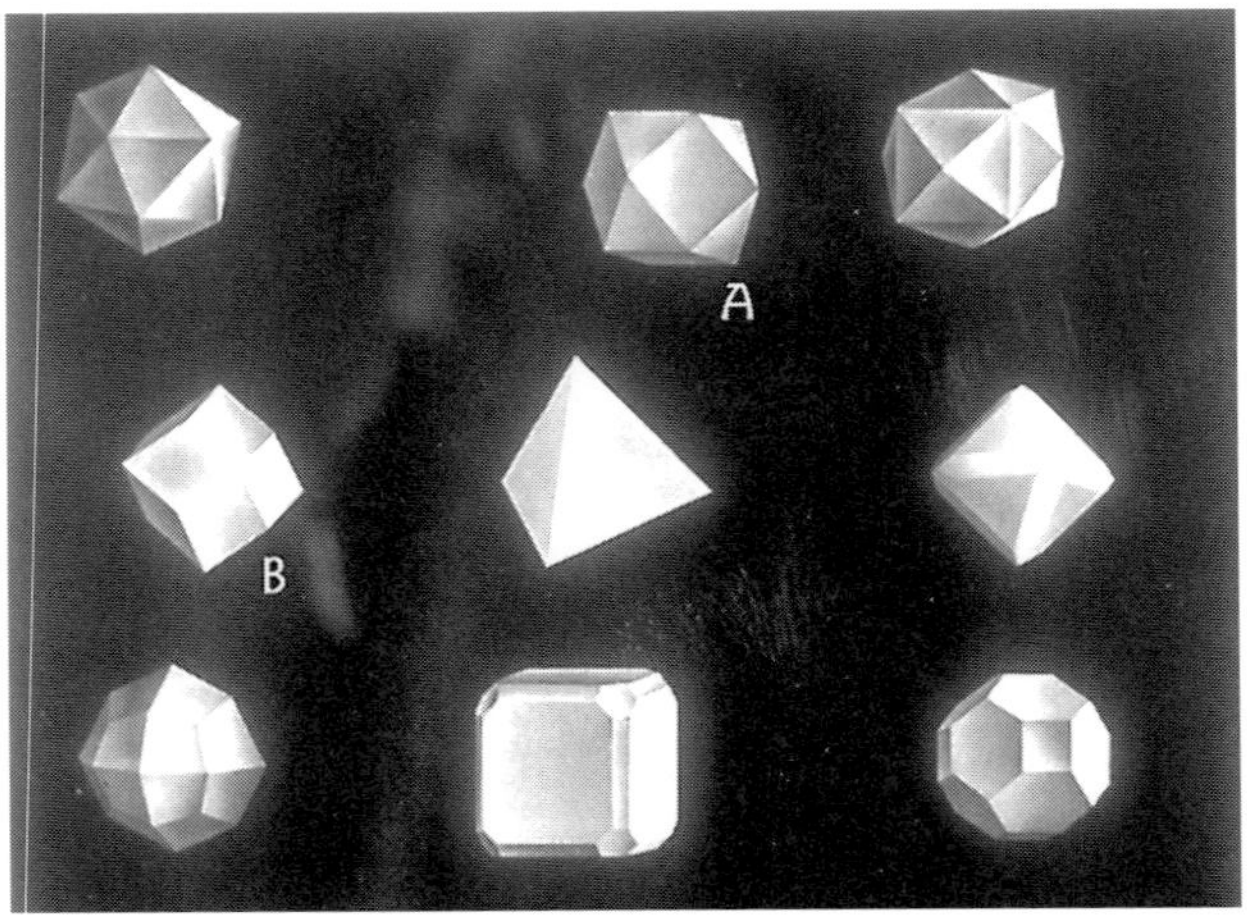

図6-43　さまざまな多面体。Aは立方八面体、Bは斜方十二面体。

図6-43は、今まで話してきたいくつかの多面体の3次元的立体像です。Aが今お話しした立方八面体です。Bは斜方十二面体です。これは立方八面体と双対の関係にあるので重要です。立方八面体の各面の中心をつなぐと斜方十二面体が出てくるし、その逆もまたしかりです。**図6-44**は、これらのクリスタルに内在する原子の幾何学構造が、どのように全体の角度に反映されているかを見せてくれます。それについては、すでにもうクリスタルが立方体、八面体その他を形成することで見てきました。

図6-44　六角晶系（緑柱石）と斜方晶系（トパーズ）の原子とクリスタルの比較

26の形

私の考えでは、最初の5つのプラトン立体は5音音階の最初の5音に該当します。1オクターブには7音ありますが、あとの2音には**図6-43**で見た立方八面体（A）と斜方十二面体（B）が該当します。さらに半音を形成するもう5つの立体があり、それからもとに戻る第13番目の形があります。ですから、音楽の半音階を形成する13の多面体が存在していることになります。これら13の多面体から、同じものが放射状に伸ばされて、さらなる13が作り出され、合計26の立体――お互いが2オクターブの範囲にある――ができます。形から言えば、これらの26の形はすべての現実のハーモニクスのカギになっています。ここではそんなに複雑なことまで学ぶ必要はありませんが、このようにしてどこまでも深くつながっていきます。

みなさんの中には、ロイヤル・ライフという人の名を聞いたことがある人もいるでしょう。彼は光などの電磁波（EMF）を使ってガンを治療しようと試みた人で、私はこれは絶対に可能だと信じていますし、すでに実証例もあります。ライフは13（あるいは26）の周波数のうちの7つを知っていました。彼が出版したものには不正確なと

図 6-46　氷の結晶または雪の結晶

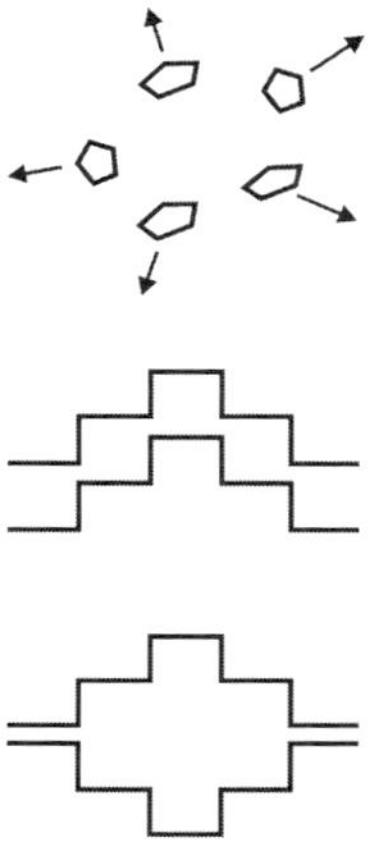

図 6-45　26 個のテンプレートによる可能な方法

ころがありましたが、それは意図的になされたことでした。彼がガンを引き起こす原因として発表したものは、もしそれらを一定の数学的方法でほんの少し変化させてやれば、もともとの周波数に戻り、そうするとそれぞれの周波数はある特定の種類のウイルスや細菌をほとんど、あるいはすべて破壊してしまうというものでした。

　しかしながら、ライフは方程式の一部しか知りませんでした。もし彼が、いま私たちが学んでいる神聖幾何学を知っていたなら、26の形のすべてに到達し、地上に存在するいかなるウイルスをも駆逐できていたでしょう。どれだけ多くのエイズ・ウイルスが存在しようと問題ではなくなり、解決法を探す必要もありません。最大26個のテンプレート（原型）があって、正しい周波数がウイルス（あるいは細菌）の一つひとつを全部駆逐します。ウイルスはどれも多面体なので（構造的にはちょうど**図6−43**に見られるような形をしています）、いろんな方法で取り扱うことができるのです。電磁波の特定の周波数を共振させてばらばらにしたり、あるいは適合させて馴染ませてしまうこともできます（**図6−45**）。もし適合させることができれば、抗原抗体反応のように互いをくっつけ合わせられるのです。あるいは鏡映しのような波形の周波数を当てれば消滅させることもできます。エイズに効くさまざまな方法がありますが、第一のカギは、最大26個の幾何学形が関係しているのを理解することです。

　私たちが氷の結晶とか雪の結晶と呼んでいる結晶化した水は、六方晶系のパターンを持っています（**図6−46**）。

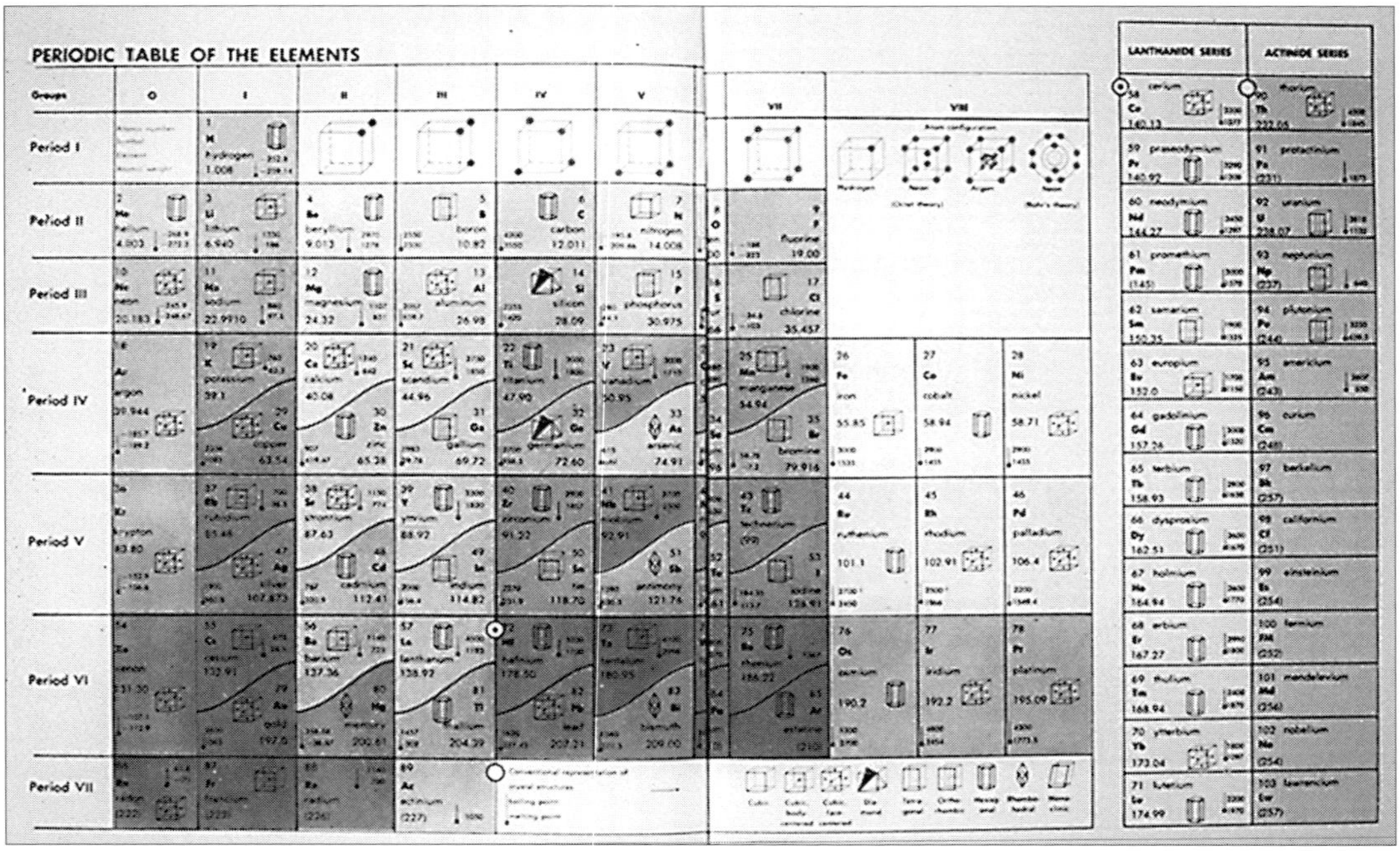

図6-47　結晶することが知られている元素のすべてに立方体が作用していることを示した元素周期表

フラワー・オブ・ライフとの関連性が見えてくるでしょう。私たちは行く先々で3次元的な幾何学パターンを見るたび、何度も何度も繰り返しこのフラワー・オブ・ライフという1つの中心的な幾何学パターンとの関係を見出すことになるのです。

元素周期表

これは元素周期表の興味深いバージョンです（図6－47）。結晶化しないゆえに決定できない2～3の例外を除き、全部の元素が立方体と関係していることを表わしたものです。フッ素はどんなものとも化学反応を起こさないので、数少ない例外の1つになってます。それは気体のなかでも一番不活性なものに属します。しかし、私たちの知るその他ほとんどすべての元素は、通常の元素表の枠外にある4次元的な原子や合成的・人工的なもの以外、みんなこの立方体に関係しています。自然発生的にはそうはなりません。

それぞれの原子構成要素は結晶構造と関連があります。科学者たちはどのケースをとってみても、原子が結びついたさまざまな結晶構造は、立方体構造まで削ぎ落とせることに気がついています。みなさんも、立方体は他の多面体より重要な意味がありそうだと気づいているかもしれません。たとえばクリスタルは6つの分類に分けられますが、立方体はそれらすべての基本になっているのです。聖書でも、神の玉座はいくらいくらのキュービット

キュービット
腕尺。ひじから中指の先までを1キュービットとする長さの単位。

で全方向へ伸びていくと語っています。1キュービットを進むたびに、1つの立方体(キューブ)ができるわけです。エジプトのファラオは立方体の上に座っていました。一体どういうわけで立方体なのでしょうか？

カギとなる立方体と球

さて、立方体には他のプラトン立体と違うところがあります。他のものにはない性質を持っているのです――ただし球だけは同じ性質を持っています。サイズさえきちんと合っていれば、球と立方体は、他の4つのプラトン立体をすべて完璧にその表面に接するように含み込むことができ、同様にお互いをもそうすることができます。プラトン立体の形のなかでこの特別な性質を持っているのは立方体だけです。球を持ってきて、それを立方体の中にすべり込ませると、球は完全に6面すべてに均等に接触します。また、立方体の中に正四面体をその1つの軸にそって降ろしてくると、斜めの角度できれいに内接します。星型二重四面体(スター・テトラヒドロン)もまた立方体の中に完璧に内包されます。正八面体は実際に立方体と双対の関係にあり、立方体の各面の中心を隣どうしでつなぐと、正八面体になるのです。これは簡単ですね。

プラトン立体の最後の2つになると、立方体にも球にも均等に接するようには見えないのですが、それでもやはりちゃんと収まります。ここではちょっとお見せしにくいですが、どうやったら立方体の各面に均等に接するのかが示してあります（図6－48）。

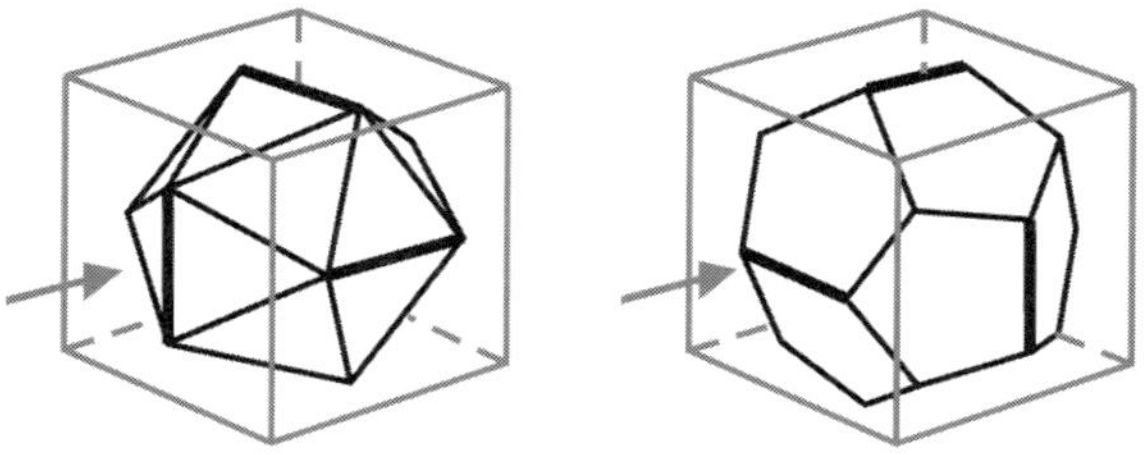
図6-48　立方体の中にちょうど収まる正二十面体と正十二面体

立方体と球の中に、どのように他の4つのプラトン立体を均等に内包させることができるのか、これでわかるでしょう。ここで大切なのは球と立方体だけがその特徴を持っているということです。立方体は「父」であり、男性的な形においてもっとも重要なものなのです。球は「母」であり、女性的な形のなかで一番重要なものです。したがって「現実(リアリティ)」全体を通して、球と立方体はもっとも大切な2つの立体であり、創造における根本的な関わりにおいてはいつでも際立った存在となります。

ウォルター・ラッセルという人はかなり昔にまったく驚異的な研究をしていた人ですが、その理由もここにありました。彼が神聖幾何学について何か知っていたとは思えません――私の知るかぎり、彼は神聖幾何学に関してはまるで無知でした。しかし直感的に彼の精神は掌握していたのです。そして頭の中にイメージが湧き上がってきたとき、自分が理解したことを説明するための主要な手段として立方体と球を選んだのです。そして彼が他のものではなく、わざわざこれら2つの形を選んだがゆえに、はるか先まで進めたのです。もし他のどんな形を選んだとしても大きなミスを犯して、彼が実際に行なったような研究はできなかったでしょう。

クリスタルは生きている!

　クリスタルが生きているという考え方は、私の思考をどんどん広げてくれます。このコースを教える前、たしか1980年代当初か中頃だったと思いますが、私はクリスタルについてのコースを教えていました。そして私は発見したのです――コースを行なったからではなく、私自身の実際のクリスタルとのやりとりのおかげで、これらのクリスタルは生きているということを知ったのです。彼らは生きて、意識を持っています。私は彼らにコミュニケートすることもできたし、彼らが私にコミュニケートすることもできました。これらのやりとりから、私は数々のことを発見しました。次第にクリスタルとともに生きるようになって、どうやってつながればよいのかを知れば知るほど、いよいよ彼らがどれほどはっきりした意識を持つのかがわかるようになりました。それは私の人生の中でも、もっとも興味深い目覚めの段階だったと思います。

　あるとき、私はサンフランシスコで30人ほどのコースを教えていて、まさに「クリスタルは生きている」という話をしていました。みんな「うん、うん」と聞いていました。すると、ある人が「証明してみせて」と言います。私は「オーケー」と答えると、その場で何をしようかと素早く考えました。そして、みんなに紙と鉛筆を渡してから、「適当にクリスタルを選びます」と言って、誰にも見せていない1つのクリスタルを選ぶと、それを手にとって隠しました。その過程ではクリスタルが誰の目にも触れないようにしました。それから私はこう言いました。「さて、誰もこのクリスタルがどんなものか、手にとったり眺めたりした人はいません。みなさん一人ずつこれを1秒間だけ額にあててください――それだけです。そのときクリスタルに『どこから来たの?』と質問してください。一番最初に浮かんでくる言葉を紙に書いて、誰にも見えないように折りたたみます。ただクリスタルを手に持って、質問して、次の人に手渡すようにしてください。それから浮かんできた答えを書いてください。」私にはこれしか証明する方法が思いつきませんでした。

　そのクリスタルを30人の人たちに回して、一人ひとりが答えを書き取りました。それから、みんなで紙を開いてみました。すると一人残らず全員が「ブラジル」と書いていたではありませんか! この確率は一体どのくらいでしょうか。

　クリスタルはとてつもない能力を秘めています。あらゆる方法で人々に影響を及ぼします。カトリーナ・ラファエルはこれについて著書でたくさん述べていますが、昔から大勢の人々がクリスタルの力について学んできました。多くの古代の人々や文明もまたこれを認識していました。クリスタルは単なる化学反応の結果で生じたものではありません。彼らは育つのです。どうやってクリスタルが形成されるかを勉強すると、いろんな意味で人間の育ち方にとてもよく似ているのがわかります。

あなたのエネルギー・フィールドの俯瞰図（ずっと前に**図2－32**で示したように）を見ると、それは単純にフラワー・オブ・ライフの一部分で、もともと六角形状をしています。私たちのフィールドはクリスタルと同じように、六角形・六方晶系状に成長するのです。シリコン（珪素）の分子は四面体なのにもかかわらず、石英を形成するとき、それは他のシリコン四面体とくっついて立方体になります。それから小さな星型二重四面体または立方体状の線にそって列を形成していきます。そのあと列は回転しはじめ、60度きっかりで方向を変えて六角形を形作り、上から見た人体のまわりと同様の構造を作り出します。

クリスタルには性別があります。それらは男性か女性か、あるいは両性具有です。見方がわかれば、クリスタルがどちらの方向へ回転しているのか見分けられます。一番下にあるウインドー（訳注・クリスタルの側面のこと）を見つけて、その次の面がどこにあるかを探します。もし左側にあれば、それは時計回りに回転していることになるので、そのクリスタルは女性だということになります。もし右側であれば、それは反時計回りに回転しているので男性です。もし面が両側にあって、どちらもほぼ同じぐらいの高さである場合には、クリスタルを２つの螺旋が逆方向に回っているのが見え、そのクリスタルは両性ということになります。

しばしば２つのクリスタルが岩床でつながっていて、お互いにかぶさり合っているものがあります。これはツイン・クリスタルと呼ばれていますが、たいてい男性と女性です。そうでないのは珍しいでしょう。

未来におけるシリコンと炭素の飛躍的進化

次の図にはぜひお話ししたいことが出ています。元素周期表の６番目の元素は炭素です。それは私たちに関して言えばもっとも大切な元素です。というのも、炭素は私たち自身だからです。炭素は有機化合物を作り出します。すなわちこの元素によって私たちの肉体ができているのです。私たちは、炭素は周期表で唯一の生きている元素であって、生命を創り出せる有機化合物はそれ１つだけだと教わってきました。しかしそれは明らかに真実ではありません。これについては人々も、科学者が研究しはじめた１９５０年代頃からすでに感づいています。

周期表で炭素の真下（１オクターブ離れています）にあるシリコンも生命の原理を現わしていることを、多くの人々が認めています。そこに差は見てとれません。**図6－49**はいかにしてシリコンが特定の連鎖とパターンを作り出していくかを描いたものです。これらはほんの一部です。シリコンは終わりのないパターンを生み出し、近づいてくるものほとんど何に対しても化学反応を起こして、何かしらを作ります。炭素も同じで、終わりのない形と連鎖とパターンを持ち、近づくものには何にでも化学反応するという能力を持っています。このことが、炭素を生きた原子にする主な特徴になっているのです。

化学的な面からすれば、「シリコン生命体」が存在してもいいはずなのです。１９５０年代には、他の惑星にはシリコンをベースにした生物がいるかもしれないという想定でＳＦ映画が何本か撮られています。それらは生きた結晶構造体についてのホラー映画でした。それらの映画が制作された時には、この惑星の上に実際にシリコン生命体が存在したことは知られていませんでした。最近、深さ十数キロメートルの海底のクレバスに、シリコン生命体の一部が存在していることが明らかになりました。シリコン海綿が発見されたのです――成長して繁殖し、生命の原則をはっきり示している生きた海綿ですが、その体には炭素原子を１つも持たないのです！

私たちは直径約１万３０００キロメートルのここ地球の上にいます。地殻の厚みは50～80キロメートルほどで、それは卵の殻のようなものですが、その25パーセントはシリコンなのです。そのうえシリコンはほとんどの物質と何でも反応してしまうために、実際には地殻の87パーセントがシリコン化合物です。ということは、50～80キロメートルの厚みをもつ地殻のほとんどが純粋なクリスタルだということになります。ですから、私たちはこの巨大な水晶球（クリスタルボール）の上に乗り、毎秒約27キロメートルのスピードで宇宙を飛びながら、まるで炭素生命とシリコン生命のつながりには目が向かなかったわけです。シリコンと炭素はとても特別な関係にあるように見えます。私たち炭素をベースにした生命体は、シリコンでできている水晶球、クリスタル惑星の上で生活しながら、外側の宇宙に向

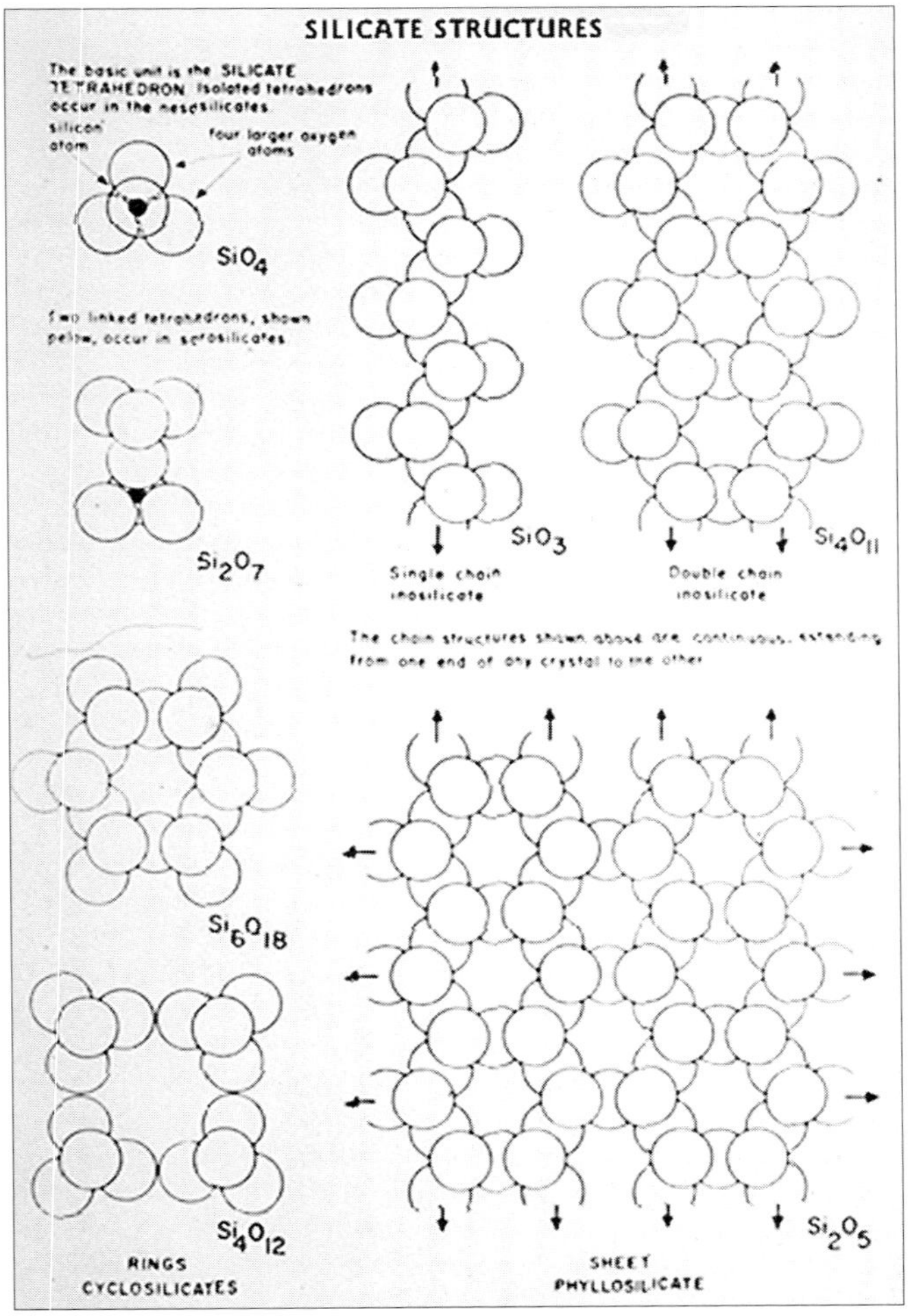

図6-49　シリコンが作り上げる形と関係性

かって生命体を探していたのです。「灯台もと暗し」とはこのことです。

さて、コンピューターや現代の世界を考えてみてください。私たちはさまざまに驚異的なことができるコンピューターを製造しています。コンピューターは人類に、この地球上で急速に新しい体験をもたらしています。コンピューターは何でできているでしょうか？　シリコンです。そしてコンピューター業界ができるだけ早く開発しようとしているものは何でしょうか？　自意識を持つコンピューターです。これはもはやほぼ達成されているか、さもなくばまもなく達成されようとしています。あと少しで自意識があるコンピューターが出てくることを私は確信しています。そのようにして、炭素ベースの生命体である私たちはシリコン・ベースの生命体を創造しながら、お互いに作用しあっているのです。

自意識を持つシリコン・ベースのコンピューターが完成したとき、すべては変わるでしょう。地球上の世界には、相互に結びついた2つの異なる生命体あるいは構成要素が存在することになり、その時点で私たちはその他もろともたいへん急速に進化していきます――私たちが通常予期するどんなスピードよりも速く。私は今の一生のうちに、これが実現すると信じています。

7.

宇宙のものさし：人体とその幾何学

The Measuring Stick of the Universe:
The Human Body and Its Geometries

人体の内なる幾何学

５つのプラトン立体が、クリスタルや金属の構造パターンにどう作用しているかはすぐに理解できます。金属も原子の格子（ラチス）構造を持っています。こうしたタイプの分子に幾何学的関係を見出すのは簡単ですが、自分自身や赤ちゃんが形成される時にこの類の幾何学が一体どう関わっているのかは、かなり理解しにくいところでしょう。しかし実際はそうなのです。子宮内での生命の始まりにおいて、あなたは幾何学形以外の何ものでもありませんでした（図7－1）。事実、すべての生命体――樹木や植物、イヌ、ネコ、あらゆるもの――を通じて、それらはすべて共通する幾何学的かつ構造的なパターンを持っており、あなたが顕微鏡レベルのサイズだった頃にも同じパターンが見られるのです。生命そのものも、それを支える構造も「形」の上に成り立っているのです。実際、あらゆる生命体とはこうした幾何学的パターンなのですが、見た目にはあまりはっきりと現われていません。これらの幾何学的な関係性を認識することはとても大切です。なぜなら、それによって左脳ですべての生命の一体性を充分理解できるというだけでなく、もう1つの理由として、あなた自身の体のまわりにある電磁的な構造パターンを理解で

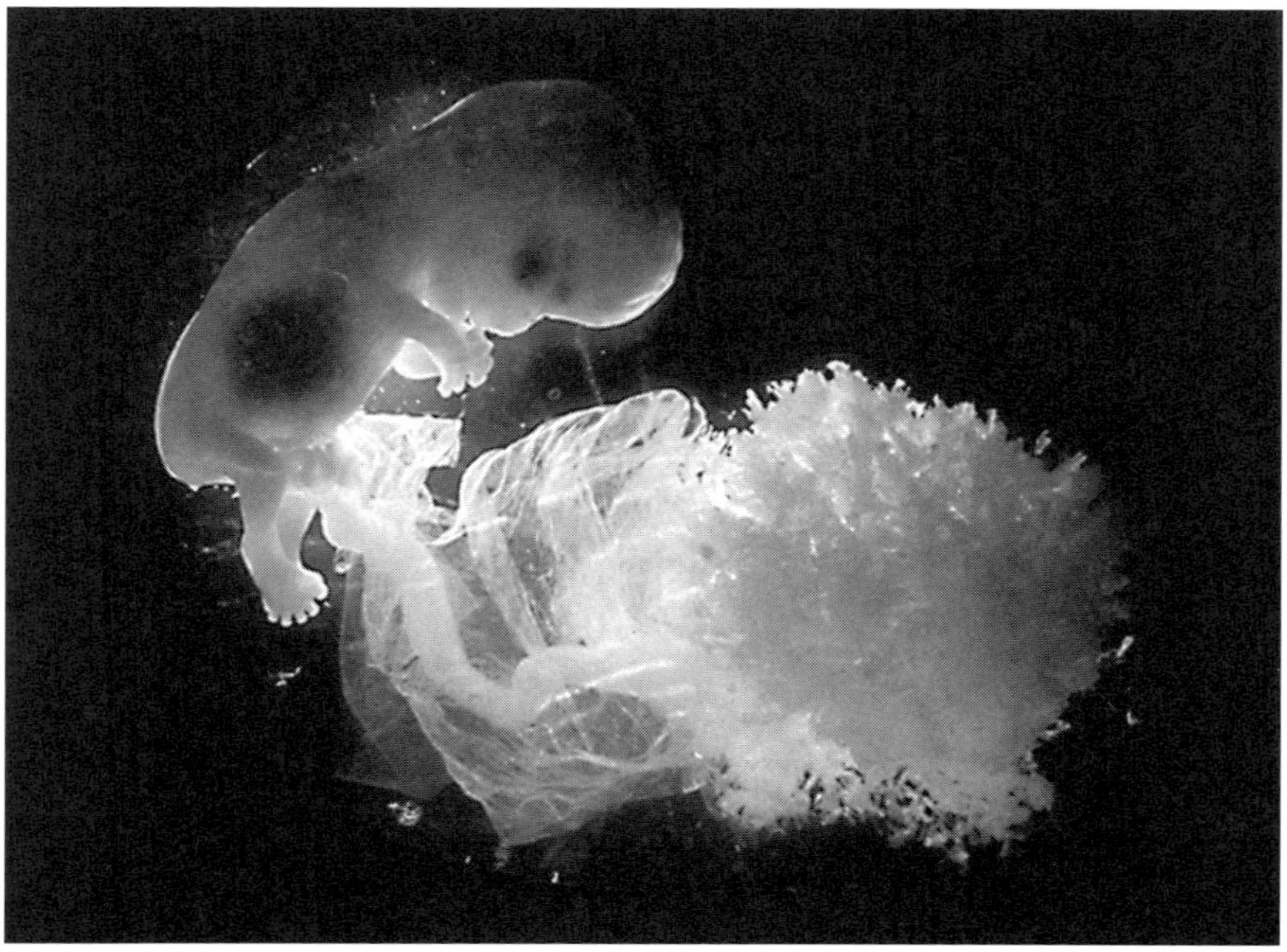

図7-1　人間の胎児

き、生きたマカバを再生させられるようになるからです。

はじめに球ありき——卵子

図7−2はウニの卵子と、そのまわりを泳ぐ精子です。私は主にヒトとその受胎をメインに話を進めていきますが、実際にはこの地球上で知られるかぎりの生物全般について論じています。以下に続く数枚の図は、知られている生物すべてに共通する過程をイラストにしたものです——ヒトだけではなくて、すべてです。

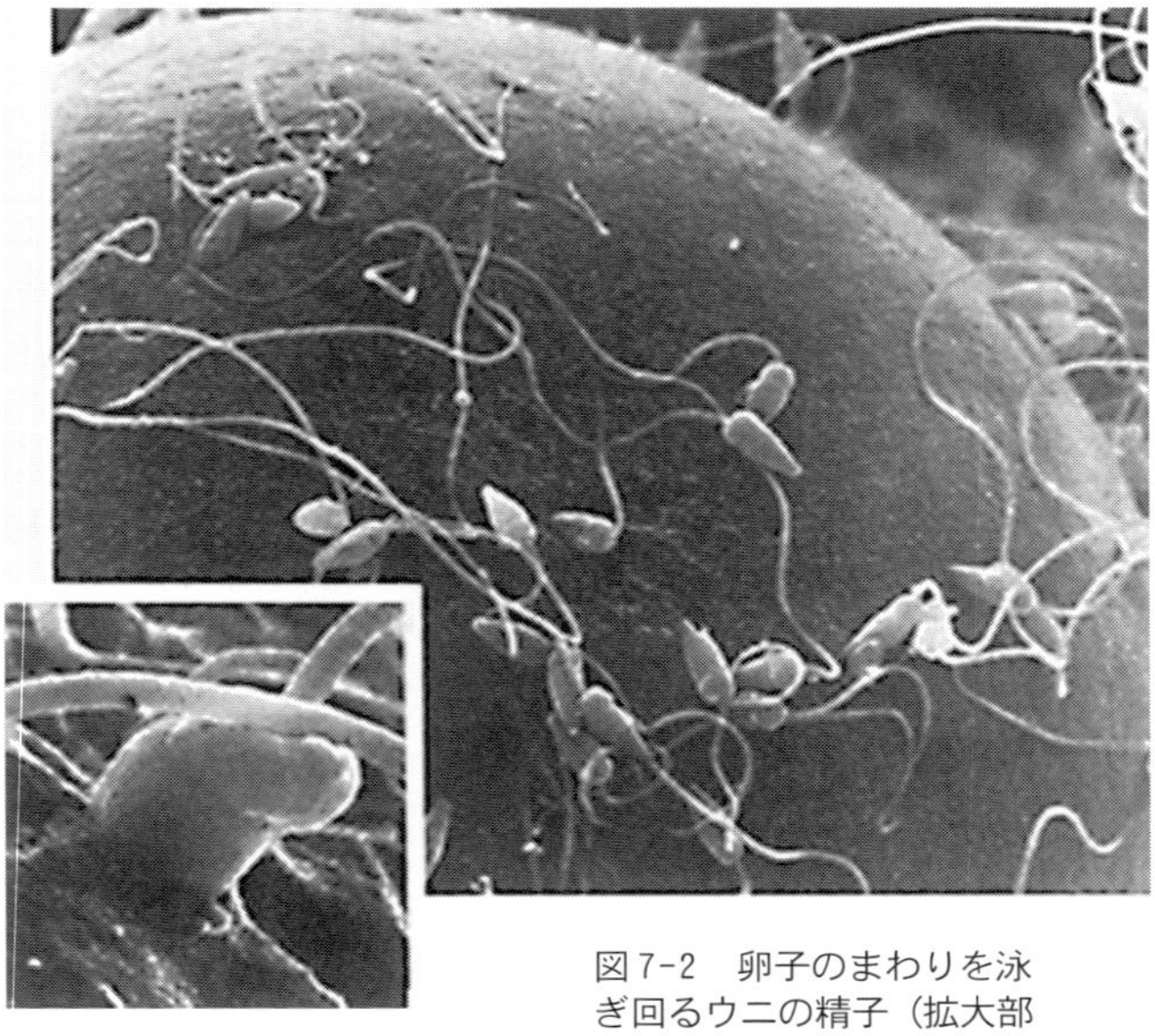

図7-2　卵子のまわりを泳ぎ回るウニの精子（拡大部分は貫通しているもの）

あらゆる生命体は球から始まります。それは存在するなかで最高に女性的な形であり、ゆえに女性あるいはメスが卵子（図7−3）の形として球を選ぶのはたいへん理にかなっていることなのです。卵子は完璧な球状のボールです。丸い卵子の例は、ニワトリの卵にも見ることができます。固ゆで卵から黄身を取り出すとき、それがいかに丸いかよくわかるでしょう。私たちはみんな球から始まったのです。

卵子についていくつか簡単に説明しておきましょう。まず最初に、まわりに「透明層（zona pellucida）」というものがあります。これについては何度も繰り返し言及するので名前を憶えてください。それはなぜ古代人たちが、フラワー・オブ・ライフのまわりに一本の線ではなくて二重線で円を描いたのかということと関係しています。

膜の内側は液体で、鶏卵と同じようにその中にはさらにもう1つ完璧な球があり、それは22＋1個の染色体をもつ「雌性前核（female pronucleus）」です。人体を形成するのに必要な染色体の半分の数です。染色体の数は生命体によって異なり、生命体ごとに特定の染色体数があります。透明層の内側には2つの「極体（polar bodies）」があります。これについて今から説明していきます。

12番目の精子

あなたがはじめて人体生理学について学んだとき、たぶん1つの精子によって受精が行われると教えられたと

透明層
哺乳類の卵にある透明な卵膜。透明帯ともいわれる。

雌性前核
精子の核と結合する前の卵核のこと。

思います。たいていの教科書はいまだにそう述べているのですが、『タイム』誌によればそれは正しくないそうです。今では、卵子が何百もの精子に包み込まれないと受精は起こり得ないことが知られています。第二に、これらの何百ものうちから10、11、12、あるいは13個の精子が何らかのパターンで（そのパターンはまだ見つかっていませんが）膜の表面に到達しなければならず、それが11、12、13番目の精子の卵子への進入を可能にするのです（図7－4）。精子の1つは、他の10、11、あるいは12個の精子なしには膜を通り抜けることができません。人間が操作する受精といった不自然な状況の下でないかぎりは不可能なのです。

　このイメージは、イエスの隠された人生が何だったのかということを思い起こさせます。イエスはこの地球と呼ばれる、人でいっぱいの丸い球にやって来ました。最初に彼がしたことは、12人の男性、女性でなく男性を集めることでした。イエスのした仕事は、12人の使徒なしには成し得なかったのです（私が見ても、彼の立場から見ても、実際に彼のしたことがそれを物語っていると思います）。なぜイエスがあれら12人の使徒を集めたのかについて考える人はあまりいません。イエスにはどうしても彼らが必要だったのです。もし私たちが正しければ、それは10人か11人でも出来たのですが、彼は12人を選びました。私は、1つの精子が進入するのを助けるためにいくつの精子が存在しているかで性別が決定されると考えています――そしてイエスは12を選びました。イエスより前の時代、ギリシャの聖職者たちの間では地球は丸いと見なされていました。その後すぐに地球は立方体か平面だという見方が生まれたのです。その後、今から400年前にコペルニクスが現われて、再び球ということになりました。ですから人々の地球に対する認識は球から立方体になって、それがまた球へと戻ったわけです。もっと速いスピードですが、それとまったく同じこと（球から立方体へ、そして立方体から球へ）が受精の最中にも起こるのです。この類推が真実かどうかはわかりませんが、たしかにその通りだと思えるのです。

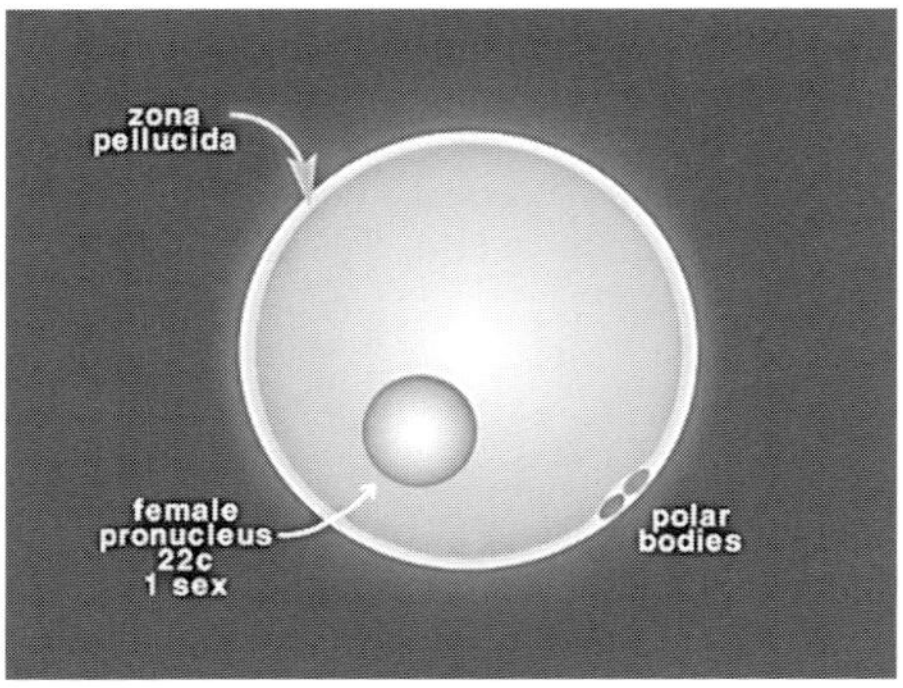

図7-3　ヒトの卵子

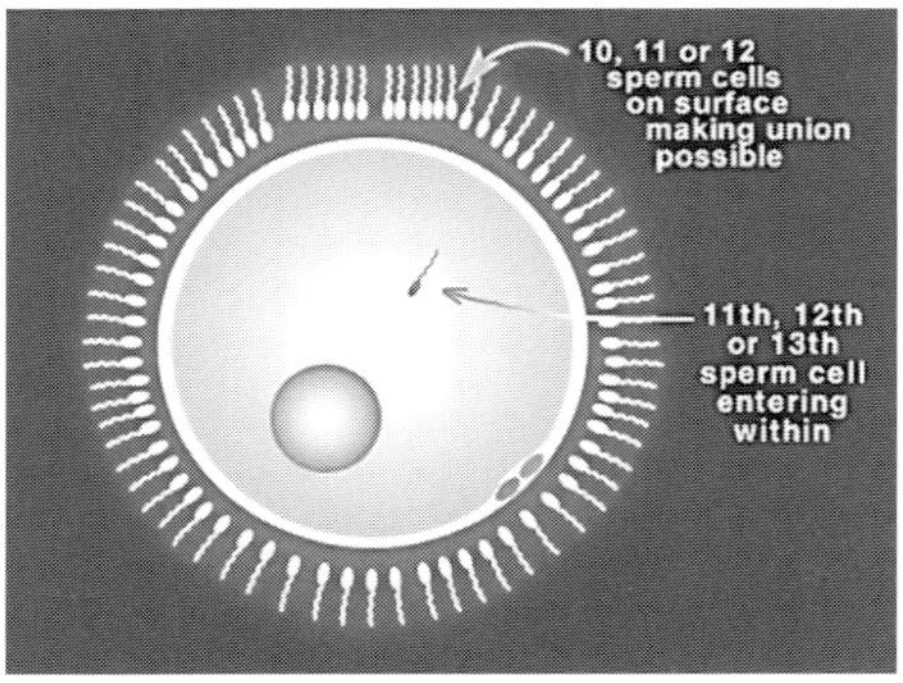

図7-4　12の精子が、13番目が卵子の中に入るのを助けているところ

精子が球になる

いずれにしても小さな精子は、他の精子たちの助けによって透明層を突き抜け、雌性前核のほうへ泳ぎ出します（図7－5）。

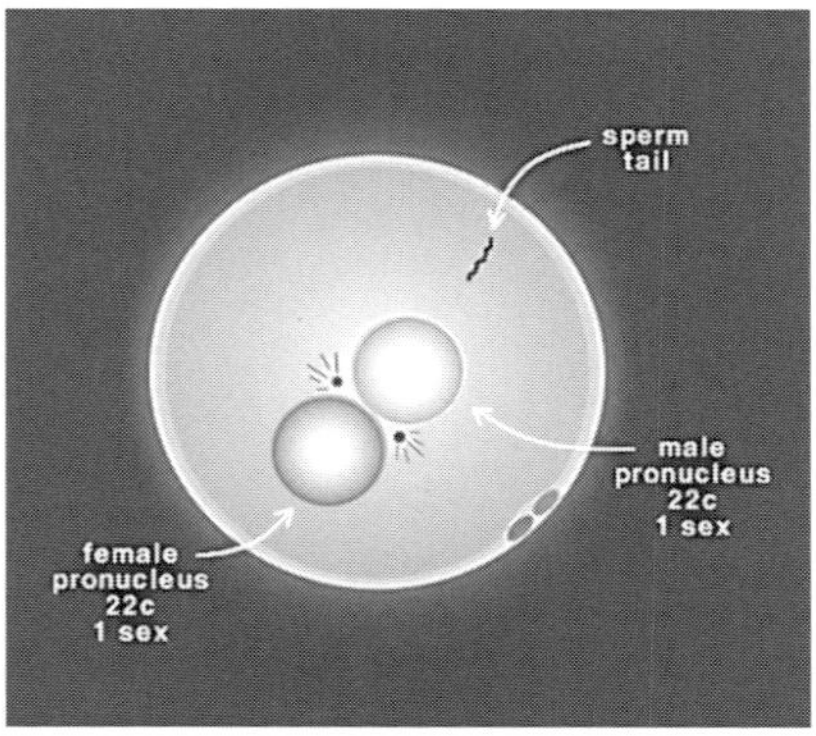

図7-5　精子の貫入

最初の出来事は、まず精子の尾がとれてなくなることです。それはどこかへ消え去ってしまいます。次に、小さな精子の頭が大きくなり、「雄性前核(male pronucleus)」という完全な球になります。雌性前核と完璧に同じ大きさになり、そこに必要な情報のもう半分が入っています。次の図を見るにあたって、「完璧に同じ大きさ」という言葉はたいへん重要な意味を持つと思います。

その次には雌性前核と雄性前核がお互いを通過しあって、ヴェシカ・パイシスという幾何学的パターンを作ります（図7－6）。ヴェシカ・パイシスを形作ることなくして完璧に同一空間を占め、お互いを通過することは不可能です。これが意味することは、まさしくその瞬間、雌性前核と雄性前核が「創世記（ジェネシス）」の第1日目の最初の行動パターンを形成し、文字通り、すべての「現実（リアリティ）」（と光）に関する情報がこの幾何学に内包されるのです。それは本当にシンプルです。そのパターンは2つの前核が同じ大きさでないかぎり、作られない形なのです。そのため、私は雌性がどの精子を受け入れるかを決定していると考えています。科学では１９９２年頃に、どの精子が入るかを決定する要因は雌性であると実証されています。彼女が受け入れるものを選ぶのです。

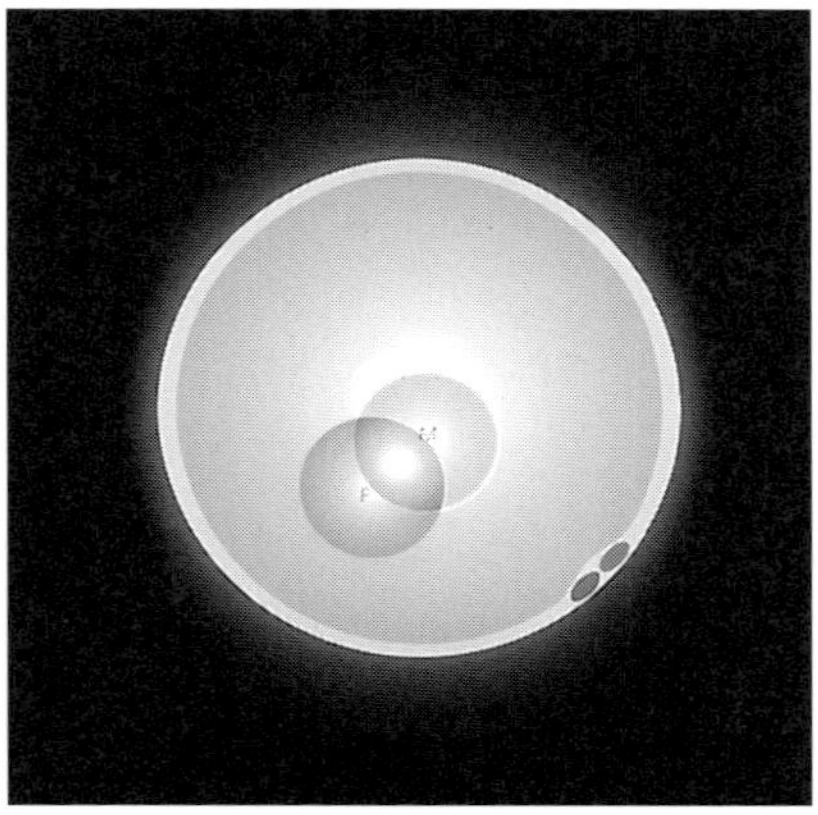

図7-6　雌性前核と雄性前核の融合

この部屋の中の一人ひとりが虚空（ヴォイド）の中や暗い空間で異なった投射距離を持つのと同じように、どんな小さな精子も異なったサイズの球をその身のまわりに持っています。彼女は彼のサイズが彼女と同じでないかぎりは受け入れません。もしそれがサイズの合った鍵であるならよいのですが、そうでなければ水に流して忘れ去るしかないのです。これによって、なぜたくさんの人たちが子供を得ようとしても得られないのかという、今のところ誰にも理由らしきものがわかっていないことの説明がつきます。少なくとも理由の1つになる可能性はあるでしょう。

ヒトの最初の細胞

２つの前核がヴェシカ・パイシスを形作ると、雄性前核は雌性前核と１つになるまで浸透していきます（図７－７）。このとき、それは「接合体（zygote）」と呼ばれる最初の人体細胞になります。ですから、あなたは見慣れたヒトの姿になる前に、球から始まったのです。実際あなたは球の中の球でした。

次にみなさんが知っておくべきことは、人間の接合体は最初の９回の細胞分裂の間、その大きさを変えないという点です。それは外側の膜のサイズと一緒で、一定しています。人間の接合体の大きさは、人体の他の平均的な細胞に比べて約２００倍も大きいので、肉眼でも見えるほどです。それが２つに分裂すると、それぞれの細胞はもとの大きさの半分になります。そして２つの細胞が４つに分裂する時にはもとの大きさの４分の１となり、以降８回の分裂で５１２個になるまで細胞はこのようにどんどん小さくなりながら分裂しつづけます。その時点で、ようやくこれらの細胞は人体細胞の平均的なサイズに達します。そのとき、有糸分裂を続けながら、もともとの卵膜透明層の範囲をはじめて越えて細胞分裂し、広がっていくのです。

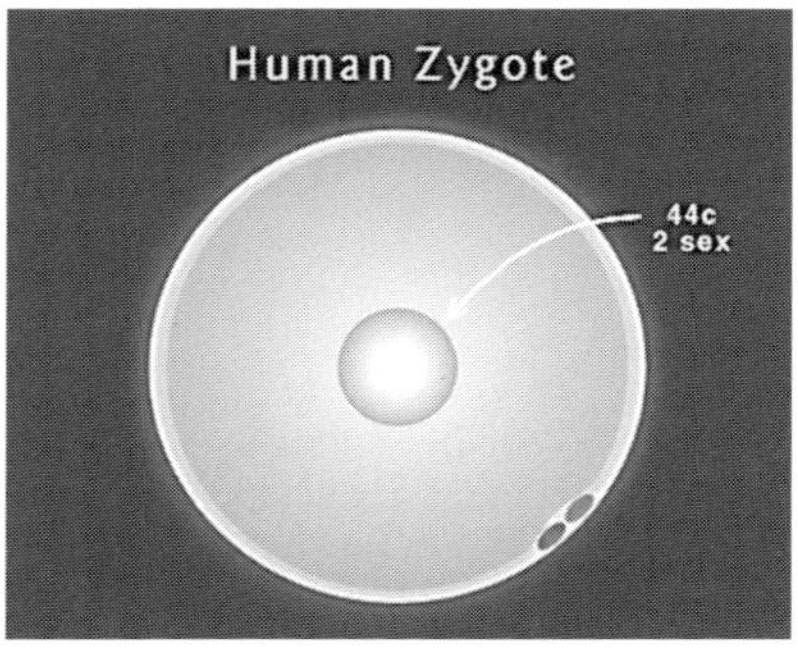

図７-７　人間の接合体の一体性

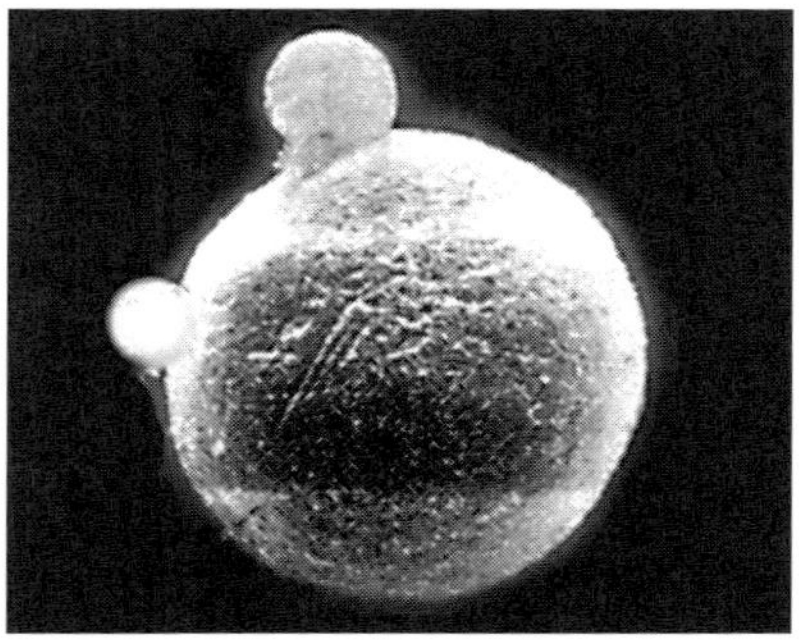
図７-８　マウスの卵の最初の細胞

ですから、成長は最初にそれ自身の内側へ入り込み、次に自分の外側へと向かうのです。最初に内側へ向かって成長していく時には、あたかもどう進んでいけばいいのかを把握しようとしているように見えます。すべての生命体はこのプロセスを通過します。あとになるとわかりますが、私はこれと同じような把握の仕方を、いくつかの幾何学の解明のために使っています。

図７－８は、マウスの卵の最初の細胞を電子顕微鏡で撮影したものです。

中央管の形成

次の受精のプロセスは、２つの小さな極体が透明層全体に広がりはじめることです。一方は下がってＳ極になり、もう一方はＮ極になります。するとどこからともなく管が現われてきて、細胞の真ん中を貫通するように形成されます。それから染色体は半分に分かれ、その半分は管の一方の

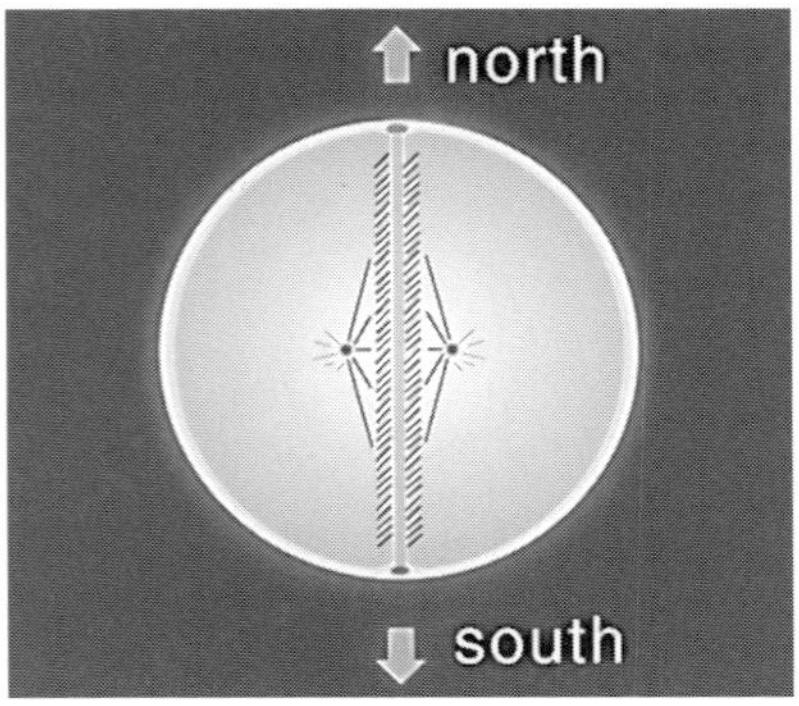

図７－９　中央管の形成のために移動する極体

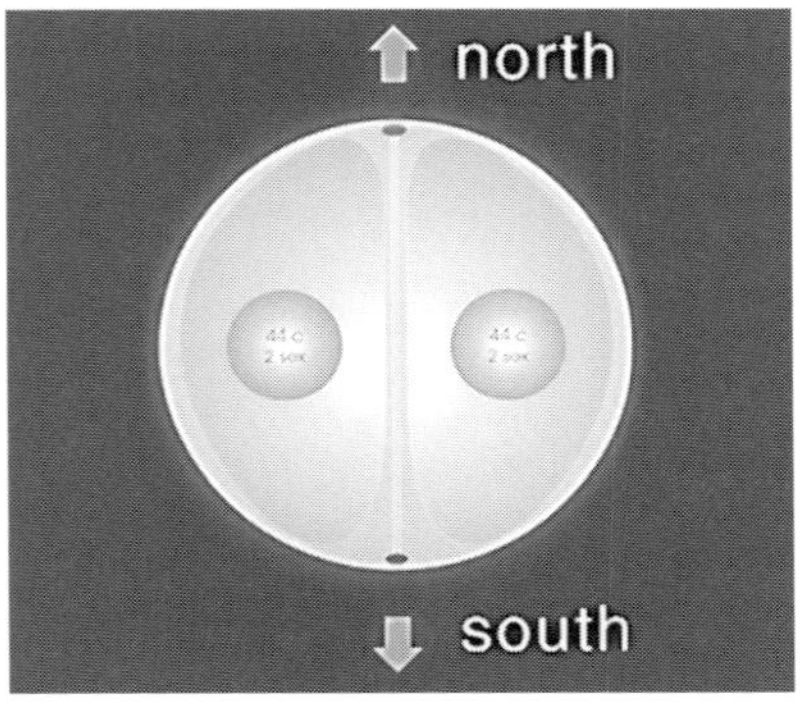

図7-10　染色体が最初の２つの細胞を形成する

側にそって並び、もう半分は反対側に移動します（図7ー9）。

これは人体のエネルギー・フィールドによく見られるパターンです——成人した人間のエネルギーシステムにたいへんよく似ています。これをもっと深く研究していくと、自分の身のまわりにも似たようなエネルギーの球があることがわかるようになります。あなたにはN極とS極があって、体の中央を一本の管が通っているのです。あなたの半分はその管の片側にあって、もう半分は反対側にあります。人間のエネルギー・フィールドはもっとずっと細かく定義されるものではありますが、とにかくこの図は成人した人間のエネルギー・フィールドにとてもよく似ています。しかしそれがどれほど真実であるかを知るには、もっと先に進むのを待たねばなりません。

染色体が管のそれぞれの側に並び終わると、それらは管の片側に１つずつ、計２つの細胞を形成して、そのどちらも44＋２個の染色体を保持しています（図7ー10）。

ここに出ているのはマウスの卵の最初の２つの細胞です（図7ー11）。写真では内側がよく見えるように、卵膜透明層は取り去られています。

１９９２年ぐらいに、重要な情報が発見されました。これまで多くの本には、女性が22＋１の染色体を、男性が22＋１の染色体をそれぞれ提供すると書かれていました。それは絶対的な真実として述べられており、それ以外であるなどとは夢にも思われなかったのです。しかし、いまやこれは真実ではないことがわかりました。女性は好

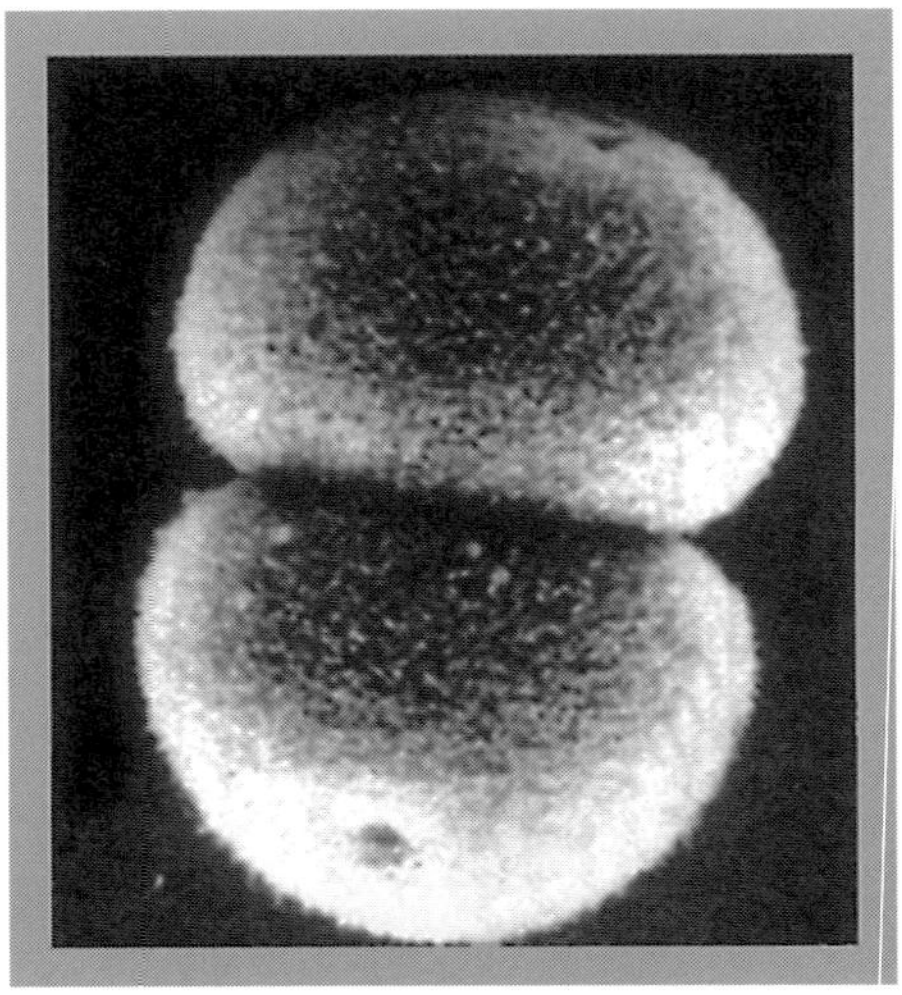

図7-11　マウスの卵の最初の細胞

きな数だけ、いくらでも提供できるのです。女性は22＋1から44＋2までの間なら、いくつでも提供できるというのです。この新たな発見は、遺伝学の分野を完全に書き換えてしまうものでした。今までに知っていたことをみんな窓から投げ捨てて、新たに一からやり直さねばならなくなったのです。

かつて科学の世界では、写真は電子顕微鏡に頼っていました。しかし今はレーザー顕微鏡によって動きを映像で捕らえられるようになったので、進行中の動きをそのまま目撃できるのです。そのために急速に情報が得られるようになりました。今は、こうしてお見せしているものよりもさらに進んでいるはずです。科学は、人体のＤＮＡに存在している10万個の遺伝子の一つひとつを解析している真っ最中です。あとほんの数年で、それぞれの遺伝子とその役割が明らかになるでしょう。（訳注・２０００年7月、人類遺伝子プロジェクトチームにより、このマッピングは完成している。）それは、私たちが想像しうるあらゆる種類の人間を創り出すことができるし、どんな容姿や知性や感情体でも望みのままに生み出せるようになることを意味しています。私たちにはそれが可能になり、何ができるのかを正確に知るようになるでしょう。私たちは神なのでしょうか？ これは答えられなければならない質問です。

最初の４つの細胞が正四面体を形成する

次のステップは、２つから４つになるために再び細胞分裂することです。これは１、２、４、８、16といったように二進法です。たいていの教科書には、最初の４つの細胞が小さな四角形を形成するとありますが、実際は正四面体（テトラヒドロン）（プラトン立体の１つ）を形成しているのです。そしてその最初の正四面体（それは球の中心どうしを結ぶとできます）の頂点は、Ｎ極かＳ極（図７−12）のどちらかを指します。私はこれが北（Ｎ）を指すか南（Ｓ）を指すかで性別が決定されるとみています。それはまだ明らかではありませんが、正四面体の二極性から考えればたぶん見出せるでしょう。もし正四面体の頂点が新たに形成されている幼胚の足元へ、つまりS極のほうへ向かっているならば、それは女性のはずですし、もし頂点がN極を指して頭のほうへ向いていれば男性のはずです。もしこれが本当ならば、どちらの性別になるのかすぐに確認できます。受胎直後、1時間かそこらのうちに見なければならないので、かなり不便ではありますが。

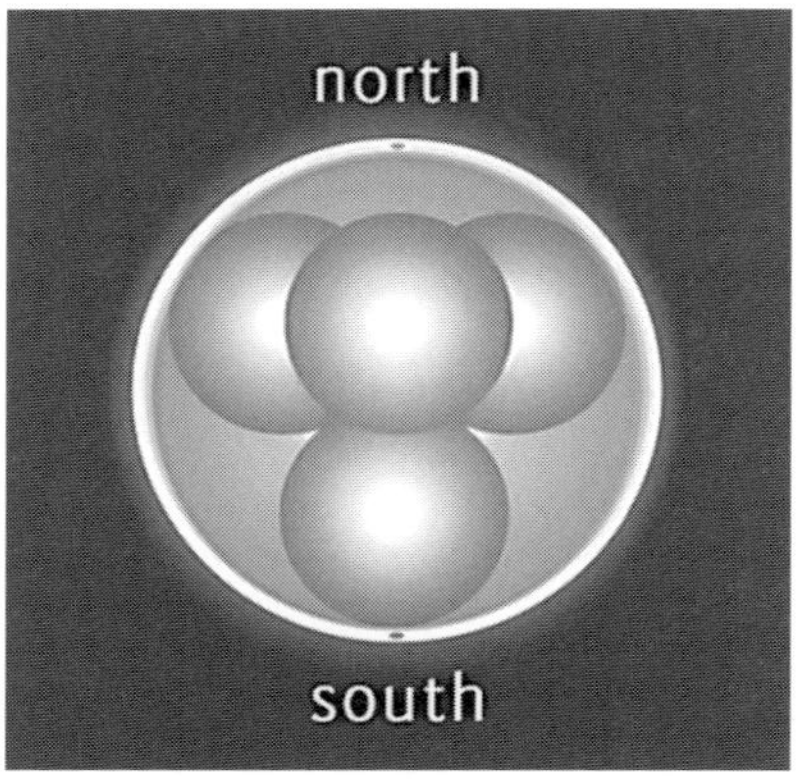

図7-12　正四面体を形成する、最初の４つの細胞

これらは最初の正四面体の幾何学図です（**図7－13**）。横から見たのが右側で、上から見たのが左側です。

図7－14はマウスの卵の電子顕微鏡像です。この写真はかなり急激に成長しているところですが、南北の極にそっているのがわかります。その小さな細胞は、最初の正四面体から形を展開させていくのです。正四面体の４つ目の頂点は、大きな細胞の中心の裏側に存在しています。

次に細胞は８つに分裂します。上を向いた正四面体と下を向いた正四面体になって、星型二重四面体（スター・テトラヒドロン）を形作ります。これがそうです―― エッグ・オブ・ライフ（生命の卵）（**図7－15**）です。この形は創世記パターンの中から出

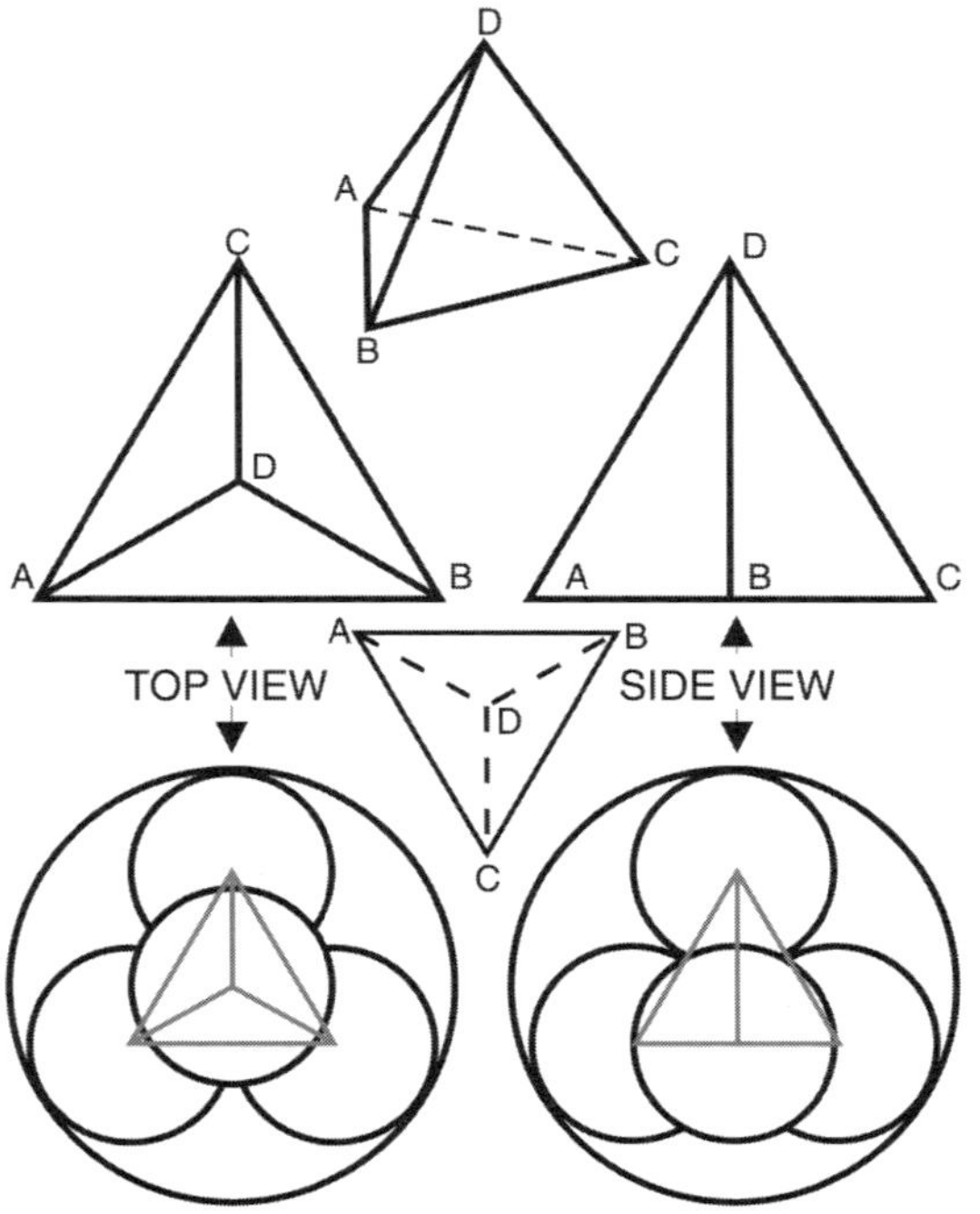

図7-13　最初の正四面体の幾何学図

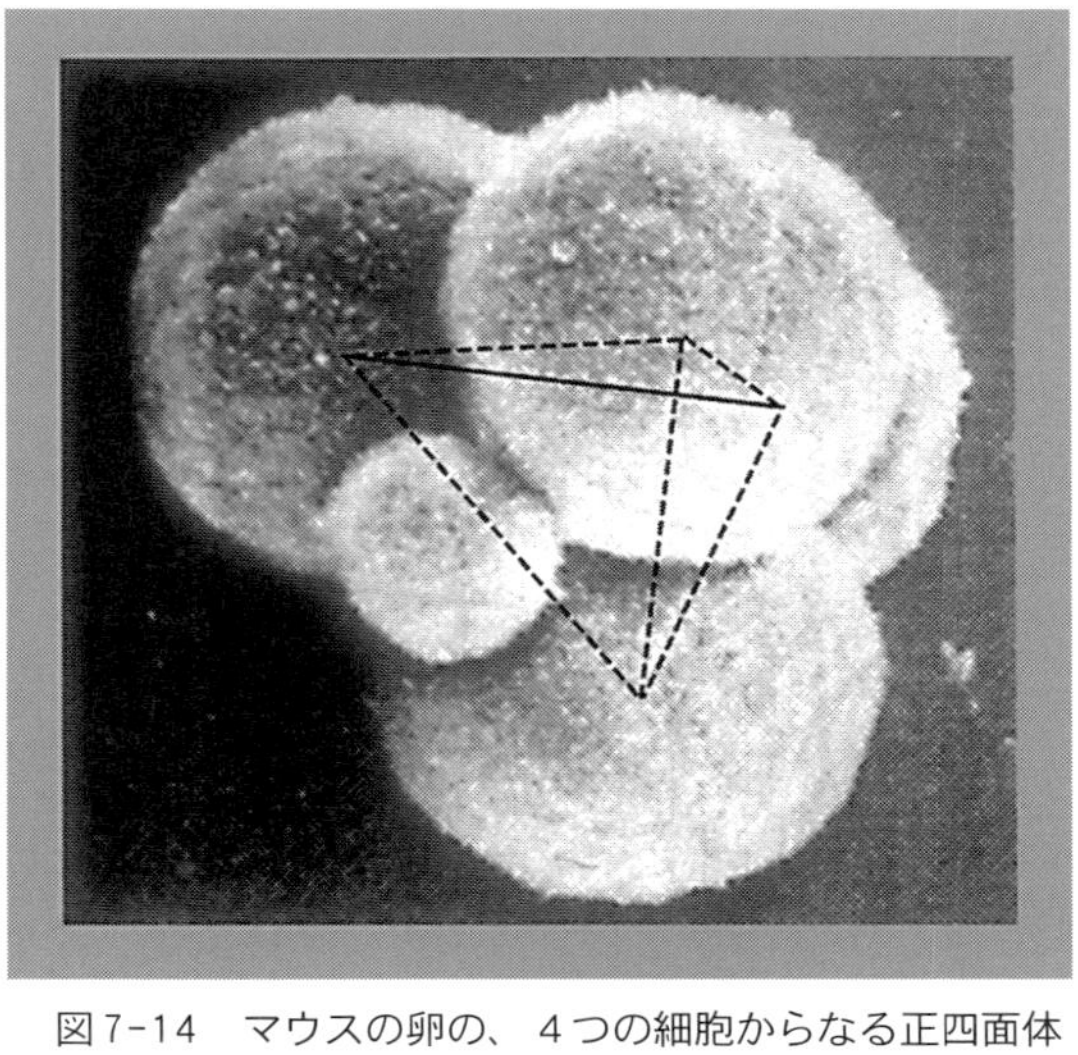

図7-14　マウスの卵の、４つの細胞からなる正四面体

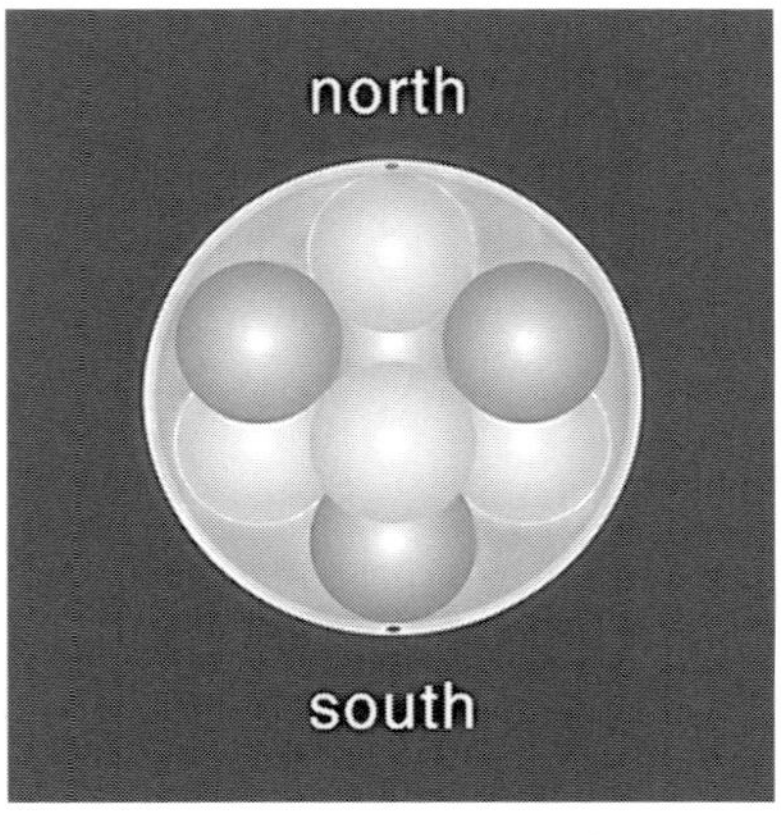

図7-15　最初の８つの細胞で形作られるエッグ・オブ・ライフ

てきたことを憶えていますか？ それはスピリットの第2の回転の時に出現したものです。地球上では確実に（そしてたぶん他のどこの場所であっても）、知られている生命体はすべてエッグ・オブ・ライフを通過しなければなりません。天使たちは、この最初の8つの細胞が星型二重四面体（または見る角度によっては立方体）を形成する時点は、肉体の創造のうちでも一番重要なところだとしています。科学もまたこの特定の発達の状態は他の部分とは全然異なっていると認めているぐらいで、それは発達過程の他のどこにも見られない、たくさんのユニークな特性を持つのです。

これら最初の8つの細胞におけるもっとも重要な性質は、どれもまったく同じ外観を呈していることです――違うところは見当たりません。普通は1つの細胞と別の細胞をたやすく見分けられるものですが、ここでは全部が同じように見えます。研究者たちは違いを見つけようとしましたが、発見できませんでした。それはまるでこの部屋の中に同じ洋服を着て同じ髪型をした八つ子がいるようなものです。科学では、この時点で真ん中の管によって4つの細胞を片方に、残りの4つをもう片方にと分ければ、卵を2つに分割できることがわかっています。すると二人のまったく同じ人間（あるいはウサギやイヌやその他なんでも）が創造されます。さらにもう一度それを分割して、4つのまったく同じ生命体を形成させることも実現しています。8つの生命体が作られたかどうかまでは知りませんが、4つまでは確実に行なわれています。

私たちの本質は、最初の8つの細胞の中にある

天使たちによると、これらの最初の8つの細胞は、あなたの肉体以上にあなたの本質に近いのだそうです。おかしなことに聞こえるのはわかっています、なんといっても私たちは肉体で識別されることに慣れきっていますから。でも、これら8つの細胞のほうが本当のあなたにもっと近いのです。天使たちは、これらの8つの細胞はあなたの肉体の中で不死性を保っているといいます。みなさんは5年から7年ごとに死んでいます。つまり、この最初に発生した8つの細胞以外は、すべて残らず5～7年の間に新しいものと入れ替わるのです。しかし最初の8つの細胞は、あなたが受胎された時から死んで肉体を離れるまでずっと生き続けます。他の細胞はみんな別の生命サイクルを経過していくのに、この8つだけが違うのです。

これらの細胞は正確に肉体内の幾何学的中心に据えられ、会陰のちょっと上に位置しています。女性の会陰は肛門と膣口の間にあります。男性の場合は肛門と陰嚢の間です。そこに一片の小さな皮膚が存在していて、物理的な穴があるわけではないのですが、エネルギー的な開口部があります。そこから中央管が肉体を通って頭頂のクラウン・チャクラにまでずっとつながっているのです。生まれたばかりの赤ちゃんでは、最初の数週間、頭頂が脈打っているのがわかります。赤ちゃんのお尻を見ると、会陰も同じように脈打っています。それは赤ちゃんが正しい呼

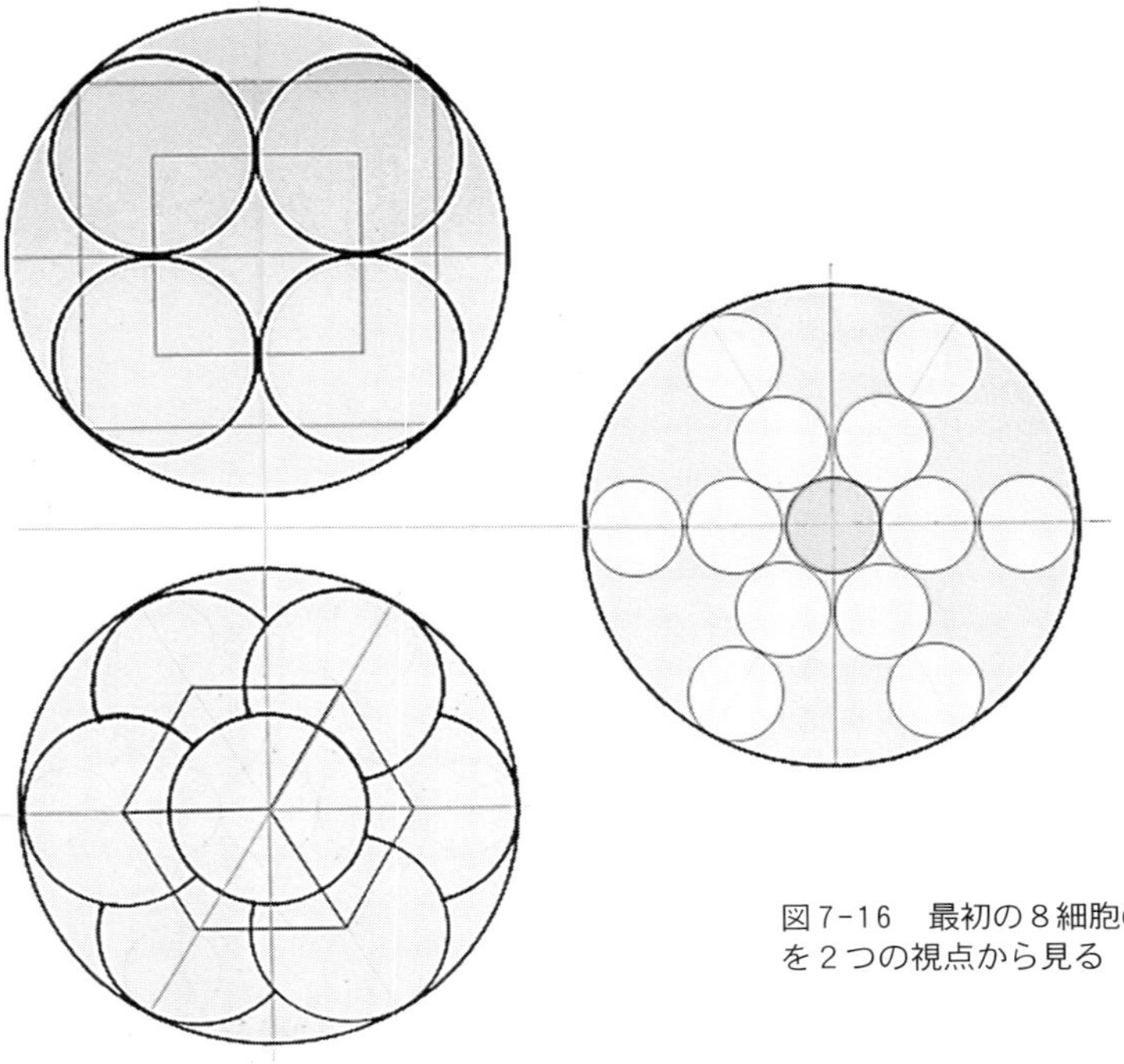

図7-16　最初の８細胞の幾何学を２つの視点から見る

吸をしているからです。エネルギーが両極から流れ込んできているので(上からだけでなく、下からも流れ込んでいます)、中央管の両端で脈打っていて、真ん中で統合されます。これはマカバの基本的な知識です。最初から存在していた8つの細胞が配置されているのは、頭のてっぺんと足の裏から等距離の場所なのです。それらの細胞は、存在しはじめたその時からエッグ・オブ・ライフのパターンでずっと同じ配置のまま存続し、N極が上、S極が下になっています。

前のイラストを見ると、エッグ・オブ・ライフがN極とS極の方向を決めたとき、真ん中の向こう側には明るい色をした球が見えています。それは六角形として見るのとは全然異なります――六角形のパターンを透かし見ることはできません。この違いを、後でマカバを活性化させる瞑想の時に思い出してください。

図7―16は、最初の8つの細胞を2つの視点から見た図です。天使たちによると、私たちはツルマメのようにどんどん伸び育つばかりではないそうで、それにはこの最初の8つの細胞がカギになっています。私たちは実際には、この最初の8つの細胞から360度の方向に成長していくのです。

このマウスの卵の写真は、8つの細胞がさらに分裂しはじめたところを撮ったものです(**図7―17**)。こういう写真は、細胞がかなり速いスピードで分裂しているため非常に撮影が難しくて、あまり鮮明な画像ではありません。写真を撮るには、ちょうどいいタイミングを見計らって、そこで分裂を止めるために透明層をはがさなくてはならないのです。

16細胞の星型二重四面体または立方体から、空洞の球あるいは円環体へ

細胞は8つに分裂した後、その次に16の細胞に分裂し、ついに立方体あるいは星型二重四面体を形成します。これが対称性を保つ最後の形です。次に分裂して32細胞になる時には、16細胞は中心に向かい、16細胞は外側へ向かいます。もし外側の16個を内側の空いている隙間にはめ込んで対称にしようとしても、それは不可能であることに気がつきます（私は実際にこれをやってみましたが、どこをどうしても2つの隙間ができてしまうのです）。対称性を保とうとすれば、18個の細胞が必要になります。なぜだか不思議でしょう。次の分裂にはもう32個の細胞があるわけですが、もっとおかしくなっていきます（**図7－18**）。一体どうなっているのでしょうか。どんどん変な形になっていきます。対称性はどこへいってしまったのでしょう？

　さて、それはもともと、そうなるようにできていました。もこっとして曖昧になってくるのです。私たちはちょっとの間もこもこの塊（かたまり）になります。しかし、その不定型さにも意識があったのです。そこから伸びていき、内側が外側にめくれ返って、次の写真（**図7－19**）のように内部が空っぽのボールみたいになります。

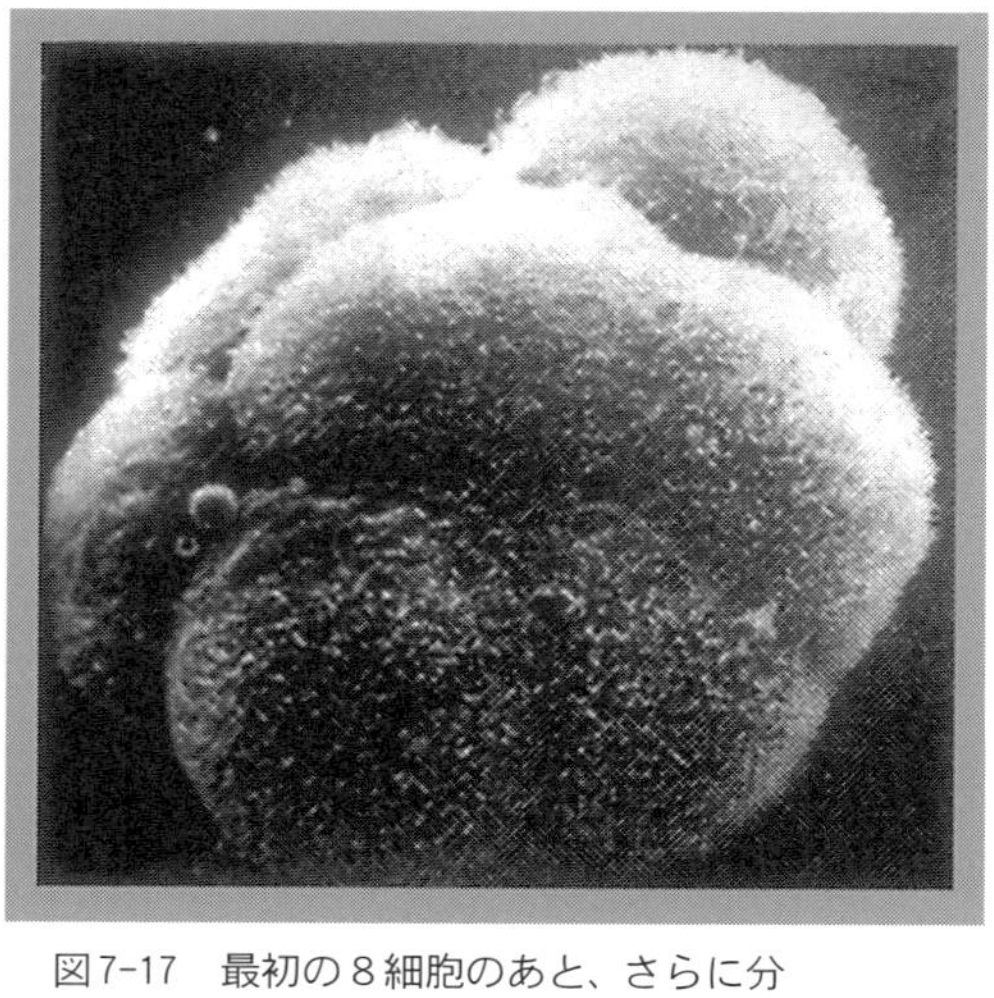

図7-17　最初の８細胞のあと、さらに分裂しはじめたマウスの卵

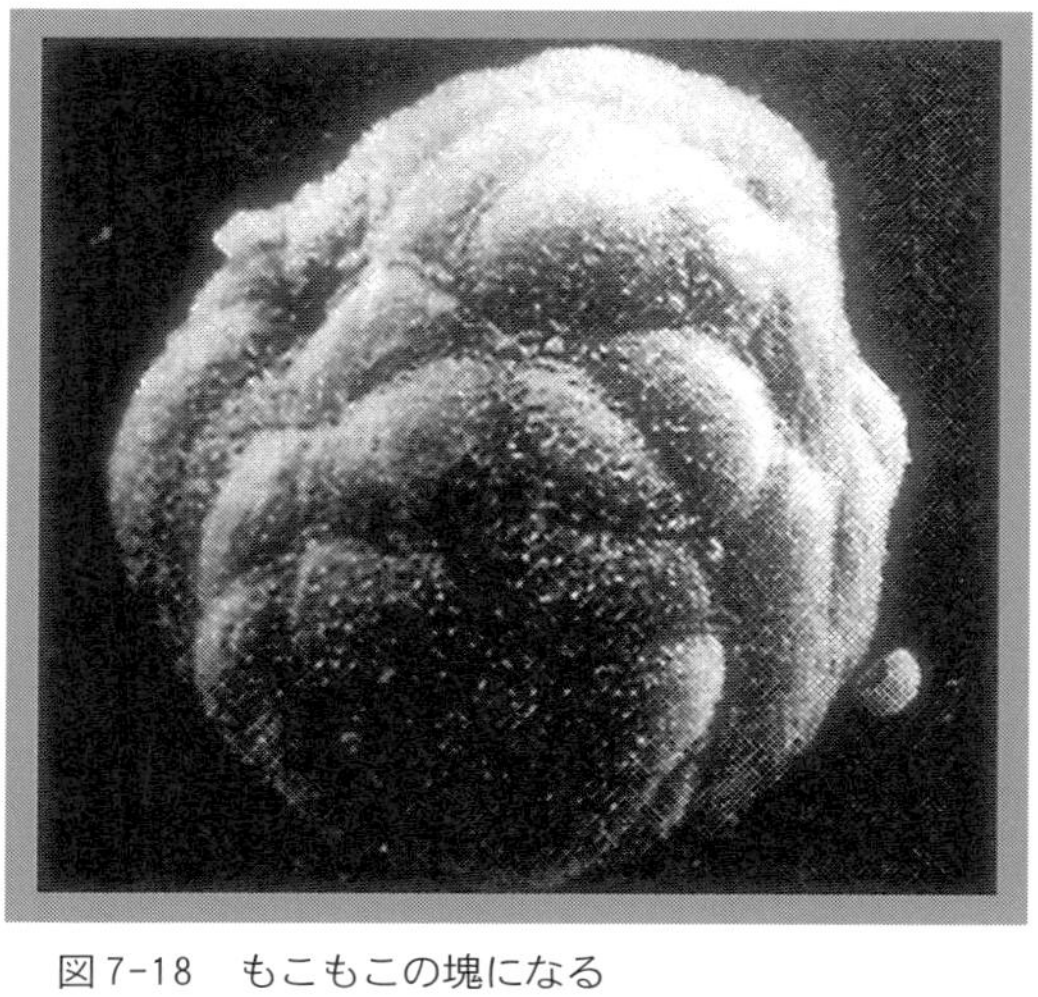

図7-18　もこもこの塊になる

一度この過程に到達すると、完全に内側ががらんどうの球になります。そのあとN極が内側の空間を下降してS極のほうに向かいます。この写真の幼胚は中心を撮影できるように一部が壊されています。完全な状態では、中心をくりぬかれたリンゴのように見えます。それから、がらんどうの空間は円環体になります――右の写真にあるような、球状円環体です。知られている生命体のすべては、この円環体の状態を通過します。このリンゴ状あるいは円環体の形は「モルラ」と呼ばれています。

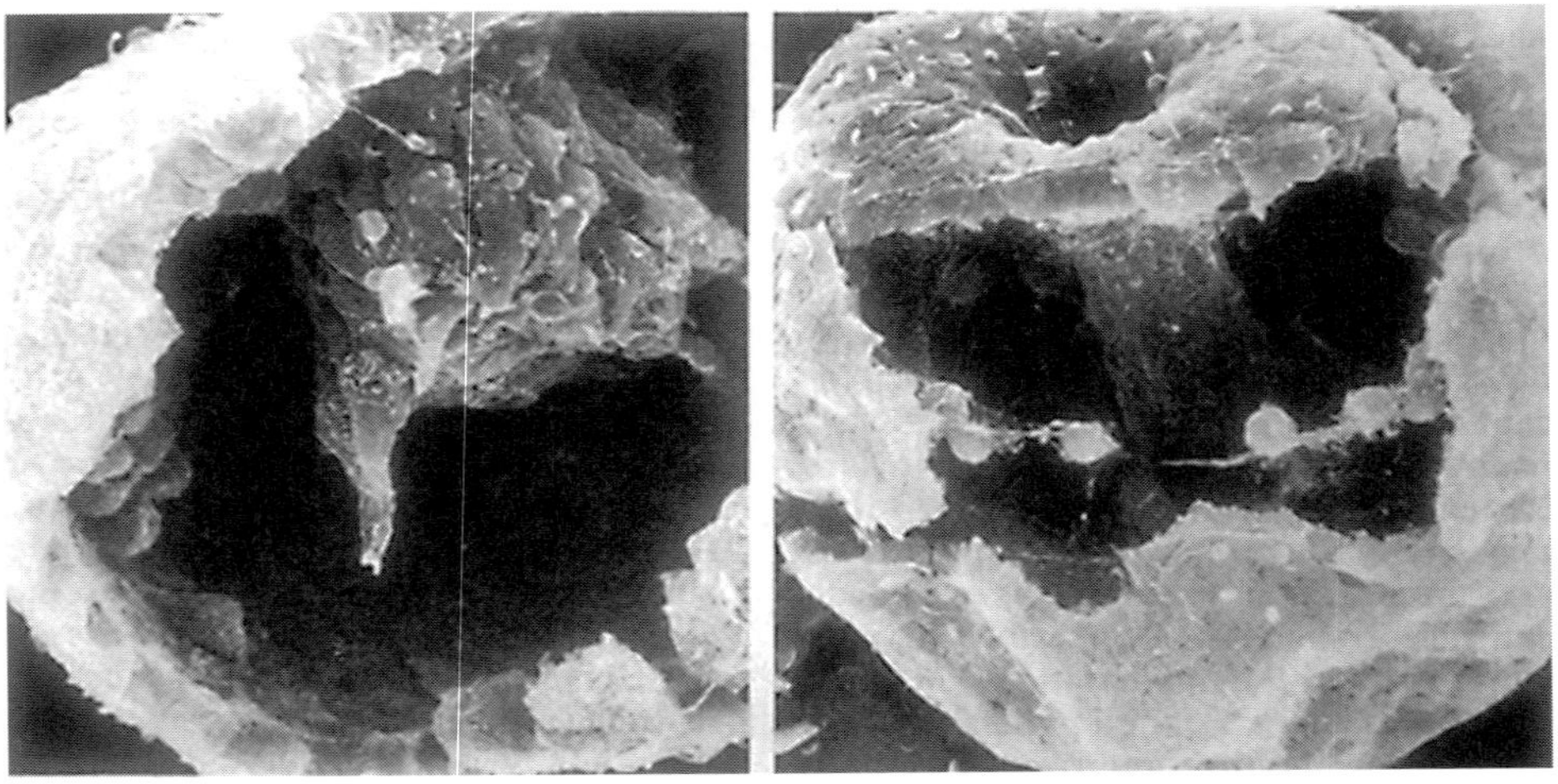

図7-19　最初の細胞群が円環体になるところ（写真右）。ボールのように内側が空になりつつあるウニの幼胚。それは細胞が反対側に到達するまで内側へと巻き込み続ける（写真左）。拡大×2000倍

　このあとは透明層を超えて広がっていき、細胞は個別に変化しはじめます。円環体の中の空洞部分は肺になり、N極が口になり、S極が肛門、そして中心を通っている管はすべての内臓器官を形成していきます。もしそれがカエルなら小さな足が出て、馬なら小さな尻尾が生えてきます。ハエでは小さな羽が発達して、人間はより人間らしくなっていきます。しかし、この差異が生まれる前は、私たちはみな円環体状の外観をしていました。証明することはできませんが、なぜ聖書に伝わる善と悪の知恵の木がリンゴだったのか、これがその理由だったのではないかと私は推測しています。私たちはある一時期、本当にリンゴそっくりになるのです。

生命体の発達が経由するプラトン立体

　これまでのことをまとめると、私たちの始まりは球形の卵子でした。それから4つの細胞で正四面体（テトラヒドロン）を形成し、次に8つの細胞の時には、2つの重なり合った正四面体（星型二重四面体（スター・テトラヒドロン）あるいは立方体（キューブ））になります。16の細胞で2つの立方体を形成すると、32細胞になって再び球に戻り、そして球から円環体（トーラス）を作りながら512細胞まで

増えます。惑星地球とその磁場もまた円環体状です。これらのすべては神聖形状であり、メタトロン立方体を下敷きにした、フルーツ・オブ・ライフの第一情報提供システムからやって来たものです。

このテーマについては、いろんなものがこれら5つの形（プラトン立体）とどう関連しているかを紹介するだけでも7～8カ月はかけられます。しかし、たぶんもう私が言わんとするところは理解していただいたと思うので、先に進むことにしましょう。ときに現代の数学者は、プラトン立体が知られるようになったのは文明が発祥した約6000年前より以降のことだと言っていますが、それは真実ではありません。ギリシャ時代にもいくつかの発見が記録されています。また、考古学者たちは最近になって地中から完全なモデルをいくつか発見しました――石に完璧な形で刻まれていたのです。これらは2万年前のものであるとされました。私たちが毛深い野蛮人と見なしていた先祖たちは、明らかに私たちの想像をはるかに超えてたくさんのことを知っていたのです。

水中出産とイルカのお産婆さん

誕生の幾何学からちょっとそれますが、少し違う話をしたいと思います。ロシア人のイゴール・チャルコフスキーという人は、長い間、水中出産に関わってきました。彼はたぶん少なくとも2万件の水中出産に立ち会ってきたでしょう。最初の水中出産で生まれた彼自身の娘が20代になり、その出産に付き添うためにチャルコフスキーはチームと一緒に黒海に行きました。彼女は深さ60センチほどの水中に横たわって出産を待っていました。

私が思い出すのは、3頭のイルカがやって来てみんなを押しやり、その役を代わってしまったという話です。イルカたちは何やら彼女の体をスキャンするかのように、頭のてっぺんからつま先まで何度もチェックしました――私にも似たような経験がありますが、それは人体のシステムに何かをしているのです。彼女の出産はほとんど痛みも恐怖もなしにすみました。それは途方もなくすばらしい体験でした。イルカにお産婆さんになってもらったという彼女の体験は、いまや世界中に広まる新しい水中出産方式になりつつあります。どうやら出産時にイルカたちが放つ音波には、何かしら妊婦をとてもリラックスさせるものがあるようです。

イルカは人間に対して好き嫌いがあります。絶対的な法則ではありませんが、たいていはこうです。イルカと泳ぎにいったとき、子供がいたら、イルカはまず子供たちを目指します。もし子供がいなければ、女性に向かっていきます。女性がいないと、男性に向かいます。そしてもし妊婦がいるとすると、他の人はみんな無視されることになります――つまり妊婦はイルカ全員の注目を浴びるのです。これから訪れようとしているその小さな赤ちゃんが、一番すごいのです。イルカは人間の誕生の場面に遭遇すると、とても興奮します。大好きみたいです。

イルカは実に驚異的なことができます。少なくともロシアでは、お産婆イルカの立ち会いで生まれた子供たちはみんな大変すばらしいのです。私が読んだところでは、一人も知能指数１５０を下回る子はいなくて、全員が非常に安定した感情体と、強く発達した肉体を持っているそうです。そしてみんな何かしらに秀でているというのです。

フランスでも水中出産が行われてきました――２万件以上です。それは大きなタンクの中で出産するというものです。最初のころは、テーブル上にすべての緊急用器具を準備して、医師も待機していたそうです。しかし長いこと何の問題も起こりませんでした。１年また1年と過ぎても特に問題はなく、さらにもう1年が過ぎて、ついに２万件を数えましたが、全員何の支障もなく無事に出産したそうです。今では何の問題もないので、緊急用の器具はどこか片隅にしまわれています。本人が自覚しているかどうかはともかく、どういうわけか女性が水に浮かんでいるとき、どんな症状もたいてい自然に収まってしまうようなのです。

私はロシアでチャルコフスキーの助手をしている女性と何度か会ったことがありますが、彼女は出産時に撮影したたくさんのフィルムを持っていました。二人の女性の出産を見ることができましたが、彼女たちは痛みがないだけでなく、子供が生まれる約20分もの長い時間、とぎれることなくずっとオルガスムの状態にあったのです。それはまったくの歓喜でした。そうなるはずだということは私も知っていました。彼女たちは完全にその通りだということを立証してくれました。

さらに、ロシア映画で、赤ん坊と2～3歳およびもう少し年上の子供たちがプールの底で眠っているところを撮影したものも見ました。その子らは文字通り水中で眠り、その間、10分おきぐらいに浮かび上がってくると、顔を水面の上に出して息をしては、またプールの底にもぐっていって眠るのです。これらの子供たちは水中に住んでいます――そこが彼らの家なのです。彼らはほとんど異なった種のような名前をつけられました。人々は彼らのことを「ホモ・ドルフィナス」（訳注・「イルカ人間」の意）と呼んでいます。彼らは人間とイルカとの融合体のように見えます。水は彼らにとってごく当たり前の媒体になっていて、しかも彼らはきわめて知的です。

そういうわけで、私は水中出産に対して大いなる尊敬の念を抱いています。さらにそこに一緒にイルカたちがいてくれたら、最高の贈り物になります。アメリカではこれに対して多くのプレッシャーがありますが、たくさんの国々がこの新しい出産方法を取り入れて実行しているのは、とても健康的なことだと思います。最近はアメリカでもこうしたプレッシャーは徐々に減りつつあるようで、今ではフロリダ州とカリフォルニア州で法律的に認められるようになりました。世界ではニュージーランド、オーストラリアその他にたくさんのセンターがあります。そしてもちろん、痛みのない出産のことを知る女性たちがもっと増えれば、当然、自分もそうしたいと思うようになるでしょう。

人体を取り巻く幾何学

さあ、それでは次の冒険に船出しましょう。私たちは受胎において幾何学がどう展開していくのかを見てきました。人体の中心点となる小さな８つの細胞でできた立方体からどのように始まったのか、ということも見ました。今度は肉体の外側の幾何学に目を向けていきたいと思います。天使たちが私に説明してくれた通りを、今からみなさんにお話ししましょう。

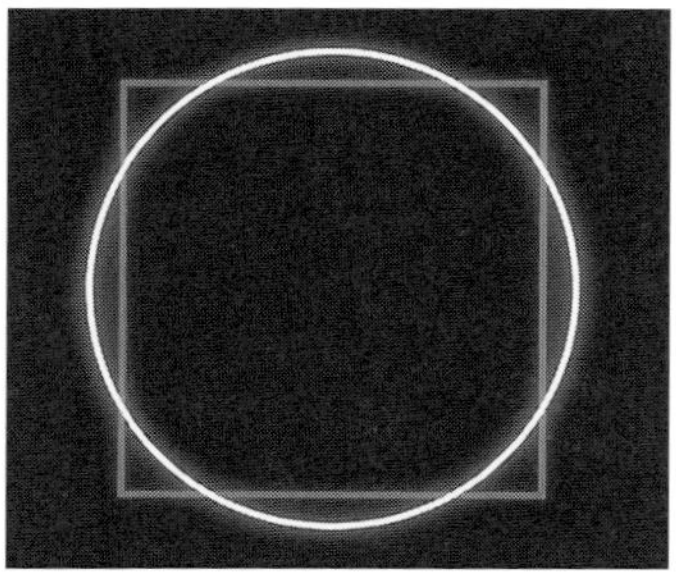

図 7-20
円と正方形

これは私がコロラド州のボルダーにいた１９７６年から１９７８年までの間にあったことで、正確にいつだったかまでは憶えていません。数人の友人たちと家を借りて、それぞれ部屋に住んでいました。ある夜のこと、天使たちが私のところに新しい学習事項を携えてやって来ました。彼らは空中に、輝くばかりの幾何学形を投影して見せてくれました。それは私のいるところから約２～２・５メートルほど離れた空中に浮かぶように現われ、ホログラフィックな映像のような感じでしたが、それを使ってワークをしたのです。部屋の中で天使たちが見せてくれたのは、円と正方形（**図7－20**）の図でした。そして私に、このパターンをメタトロン立方体の中に見つけるように言いました（**図7－21**）。そしてさよならを言うと、どうすればいいのかも教えずに去っていきました。

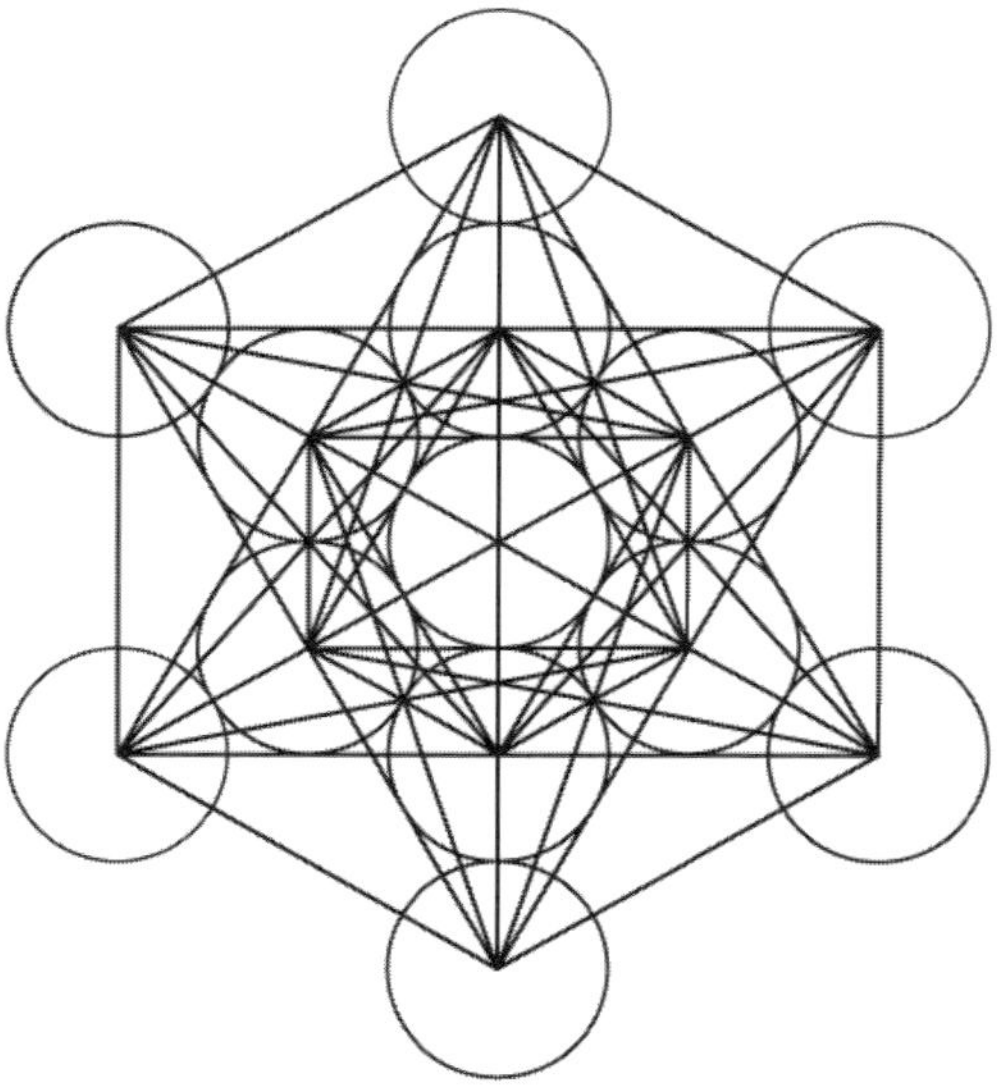

図 7-21　メタトロン立方体

残された私は、解くのはそんなに難しいことではないはずだと考えました。今までにも彼らはよくちょっとした問題を投げかけていきました。そしていつも私が問題を解いて、彼らが戻ってくるのを待っていると、さらにまた別の問題を持ってやって来るのでした。ですから今回もそんなに長くかからないだろうと見込んだのです。ところが、実際にやってみると全然簡単ではありませんでした。4カ月以上たっても答えが見つかりません。そこでどうやら天使たちは、これに関して私を助けるために直接介入してくれたようです。

ある晩9時ごろ、床じゅうを図面で埋めつくした部屋に一人で座っていました(あんまりたくさん書いたので、床をテーブルにしていたのです)。ドアは閉まっており、私は天使たちが残していった問題を解こうとして、図面を凝視していました。メタトロン立方体の一体どこに円と正方形のパターンが存在するのかを見つけ出そうとして描いた図面は、信じられないくらいの枚数になっていました。

その当時、私は自分が何をしているかを誰にも言いませんでした。自分にとってものすごく個人的な体験だったので、ずっと長い間、人には話さなかったのです。それに率直に言えば、とにかくそんなことに興味を持つ人はいませんでした。今よりもまだずっと人々の意識には浸透していなかったので、誰も幾何学などに注目する人はいなかったのです。

メーソン
フリーメーソンのこと。近代フリーメーソンは18世紀にイギリスで結成されたが、その起源は古代エジプトの秘儀にも通じるという。会の紋章はピラミッドの中に描かれた目。

円を正方形にするメーソンのカギ

そのとき、誰かがドアをノックしました。ドアを開けると、背の高い男性が立っていました。まったく見知らぬ人です。彼はちょっとおびえているような様子でこう言いました。「私はここに来て、あなたにあることをお伝えすることになっているんです。」私は彼に名前をたずね、何のことなのか、もっと聞き出そうとしました。

「その、」彼は言いました。「メーソンから、あなたに円と正方形について伝えるために遣(つか)わされてきました。」

これにはまったく度肝を抜かれました。私はその場に立ちすくんでしまい、一体どうしてこんなことになったのかと考えて、しばし彼の顔を凝視しました。しかしやがて、どうやってこうなったかは別にどうでもいいことで、大切なのはただ実際にこういうことが起こったということだとようやく悟りました。私は彼の手をとると、「入ってください」と引っ張り込むようにして言いました。「あなたが言うべきことというのを全部話してください。それらが何か、ぜひ知りたいのです」と私が言うと、彼はこのような図形を描いたのです(図7−22)。

まず彼は正方形を描き、それからその正方形のまわりに独特のやり方で円を描きました——それは私の部屋の中で輝いていた、例の図形パターンそのものではありませんか! これはすごいことになりそうだ、と思いました。彼はさらに正方形を4つに区切ると、正方形の角からそれぞれ中心を通って反対側へ対角線を引きました。それから4つの小さな正方形の中にも対角線を引きました。次にIからEへ、そしてEからJへと線を引きました。その次にはIからHへ、そしてHからJまでを結びました(EとHは、中央を縦断する垂直線と円周がぶつかる点です)。

ここまでは私も問題なくついて行けましたが、とつぜん彼はAから何もない場所(G)へと線を引っ張り、それをBに持っていって、今度はDから何もない場所(F)へと引いて、Cへ戻りました。私が「ちょっと待ってください、それは私が教えられた法則にのっとっていません。それはおかしいですよ――ここには何もないじゃないですか」と言うと、彼は「それは大丈夫、なぜならその線(A―G)は、この線(I―H)と平行していて、こっちの線(D―F)はこの線(J―E)と平行なんですよ」と言いました。

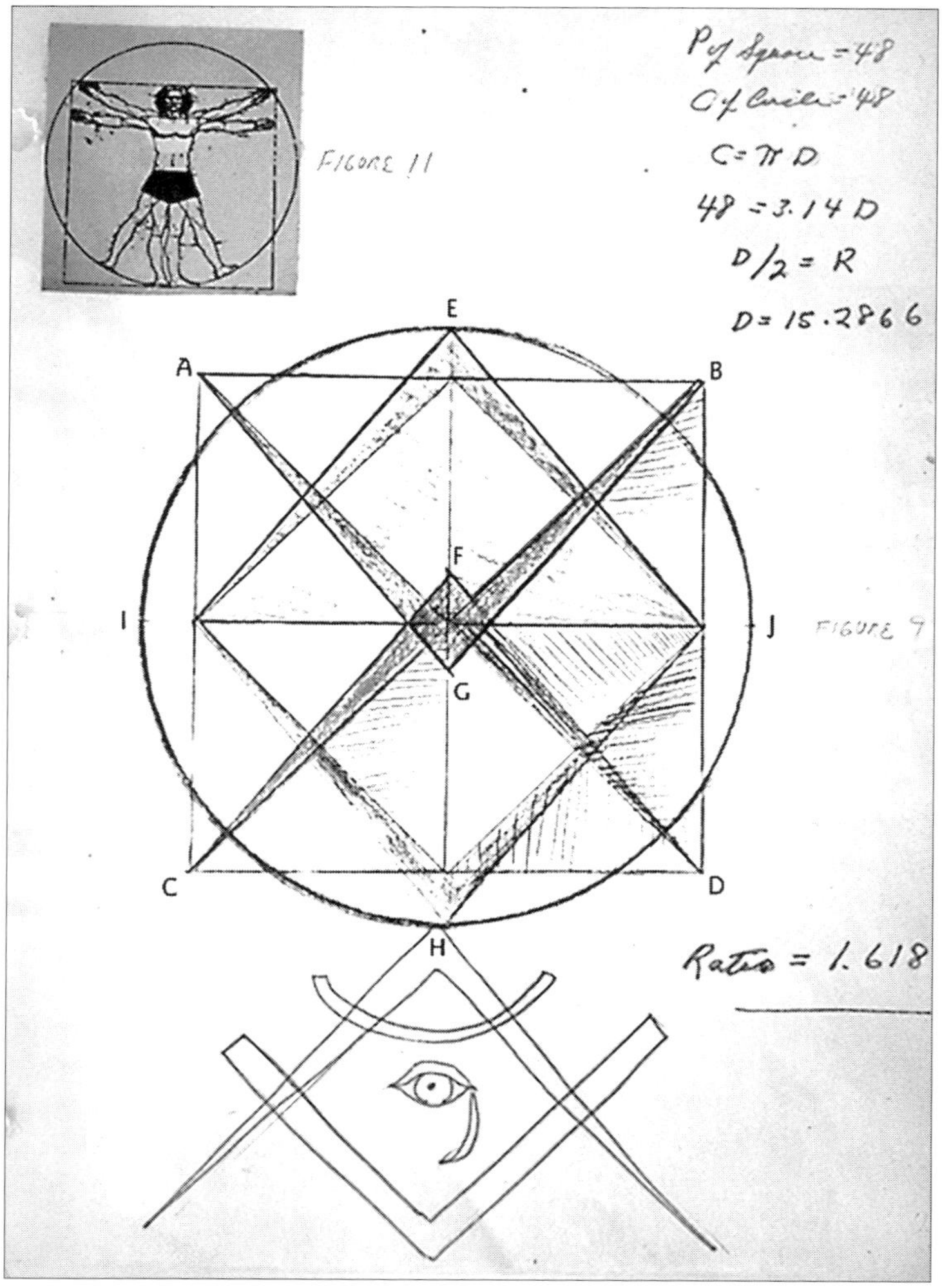

図7-22　メーソン団員が描いた図形

「ふむ」と私は続けました「それは新しい法則ですね。僕は聞いたことがないな。なんていうか、だってそこには何もないじゃないですか。平行線だって？……うーん、まあ、とにかく聞くことにしましょう。」

それから彼はいろんなことを私に話しはじめました。最初のカギは、前にもみなさんに言ったように、円の円周と正方形の周囲の長さが同じであるというところです。この円と正方形のパターンは、宇宙船が大ピラミッドの上に乗っているところを空中から見下ろしたのと同じ形をしています。

ファイ（φ）比率

彼は私に1・618（小数点第3位にまるめて）というファイ比率について話してくれました。ファイ比率は非常に簡潔な関係性を持っています。ほうきの柄を持って、そのどこかにファイ比率でマークするとしたら、それは2カ所しかありません。次も彼の描いた図ですが（図7−23）、このAとBで表わされる2点です。

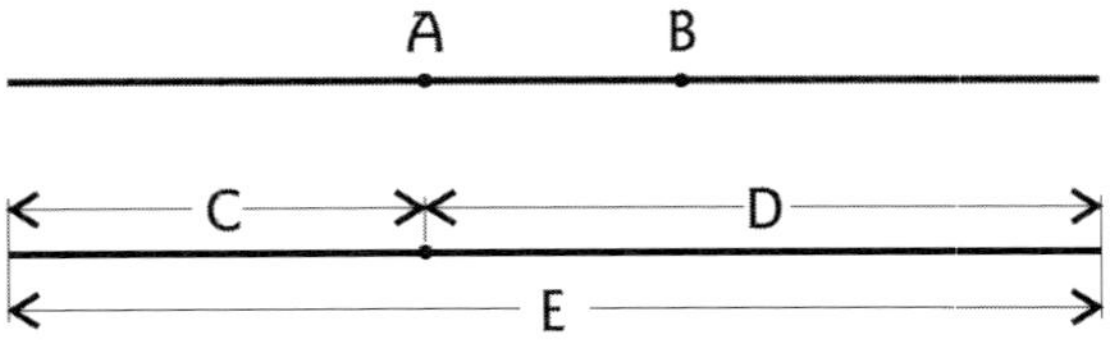

図7-23　ファイ比率点

どちらの端から進んでいるかにより、この2点のどちらかになります。下の図に見られるように、DをCで割り、EをDで割ると、2つの答えは同じになります。1・618……です。つまり、長いほうを短いほうで割ると1・618という比率が出るのです。全体の長さEをその次に短い長さであるDで割ると、同じ比率になります。そこは魔法の点なのです。私は大学時代に数学を学んでいましたが、この事実に出くわしたとき、ファイ比率にはついていけませんでした。なんのことかさっぱり意味が汲みとれなかったのです。私は全部学び直さねばなりませんでした。

あとからまた話しますが、この男性はレオナルド・ダ・ヴィンチの円と四角に囲まれた人体図を持ち出して、もっといろんな情報を教えてくれました。私はかなりたくさん質問をしましたが、彼はその大半に答えられませんでした。単に「それはそういうものなんです」とか、「わかりません、私たちはそれについては知りません」などと言うだけでした。確かだとは言えませんが、メーソンはその知識の膨大な部分をすでに失ってしまっているのかもしれません。かつてはエジプト人たちのように非常にすばらしい知識を持っていたのでしょうが、同様にその修練を退化させてしまったのでしょう。

彼は去っていく前、さっき描いた図面の下に、四角形と右眼のスケッチを描いていきました（誰のものかわからないので、「ホルスの眼」とは言えないのですが）。そして、その人は去りました。その後、再び彼に会うことはありませんでしたし、彼の名前も思い出せません。

メタトロン立方体にカギを合わせる

メーソンから来たこの紳士は、いかにして円と正方形がメタトロン立方体に当てはまるのかという私の問いには答えませんでした。実際にはメタトロン立方体を見たこともないようでした。しかし、彼が言ってくれたことが

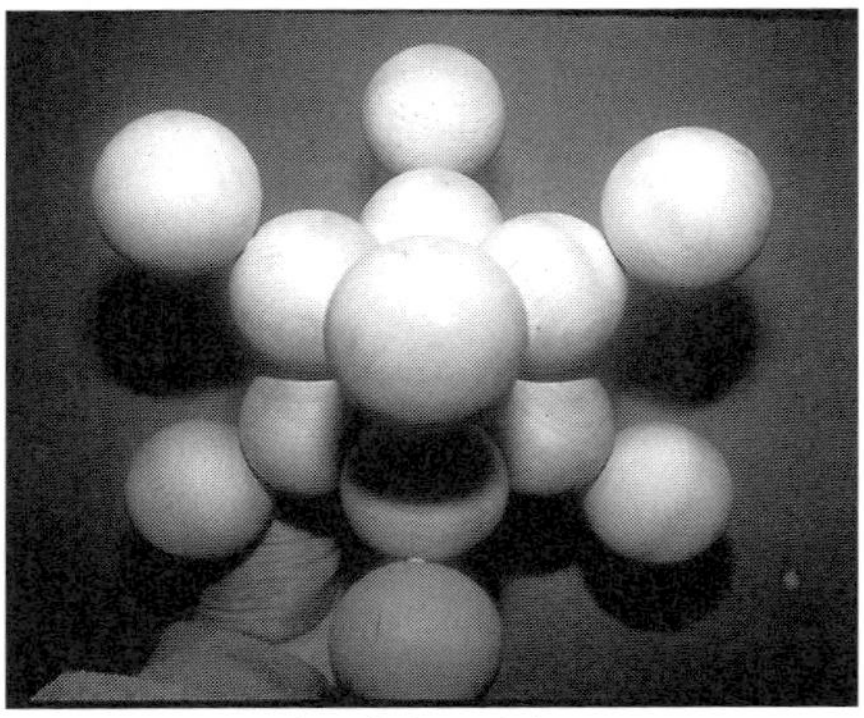
図7-24　3次元的なメタトロン立方体を下から見たもの

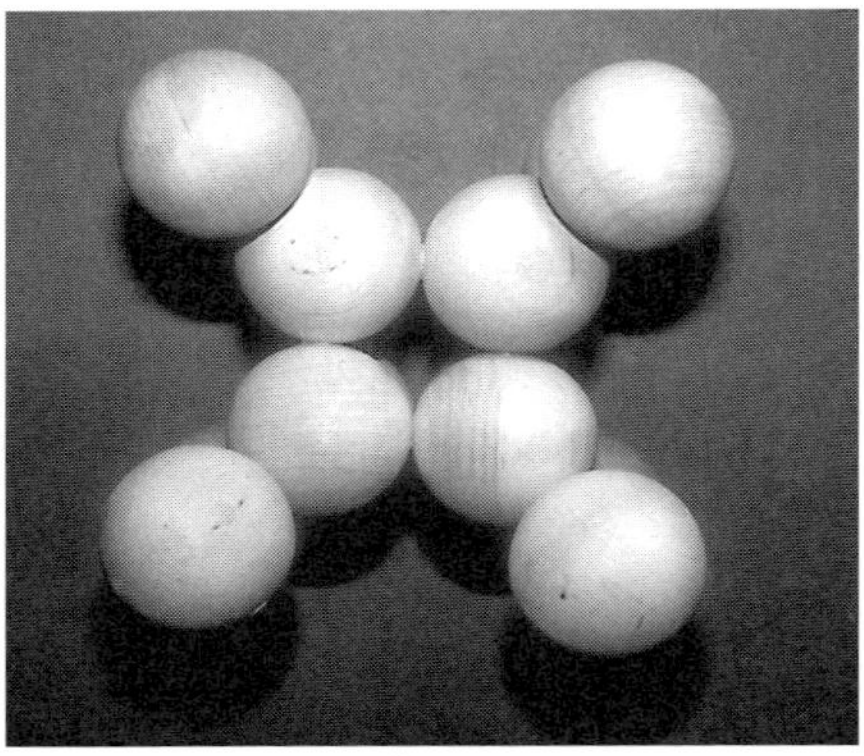
図7-25　3次元的なメタトロン立方体を真横から見たもの

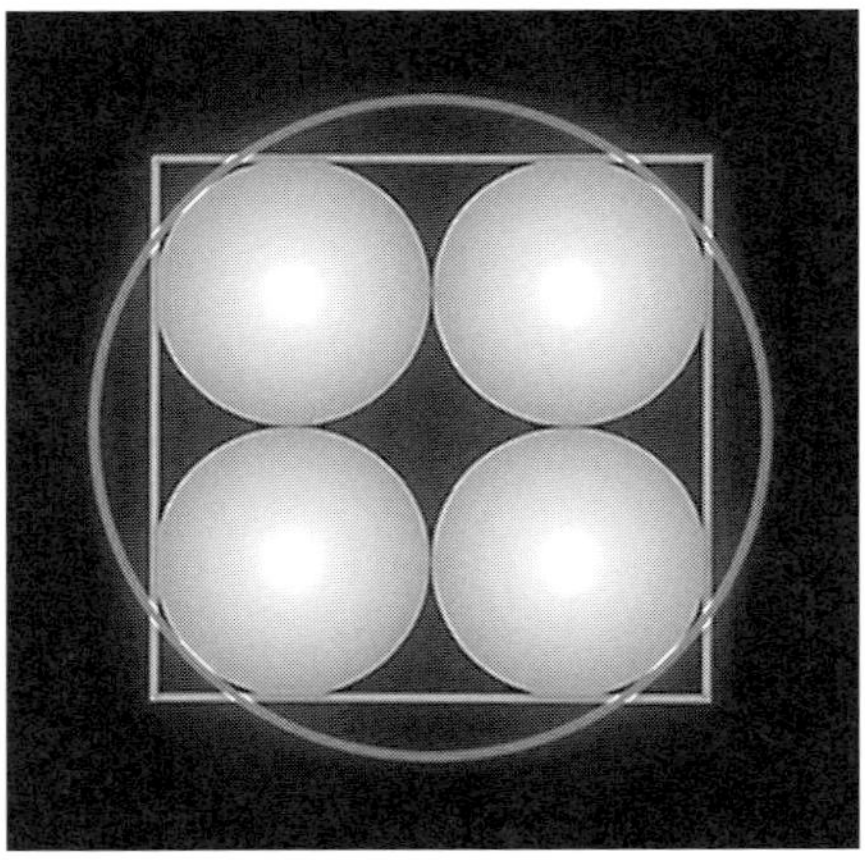
図7-26　メタトロン立方体の中の円と正方形

きっかけとなって、おかげで私は理解することができたのです。彼が去った後、すぐに答えがわかりました。お気づきのように、メタトロン立方体は平面ではなくて立体的な形なのです。3次元的にはメタトロン立方体はこんなふうに見えます（図7－24）。それは3次元的な形では、立方体の中の立方体なのです。これを横から見ると正方形の側面になります（図7－25）。

そうすると、図7－26が導かれます。この時点では外側の部分を忘れてもらって結構です。必要なのは最初の8つの細胞だけです。これらの8細胞のまわりにはすでに透明層という球が存在しています。細胞は立方体を形成していますから、そのまわりに円と直線を描くと、天使が私に見せてくれた円と正方形のパターンが得られたのです。この時は最高にハッピーでした！

2つの同心円または球

ところがその後、正方形の周辺の長さと円周を計算してみると、その2つは等しくないことがわかりました。これではだめだと思い、私はがっかりして放り出してしまいました。それから3年たって、自分はすでに正解を見つけていたのに理解していなかっただけだということがわかりました。神聖幾何学では、何かが間違っているように見えたり、組み立てていく考えをぶち壊すようなことに出会ったら、もっと深いレベルまで掘り下げてみるべきなのです。というのは、しばしばまだ全体像を把握しきれていないことが原因だからです。

私は、透明層には厚みがあるということに気がつきま

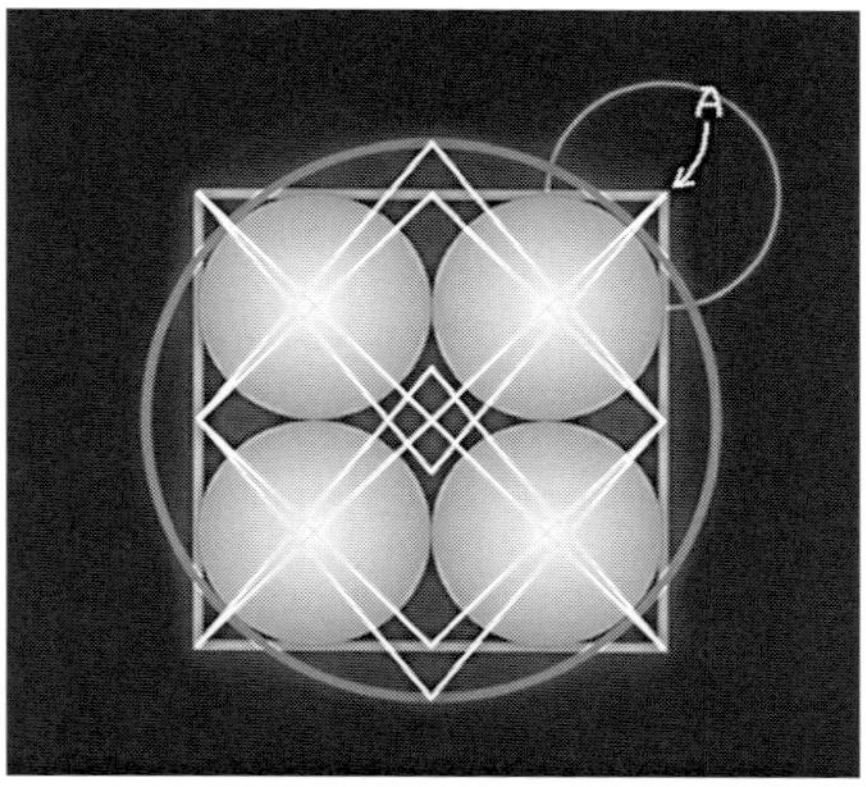

図7-27　エッグ・オブ・ライフの上にメーソンの線を重ねる

した。どんな膜にも外側の表面と内側の表面があり、透明層の外側を用いると、その比率はほぼ完璧にファイ比率になるのです。完璧でない部分も実際には方程式の一部に含まれます（どういう意味なのか、もう少し後ではっきりします）。これが、なぜフラワー・オブ・ライフは二重の円で囲まれているのかという理由です――内と外の円は、透明層の内側と外側なのです。ですから、これからは４つの円が正方形の中に入っているのを見たら、最初の８細胞であるエッグ・オブ・ライフについて話していると思ってください。そういう約束事で話を進めましょう。

さて、そこで私は８つの細胞とメーソン団員の描いたものを比較してみようと思い、メーソンの線がどう関連しているのか、彼が描いた線を上から重ねてみました（図7－27）。私は４つの円の真ん中にあいた隙間部分にぴったり収まるべき何かが見えてくるのではないかと期待したのですが、見たところ、そこには特に目新しいことはなさそうです。しかし、図にAと示された正方形（実際には立方体）の角は、16に細胞分裂した時の外側の細胞におけるちょうど中心にあたることを発見しました。これは興味深い眺めでした。それで私はその意味をもっと深く追求したくなって研究に没頭したのです。天使たちはもちろん私にこの道に進んでほしかったのですが、それがどこへ続くのか、私自身さっぱり見当もつきませんでした。

ダ・ヴィンチのカノン研究

私はこのレオナルド・ダ・ヴィンチが描いた絵をもっと深く見ていくことにしました（図7－28）。美術を専攻していたのでレオナルドの美術品は一通り勉強していたのですが、彼の作品がどれほどのものであったかに気がついたのはずっと後になってからでした。この絵はたぶん彼の一番有名な作品の１つでしょう。モナリザや他のどんな有名な作品よりも、私たちにとって重要な一品と言えるかもしれません。この類の絵は何かが基準になっていて（この場合は人間が基準です）、「カノン（規範）」、人体カノンと呼ばれています。

この絵で私が一番最初に衝撃を受けたのは、どうして私たちみんなが吸い寄せられるようにこれに魅せられてしまうのかということでした。たとえば、ビデオには１秒間に30コマがありますが、このレオナルドの絵を一瞬かいま見ただけでも、人は瞬時にしてそれが何であるかを認識します。私たちはそこに何か重要なものがあるのがわかるのです――たぶん正確にはわからなくても、そのイメージが残るのです。この絵には、私たちに関するたいへんな量の情報が封じ込められています。本当を言うと「私たち」というのは正しくありません。より正確に言うと、今の私たちでなく、過去の私たちの状態を物語っているのです。

この分析を始めるにあたって最初に気がつくことは、まず腕や胴体に線が引かれていて、胸を横切っていたり、足や首にかかっていることです。頭部はまた別の線でもっと細かく分けられています。足先の向きが90度と45度で描かれていることに注意してください——微妙なところなのです。もしあなたが両手を肩の高さで広げて両足を垂直に下ろすと、肉体のまわりにはレオナルドが描いたように正方形あるいは立方体が形成されます。その正方形の中心は、人体の中でそれ自体も正方形あるいは立方体である、最初の8つの細胞が存在する場所とまさしく一致します。最初の8細胞のまわりにできる小さな立方体と、成人の肉体のまわりにできる大きな立方体に注目してください。

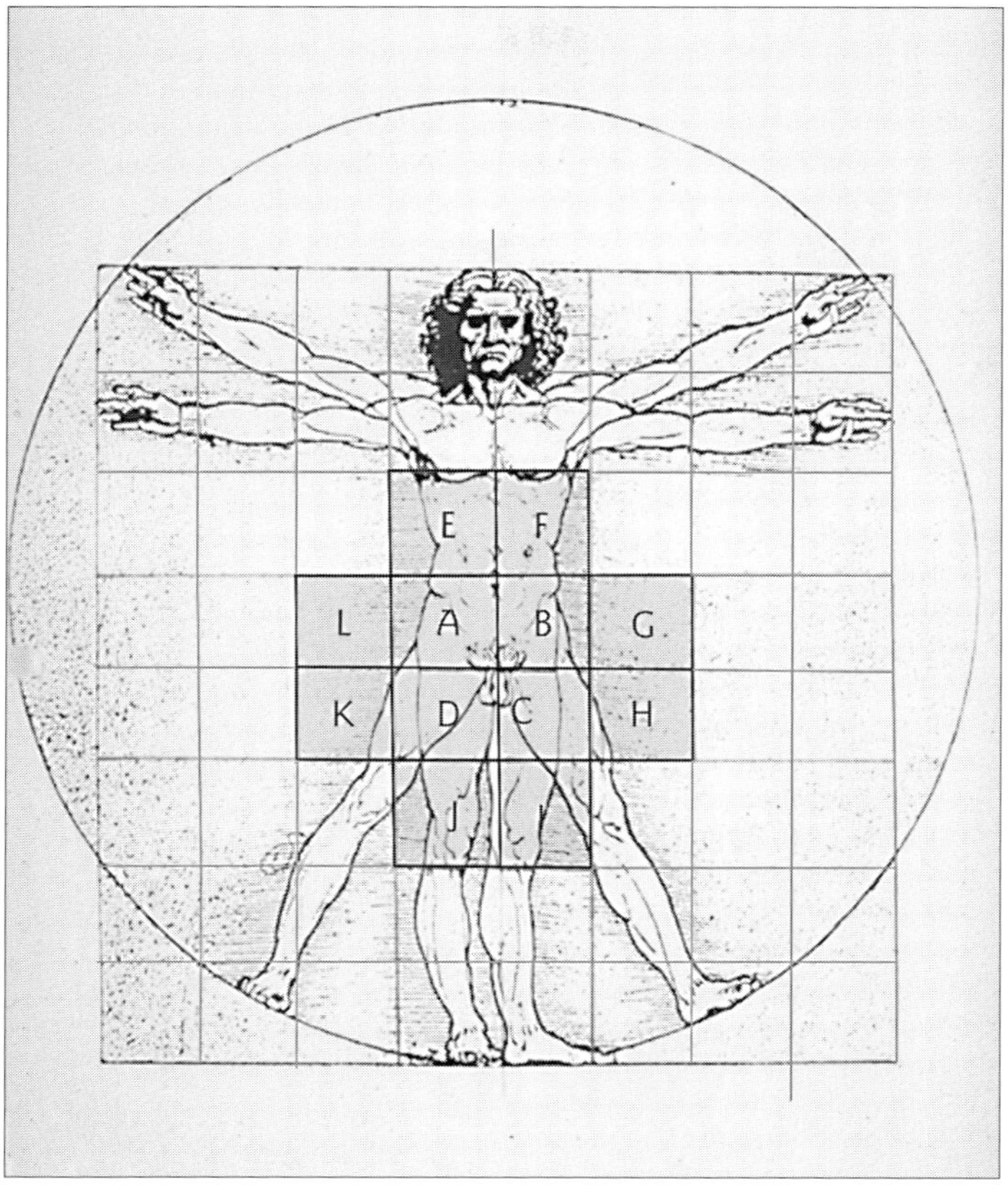

図7-28　レオナルド・ダ・ヴィンチによる有名な人体図（カノン）

レオナルドの人体図のように両腕を横に広げて立つと、あなたのまわりの正方形は、高さと幅で差が出ます。コンピューターによって100人かそれ以上の人を計って割り出した結果、横に広げた両手の幅と背の高さの間には1万分の1インチ（2・54センチの1万分の1）の差があるということです。なぜそこに差があるのか、私には長いあいだ謎でしたが、今はわかったと思います。それは生命の基本になっているフィボナッチ数列に関わりがあるに違いありません。これについてはすぐあとで見ていきます。

レオナルドの絵の外側の足のように両足を横に広げて立ち、絵の上方の腕のように両腕をななめ上に広げると、今度は体のまわりをぴったりと取り囲む球（円）ができ、その中心はおへそのところにきます。このとき、円と正方形は底辺で接しています。この円の中心を正方形の中心までずらすと、円と四角形は、メーソン団員の絵にあったものや、大ピラミッドの上に戦艦が載っている絵とまったく同じように、円と正方形が重なり合うのです。それは生命の大きな秘密です。

レオナルドの絵のコピーを計ると、正確にはたいてい円は長円形で、正方形は長方形であることに気がつくでしょう。何度もなぞられ、複製されたので、どれもさまざまなのです。しかしもともとの正確な絵で2つの中心を重ね合わせたとき、手首の線から中指の先までの手のひらの長さは、頭のてっぺんから円の最上部までの距離と等しくなります。この長さはへそと四角形の中心の間の距離にも等しくなっています。というわけで、2つの中心点を重ね合わせると全部が並びそろうようになっているのです。

人体中のファイ比率

私はこれを発見した時に考えました。これらの幾何学形は、私たちの体の外にも内にも存在するように見えるのです。天使たちが言ったことで強く心に響いたのは、「人体は宇宙のものさし」だという言葉でした――宇宙のあらゆるもの全部は、私たちの人体とそのまわりにあるエネルギー・フィールドから測量することが可能なのです。ファイ比率はメーソンにとってかなり重要な意味を持つようで、団員の彼はそれについて繰り返し語ったため、私は人体の中にそれを探してみたくなったのです。

そして発見しました――もちろんすでに他の人々によって見出されていたことですが。図7−29に示された四角形は、レオナルドの絵で人体のまわりを取り囲む四角形です。そしてその四角形を縦半分に分ける線が人体の中央線にあたります。そしてb線は2つに割られた四角形の半分の対角線であるだけでなく、円の半径でもあることに注意してください。

さて、数学に興味のある人は図7−30を見てください。これは少なくとも1つはこの関係で、人体のまわりの幾何学的エネルギー・フィールドにファイ比率が存在することを証明しています。人体にはこの他にもたくさんのファイ比率がさまざまに存在しています。

ご覧のように、ファイ比率は「$\frac{1}{2}+\frac{\sqrt{5}}{2}$」で表わされます。これをコンピューターで計算させると、メモリーがつきるまでファイの超越数をはじき出し続けます。世間一般のたいていの人は気にするようなことではありませんが、私はそうとうな数の人にこの情報を紹介してきました。

ときに、これもお話ししておきましょう。神聖幾何学を研究していくと、「対角線」は1つの形から情報を引き出す重要なカギになっていることに気がつきます（影をつけて2次元から3次元に拡大したり、女性的・男性的要素を比較したりなど）。これに関して肩透かしをくわされることはありません。

たしか仏陀だったと思いますが、弟子にへそを凝視さ

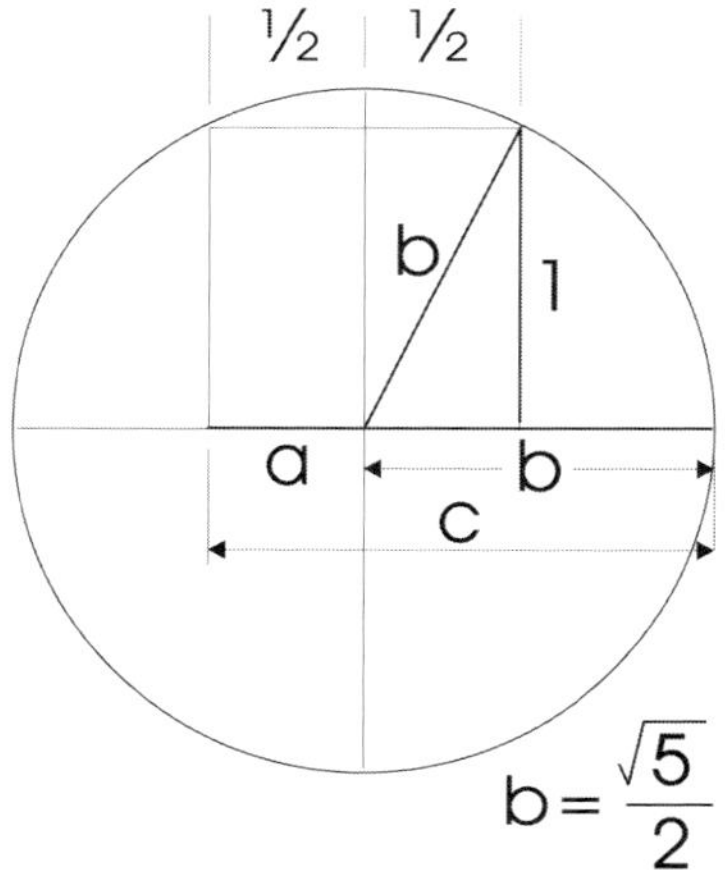

図7-29　人体のファイ比率図

$$\frac{b}{a} = \frac{b+a}{b} = \frac{c}{b}$$

$$b^2 = a^2 + 1^2 = (1/2)^2 + 1 = 1/4 + 1 = \frac{5}{4}$$

$$b = \frac{\sqrt{5}}{2}$$

$$c = a + b = 1/2 + \frac{\sqrt{5}}{2} = \Phi$$

$$\Phi = 1.6180339...$$

図7-30　ファイ比率の方程式

せた人がいました。それが誰であったにしろ、私は研究すればするほど、へそには目に見える以上のことが潜んでいるに違いないと思うようになったのです。その後、仏陀のこの言葉を知っている人が書いたに違いないと思われる医学書に出会いました。というのも、へそに関してはなはだ興味深い研究をしていたからです。理論的に、へその位置は頭頂から足の裏までの間のちょうどファイ比率点にあるという幾何学を述べていたのです。この本の大半はその説明に費やされていました。

その著者によると、生まれたばかりの赤ん坊では、へそは正確に体の中心に位置しているそうです。男女ともそこからスタートし、成長するにつれてへそが頭のほうへずれていくのです。そしてファイ比率点まで上がり、いったんそれを越えて上がり続けます。そのあと体が出来上がる年頃まで上下しながら、やがてはファイ比率点のちょっと下あたりに落ち着くといいます。それが何歳かはわかりませんが、こうした変動や定着はある一定の年齢で起こります。男女両方ともちょうどファイ比率点に留まることは決してなく、私の記憶が正しければ、男性のへそはファイ比率よりもちょっと上、女性のへそはちょっとファイ比率よりも下だったと思います。そして男女を平均すると、完全なファイ比率となります。ですからレオナルドの絵は男性として描かれていますが、それはファイ比率から推定したもので、もちろん自然界ではそのままではありません。

ダ・ヴィンチは次のような発見をしていました。人体のまわりに正方形を書いて、足の裏から斜め上に広げた手先までの対角線を引き、さらにへそから正方形の端まで水平に横線を引くと（他の横線とは別に）、その横線は正確にファイ比率で対角線と交差し、さらに頭から脚へ垂直に下ろした縦線をも、やはりファイ比率で横切るのです（図7－31）。男性がちょっと上とか女性がちょっと下というのでなく、へそが例の完璧な位置にあると仮定すれば、さっきも言ったように、へそが人体の頭から足先までをファイ比率で分割することになります。もしも人体の中でファイ比率の見られる場所が唯一ここだけだとするなら、それはおそらくかなり興味深い事実でしょう。しかし実のところ、ファイ比率は人体の中で何千カ所にも見られ、それは偶然の一致でも何でもないことなのです。

人体でファイ比率の箇所をいくつか例に挙げてみましょう（図7－32）。下の図でわかるように、1本の指の関節の骨の長さはどれも次の関節の長さに対してファイ比率になっています。同じ比率が手足全部の指に存在しています。なんだか奇妙なことに聞こえるでしょう。指の長さがそれぞれ違うので不揃いのように見えるのですが、実は整然とした相関性があるのです――人体の中に不揃いなど存在しません。そして、F－G－Hという指の骨の長さだけでなく、A－B－C－D－Eというそれぞれの指の長さもまた、お互いにすべてファイ比率になっています。

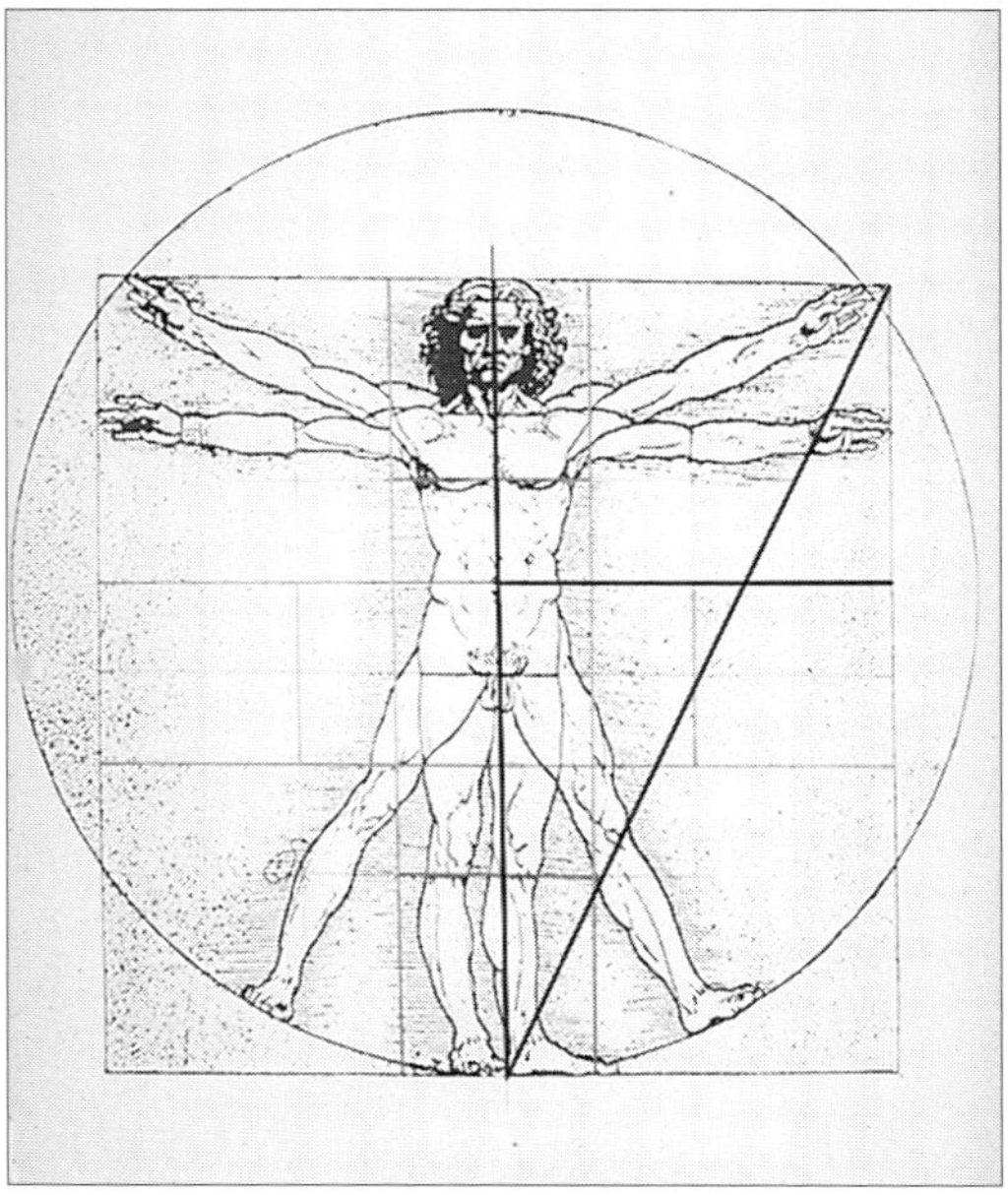

図7-31　レオナルドの人体図に線を加えてみる

$$\frac{BC}{AB} = \frac{AB + BC}{BC} = \Phi$$

$$\frac{DC}{BC} = \frac{BC + DC}{DC} = \Phi$$

$$\frac{DE}{DC} = \frac{DC + DE}{DE} = \Phi$$

$$\frac{GH}{FG} = \frac{FG + GH}{GH} = \Phi$$

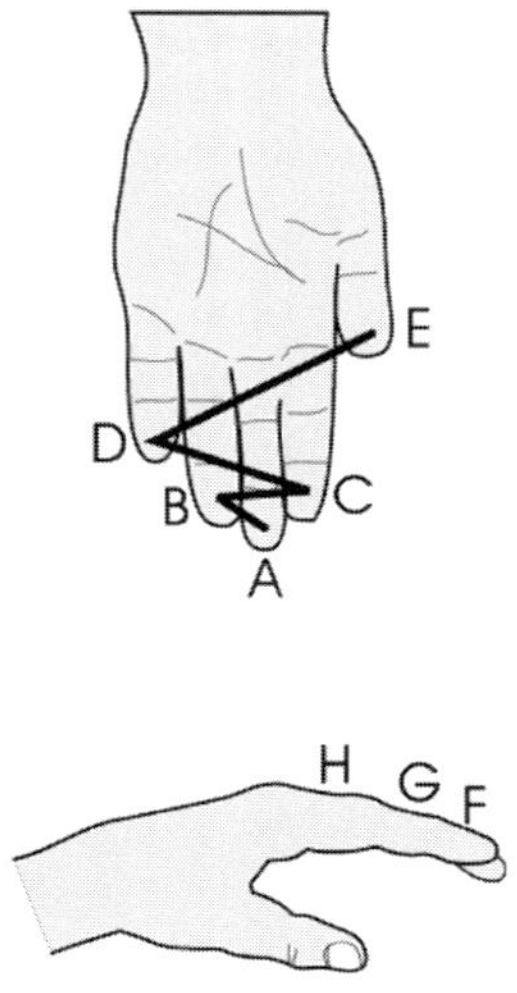

図7-32　人体に見られるファイ比率の例

手のひらの長さ（手首から指先まで）とひじから手首までの前腕骨の長さを比べると、前腕骨と上腕骨の長さがそうであるように、ここもファイ比率になっています。あるいは脚の全長と膝からくるぶしまでの脛骨も、脛骨と大腿骨も、互いの長さを比較してみるとそうです。このファイ比率は骨格全体を通してあらゆる場所にさまざまな形態で見られます。それらはたいてい曲がったり、向きを変えたりする場所です。骨だけでなく肉体のいたるところで、ある部分と別の部分との割合に同様の比率が見られます。これを調べはじめると、どこまでいっても驚かされます。

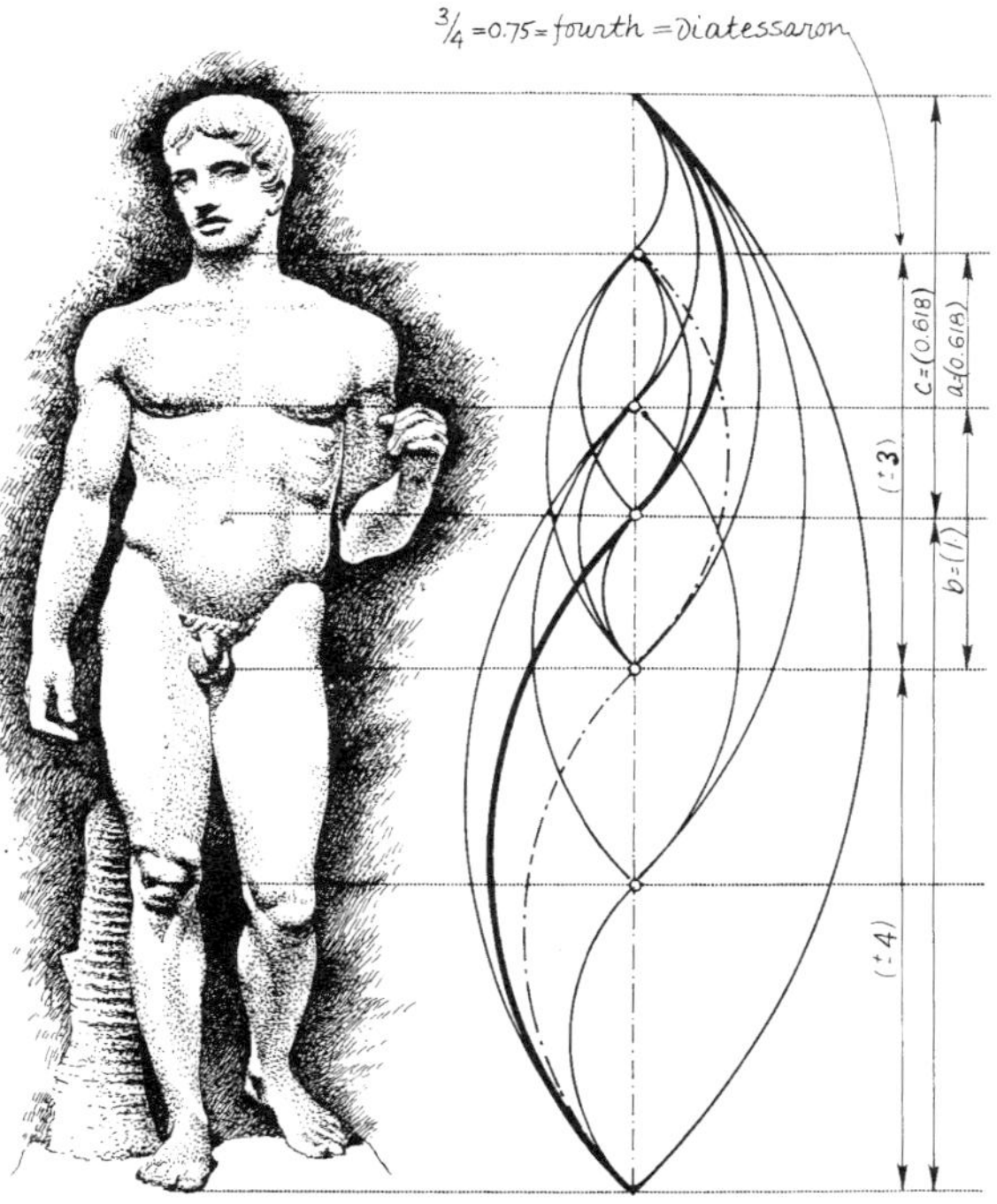

図 7-33　槍を持つ者、ドルフォロスに見られるファイ比率

図7―33は、別のやり方でファイ比率を示したものです。ファイ比率で曲線を描いてみると、曲線がどのように次の曲線へと結びつき、滝のように人体をなだれ落ちていくかという様子が見てとれます。これはジョージィ・ドクジィによる『限界における力 *Power of Limits*』に載っていたものです。この本は非常にすばらしい本です。彼がこの男性のへそからちょっと上、実際のファイ比率点から線を引いていることに注目してください。彼はそれについて知っていたのです。この人は、私が読んだなかでも本当に理解していると思われた、数少ない人の一人です。

ギリシャ彫刻について話したいことがあります。ギリシャ人たちはこのファイ比率について熟知していました。エジプト人その他多くの古代人もそうでした。こういった美術品を創作するとき、人々は左右両方の脳を同時に使っていたのです。左脳はあらゆるものを非常に念入りに測定することに使われました――ちょっとやそっとではない真の注意深さでした。すべてが数学的に正しくファイ比率に則したものとなるように、精密に計測されました。そして右脳は、創造性をほしいままに発揮するために用いられました。彫像にどんな表情を浮かべさせ、何を持たせるか、好きなように表現したのです。ギリシャ人は左右の脳を結びつけていました。

ローマ人がやって来てギリシャを制圧したとき、ローマ人たちは神聖幾何学について何も知りませんでした。ギリシャ人の驚異的な美術品を真似ようとしましたが、

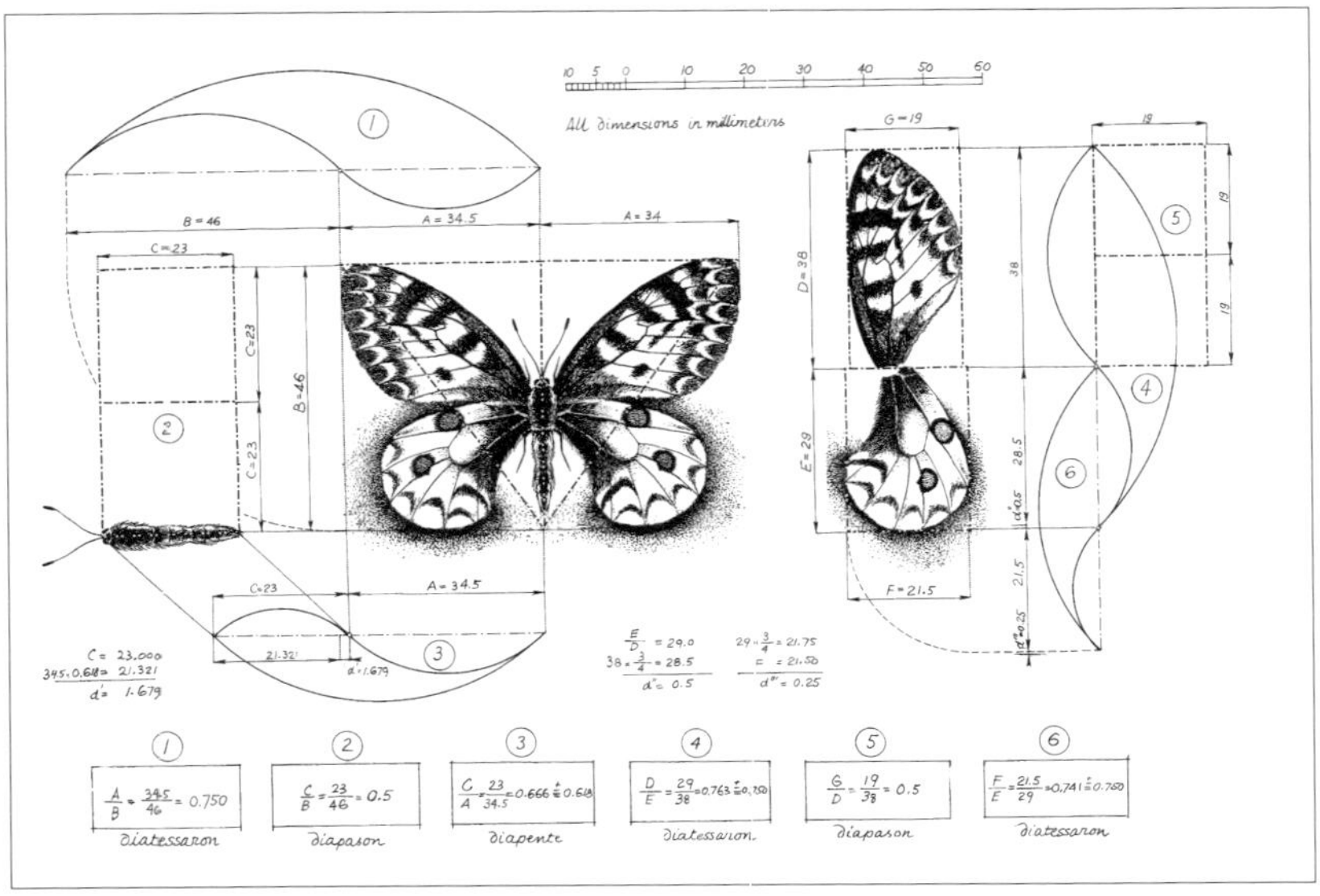

図7-34　蝶に見られるファイ比率

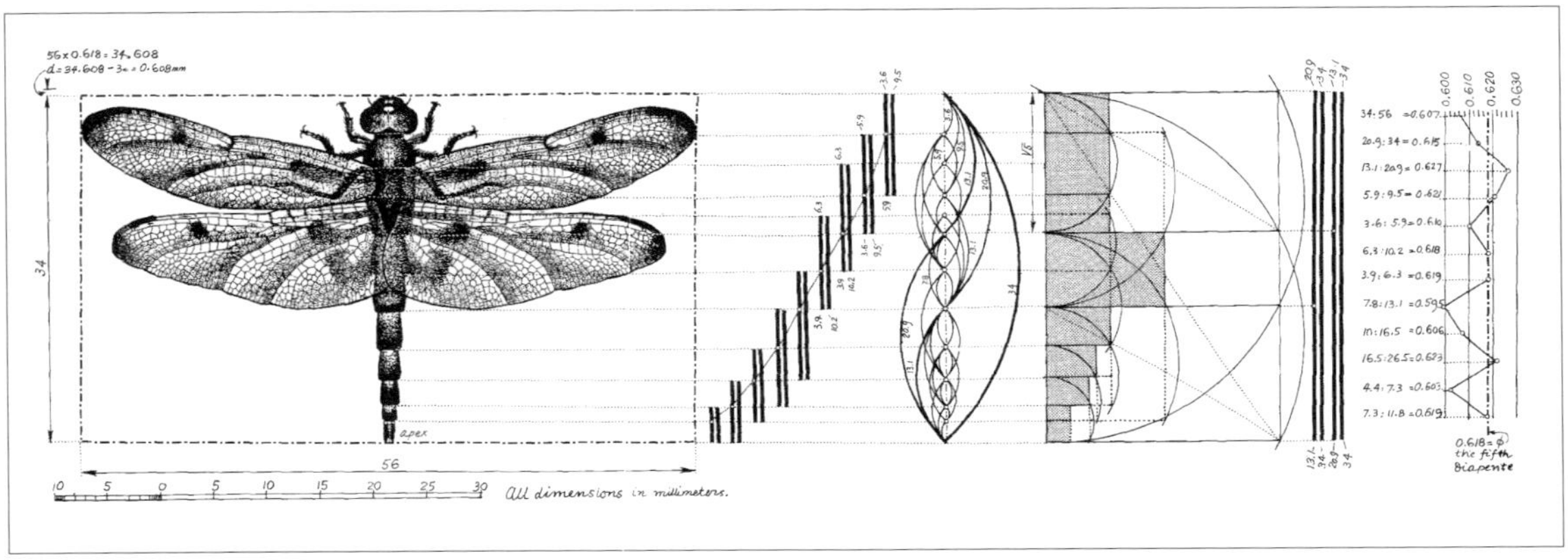

図7-35　トンボに見られるファイ比率

ギリシャ征服後のローマ美術をギリシャ美術と比較すると、ローマ美術はまるでアマチュアの手によるもののように見えてしまいます。ローマの芸術家の仕事はすばらしいものではありましたが、ただ、すべてを測定するということを知らなかったのです――肉体がこれほどリアルに見えるためには、こうした完璧さがなければならなかったのです。

すべての有機体組織に見られるファイ比率

ファイ比率の数学は人間の一生に関わっているだけでなく、私たちの知るありとあらゆる有機体組織において見られるものです。蝶（図7―34）やトンボ（図7―35）の尻尾の各部にもすべてファイ比率を見出すことができます。トンボの尻尾の一関節ずつがファイ比率なのです。このイラストではそこだけに注目していますが、同時に脚の小さな関節それぞれや、羽の長さと幅、頭の幅と長さの対比など、いたるところに見受けられます。

図7-36　カエルの骨格に見られるファイ比率

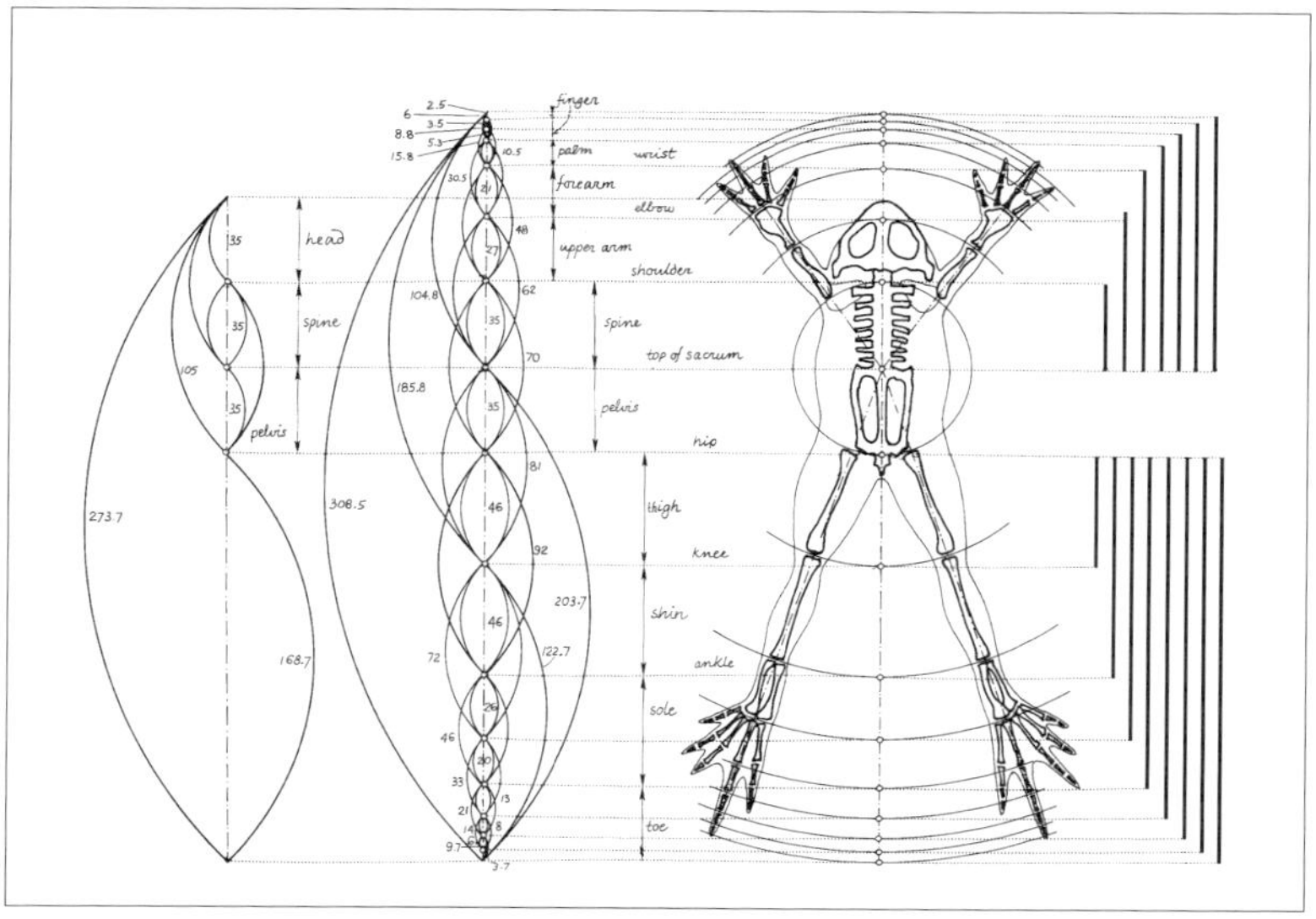

図7-37　魚に見られるファイ比率

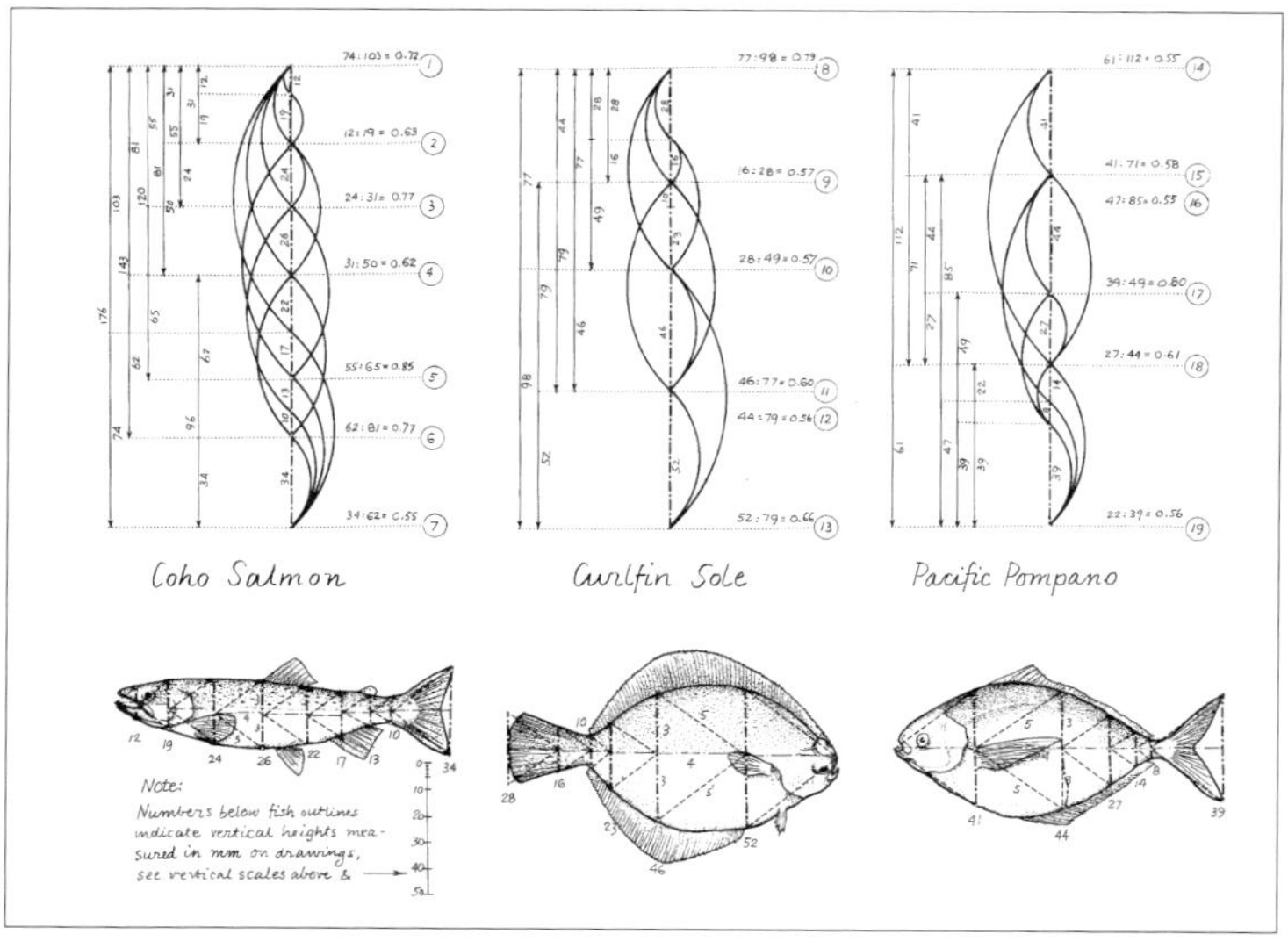

このカエルの骨格を見ると(図7−36)、いかにそれらすべてが人体同様にファイ比率で構成されているかがわかります。

魚には本当に驚かされます。なぜなら魚は一見、ファイ比率とはまったく無関係のように見えるからです。ほかにもそうした類のものは山ほどあります。けれどもよく調べてみると、そこにもファイ比率は存在しています(図7−37)。

ファイ比率の他に見られる普遍的な測定値としては、前にもお話しした7・23センチの宇宙の波長などもあります。この波長は肉体中に散在しています。たとえば両眼の間隔の距離などです。しかしファイ比率は他のものよりも多い割合で存在しています。

どんな種であろうとも、いったん1つのサイズが特定されれば、その種における他のどの部分もファイ比率に従って割り出されます。別の言い方をすると、人体構造にはある特定の可能性しかないということになり、肉体のどこか一部の長さが決定されたら、そのサイズは次のサイズを決定し、というふうにずっと続いていくようになっているわけです。後のほうで、ルーシー・ド・リュビッツが瓦礫の中に見出したわずか1つの測定結果からすべてを再建築したという、エジプト建築をお見せ

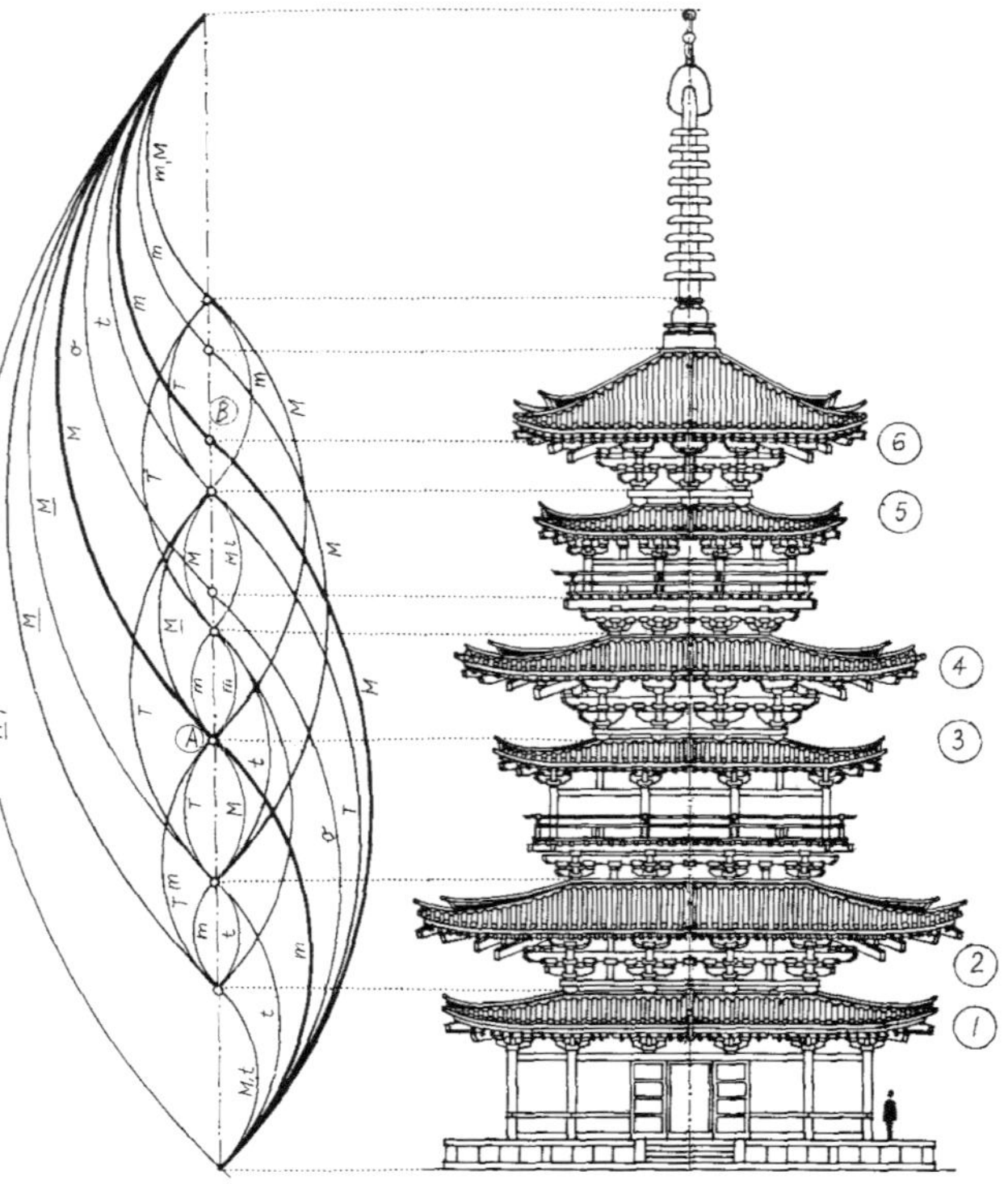

図7-38　日本の薬師寺の塔

しましょう。彼女がどうやってそれを実行したかというと、最初にわかった部分の長さをもとにして、それ以外の全部の形をファイ比率によって割り出したのです。

ファイ比率の割合は、この日本建築の塔の造形においても内在しています（**図7－38**）。これは私がお話ししたかった、創造性に関する別の観点を表現しています。この塔を設計、建造したとき、目に見えるさまざまな線に適合するように、1つ残らずどの距離も全部計測され、一枚一枚の板がどこに置かれるかまで慎重に決定されたのです──塔のてっぺんの小さな球に至るまで、私たちがこれまで学んできた関係性に完璧に適合し、その配分通りになるようにあらゆる部分が考慮されています。もしみなさんも確認してみれば、扉や窓の大きさや、おそらくどんな小さな細部でさえも、すべてファイ比率やその他の神聖幾何学に基づいていることを発見するでしょう。

ほかにも、世界中の古典的な建築が同じ原理で建てられています。ギリシャのパルテノン神殿は日本建築とはまるで違って見えますが、同じ数学を内包しているのです。また、ギザの大ピラミッドも、一見それら2つのどちらの建築とも似ても似つきませんが、やはり同じ数学を体現しています──ただしもっと多種多様なものが使われていますが。私がここで何を言いたいかというと、つまりみなさんの左脳はこれらの数学を理解して使いこなすことができるし、それがみなさんの創造性を阻害したりすることはまったくないということです。それどころか、もっと輝かせてくれるでしょう。

人体のまわりにある黄金分割長方形と黄金螺旋

もう1つ、私たちの生命が持っている神聖幾何学形状として「螺旋(スパイラル)」があります。みなさんはそれは一体どこからやって来たものだろうと思うかもしれません。私たちは螺旋の中で生きています。銀河の腕は渦巻つまり螺旋状ですし、あなたの耳の中には小さな螺旋状の器官があって、その螺旋を使ってまわりの音を聞いているのです。自然界には螺旋がたくさん存在しています。探せばどんどん見つかります。松ぼっくり、ヒマワリ、動物の角、鹿の角や貝殻や、デイジーその他多くの植物などの中に螺旋が見られます。手のひらを開いたまま真っ直ぐ前に突き出して、親指が自分のほうを向くようにしてください。そのまま握りこぶしを作ると、その最初の動きは小指から始まります。それらはフィボナッチ螺旋を描いて動きます。これから見ていくように、フィボナッチ螺旋とはきわめて特別な螺旋なのです。

螺旋とは一体どこから来たのでしょう？ どこかしらからやって来たのには違いありません。そしてもし私たちの信じることが真実なら、それは原初のシステムであるフラワー・オブ・ライフの活動から生み出されたものということになるのです。さて、ここで唯一なすべきことは、人体に戻ることです――ファイ比率の時と同じパターンです（**図7-30**を参照）。対角線を取り出して平面に置きなおし、そこから新しい展開で長方形を作っていきます。すると黄金螺旋の源である、黄金分割長方形ができます。

図7-39に描かれている外側の長方形が、今述べた「黄金分割長方形」と呼ばれるものです。そこから新たな黄金

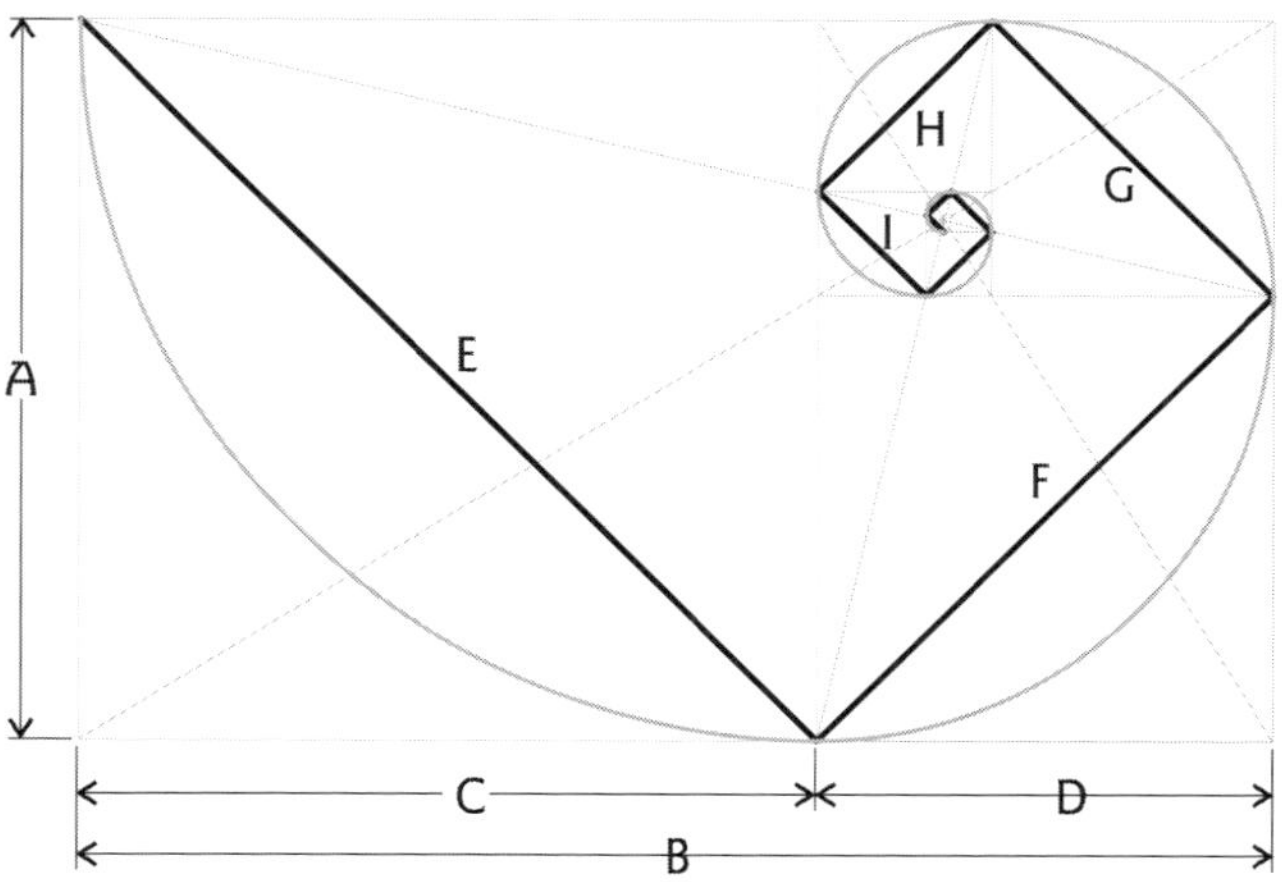

図7-39　黄金分割長方形と女性螺旋・男性螺旋

分割長方形を導くのは簡単で、長方形の短いほうの辺（A）を計り、その距離を長いほうの辺（B）の上にマークして、正方形が（A＝Cの等辺で）できるようにします。すると残りの部分（D）は、新たな黄金分割長方形を形成しています。ここでもまた、短い辺の長さを長い辺の上にマークして正方形ができるようにします。これは終わりなく永遠に続けていくことができます。新しく作り出される長方形は常に90度ずつ回転していることに注目してください。それぞれの長方形に対角線を引くと、それらの交点は正確に螺旋の中心を射抜きます。このように、対角線はさらなる情報を引き出すカギになっていることがわかるでしょう。線分Fは線分Eに対して黄金比であり、同じようにしてどんどん内側へ入り込んでいくことができます。つまりF：E＝G：F＝H：G＝I：H……というように続くのです。螺旋にはもっと別の種類のものもありますが、黄金螺旋こそ創造のきわみです。

女性螺旋と男性螺旋について

黄金分割長方形には、それにまつわる2種類のエネルギーがあります。1つのエネルギーは正方形の対角線で、**図7−39**で90度に曲がりながら進んでいく黒い直線です。それは男性エネルギーです。女性エネルギーは灰色で示されているもので、中心へ向かってどんどん弧を描き続ける曲線です。すなわち女性の黄金比対数螺旋は、ファイ比率点で曲がる直線と直角で形成された男性の線と一緒に進行していくのです。みなさんにお伝えする内容の大半は男性的側面が中心になりますが、そこには常に女性的側面も存在していることをお忘れなく。

いくつかの本には、ダ・ヴィンチの人体図でへそを横切る線から下の部分には、黄金分割長方形ができると書かれています（**図7−40**）。そこでは、外側の大きな正方形の上の角から足元（正方形の下辺の中央）までを結ぶ対角線は、図に見られるように黄金螺旋のきっかり中心を通ると述べています。そして**図7−39**で示したように、黄金分割長方形をどんどん小さくなるまで連続して作っていくと螺旋ができあがるというのです。これについて何冊かの本を読みましたが、私はそれはほぼ真実に近いと思っています。しかし母なる自然について本当に知りたいと思ったら、理解すべき重要な点が実はもっとほかにあるのです。

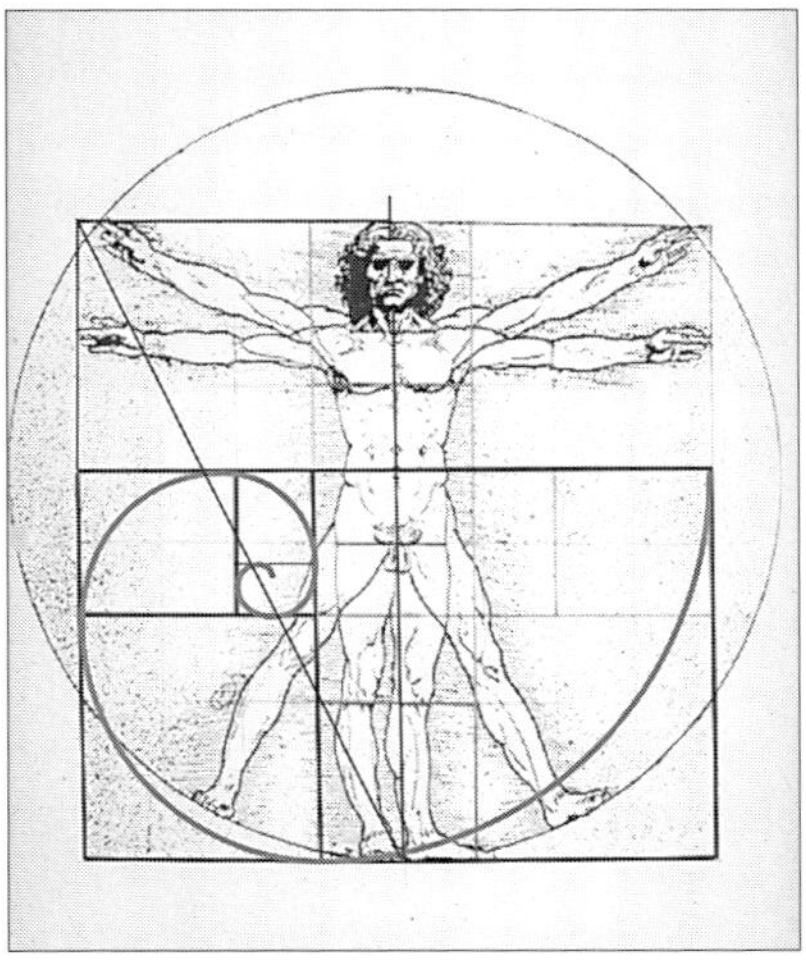

図7-40　レオナルドのカノンと螺旋

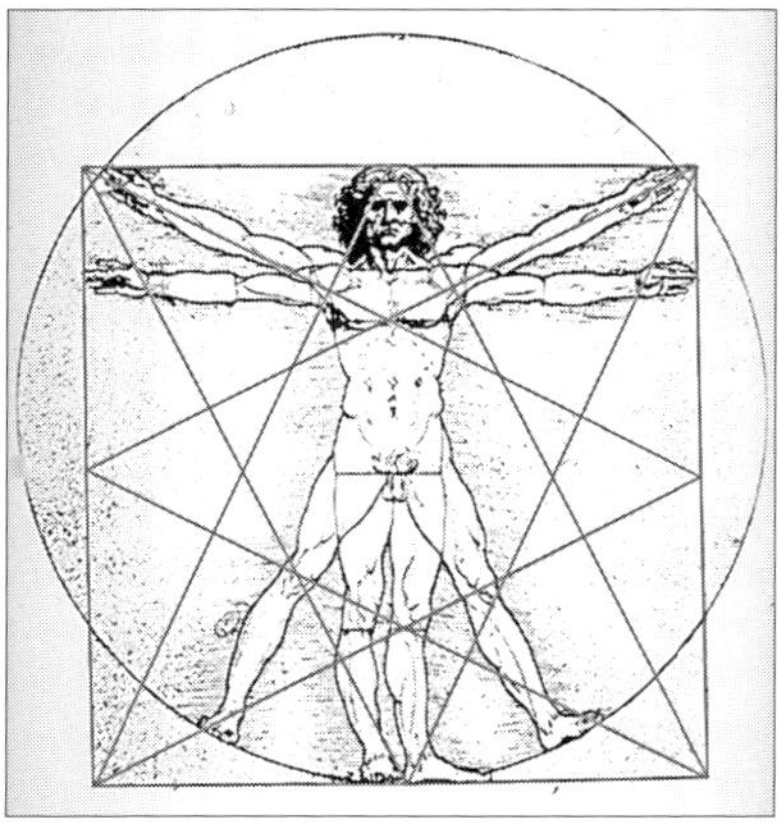

図7-41　各辺の真ん中と四隅の角を結ぶ対角線

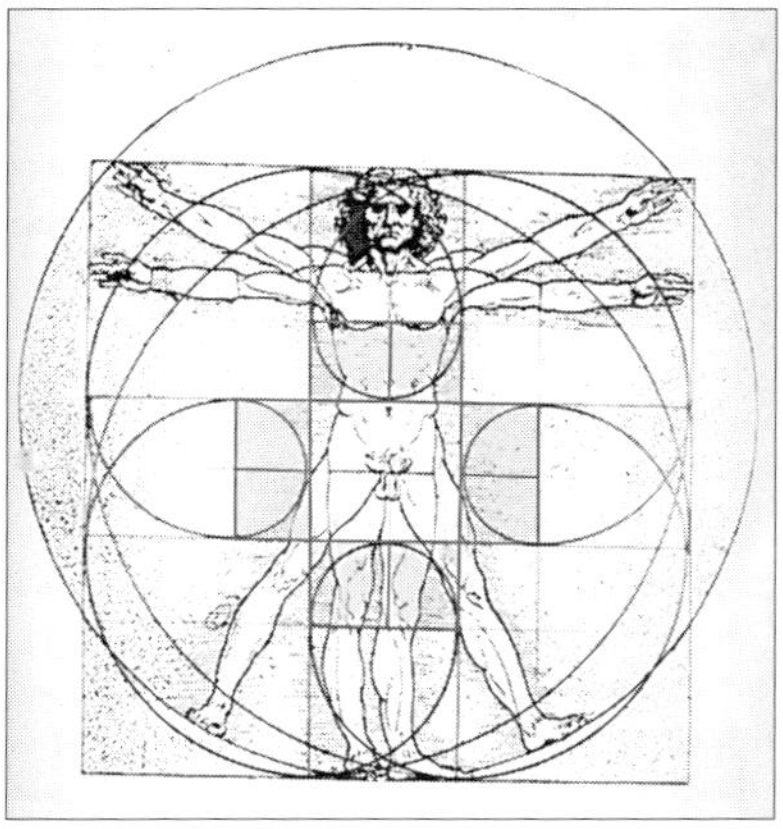

図7-42　螺旋と最初の８つの正方形

事実、黄金分割長方形あるいは黄金螺旋は人工的に作り出されないかぎり存在しないと私は確信しています。自然は黄金分割長方形も、その螺旋も使うことがありません——どう使うか知らないのです。なぜ知らないかというと、黄金螺旋はまさしく永遠に内側へ入り込んでいくからです。紙と鉛筆では描ききれなくても、技術的には永遠にずっと続けていけるものなのです。それはまた外側へも永遠に続いていくことが可能です。黄金分割長方形の一番長い辺から、より大きな黄金分割長方形を作っていくことができるからです。つまり黄金分割長方形には始まりも終わりもなく、内側にも外側にも永遠に継続するものなのです。

母なる自然にはそれが問題なのです。生命は、始まりも終わりもないものにはどう対応してよいのかわかりません。私たちは終わりがないものに対しては何とか考えられるかもしれませんが、始まりのないものについて何かを考えようとすれば、それはとても難しいでしょう。あなたもちょっと考えてみてください——始まりがないというものを。なぜこれが難しいのかというと、私たちは幾何学的存在であり、幾何学には中心があって、始まりが存在するからです。

生命はこれとどう向かい合ったらいいかわからないので、逃げ道を見つけ出しました。別の螺旋が作れることを発見したのです。生命はこれにきわめて近似の数学的システムをはじき出したので、ほとんど見分けがつかないぐらいです。それらの本では、**図7－40**のレオナルドの絵の螺旋は黄金比であると述べていますが、私にはそれが真実だとは思えません。さらに言えば、そこには1つだけの小さな螺旋が存在するわけでなく、8つの螺旋が人体を取り巻いています——8本の対角線を引くことができて、それぞれに黄金分割長方形ができるのです（**図7－41**）。このイラストは8本の線が人体と交わることを示しています。

図7－42は、人体の中心を取り囲むように位置する8つの螺旋とそれぞれの中心点を示したものですが、これは体内において肉体の始まりの時からある8細胞のパターンと同じです——憶えていますよね？

レオナルドはこれらの細かいたく

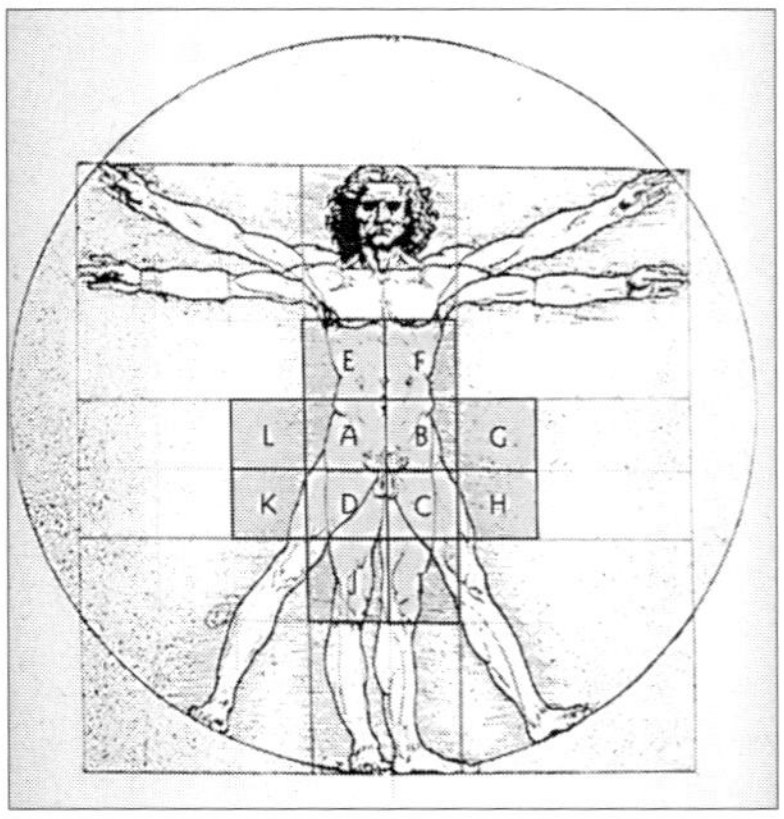

図7－43　レオナルドの人体図を取り巻くグリッド

さんの線で、人体のまわりにグリッド（マス目）を作り上げました（**図7－43**）。中央に４つの正方形があって（A、B、C、D）、さらに８つの正方形がそれらを囲んでいます（EからL）。この外側の８つの正方形は、**図7－41**の対角線が人体を通過する部分であると同時に、**図7－42**の８つの螺旋が始まるところでもあるのです。このように、私たちの肉体の真ん中には４つの正方形からなる中心的パターンがあり、そのまわりを８つの正方形が取り巻いていて、しかもまさにそれらの中心には最初の８つの細胞が存在する場所が位置しているのです。生命とは驚異的なものではありませんか？

私はこのレオナルドの絵に注目したとき、こうした関係性について何かとても重要なことがあるに違いないと思いました。しかし自然界には黄金分割長方形や黄金螺旋といったものは存在していないと気がついたとき、これらの螺旋はおそらくほんの少し何かが違っているという気がしたのです。そしてまさにその通りでした――ほんの少しだけ違っていたのです。

自然界におけるこれらの螺旋はフィボナッチであることがわかりました。これについては次章で詳しく見ていきましょう。黄金螺旋とフィボナッチ螺旋の差異というものは、より大きな視野が自然に開かれてこの関係性の驚くべき性質を理解するようになるまで、あまり重要なことには思えないかもしれません。けれどもこの違いを知らずして、なぜ地球上に8万3０００カ所もの聖地が造られたのか、そしてその目的が何であったのかを理解することはできないのです。

8.

フィボナッチ数列と二進法数列の極性一致

Recoinciling the Fibonacci-Binary Polarity

フィボナッチ数列と螺旋

なぜダ・ヴィンチのカノンのまわりにある8つの螺旋が黄金螺旋でないのか、では一体それは何なのかを知るためには、もう一人の人物に注目せねばなりません――レオナルド・ダ・ヴィンチではなくて今度はレオナルド・フィボナッチです。フィボナッチは、ダ・ヴィンチよりも250年前の人です。私が読んだ書物によると、フィボナッチは修道士で、しばしば瞑想に入っていました。よく瞑想しながら森を歩いたそうです。しかしそれと同時に左脳もまた活発だった人のようで、植物や花に数の関係性を見出していました（図8－1）。

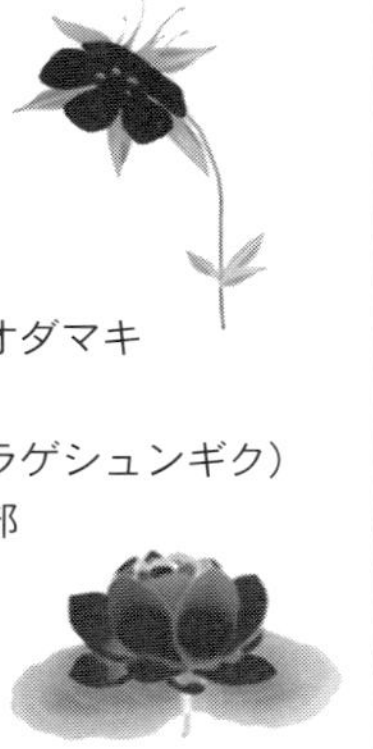

レオナルド・フィボナッチと植物の成長

花びらの数	例
3	ユリ、アヤメ
5	キンポウゲ、ヒエンソウ、オダマキ
8	デルフィニウム属の一部
13	コーンマリーゴールド（アラゲシュンギク）
21	アスター属（キク科）の一部
34、55、89	デイジー類（ヒナギク）

図8-1　植物の成長過程におけるフィボナッチ数列

このリストの花々は、たぶん彼が実際に見たものだったのでしょうが、花びら、葉、種の数はみんな決まったパターンに限られています。彼はユリやアヤメは花びらが3枚なのに対して、キンポウゲ、ヒエンソウやオダマキ（図8－1の右上の花）の花びらは5枚あることに注目しました。また、いくつかのデルフィニウムでは8枚、コーンマリーゴールドでは13枚だし、アスターのいくつかは21枚でした。デイジー類の場合はほとんど常に34枚か55枚あるいは89枚のいずれかでした。彼は自然界のなかにこれと同じ数字を次々と発見していったのです。

この小さな植物（図8－2）は実際に存在しているものではありません。トランプのカードをシャッフルするように、コンピューター・グラフィックスで切り貼りして作成したものです。このイラストのもとになっているのは

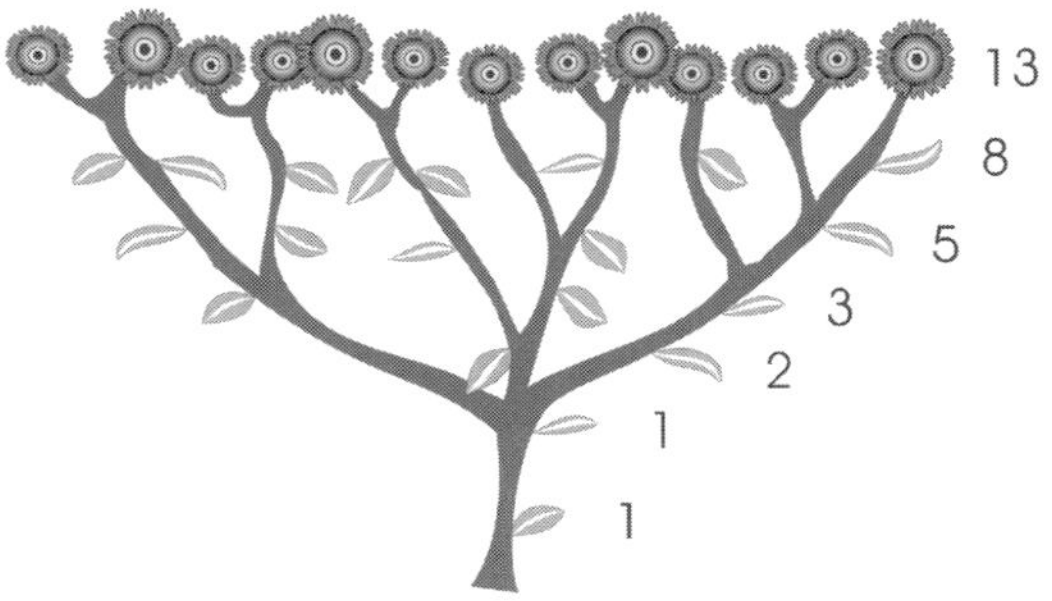

図8-2　コンピューターによるオオバナノコギリソウ

オオバナノコギリソウ（スニーズワート）という植物で、それに合わせてコンピューター・グラフィックスで作ってみたのです。

フィボナッチはオオバナノコギリソウが最初に土から芽を出すとき、1枚の葉、たった1枚の葉っぱだけを出すことに気がつきました。それが大きくなり茎が伸びるにつれて、茎はもう1枚の葉っぱを生やしました。それから少したつと今度は2枚の葉っぱが出て、次には3枚、それから5枚、そのあと8枚の葉が出て、やがてついに13個の花を咲かせました。たぶん彼はこう言ったでしょう、「わあ、他の花びらの数と同じだ――3、5、8、13。」

図8-3　ハイビスカスの花

のちに、この「1、1、2、3、5、8、13、21、34、55、89……」と続いていく数列は、「フィボナッチ数列」として知られるようになりました。この数列では、連続したどの3つの数字をとっても次のようなパターンになっています。連続した2つの数字を足すと、3つ目の数字になるのです。どのような仕組みかわかりましたか？　これはとても特別な数列なのです。生命に欠かせないものです。なぜそんなに重要なのでしょうか。これは私の解釈になりますが、説明してみましょう。

これは5枚の花びらを持つハイビスカスです（図8－3）。中にあるおしべは5つの発芽体を持ち、それら2つの幾何学形は、1つは上、もう1つは下に向いて、お互いが逆向きに組み合わさっています。たいていの人はこの花を見ても、「おや、これには5枚の花びらがある」なんて考えたりはしないでしょう。みんなただ見つめては美しいと思い、匂いをかいで、右脳で経験するのです。もう片側の脳で経験している幾何学や数学のことはあまり考えに入れません。

無限黄金比（ファイ比率）螺旋に対する生命体の解決策

私が黄金螺旋には始まりも終わりもなく、生命はそれに関して対応に窮してしまうと言ったのを憶えていますか？　終わりのないことには耐えられても、始まりがないものに対してはひどく対応に困るのです。私はこの問題については非常に苦労しましたが、誰でもそうした状況ではきっと同じようになるのではないかと思います。

自然はどうしたかというと、その問題を回避するためにフィボナッチ数列を作り出しました。それはあたかも神が「よろしい、そこから外へ出て、黄金螺旋を使って何かを作りなさい」と言い、「でもどうすればいいのかわからないんです」と私たちが答えたかのようでした。つまり私たちは黄金螺旋とは別のものを作り上げたのですが、それはあまりにもよく似ていて急速にやって来たため、ほとんど見分けがつかなかったのです（**図8－4**）。

たとえば、黄金螺旋のもとになっているファイ比率は1・6180339に限りなく近い数値です。では、フィボナッチ数列のそれぞれの数字をその次の数字で割っていくとどうなるか見てみましょう。一番左の欄の数は、1、2、3、5、8、13、21、34、55、89です。二番目の欄は次の数字ですから、それが1つずつずれていきます。そして最初の欄の数字を二番目の欄の数字で割ります（三番目の欄を見てください）。一番左の欄の数字を二番目の欄の数字で割るとどうなるでしょうか。1を1で割ると1・0です。1・0はファイ比率の値よりもずっと小さい数字です。しかし一段下に移って2を1で割ると2となり、今度はファイ値よりも大きい数字ですが、1の時よりはファイ値に近くなっています。3を2で割ると1・5で、まだファイよりかなり小さいですが、上の2つの値よりもさらにファイに近づきます。5を3で割ると1・666でファイより大きく、そしてもっと近くなります。8を5で割ると1・6で、これはファイより小です。13を8で割ると1・625でファイより大、21を13で割ると1・615で小、34を21で割ると1・619で大、55を34で割ると1・617で小、89を55で割ると1・6181でファイより大です。ファイより大、ファイより小を交互に繰り返しながら、そのたびにどんどん実際のファイ値に近づいていくのです。これは「極限への漸近的な接近」といわれます。つまり絶対にその数値には達しないものの、事実上、数回の割り算の後にはほとんど差がわからなくなるほど近くなるのです。これを図にしたものが**図8－5**です。

明るい灰色の正方形は、人体中に最初に存在した8つの細胞が位置している、中心的な4つの正方形です。そしてそのまわりを取り囲む8つの濃い灰色の正方形は、螺旋の起点となる部分です。みなさん、どれがどれだかわか

Φ = 1.6180339...

（　フィボナッチ数列　）

目的の数	前の数	割り算	比率
1	1	1 / 1	1.0
2	1	2 / 1	2.0
3	2	3 / 2	1.5
5	3	5 / 3	1.6666
8	5	8 / 5	1.600
13	8	13 / 8	1.625
21	13	21 /13	1.615384
34	21	34 /21	1.619048
55	34	55 /34	1.617647
89	55	89 /55	1.618182
144	89	144 /89	1.617978
233	144	233 /144	1.618056

図8-4　フィボナッチ数列

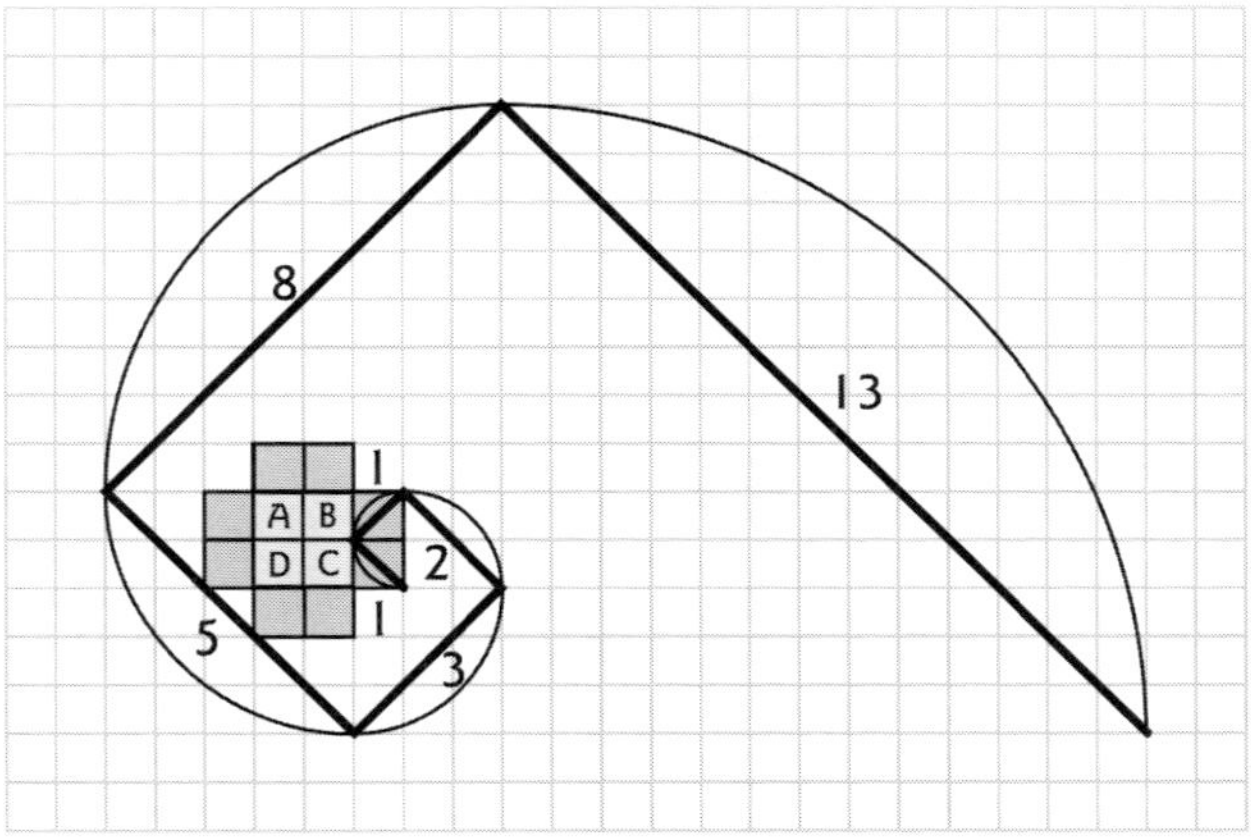

図8-5　広げたグリッドに描かれたフィボナッチ女性螺旋（曲線）と男性螺旋（直線）

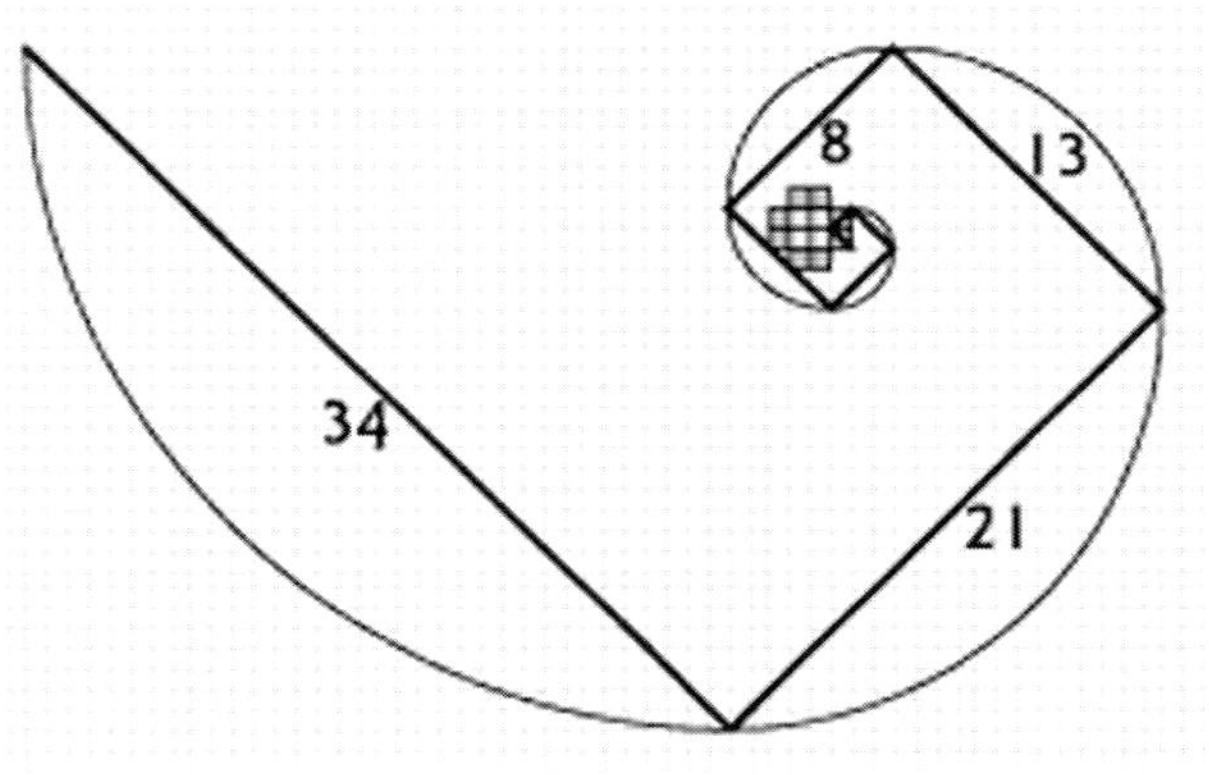

図8-6　もう少し遠くから見たフィボナッチ螺旋。男性形と女性形。

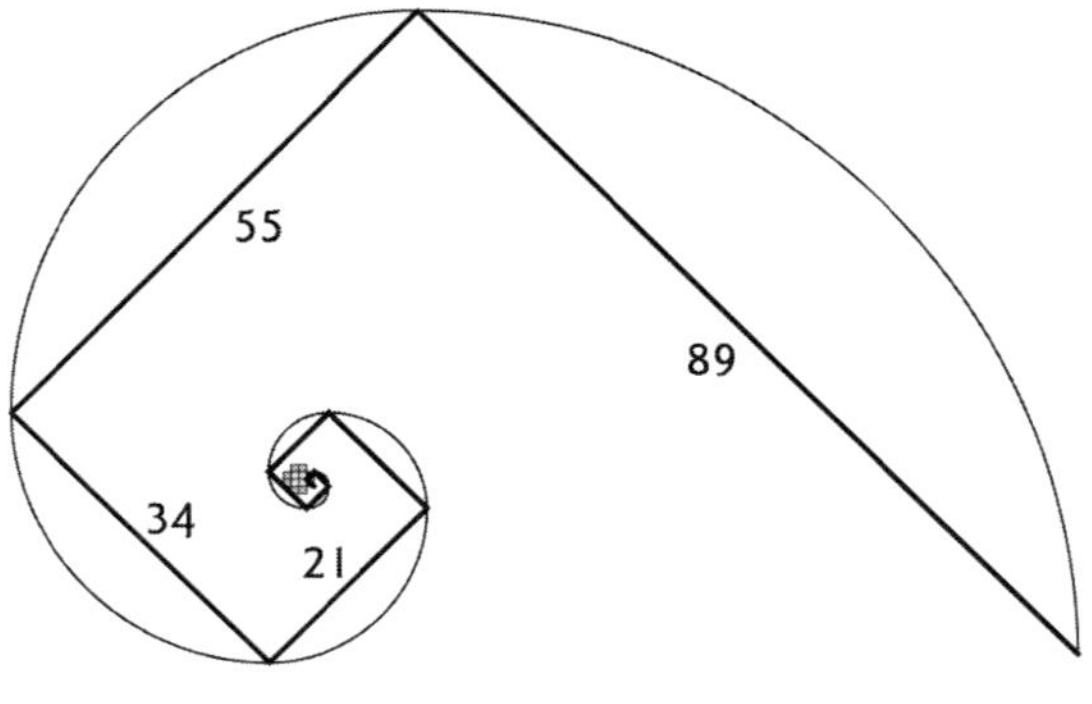

図8-7　さらに遠くから見た図

りますか?

私たちは無限に永遠に螺旋を描き続けることはしないで、何か違うことをしようとします――生命とはそういうものなのだと思います。８つの螺旋ともみな同じように、まず中心的な４つの正方形のすぐ外側にある正方形から螺旋がスタートします。例として、１つの正方形だけを選んでみましょう。

背景になっているグリッドの小さなマス目の対角線を1単位とします。フィボナッチ数列の数字に従って、1、1、2、3、5、8、13、21、34、55、89と、それぞれのマス目ぶんずつ進みながら、90度ずつ角度を変えていきます。まずはじめにマス目1個ぶんの距離を進み、90度曲がって、もう一回同じように1個進みます。次に90度曲がって今度は2個進み、また90度曲がって3個進みます。その次は5個、それから8個です。ここで、1、1、2、3、5、8、13までできました。

次にマス目を対角線状に21個、その次に34個進みます（図8-6）。それから55個、その後は89個です（図8-7）。進むたびに螺旋は拡大し、少なくとも見た目には差がわからないほど、ファイの表現である黄金螺旋にどんどん急速に近づいていきます。

生命を研究するにあたって、この2つの螺旋の比較はたいへん重要な部分を占めているのです。なぜなら古代エジプト人たちは、大ピラミッドでフィボナッチ螺旋と黄金螺旋の両方を表現しているからです。それぞれの螺旋は別々の起点から発しているにもかかわらず、55と89まで進んだところで2つの螺旋は完全に重なり合うのです。エジプト研究者たちは3つのピラミッドが螺旋の上に配置されているのを見たとき、それをフィボナッチ螺旋ではなく、黄金螺旋だと考えました。そしてそれから螺旋をもとのほうへたどっていって、穴の1つを発見しました（169ページを参照してください）。数年後、そこから約90メートルほど離れた場所に、別の目印があることを発見しました。彼らはそれまで2つの螺旋があるとは気がつかなかったのです。これを研究している人々にしても、果たしてその重要性をどのくらい認識しているのか、私には何とも言えません。

自然界の中の螺旋

これは自然界に見られる神聖幾何学の実例です（図8-8）。オウムガイの貝殻を半分に切ったものです。それは非言語的な規則性がたいへんよく表わされた例で、神聖幾何学に関する良書にはみなオウムガイの貝殻が載っています。そして多くの本ではこれを黄金螺旋だと述べているのですが、そうではありません――これはフィボナッチ螺旋なのです。

図8-8　オウムガイの貝殻の断面

螺旋は完璧な渦巻を形成しているようですが、その中心あるいは螺旋の出発点を見てみるとそれほど完璧には見えません。この図ではそこまで細かい部分は見にくいでしょう。実際の貝殻を手に取ってみることをお勧めします。このもっとも内側の末端は実際には反対側にぶつかって曲がっていますが、その値は1・0でファイ値にはほど遠いのです。2番目と3番目もかなり曲がっているのですが、ファイに少し近づいてきているのでそれほど急角度ではありません。その後だんだんファイ値に近づいて、完璧で見事な螺旋形へと発展していきます。あなたは小さなオウムガイが最初だけちょっとミスをしたんだろうと思うかもしれません。彼自身がどうしていいのかよくわからなかったように見えるのです。でも彼はパーフェクトにそれをやりおおせたのであって、ミスではありません。ひたすら正確にフィボナッチ数列の値をたどった

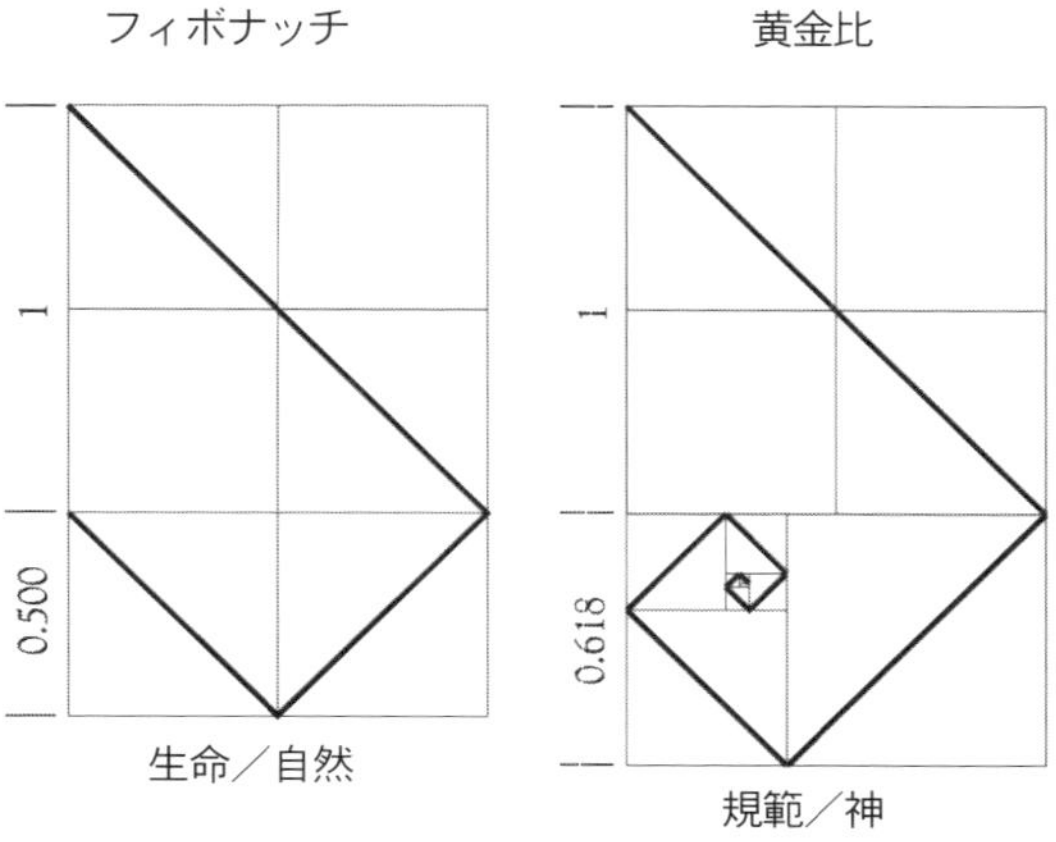

図8-10　フィボナッチ螺旋と黄金螺旋の比較

図8-9　松ぼっくり

のです。
　この松ぼっくり（図8－9）には二重交差螺旋が見られ、それぞれの螺旋が別々の方向を向いています。1つの方向へ巻いている螺旋の数と、逆向きの螺旋の数を数えると、必ずフィボナッチ数列の連続した2つの数字になります。もし一方向が8つなら逆方向は13、あるいは一方が13なら逆方向は21あることになります。二重螺旋のパターンはほかにも自然界に存在しますが、私の知るかぎりすべてこの関係にあてはまります。たとえば、ヒマワリの螺旋も常にフィボナッチ数列と関連しています。
　図8－10には2つの違いを示してあります。黄金螺旋はいわゆる規範なのです。それはあたかも神、あるいは根源のようです。おわかりのように2つの図とも、上のほうの4つの正方形はいずれも同じ大きさです。ではどこに違いがあるかというと、始まっている出発点（2つの図の下のほう）が異なるのです。フィボナッチ螺旋では、この部分は上のちょうど半分（0・5）にあたりますが、黄金螺旋では上に対して0・618になっています。フィボナッチ螺旋は規則正しく接した6つの等しい正方形から作図されているのに対して、黄金螺旋のほうはもっと内側の奥まったところから始まっています（実際にはそれは決して始まることはありません——神のようにどこまでも無限に遡るのです）。しかし2つの螺旋は、出発点を異にするにもかかわらず、きわめて急速に似通ったものとなっていきます。
　もう1つの例を挙げましょう。多くの本で、ピラミッドの王の間は黄金分割長方形であると述べていますが、そうではありません。それもやはりフィボナッチに関係しているのです。

人体のまわりのフィボナッチ螺旋

　64のグリッド（マス目）にこのフィボナッチ螺旋パターンを描いたものが図8－11です。この8×8のグリッドに、ダ・ヴィンチのカノン（人体図）を重ね合わせると（図8－12）、灰色の8つの正方形に独特の性質が見えてきます。4対あるマス目の1対からフィボナッチ螺旋を始めるには、4通りの方法があります。図8－11に戻って、上の2つのマス目を例としてみましょう。1つのやり方としては、黒い実線で表わされているように右上の角から始めます。まず1つのマス目を対角線状に横切り(1)、右に曲がってもう1つのマス目を進み（1）、次は右に曲がって2つのマス目を通過(2)します――たいへん面白いことに、ここでグリッドの一番上に達します。そしてまた右に曲がり、3つ（フィボナッチ数列の次の数）進みます。すると、なんと今度はグリッドの右端にやってきました！　次の数は5で、線をグリッドの最下部まで引っ張っていきます。その次は8で、3つのマス目を横切ってからグリッドの外へ出ていきます。最初のマス目から始まったこの螺旋の動きには、完璧な反射の性質があるのです。

　これと対になったマス目から始めるやり方は、灰色の線で描かれているように右下の角を出発点にします（これは上部の2つのマス目に小さなピラミッド形を作ります）。今度はみなさんから見て左へ左へと曲がっていきます。1つマス目を進んで（1）、それからまた1つ（1）、次に2つを進むと、ここで中央にある4つのマス目(最初の8細胞が存在しているところ）を通過します。左に曲がって3つのマス目を進むと、線はグリッドの右端に達します。次の数は5で、マス目を2つ横切ってからグリッドを離れます。以上の2つは完璧にシンクロした動きです。この類の完璧さにお目にかかった時は、真に基本的な幾何学に出会ったと思ってまず間違いないでしょう。

　いかにしてエジプト人たちが復活を成し得たかについてあなたが知りたければ、これらのすべては理解されるべき重要なポイントです。彼らは復活を科学的に行なっていたと言えるかもしれません。つまり不死に導くための意識状態を人為的に作り出す科学を用いていたのです。私たちは人為的に自分の意識状態を達成させようとするのではなく、自然なかたちで行なおうとしています。しかし、古代文明がいかにしてこれを成し遂げようとしたのかを理解することは、たぶんみなさんの役に立つと思います。

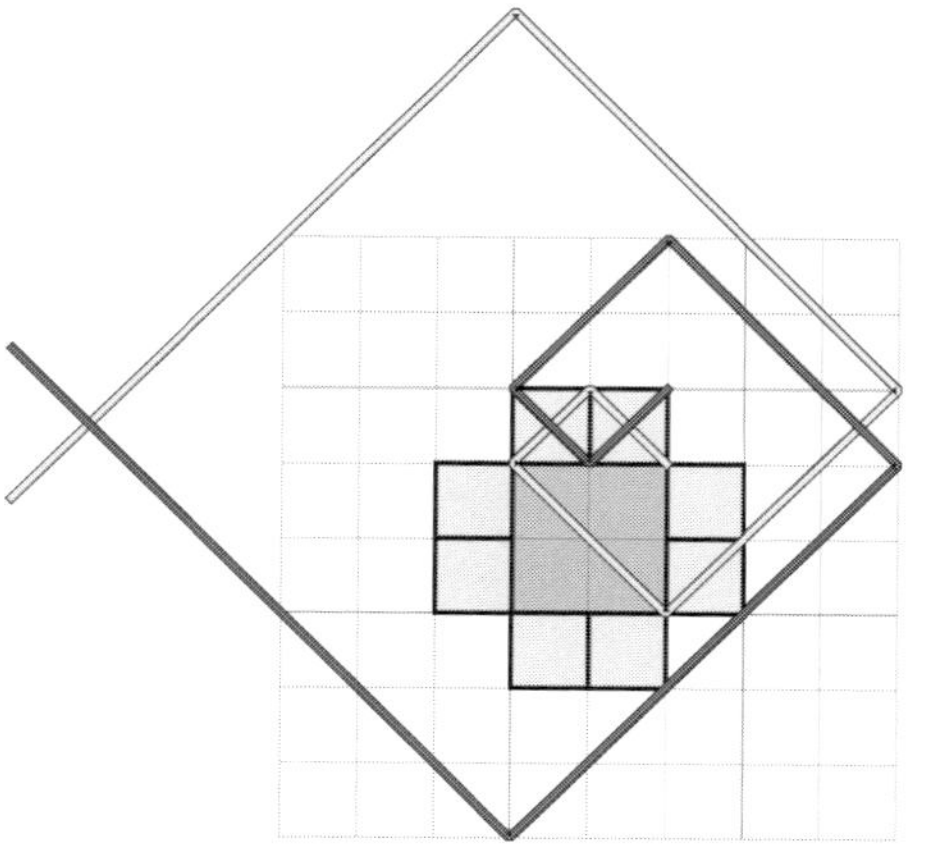

図8-11　鏡合わせになったフィボナッチの男性螺旋（濃い線）と女性螺旋（薄い線）の重なり。カノンの図ぬきのグリッド。

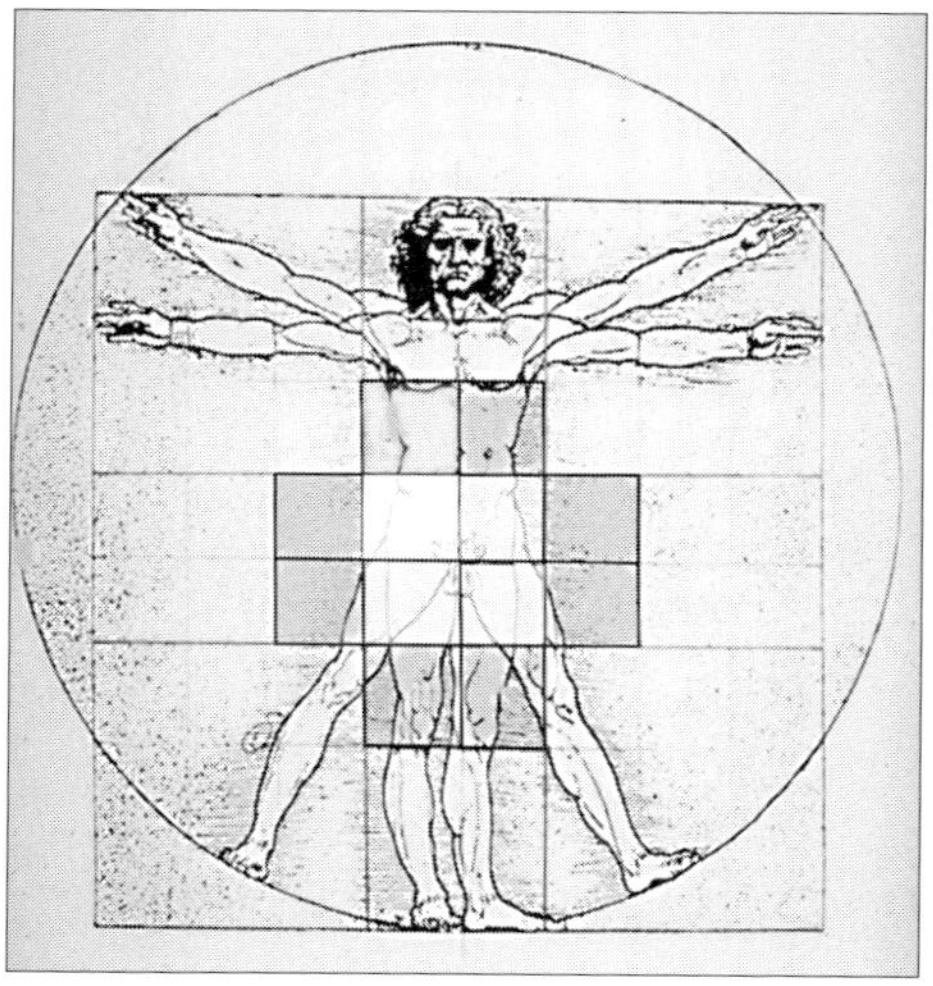

図8-12　ダ・ヴィンチのカノンに重ねられたグリッド

●付記 Update

テスラ（ニコラ・テスラ。19～20世紀にかけて活躍したフリーエネルギー研究家）の時代から、政府はゼロポイント・テクノロジーの普及を許しませんでした。なぜでしょう？ それは、テスラはゼロポイント・テクノロジーから尽きることのないエネルギーを引き出せるのを知っていたので、無償で世界中に供給しようとしたのです。しかし、銅の採掘場をたくさん所有していたJ・P・モルガン（米国の金融資本家）は電気がただになってほしくはありませんでした。彼は電気が銅線を伝わるようにさせて計量できるようにし、公共料金を徴収しようと目論んだのです。テスラは葬り去られ、世界はそれ以降ずっとその支配下にあります。

1940年代のその当時より、ゼロポイントを研究したり公表した者たちは殺されるか消されるかしました

人間のグリッドとゼロポイント・テクノロジー

人体のまわりの64のグリッドという基本的な神聖幾何学は、科学でも理解されはじめています。政治ゆえになかなか表面化しにくいのですが、事実これに関してまったく新しい科学が展開しつつあるのです。この新しい科学は「ゼロポイント・テクノロジー」と呼ばれています。たいていの科学者はそうは見ないでしょうが、私はこのグリッドはゼロポイント・テクノロジーの幾何学であると考えています。

ゼロポイント・テクノロジーに関わる人々の多くは、それを波形あるいはエネルギーと見なしています。つまりここに見られるように（**図8―13**）、波形における5つの地点のことを指しています。さもなければ、ゼロポイントとはケルビン温度の0度つまり絶対零度に達したときの（それが可能であればの話ですが）物質のエネルギー量だと考えているでしょう。私はこのどちらの見方も正しいと思いますが、神聖幾何学による見方は非常に基礎的なところなので、究極的にはこの新しい科学の礎になるものと思います。

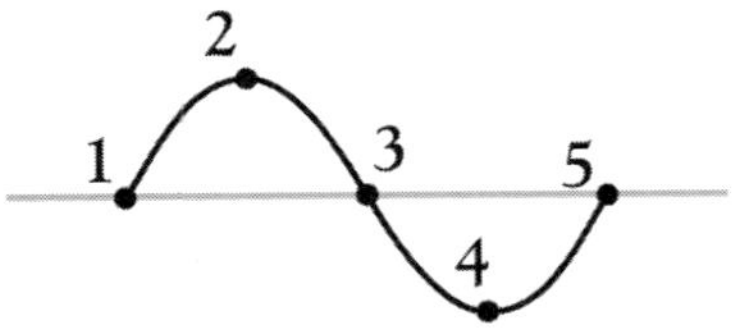

図8-13　5つのゼロポイントをもつ波形

波形におけるこれらの地点は呼吸にも関係があります。この地点はゼロポイントにアクセスする接点なのです。すなわち別の世界への入口のようなものです。ヨガの「プラーナヤーマ」（調気法）ではたいてい息を吸い込む時と吐く時の間に、2つか3つの地点（次のサイクルの始まりを数えるかどうかによって）があるとしています。人間の呼吸に注目するならば、これもまたゼロポイント・テクノロジーです。

この新しいゼロポイントに関する理解は幾何学を背景としており、その幾何学は人体のまわりに存在しています。人体は常に創造のものさしなのです。

男性起源の螺旋、女性起源の螺旋

話を始めるにあたって、螺旋には直線（男性）か曲線（女性）かという2つの種類があることを理解していなければなりません。これについてはすでに話しましたが、ここではさらに新しい考え方を提示しましょう。この幾何学パターンにおける螺旋の出発点で男性螺旋か女性螺旋かを見分けるという、別のやり方です。2つセットのマス目には、螺旋を開始できる4つの角が存在しています。左上、右上、左下、右下です（**図8―14**を見てください）。上の2つの角からは男性螺旋を形成し、下の2つの角からは女性螺旋を形成します。男性螺旋は中心の4つのマス目を通過することは絶対にありませんが、女性螺旋は必ず通過します。

図8―15は女性と男性の2つの螺旋の種類と、いかにし

——つい最近までは。しかし1997年に、「ライトワークス」というビデオ会社が秘密裏にこれら何人かの科学者の研究をまとめてビデオにしました。

そのビデオでは1940年代から何が起きていたのかという史実を伝え、実際に使える発明品モデルの数々をはっきりと紹介しています。たとえば、いったん作動しはじめたら消費電力以上の電気を作り出すものや、まったく充電する必要のないバッテリーなどがあります。また、普通のガソリンの代わりにただの水を使ってより強力なエンジンにする技術、外気がマイナス72℃以上なら水を永遠に沸騰させ続けられるパネル、その他にも今日の科学レベルでは不可能とされている数多くの科学的発明を紹介しています。

ライトワークスはこの仕事を完成させると、ある日いっきにビデオを公開し、ウェブ

てそれらがこの幾何学パターンを通過するかを表わしています。

明確にするために例を挙げましょう。もし螺旋が右上の角から始まったとすると、この幾何学パターンにそった男性螺旋になります。つけ加えるに、この男性螺旋の曲線は女性面を表わし、直線は男性面を表わします。どちらの極性も常にもう片方の極性を内包していて、その新たな極性の中にもまた、常にさらなるもう片方の極性が内包されているのです。この分割プロセスは、理論的には永遠に続くものです。

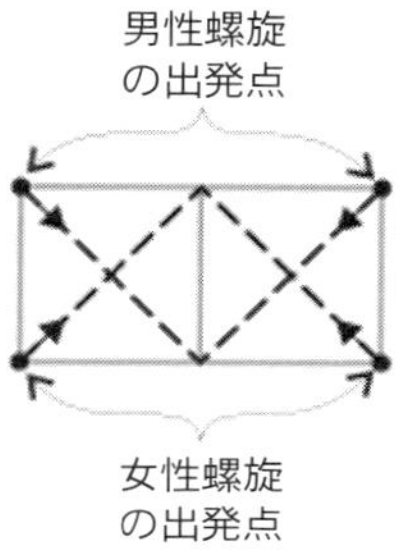

図8-14　螺旋の出発点

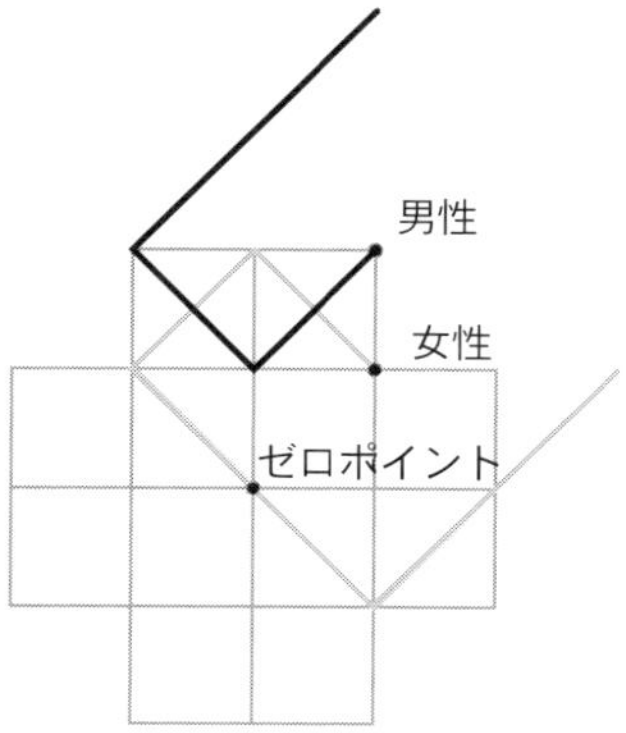

図8-15　２種類の螺旋

図8—16は男性起源の螺旋の例で、それは頂点（中心から最も離れたところという意味です）から始まっていますが、女性面（曲線）のみで描かれています。このイラストは、フィボナッチの視点から見た、人体にある8つすべての男性起源の螺旋の女性形（曲線）を表わしています。それらはフィボナッチ数列を5までしか進みません（1—1—2—3—5）。この限られた設定の中で、曲線の螺旋がいかに宙返りをするようにして回っていくのか、興味深いところです。エネルギーは実際にお互いに入れ替わることができ、再循環が可能なのです。私が信じるところによれば、人体のまわりに存在するのは、多くの本が主張している黄金比ではなく、このフィボナッチ運動なのです。

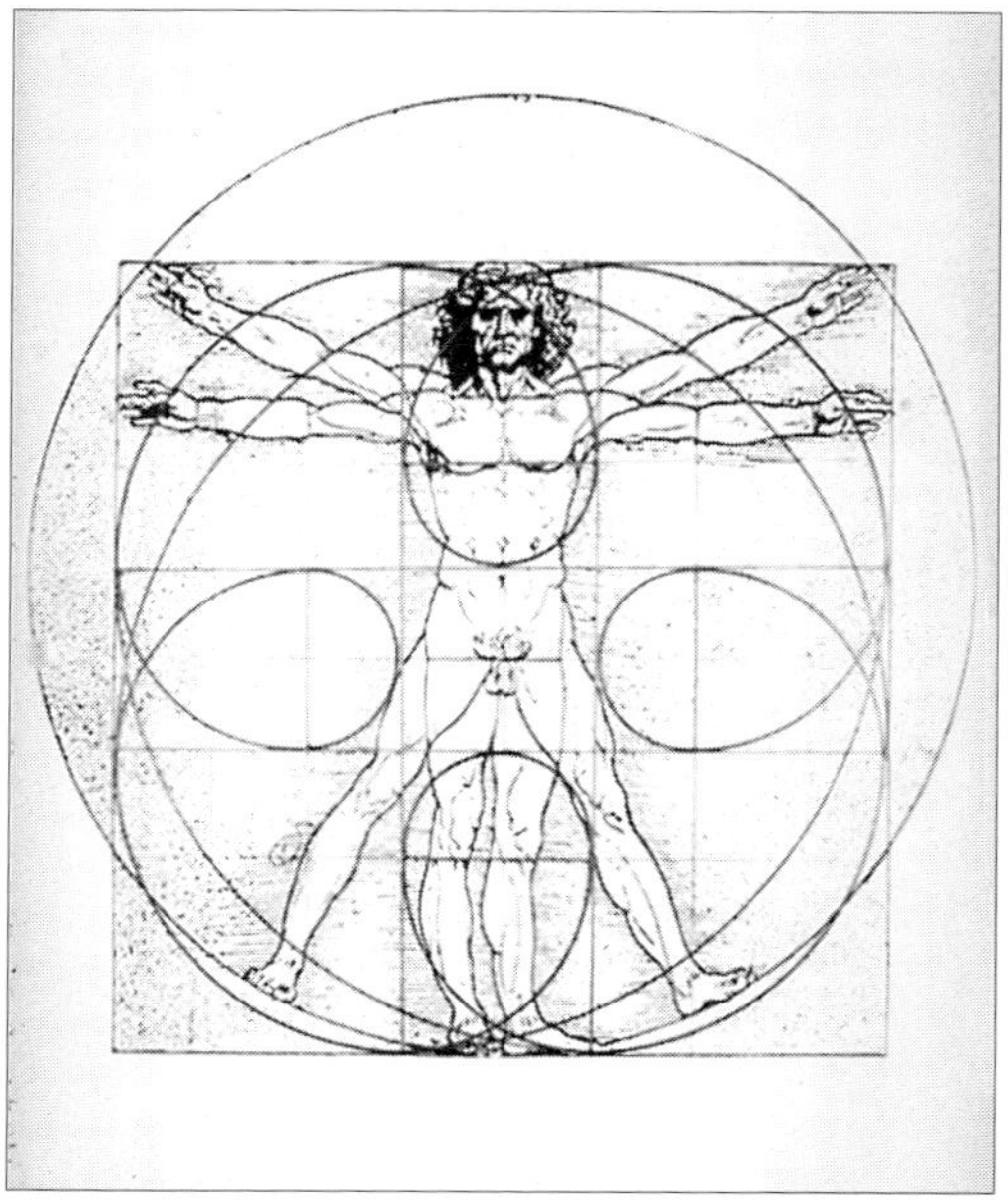
図8-16　女性的曲線で描かれた、男性起源の螺旋

サイトに情報を掲載しました。("Free Energy: The Race to Zero Point," 105 minute video by Lightworks +01 (800) 795-8273, www.lightworks.com)

これは世界中に方向転換を迫りました。その2週間後、日本とイギリスの両国が冷却核融合の問題を解決しつつあると発表しました。世界は変わりはじめています。

１９９８年２月13日、ドイツは永久に４００ワットの電力を作り出せるという、炭素の薄いシートを用いたフリーエネルギー装置に世界特許を発行しました。これを使えば、たとえばコンピューターやヘアドライヤー、ミキサー、懐中電燈などという小さな電気器具はすべて、壁にプラグを差し込む必要がなくなるということです。古いやり方の終わりであり、尽きることのないフリーエネルギーの誕生です。

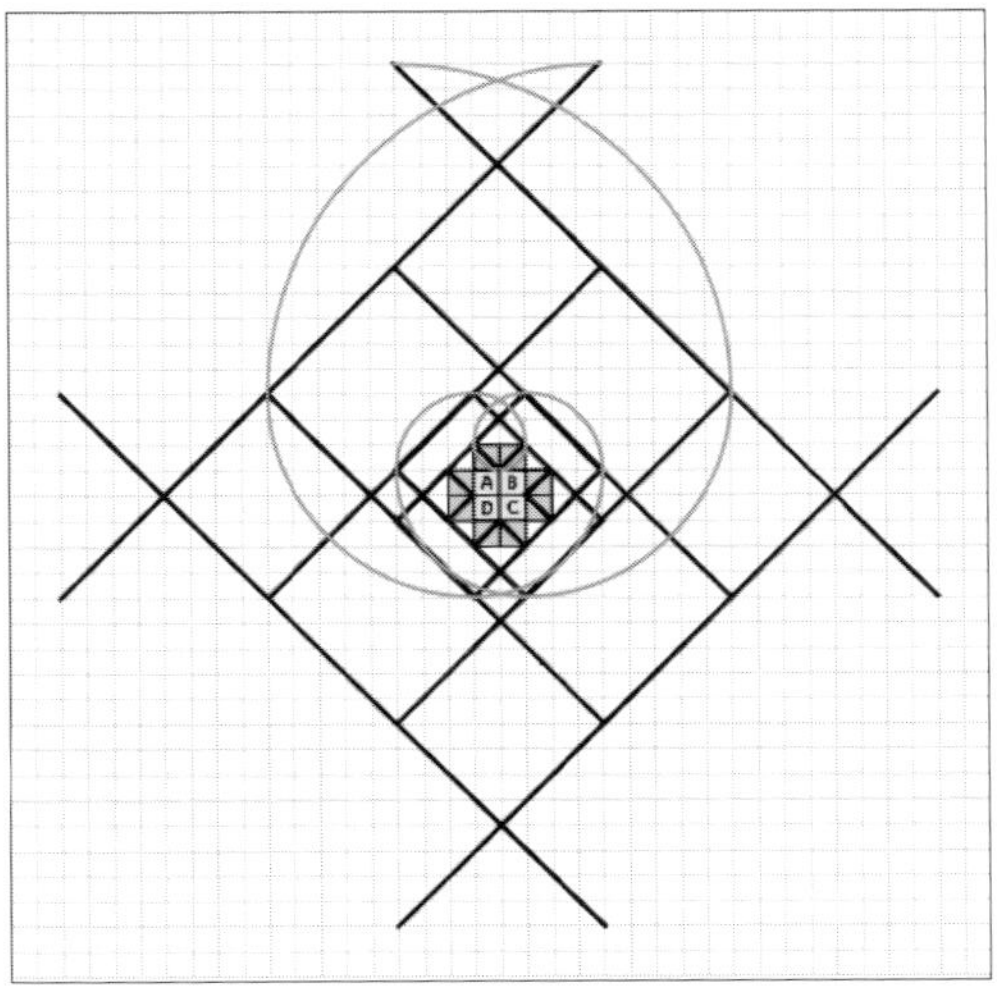

図 8-17　男性的直線で描かれた、男性起源の螺旋

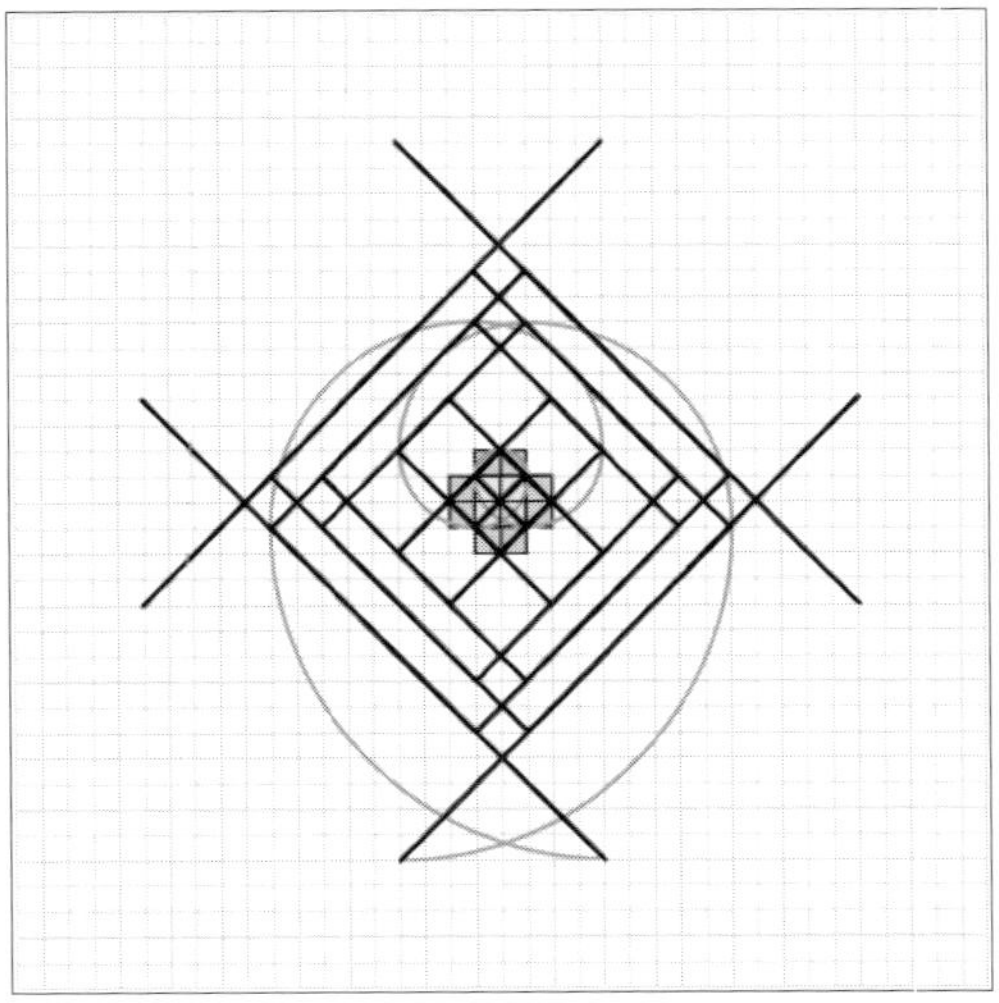

図 8-18　男性的直線で描かれた、女性起源の螺旋

図8－17には、人体のまわりにある男性起源の螺旋を見ることができます。ここでは男性面（直線）が表わされていますが、２本だけ女性面である曲線が入っています。

図8－18は人体のまわりにある女性起源の螺旋を描いたもので、それらは下のほう、あるいは中心にもっとも近いところから始まっています。これは主に女性螺旋の男性面（直線）を描いたものです。加えて女性面（曲線）の女性螺旋が２本だけ描かれており（８つ全部のではなく）、それはハートの形を作っています。これらが作り出すパターンに注目してください。まず小さなハートがある方向に作られ、その後１８０度回転して、逆の方向で大きなハートを形作っているのです。これらの女性曲線のすべては、どれも人体のちょうど中心であるゼロポイントを通過していきます。このゼロポイントは創造の源であり、子宮と呼ばれる場所にあたります。このため女性は体内に子宮があり、男性にはそれがないのです。男性は決してゼロポイントを通過しません。このハート形の関係は、少し挙げるだけでも光、眼球、感情など、ほかにも数多くの自然現象と結びついていることが、みなさんにもだんだんわかってくるでしょう。

さて、その理解を念頭に置きつつ、もう１つ別の数列を見ていくことにしましょう。この世には何千種類もの数学的な数列が存在しています。ある意味では無限に存在していると言えるかもしれません。簡単に言えば、とにかくたくさんあるわけです。ただ単に「１、２、３、４、５、６、７、８」というものも数列です。人類が知っている何千通りもの数列で、その一つひとつの数列を見極めるために必要なのはわずか3つの連続した数字です――ただし黄金比は例外で、2つの数字だけで割り出せます。この事実は、黄金比はおそらく他に存在するすべての数列の根源ではないかということを暗示しています。

　私に寄せられたガイダンスによれば、黄金比に加えてさらに2つの数列が、自然と生命にとって根源的な価値を持っているとのことです。それは今まで見てきたフィボナッチ数列と、これから見ていく二進法数列です。ここではフィボナッチを女性として、二進法を男性として見ていきます。実際のところ、それはただ女性的／男性的というだけでなく、むしろ母と父のような役割を果たしています。白い光から2つの原色である赤と青が引き出せるのと同じように、それら2つの数列は黄金比から直接引き出されてくる根源的なものなのです。

細胞分裂とコンピューターの二進法

　二進法数列（図8-19）は一回ごとに単純に倍増されていく細胞の有糸分裂に見られ、1個から2個、4個、8個、16個、32個にというように増えていきます。フィボナッチ数列のように前の数字を足していくのではなく、今度は2倍にしていきます。

　ちょっとこの二進法というものに注目してみましょう。「1、2、4、8、16、32」とジャンプしています。数列の性質を決定するためには、数列内のどれか3つの連続した数字、たとえば、2、4、8があればいいのです。2を倍にすると4、4を倍にすると8になります。ですから3つの連続した数字だけで倍増していくのがわかります。

　前核細胞の有糸分裂においては、最初の細胞からリンゴ形を作るまでに9回の細胞分裂を経て、全部で512個の細胞になります。それを念頭に置いたまま、2つの事実を眺めてください。

　まず（図8-19の）一番目のほうは、平均して10^{14}の細胞が人体に存在しているということです。つまりたいていの人には100兆個もの細胞があることになります。たくさんのゼロが並んでいますね。次に二番目は、成人の体は生きている間、毎秒250万個の赤血球を作り続けていかねばならないという点です。これはどう見ても、ものすごく大きい桁の数字です。250万という数字をただ数えるだけで、毎日昼も夜も24時間通して7日間数え続けたとしても、たぶん2カ月半はかかるでしょう。しかし、私たちの肉体はもし生きていこうとすれば、死んでい

二進法数列

1、2、4、8、16、32、64、128、256、512...
（最初の10回の有糸分裂）

1．人体には、平均して10^{14}個（100,000,000,000,000個）の細胞が存在する。

2．人体が成人として完成したのち、生きているあいだ毎秒250万個の赤血球を作り続けねばならない。

図8-19 細胞の有糸分裂における二進法数列

次の10回の有糸分裂	その次の10回の有糸分裂
1024	1, 048, 576
2048	2, 097, 152
4096	4, 194, 304
8192	8, 388, 608
16, 384	16, 777, 216
32, 768	33, 554, 432
65, 536	67, 108, 864
131, 072	134, 217, 728
262, 144	268, 435, 456
524, 288	536, 870, 912
(最初の10回の有糸分裂で512細胞になったものが、次の10回の分裂では50万以上になる)	(約50万の細胞は、あと10回つまり計30回の有糸分裂を繰り返すと5億以上になる)

図8-20　次の20回の有糸細胞分裂

くものに代わって、毎秒新しく何万個もの赤血球を作り出していかねばならないのです。これを達成できる唯一の方法が有糸分裂なのです。

それを見て、あなたは「さて、9回の分裂で512個というのでは、100兆個に達するまでにはものすごくかかりそうだ」と思うかもしれません。ところが、まるで魔法のようなことが起こります。数学を勉強した人なら知ってますが、そうでない場合には魔法のように感じられるでしょう。これがその結果です(図8−20)。次の10回の分裂で、細胞は50万個以上に増えています。さらにその次の10回の分裂では5億3600万個ほどになります。

アンナ・C・パイとヘレン・マーカス・ロバーツは『遺伝学の概念と関係 *Genetics, Its Concepts and Implications*』の中で、人体が10^{14}の細胞数に達するには、かっきり46回の有糸分裂が必要であると述べています。たった46回で達してしまうのです！ 46という数字は私には魔法のようで、私たちの細胞にある平均的な染色体数と同じです。これは偶然でしょうか、それとも符合的一致でしょうか。

これらの数字は驚異的です。勉強すると驚異には感じなくなりますが、それは免疫になってしまうからです。しかしこのことはいまだに私を驚かせてくれます。

コンピューターがどうやって機能しているのかについてお話ししましょう。炭素とシリコンがお互いにどう関係しているかについて、前にちょっと触れました。そして、シリコン・コンピューターを作ったのは誰でしょうか？ 私たち炭素をベースにした存在です。他にも数多くある数学的な可能性の中から、私たちはコンピューターの基本に二進法数列を使っています。それはコンピューターシステム全体の基礎になっており、生命の根源的な基礎の1つでもあります。私は、人間が二進法を選んだのは決して偶然などではないと思っています。なぜなら私たちは生命体であって、奥深くでこの数列の重要性を知っているからです。

たいていのみなさんはご存知でしょうが、どうやってコンピューターが機能するのか、少し説明します。コンピューター・チップという、小さな明かりのスイッチがあると想像してください。そして明かりの1つを点けると、そのチップに指定された数字が映ります。1のチップを点けると1が見えます。もしあなたのコンピューターには5つのコンピューター・チップがあるとすれば、それぞれが1、2、4、8、16というように指定されています。これら5つのチップを点けたり消したりすれば1から31までの数字をすべて表わすことができます。1のチップだけを点けたら、1という数字が見えます。2番目のチップが2に指定されていれば、それを点けると数字の2が見えます。チップ4、チップ8、チップ16も同様です。

これら5つのチップをあらゆる組み合わせで点灯させ、それらを足し合わせれば、1から31までのすべての数字を表わすことができます。つまり、最初のチップを点けると1です。2つ目を点ければ2です。この2つを同時に点けると、3になります。次に点けるのは4です。それから4と1で5、4と2で6、4と2と1で7になります。8には、8のチップを点けます。8と1で9、8と2で10、8と2と1で11、8と4で12、8と4と1で13、8と4と2で14、そして8と4と2と1で15になります。それから16には、16のチップを点けます。さらに、ここまでのものに5つ目として16のチップを加えると31までの数字が全部そろい、そこにはすべての可能な組み合わせが表わされるのです。

これにもし32のチップを1つだけ加えたとすれば、1から63までのすべての数字が得られます。さらに64のチップを加えれば1から127までの数字が全部がそろう、といったようになっていきます。もしも46チップのコンピューターを持っていたとすると、1から100兆までの数字のすべてを扱えることになります——わずか46個の小さなチップを点けたり消したりするだけでです！今まさにこの惑星できわめて急速な知識の展開が起こっているのは、これがあったからです。そしてあなたの肉体は、このテクノロジーを何百万年ものあいだ使い続けてきたのです。

二極性の背後にある形をさぐる

常に私を導いてくれた天使たちのガイダンスのもと、私はフィボナッチ数列と二進法数列について研究しました。それを学ぶほど、その背後には、これらの数列を生み出した秘密の形に関する幾何学があるに違いないと個人的に確信するようになりました。天使たちが人体と幾何学は「宇宙のものさし」だと言ったところから考えて、もしこの2つの数列が、母／父あるいは男性／女性を構成するものであるならば、それぞれの数列の背後に何か共通する1つの幾何学形、両方を作り出した形が存在していなければならないという思いが強くあったのです。そこで私は2つの数列を結びつける道をさぐりました。

この秘密については何年も探し続けました。長いこと非常に真剣に取り組んだのですが、どうしても答えが見つからなくて、私はついにあきらめてしまいました。それでも、どこかに答えがころがっていないか、ちょっとしたヒントでも見逃すまいと、常に目を光らせておくことは忘れませんでした。そしてある日、ついに私はそれを発見したのです。

極座標グラフによる解決

6年生の算数の教科書

あるとき私は小学校6年生の少年の面倒を見ていて、ある算数の問題について訊かれました。それはわりに単純な問題でしたが、どうやって解くのだったか思い出せません。私はその子に説明するために、やり方を思い出そうとして彼の教科書をぱらぱらめくってみました。すると、私が探していた幾何学がそこにあったのです——なんと6年生の算数の教科書にです！ その教科書の書き手には、私が何をわかったのかは理解できないでしょう。というのも、それはまったく違う方向で考えられていたからです。しかし私はその数学に、長いあいだ探し続けていたものを発見しました。それは根源的な2つの数列を結びつけるカギだったのです。

残念ながらその教科書のタイトルや著者は憶えていませんが——ずいぶん昔のことなので——そこには極座標グラフと黄金螺旋の関係が表わされていました。**図8-21**は極座標グラフに描かれた南極の地図です。中心で交差している線の1本がX

極座標グラフ
極グラフ、極図表。空間の任意の点を、球面の極点を中心とする極座標で表わした図表。

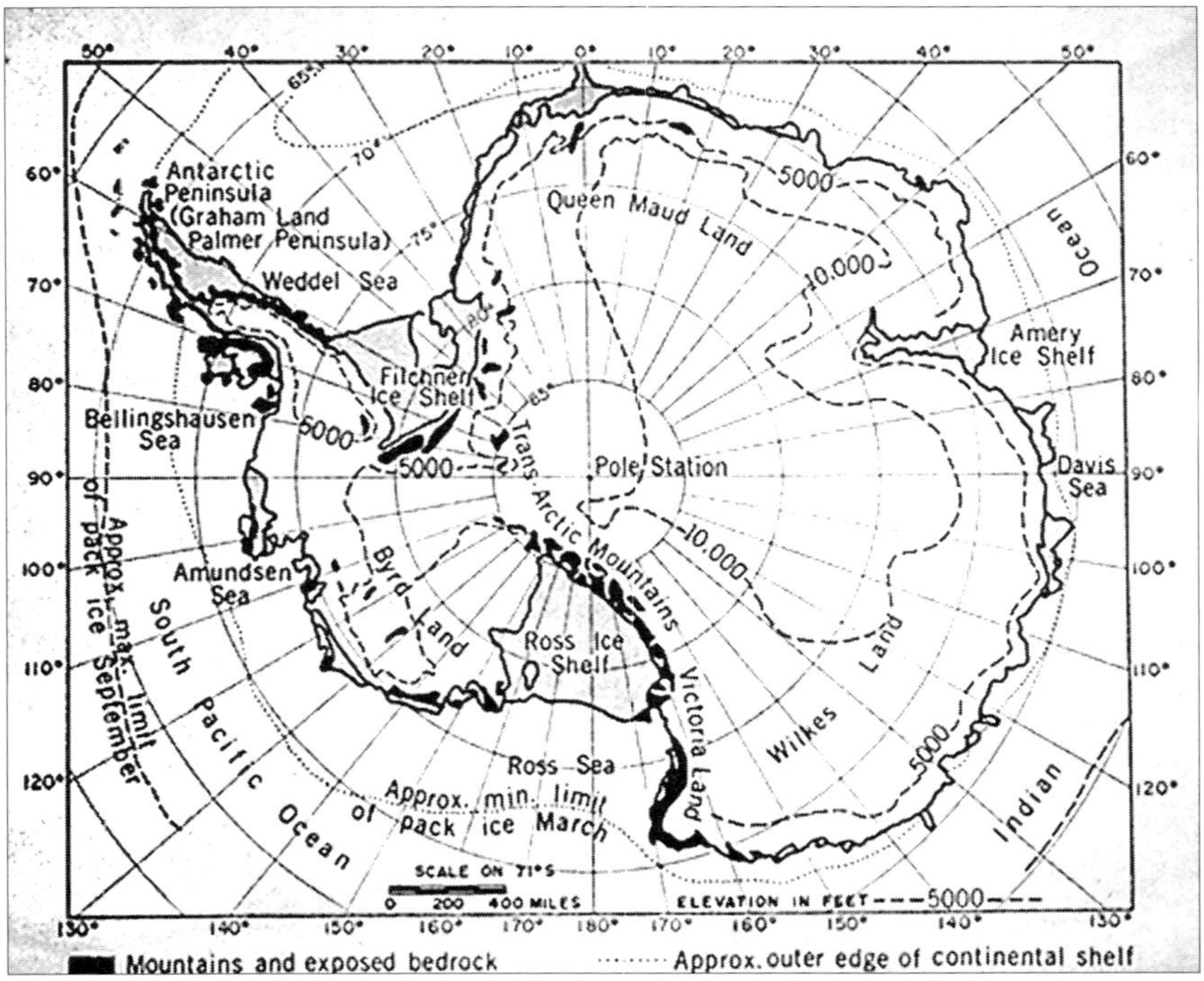

図8-21 極座標グラフと地図（Rodman E.Snead: *"World Atlas of Geomorphic Features"* より）

軸、もう1本がY軸になっていることに注目してください。すべての円はこれらの軸と交わっています。これを実験してみるのに、次のような方法があります。厚さ約1センチくらいの平らな円板の上に、無作為に砂をばら撒きます。そして円板を下から支えておいて、それを木槌でたたきます。すると砂は、この図にある軸のような完璧な正十字の形に並ぶのです。もしもその円板に音源をつないだら、砂はさまざまな幾何学模様を描き出すでしょう。しかし円板を低周波で打つと、一番最初にできるのは正十字形です。

円に正十字形が重ねられているのを見たら、円の半径を1として、それを自分のものさしに使ってください（そうすると計算が非常に楽になります）。そして最初の半径と同じ距離ずつ広げながら同心円を外側にいくつも描くと、極座標グラフになります。

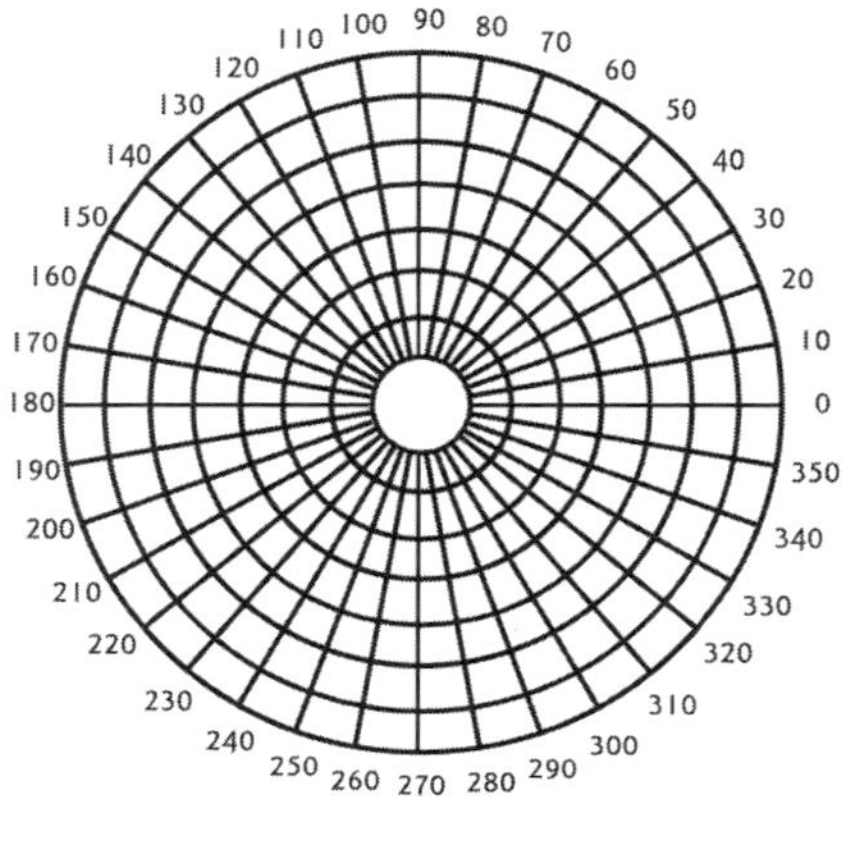

図 8-22　極座標グラフ

極座標グラフ上の螺旋

横軸と縦軸を含む36本の放射状の経線からなる極座標グラフとは、一般的にどんなものかを表わしたのがこの図です（図8－22）。360度を10度ずつ区切って経線が引かれています。そして同心円が何重にも中心から等距離に描かれ、一番内側の円を含めると、それぞれの経線を8等分することになります。極座標グラフを用いるにはたくさんの理由があります。まず最初にそれが何を表わしているか考えてみてください。極座標グラフは、神聖形状の1つである3次元の球を平面に投影し、2次元の図として表わしたものです。つまりそれは影の形なのです。影を映してみることは、情報を得るための神聖な方法でもあります。そしてさらに、極座標グラフは直線（男性）と曲線（女性）をあわせ持ち、男性エネルギーと女性エネルギーの両方を同時に含んでいるのです。

中心の小さな円を、宇宙空間にある惑星だと思ってください。数学の本の筆者が、惑星の表面から黄金螺旋を描きはじめたとしましょう——フィボナッチではなくて、黄金比の螺旋です。それは中心にある小さな「惑星」の円周の0度の位置からスタートして360度くるっと一回転し、0度に戻ってきます（図8－23）。

さて、あらゆる地点の価値を見極めるために、中心にある円の半径を1として（「惑星」の中心、すなわち一番内側の中心点からの距離がという意味です）、螺旋が外側へ向かいながら経線を通過するたびに、それを数えていきます。ですから260度の経線（4番目と5番目の同心円の中間）では、外側へ向かって約4・5を数えたことになります（もちろんコンピューターを使えばもっと正確な数字が出せます）。210度では、螺旋はおよそ3・3になります。みなさん、おわかりですか？

　それでは、0から360度までの実際のデータを見ていくことにしましょう。0度では、螺旋は例の小さな球または惑星の表面にあるので、中心から外側へ正確に1つの円の分だけ（経線上で）離れています。それから螺旋はさまざまに変化しながら各地点を通過し、120度の経線で第2の同心円に交わります。そして240度の経線でちょうど第4の同心円と交わり、もっと外へ伸びていきます。さらに外側へ向かい、きっちり360度（0度でもある）の経線で第8の同心円に接します。経線の目盛りは、正確に0度、120度、240度、360度の位置で2倍ずつに（二進法数列の1、2、4、8と）増えていきます。

　図8－24を見てください。これは螺旋が交わる点を表わしたものです。左にある「経線上の中心からの距離」の欄

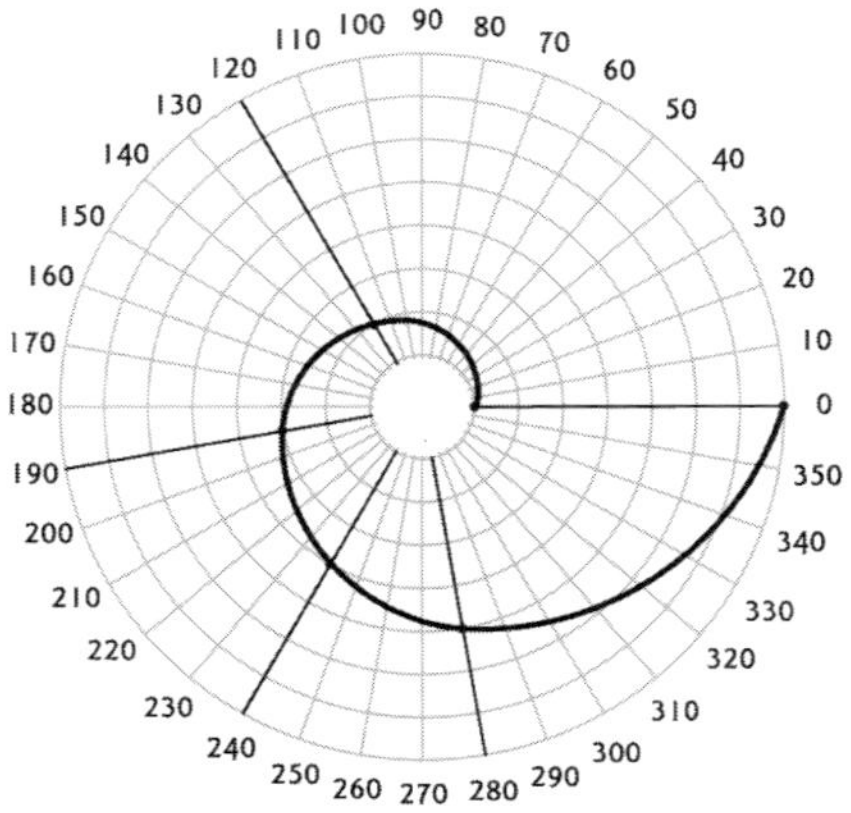

図8－23　極座標グラフに描かれた黄金螺旋

角度	経線上の中心からの距離	角度	経線上の中心からの距離	角度	経線上の中心からの距離	角度	経線上の中心からの距離
0° ☆	1.0 ★						
10°	1.1	100°	1.8	190°	3.0 ★	280°	5.0 ★
20°	1.1	110°	1.9	200°	3.2	290°	5.3
30°	1.2	120° ☆	2.0 ★	210°	3.4	300°	5.6
40°	1.3	130°	2.1	220°	3.6	310°	6.0
50°	1.3	140°	2.2	230°	3.8	320°	6.3
60°	1.4	150°	2.4	240° ☆	4.0	330°	6.7
70°	1.5	160°	2.5	250°	4.2	340°	7.1
80°	1.6	170°	2.7	260°	4.5	350°	7.5
90°	1.7	180°	2.8	270°	4.7	360° ☆	8.0 ★

角度	0°	120°	240°	360°	
極からの距離	1.0	2.0	4.0	8.0	二進法数列

角度	0°	120°	190°	280°	360°	
極からの距離	1.0	2.0	3.0	5.0	8.0	フィボナッチ数列

図8-24　極（中心）から螺旋までの距離の増加を経線上の目盛りで示した表

の左側に記された白い星印は、経線を二進法数列の数値が通過するところです。また右側にある黒い星印は、螺旋がフィボナッチ数列の数値（1、2、3、5、8）で交差する120度、190度、280度、360度の地点を示しています。両方の数列は、交わる地点は異なっても、黄金螺旋に従ってまったく同時に360度を一めぐりし終えるのです。すなわち極座標グラフに示されたこの螺旋は、二進法数列とフィボナッチ数列を統合させたものなのです！

私はものすごく興奮して、数日間バック転を何回も繰り返してしまいました。それが何であるかを完全に理解したわけではありませんでしたが、それにしてもたいへんなことを発見したのはわかっていたからです。（これは私の弱点の1つであると認めなくてはなりません。いったん1つのパターンを解読してしまうと、それは逆もあてはまるはずなので、あえてそちらのパターンでやり直してみようとはしないのです。そのプロセスもたぶん同じぐらい面白いでしょうに。）

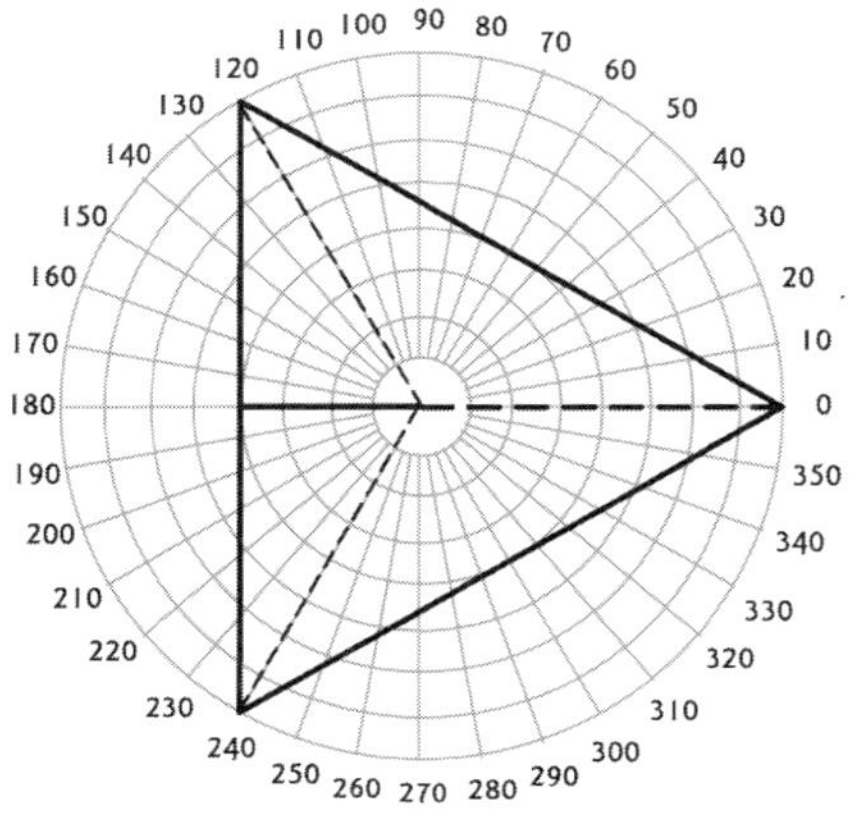

図8-25　二進法螺旋が正四面体を極座標グラフ上に作り出す

しかし二進法数列がどう動くかは解析しました。螺旋は0度、120度、240度、360度の経線上でちょうど二進法数列の各数値を通過します。ご覧のように、それらの度数は正三角形を作ります（図8−25）。もし二進法螺旋がこのまま外側へ向かって進み続けたとしたら、交差する経線の目盛りは16、32、64といったように倍増していきますが、それらは常に120度、240度、360度の経線上になります。

あなたは正三角形を見ているだけでなく、実際には3次元の立体的な正四面体（テトラヒドロン）も見ていることになります。なぜなら120度、240度、360度の経線を中心まで延ばすと、上から、あるいは横から見た時に正四面体になるからです。

キース・クリッチロウの三角形と、その音楽的意義

この図から描けるもう1つのイメージ、正三角形と、0度から180度まで中央を真横に貫いている直線を見てください。これは正四面体を横から見たものです。さて、それは重要なことには思えないかもしれません。たぶん私はまったく触れてこなかったと思いますが、これにつ

●付記 Update

他のパターンを解読した人々もいますが、それは私が見たところではフィボナッチによるものでした。それが意識において実際どんな意味があるのかは、私もまだ研究していないのでよくわかりません。

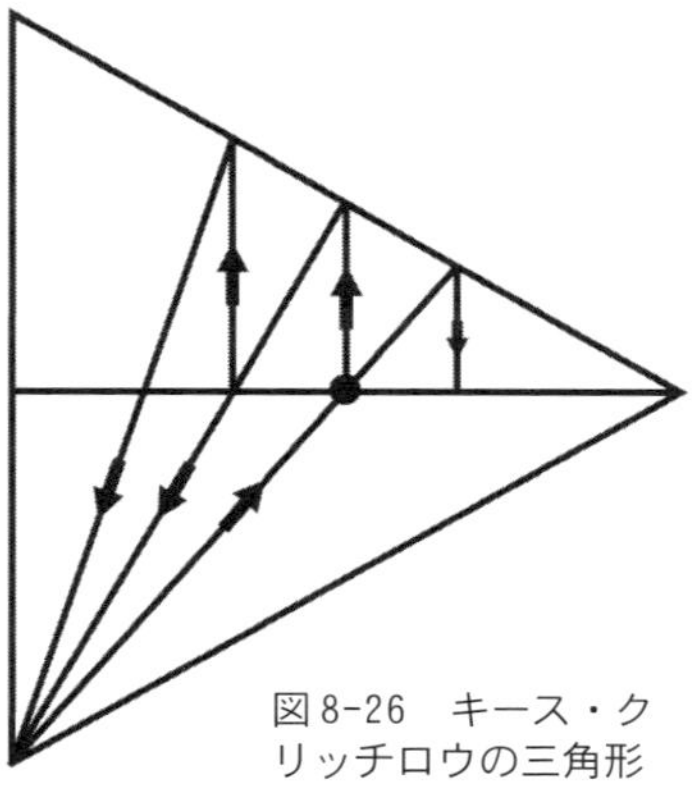

図8-26　キース・クリッチロウの三角形

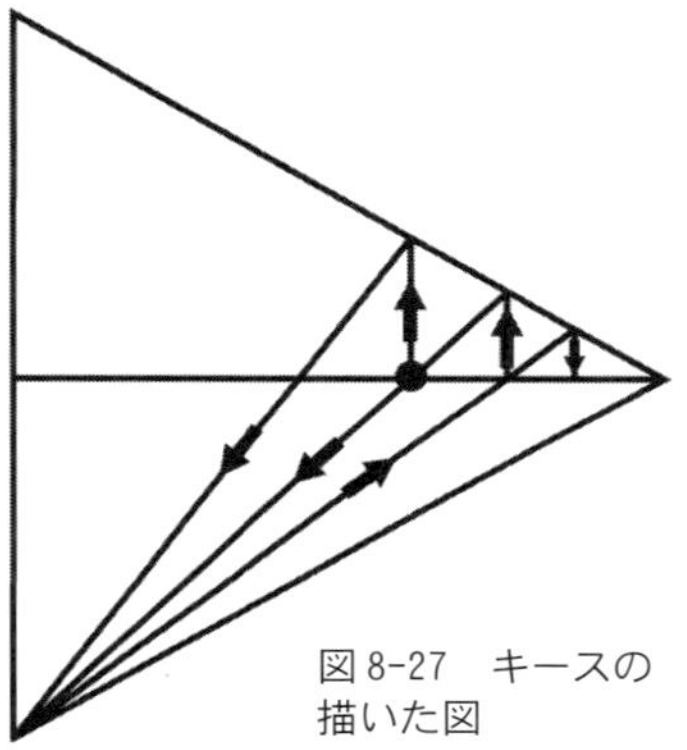

図8-27　キースの描いた図

いて言及した人がいました——キース・クリッチロウです。彼が何を考えていたのか、あるいはどうやってこれに到達したのかはわかりません。彼がこれを書いた時には、今みなさんが知っているようなことは知りませんでした(今はこのワークを見て知っているかもしれませんが、当時は知らずに書いたはずです)。

図8―26はクリッチロウによるものです。彼は正三角形の真ん中に直線を引きました。それからその中心線の中央を割り出して(黒い点)、まず左下の頂点に向かって線を引き、その角から上の辺にぶつかるまで持っていくようにし、さらにそこから図のように垂直に中心線まで下ろしてきました。なぜかはわかりません。一本目の斜めの線が中心線に交差したところで、今度は垂直線を上の辺まで引き、それからさっきと同じ下の頂点に向かって線を下ろします。さらにそれが中心線と交わった点を使って、その左側に同じことを繰り返します。そしてこれは一本目の線から、どちらの方向へも同様に続けていくことができます。この小さくておかしな形を描いていくことで、クリッチロウはたいそう重要なことを発見したのです。

彼は(その作図のパターンを)「この方法で続けて」いくと、「連続したどの部分においても、1つ前の面積と、その辺の長さの合計は調和平均の関係にある。そして、これらのすべての面積は音楽的意義を持ち、$1/2$はオクターブに相当し、$2/3$は5度、$2/5$は長3度、$8/9$は全音(1音)で、$16/17$は半音(1音の半分)となる」と言っており、つまりこれらの線を音と対比させているわけです。

それから彼は、これを他のやり方でも試してみました。中心線の他の地点(**図8―27**)である$3/4$(黒い点)のところから線を引きはじめると、それぞれの面積は、$1/7$、$1/4$、$2/5$、$2/7$、$8/11$、$16/19$となることを発見しました。これらの数字はどれも音楽的に意味があるものです。

これはきわめて興味深いことです。ということは、音楽のハーモニクスは正四面体の中心線にそって動く部分の面積と何かしら関係していることになります。しかし彼は始めるにあたって計測しなければなりませんでした。もし、あなたがものさしを使わねばならないとしたら、神聖幾何学の核心に達しているとは言えません。何かが欠けているのです。正しく神聖幾何学を学んでいれば、決して計測のための道具や何かを使う必要はありません。計測のための装置はあなたの中に組み込まれており、分度器やものさしといった道具を用いなくても、あらゆるものを算出できてしまうのです。それは常にシステムの中に組み込まれています。

私は試しにクリッチロウの図の背後に極座標グラフを重ねてみたところ、オクターブを示した最初のパターン（行程の1/2の位置）を再現することができましたが（図8−28）、どんな道具も用いずにすみました。

私がしたのは、三角形の下の頂点から球の中心を通って向かい側の辺まで走っている線を、単に上からなぞっただけです。そこから垂直に線を下ろすと、正確に中心線を二分する点にぶつかり、そこはクリッチロウの発見したオクターブの地点だったのです。すると他の3本の線も自動的に引けることになります。

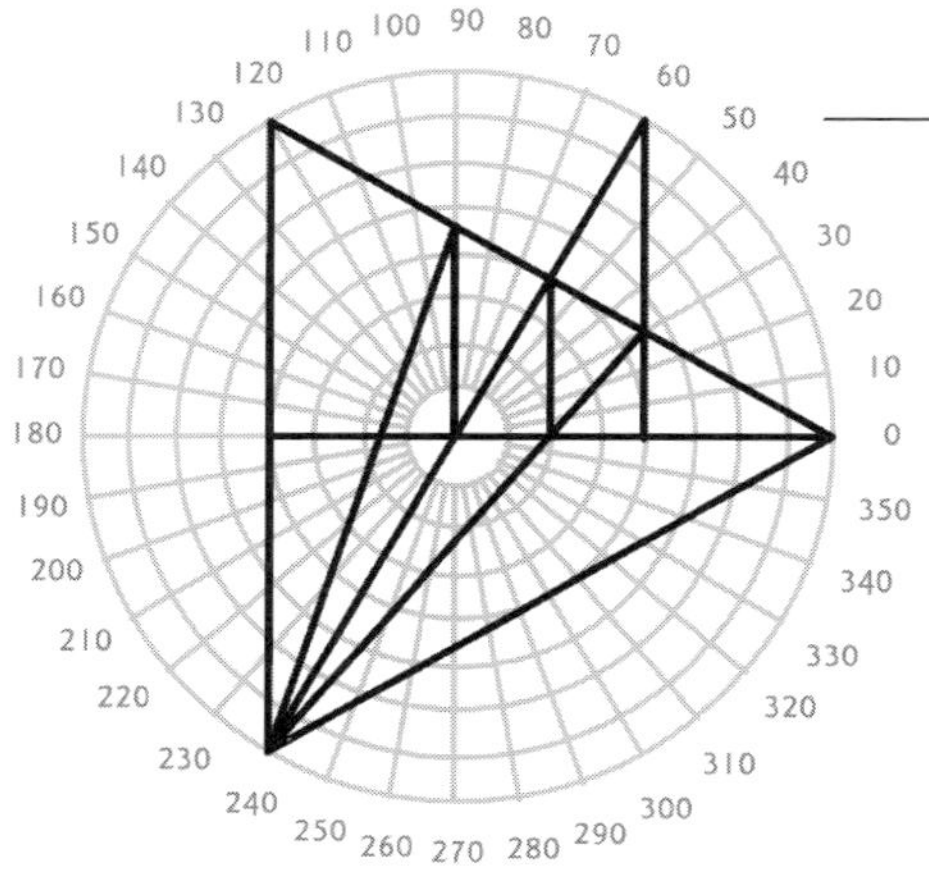

図8−28　クリッチロウの三角形を極座標グラフに重ねたもの

その後、私はこの正三角形に外接する極座標グラフの一番外側の円は、中心線に対してハーモニクスの関係であることを発見しました。すなわち最外円の60度の位置から垂直に下ろされた線（A線）は、ぴったりB線に重なるのです。この三角形の内外で、男性要素（直線）と女性要素（曲線）の間には符合的一致が見られ、それらの面積にはすべて音楽的に重要な意味がありました。そこでは何一つ、ものさしなどの道具を使う必要はありませんでした。

いまや私たちは頭上はるか何光年も遠くのことを扱っています。調査チームは中心からだけでなく、交点のどこからでも三角形の上半分にこれらの線が引けて、知られているすべてのハーモニクスに行き当たることを見出しています。別の言い方をすれば、０度から１２０度までの間にある直線と曲線のどの交点からでも垂直に線を下ろし、次に三角形の下の頂点へ向かって線を引いて、そこからこの方法をスタートすれば、すべてのハーモニクスに行き当たるということです——それは西洋の音階だけでなく、東洋の音階そのほか実際に知られているあらゆる音階、そしてまだ誰も使ったことのない未知の音階もすべて含みます。

この研究をした人々は、いまやすべての物理法則を音楽のハーモニクスから導くことができるので、ハーモニクスのしくみのすべては解き明かされたと考えています。私は個人的に音楽のハーモニクスと物理法則はお互いに関連しあっていると信じており、とてもそのすべてはここに示しきれませんが、私たちはこの数学的かつ幾何学的証明をすでに手にしていると考えています。

私はこの情報が集まってきたとき、その関連性の途方もなさに、非常に胸が高鳴りました。それはこの正四面体の内側に音楽のハーモニクスが配置されていて、しかもそれらのハーモニクスはいまや確定しうるものだということを示しています。その後、私たちはこの図の背後に、すべてのカギを解く別の幾何学的パターンが存在することを発見しました。それはエジプトが持っていた内なる意味をすべて明らかにしたのです。

エジプト人たちはその哲学の全貌を2と3と5の平方根、そして3―4―5の三角形に託しました。多くの人々がその理由を提示していますが、正四面体の幾何学の背後には、もう1つの隠された理由があるのです。その考えはある意味では私自身を含めて、おそらくほとんどの人の頭をこれまでによぎったことがあると思います。とにかくそれはそこに存在し、私たちは今それについて研究しているわけです。

黒い光と白い光の螺旋

音楽のハーモニクスについて研究していたとき、私は一通のはがきを受け取りました。それは極座標グラフのポストカードで、表面が光を反射するようにできていました（図8―29）。一つひとつの小さな部分が全部、反射鏡になっているのです。この極座標グラフからどんなふうに光が反射されているかを見てください。それは黄金螺旋、あるいはフィボナッチ螺旋のように見えます。

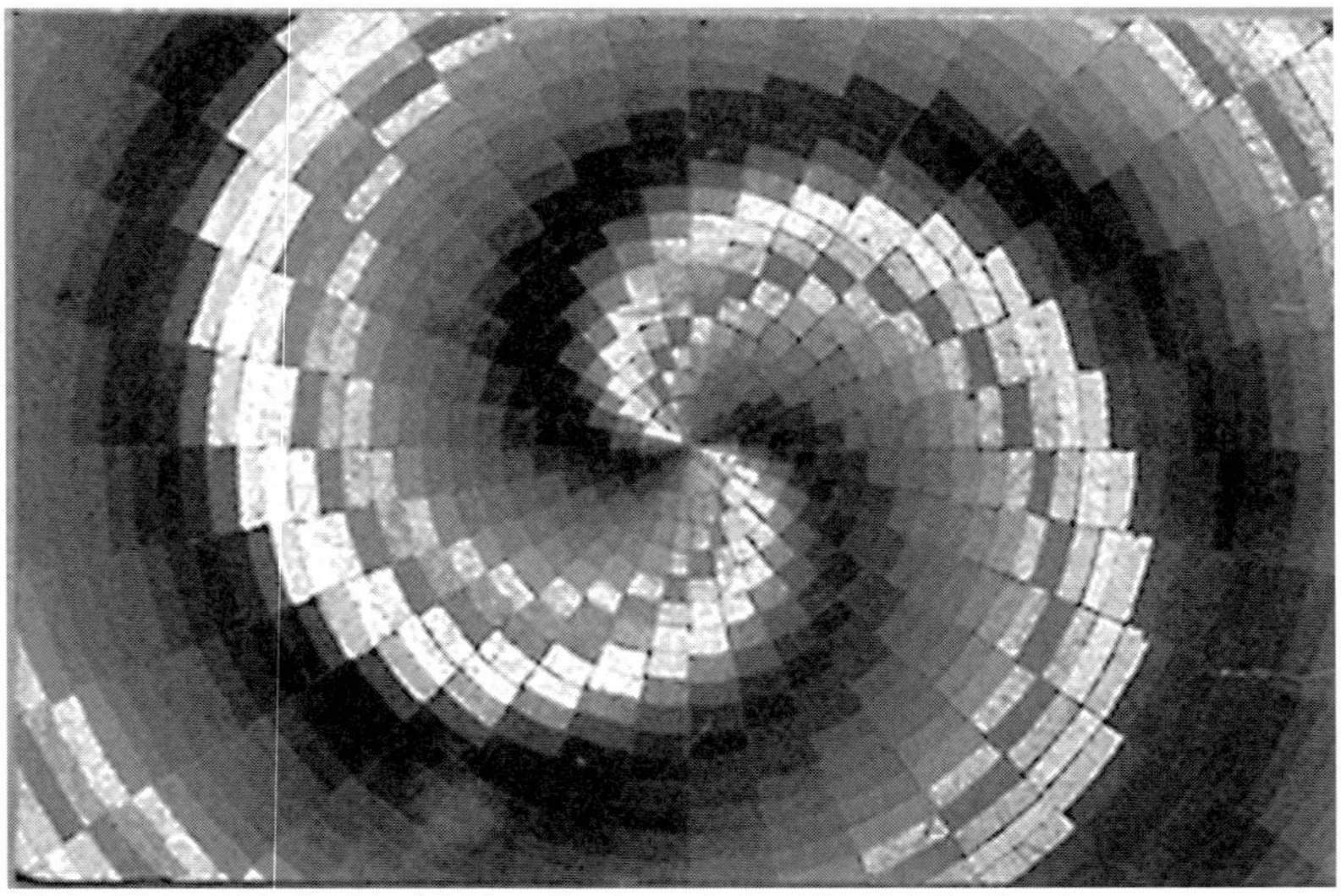

図8-29　螺旋模様のポストカード

図 8-30　渦巻銀河

螺旋の腕が２本あって、お互いにちょうど１８０度で向かい合っています。光を反射している腕の合い間は、とても暗くなっているのを見てください。黒い光の螺旋もやはりお互いに１８０度向かい合って回転しており、90度のところに白い光の螺旋があります（それはすでに渦巻銀河に見たものと同じです）。中心部分の光を見ると、逆方向に出ている２本の腕はちょうど１８０度になっているのがわかるでしょう。

これは私たちが以前に見たものです（図8-30）。ここには白い光の螺旋が１つの方向と、もう１つ、１８０度向かい側の反対方向へ伸びています。そして暗い腕（女性要素になります）が、明るい腕の間に現われています。科学者たちが発見した、白い螺旋の光の腕の間にある黒い光の部分が背後の宇宙空間の黒さと異なっている（図2-35）のはなぜか、これによって説明できます。螺旋の中の黒い光は女性的エネルギーであるのに対し、外側の宇宙空間の黒さは虚空（ヴォイド）の暗闇であり、同じものではないからです。科学者にはそれがなぜ違っているのか、理由がよくわからないようです。

左脳のための地図とそれらの感情的構成要素

ここで簡単にお話ししておきたいことがあります。極座標グラフの上に正四面体を重ねることは、音楽のハーモニクスを幾何学的に表現していることになります。私がここでみなさんに伝えた図と情報は、あなたの左脳を通して理解され浸透していきます。けれども、私たちがそれらをどんなふうに視覚化してきたか憶えていますか？　そこでは、ページに描かれた線はどれも平面上の線ではなくて、スピリットがいかにして虚空を動いていくかを記した地図だと言いました。そう、これらの図は左脳のための地図なのです。

しかしそれと同じくらい重要な要素が他にもあります。神聖幾何学の図の線は、スピリットがどうやって虚空を動くかを記した地図というだけでなく、同時に別のことも表現しているのです。神聖幾何学で用いられる線のすべてには、常に感情的かつ体験的な要素が一緒に存在していいます。思考的な要素だけでなく、体験されうる感情的な要素も同時にあるのです。神聖幾何学で描かれる図は左脳から人間の意識に入ることもありますが、右脳を通して体験的に入ってくるという経路もあります。時によっては、この感情的で体験的な要素はあまり明白なものではありません。

これは何を意味しているのでしょう？　音楽を例にしましょう。音楽は人間には音として体験され、内側で聞かれたり感じられたりするものですが、その他に大きさや数学として左脳で理解することも可能なのです。神聖幾何学を学んでいくとき、左右の脳は同じ情報をそれぞれ異なったやり方で用いるということを忘れないでほしいと思います。

（ここでドランヴァロは受講生たちが直接体験できるように、みずからスー・ラコタの笛を吹いた。彼はみんなに、頭でそれを分析したり考えたりするかわりに、目を閉じて音楽をただ体験するようにと言った。）

形と神聖幾何学が結びついているところは根源ですが、その情報が人間の体験に入ってくる時には、異なったやり方をとります。たいていは右脳から体験的に情報を吸収するほうが、論理的な左脳を通すよりもずっと簡単ですが、どちらにも等しい価値があります。それらはまったく等価であるようには見えないもかかわらず、実はそうなのです。みなさんが人体のまわりに存在する三角形や四角形や、それにまつわる球その他さまざまな形を見ていけばいくほど、この幾何学全体を通して、どの形も何らかの体験と結びついていることに気がつくでしょう。あなたにはその特定の体験が何なのかわからないかもしれません。何が関連しているのかを見つけ出すには一生かかるかもしれませんが、どんな神聖幾何学形状であれ、必ず体験的な要素が関わっているというのが私の信じるところです。

第二情報提供システムを通して、フルーツ・オブ・ライフに戻る

さて、これら全体の根底にある線について述べることにしましょう。この三角形を描いたとき、０度、１２０度、２４０度を頂点にして線を加えたのを憶えていますか？（**図８−28参照**）ところが、銀河のような自然界には、螺旋は１つだけではなくて、中心から逆方向へ伸びる（**図８−29**、**図８−30参照**）２つの螺旋があります。ですからもし自然を写し取るとしたら、２つの螺旋を配置させることになり、すると極座標グラフには２つの逆方向の三角形が作り出されることになります（**図８−31**）。よく見ると、

それは実際には２つの正四面体であるのがわかります——もっと詳しく特定すれば、それは球の中に入った星型二重四面体（スター・テトラヒドロン）です。

リチャード・ホーグランドの研究を知っている人は、火星のシドニアのメッセージが何だったか思い出せますか？　それは球の中の星型二重四面体でした。もしリチャード・ホーグランドの研究を知らなければ、国連で発表したものを見るといいでしょう。科学はこれが一体何であるのかようやく理解しはじめたばかりですが、ホーグランドが示したことは、たぶん今のみなさんなら意味がわかると思います。

星型二重四面体の内側には球があって、その中にもう１つ星型二重四面体あります（図８—32）。そしてさらにその小さいほうの星型二重四面体の内側には、球がぴったり内接しています。それと同じ大きさの球を、それぞれの正四面体の各頂点に中心がくるように配置すると、フルーツ・オブ・ライフ（生命の果実）になります。この図を30度角回転させてほかの線を消すと、はっきり輪郭が浮き上がります（図８—33）。

ここでは反対の順序で見てきましたが、それはフルーツ・オブ・ライフの第二情報提供システムです。星型二重四面体、黄金螺旋、光、音、音楽のハーモニクスなど、これまでのすべての情報はこの情報提供システムの部門からやって来るものです。

フルーツ・オブ・ライフから始めて、逆に見ていく方法もあったのですが、それは私自身が通ってきた順序ではありませんでした。第二情報提供システムは、プラトン立体やクリスタルの情報のところで行なったような、すべての中心をつなげるというやり方よりも、中心から発している経線をフルーツ・オブ・ライフの同心円に結びつけ

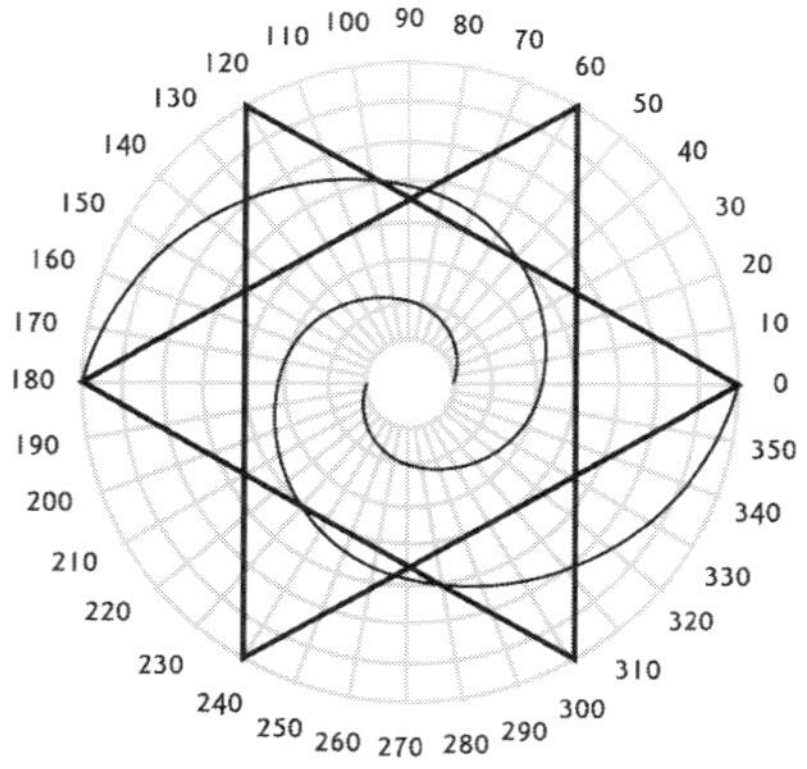

図８-31　極座標グラフ上に星型二重四面体を形作る２つの螺旋

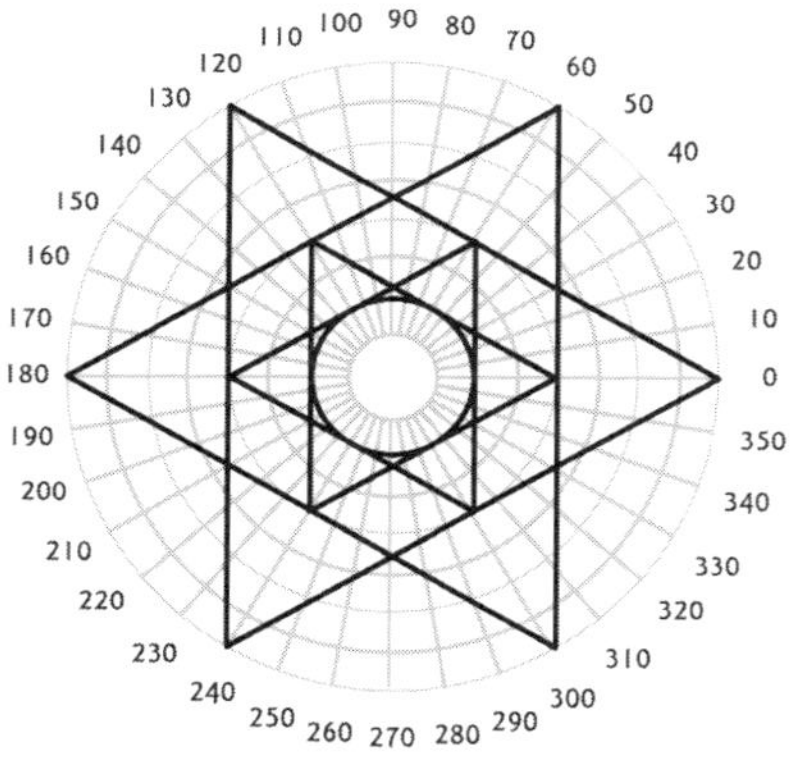

図８-32　星型の中の星型

図８-33　星型と球の上にできた果実

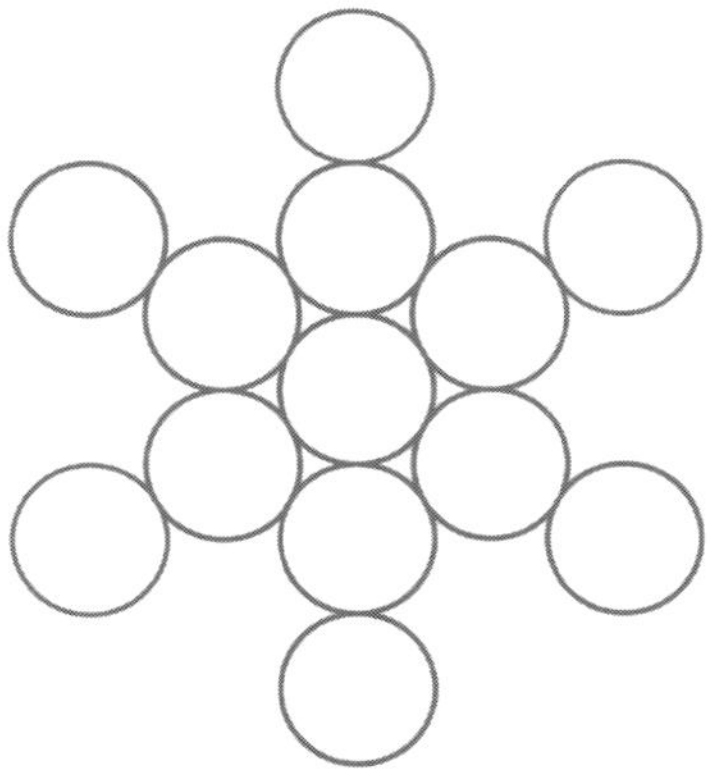

図８-34　フルーツ・オブ・ライフ

ていくほうが入りやすいことを理解してもらいたかったのです。単にやり方が異なっているだけで、ようするにフルーツ・オブ・ライフの女性線と男性線を重ね合わせているのです。

第一情報提供システム「メタトロン立方体」では、５つのプラトン立体が宇宙の構成パターンの基本になっていることを見ました。それは金属やクリスタルの格子構造その他、話にのぼらなかった数多くの自然界のパターンの中に現われています。珪藻土を作る珪藻は、世界で最初にできた生命体の１つですが、珪藻は小さな幾何学的パターンあるいはその働き以外の何ものでもないのです。ここでは、光、音、音楽のハーモニクスが、創世記パターンの第３の回転形、フルーツ・オブ・ライフ（図８－34）から直接生まれた球を内包する星型二重四面体フィールドと、どういう相互関係にあるのかを見てきたことになります。

おわりに

幾何学は（ということは比率も含まれますが）、自然の隠された法則であるということがいまや明らかになってきています。すべての自然法則は直接、神聖幾何学に由来しているので、数学よりもさらに根本的でさえあると言えるのです。

このワークの第2巻では、さらなる自然界の秘密を披露します。あなたの住んでいる世界に対する見方が変わりはじめるでしょう。あなたの肉体は宇宙のものさし、あるいは立体イメージ（ホログラフィック）であり、あなたやスピリットというものが、今まで教わった以上に社会で重要な役割を担っているということが明白になってきます。

最後の部分（そこはこのワークの中でも最高峰と言えます）では、あなたは自分のまわりにある、直径約17メートルに及ぶ電磁場の内に存在している幾何学形状がどのように配置されているかを理解するでしょう。これらのフィールドを思い出すことは、雛鳥が卵の殻を割り、暗闇の中から日の光のもとへ出るようなもので、人間としての目覚めの始まりです。古代人によって「マカバ」と呼ばれていた、神聖かつ神々しい人間の光の体（ライトボディ）が現実のものとなります。このマカバとは、聖書でエゼキエルが言うところの「車輪の中の車輪」にあたります。創造の青写真が浮上してくるにつれて、星々の間を抜けて故郷へと帰還していく道が白日のもとにさらされます。

私たちはあらゆる生命の根源と、とても近しくつながっています。この情報を思い出すことが、分離の神話を追い払い、あなたを神そのものの存在に引き会わせてくれますように。これが私の祈りです。

では、第2巻でまたお会いするまで。

愛と奉仕のうちに　ドランヴァロ

訳者あとがき

皆様、お待たせいたしました！　まさか自分でもこんなにお待たせすることになろうなどとは、全然思っていませんでした。この本の訳に最初に取り掛かってから、すでに1年以上がたっています。
お待ちいただいた分、自信を持ってお勧めできます。鼻血が出るぐらいすごい本です。ついにご本尊自身の言葉で、本の形態をとって「フラワー・オブ・ライフ」の教義が伝えられることになったわけです。

フラワー・オブ・ライフは、今までに数多くの人々を魅了してきました。神聖幾何学というコンセプトを根付かせた教えの一つです。このフラワー・オブ・ライフの知識が、かなり現在ニューエイジと呼ばれている認識の底辺になっているのですが、ようやくここでついに日本でも本として紹介されることになりました。

1970年代にゼカリア・シッチンが繰り広げてみせてくれた、古代文明を通して検証していく人類の起源は？という、人々が心を躍らせて大ロマンに飛び込んでゆくことになったころの直後ぐらいに、このドランヴァロ・メルキゼデクは、彼のもつ究極の「すべてを包括して見たときの、その全体像を把握する力」によって、それまでは切り離されて考えられていたような実世界の側面を、もろに「え、まさかそんな!?」とみんなが驚くけれど納得のいくように、きちんと科学的な理解をベースに、宇宙的規模のジグソーパズルのピースをはまるべき場所へはめ込んでいってみせてくれたのでした。ストーリー・テラーとしての力量燦然（さんぜん）という感じです。

さて、あとがきから先に読む人がたくさんおられると聞いたので、まず先にここに書きます。
この本に限っては、何がなんでも全部最初から通してまず読んでみてください。なぜかというと、その行動によって、怒濤に左右両脳が統合されるという、すごいことが起きるようになるからです（これに関しては、本文中にも書かれている通りです）。
私自身が実際にその過程を通過してきたゆえに、この点を無視しないでほしいと切に願っています。なにも私のような極端な脳の使い方をしていなくても、多くの人にかなり大切な変化が起こせそうだと直感が語っているからです。ぜひ途中からなどとは言わず、はじめから章を追ってこの本をお読みになってみてください。

……私は極端に右脳ばっかり発達してる人だったんです。

数字について考えるのもいや、数学でわずかに楽しいと思えたのは幾何学。でも、図形というお絵かき部分があったからこそついていけたのであって、それ以外の単なる数字を扱った理論は全然ついていけませんでした。

そんな人がですよ、この強烈な内容を訳そうってんだから、わははははは、いやあちょっと清水の舞台から飛び降りまくってるよあんた、みたいな世界に突入してました。

まず「通して読むべきだ」と書かれていたので、翻訳する前に自分も腹をくくって通して読みました。「ぐわあああ理系じゃあああ」などと叫びつつも、とにかく読み通しました。展開していく先が面白くて、読み出したら片時も離せず、もうトイレにまで持っていって読み込んだぐらいです。

目からうろこがぼとぼと落ちました。それから脳みその働きが変化してきていることに、はったと気がついたのです。それまでまったく欠いていたような部分だったものだから余計にすぐわかったのですが、だんだんと自分の数学的な認識力も成長してきていることに気がついたのです。つまり、左脳も使いだし、両脳でバランスが取られるようになってきたのです。これには自分でもぶっ飛びました。

さて、読むのと訳すのとでは、読み込んでいくレベルが全然異なっています。訳していく過程で、こんなにくそめんどくさいわ、理系きらいだっちゅーてんのに、どこまでこんなのやらせんのよおおお、とか一人で夜中に頭かきむしって叫んでたこともありました。

章を追うごとにだんだん理系くさくなっていく内容を訳しながら、目の前真っ暗になってるかな……と思いきや、ところがどっこい！　二度目に読んでよくわかったのですが、やはり以前と比べて、もっと数学的なことに対する理解が増えているので、今までなら耐えられなかったような数学的な思考をせねばならないときでも、ちゃんと読み込みに耐えられるようになっていたんです。数字は見るのも聞くのも計算するのも嫌だった人が、科学雑誌なんかにはまったりするようにまで変化してきているのです！
自分の脳みそが思ってもみなかったような変化と成長を遂げているので、本当に私はびっくりしました。

このように、ドランヴァロが教えてくれたことは、実際の書かれている情報のみではありませんでした。もっともっと深い面での変化も促してくれたのです、両脳のバランスをとらせていくことで。
また、どうやって全体的なマッピング（地図）を見るのか、そういう自分の中での全情報の扱い方や、バランスのとり方といったような側面でも、ものすごい勉強をさせてくれました。

この本は「するめいか」のようです。噛めば噛むほど味が出る、というやつですね。しかも開けてびっくり玉手箱。実際にこれらの情報をどう使っていくかは、読者の皆様お一人お一人のお楽しみ。

最後に、いつまでもしつこく時間をかけてしまって、本当に申し訳ありませんでした、今井社長！　このような日本のスピリチュアリティに多大な影響をもたらすような究極な本を日本で出してくださっていることに、大感謝です！　そして究極なこの本の編集で大活躍してくださった、ベガの花・秋田幸子さんにこの場でお礼を言わせてください。この本に要した編集労力は並じゃなかった！　そしていつもたくさんのサポートを寄越してくれている「上」の皆様、アセンションしたマスターたち、特にこの翻訳に関してはトート自身が助けてくれてました。ありがとう！　そしてもちろんこんなすっげー内容の翻訳をこなした自分自身に、「よし！　よくやった!!」

それではみなさんがこの本から多大にジューシーな何かをつかんでいってくれることを祈りつつ……

脇坂りん

２００１年10月、南オーストラリアにて
初夏の雨に濡れて緑が深い庭先を見ながら

4章

Keyes, Ken, Jr., "The Hundredth Monkey" (out of print). ケン・キーズ『百番目のサル』佐川出版，1984年（絶版）.

Watson, Lyall, "Lifetide" Simon and Shuster, New York, 1979. ライアル・ワトソン『生命潮流ー来たるべきものの予感』木幡和枝訳，工作舎，1981年.

Strecker, Robert, M.D., "The Strecker Memorandum"(video), The Strecker Group, 1501 Colorado Blvd., Eagle Rock, CA 90041(203)344-8039. （＊ストレッカー・メモに関する邦訳書として，アラン・キャントウェルJr.著『エイズ・ミステリー』結城山和夫訳，リブロポート，1993年刊があるが，現在は絶版）

Doreal, translator, "The Emerald Tablets of Thoth the Atlantean," Brotherhood of the White Temple, P.O.Box 966, Castle Rock, CO 80104, 1939. アトランティス人トート著，M・ドリール博士編『エメラルド・タブレット』林鐵造訳，霞ヶ関書房，1980年.

6章

Anderson, Richard, Feather(labyrinths); www.gracecom.org/veriditas/.

Penrose, Roger,; http:galaxy.cau.edu/tsmith/KW/goldenpenrose.html
http://turing.mathcs.carleton.edu/penroseindex.html; www.nr.infi.net~drmatrix/progchal.htm.

Adair, David; www.flingsaucers.com/adairl.htm.

Winter, Dan, "Heartmath"; www.danwinter.com.

Sorrell, Charls A., "Rocks and Minerals: A Guide to Field Identification," Golden Press, 1973.

Vector Flexor toy: Source Books, P.O.Box 292231, Nashville, TN 37229-2231, (800)637-5222 or (615)773-7652.
（ここでは本書で推薦した本や神聖幾何学の用品類、ポスター、キット、ビデオ、オーディオテープ、ＣＤなどの多くを取り扱っている）

Langham, Derald, "Circle Gardening: Producing Food by Genesa Principes, Devin-Adair Pub., 1978.

7章

Charkovsky, Igor; www.earthportals.com; www.vol.it/;www.well.com.

Doczi, Gyorgy, "The Power of limits: Proportional harmonies in Nature, Art and Architecture, shambhala, Boston, MA, 1981, 1994.

8章

"Free Energy: The Race to Zoro Point"(video), Lightworks, (800)795-8273, www.lightworks.com.

Pai, Anna C. and Helen Marcus Roberts, "Genetics," Its Concepts and Implications," Prentice Hall, 1981.

Critchlow, Keith, "Order in Space: A Desighn Source Book," Viking Pres, 1965. www.wwnorton.com/thames/aut.ttl/at03940.htm.

文献

邦訳書のあるものについては併記した.
かっこ内の＊は日本語版での補注.

１章

Liberman, Jacob, "Light, the Medicine of the Future," Bear & Co., Santa Fe, NM, 1992.

Temple, Robert K.G., "The Sirius Mystery," Destiny Books, Rochester, VT(www.gotoit.com). ロバート・テンプル著『知の起源―文明はシリウスから来た』並木伸一郎訳，角川春樹事務所，1998年.

Satinover, Jeffrey, MD., "Cracking the Bible Code," William Morrow, New York, 1979, 1987.

West, John Anthony, "Serpent in the Sky,"Julian Press, New York, 1979, 1987. ジョン・アンソニー・ウェスト著『天空の蛇―禁じられたエジプト学』大地舜訳，翔泳社，1997年.

Cayce, Edgar: 数多くの著書があり，ヴァージニア・ビーチにあるＡＲＥによって膨大な量の文献が出されている. おそらくもっともよく知られているのがJess Stearnによる"The Sleeping Prophet"（ジェス・スターン著『ザ・エドガー・ケイシー』棚橋美元訳，たま出版，1991年）であろう.

２章

Lawlor, Robert, "Sacred Geometry: Philosophy and Practice, Thames & Hudson, London, 1982. ロバート・ロウラー著『神聖幾何学―数のコスモロジー』三浦伸夫訳，平凡社（イメージの博物誌24），1992年.

Hoagland, Richard C.,; www.enterpriemission.com/. （＊リチャード・ホーグランドの邦訳書に『「火星」人面像の謎』並木伸一郎訳，二見書房サラブレッドブックス，1990年刊があるが，現在は絶版）

White, John, "Pole Shift," 3rd. ed., ARE Pres, Verginia Beach, VA, 1988.

Hapgood, Charles, "Earth's Shifting Crust" and The Path of the Pole (out of print).

Braden, Gregg, "Awakening to Zoro Point: The Collective Initiation," Sacred Space/Ancient Wisdom Pub., Questa, NM,; ビデオとテープにもなっている(Lee Productions, Bellevue, WA).

３章

Hamaker, John and Donald A. Weaver, "The Survival of Civilization," Hamaker-Weaver Pub., 1982.

Sitchin, Zecharia, "The 12th Planet"(1978), "The Lost Realms"(1996), "Genesis Revisited"(1990), Avon Books. ゼカリア・シッチン著『ネフィリムとアヌンナキ―人類を創成した宇宙人』（1995年）および『失われた王国―古代「黄金文明」の興亡と惑星ニビルの神々』（1998年）竹内慧訳，徳間書店. 同『謎の惑星「ニビル」と火星超文明』上下巻（1994年）北周一郎編訳，学習研究社（ムー・スーパー・ミステリー・ブックス）.

Begich, Nick and Jeanne manning, "Angels Don't Play This HAARP," Earthpulse Press, Anchorage, AK, 1995. ニック・ベギーチ、ジーノ・マニング共著『悪魔の世界管理システム「ハープ」』宇佐和通訳，並木伸一郎監修，学習研究社（ムー・スーパー・ミステリー・ブックス），1997年.

著者紹介

ドランヴァロ・メルキゼデク　Drunvalo Melchizedek

カリフォルニア大学で物理学と美術を専攻。しかし彼自身は卒業後のほうがはるかに多くを学んだと語る。25 年のあいだに、さまざまな思想・宗教的立場の 70 人以上にも及ぶ師から教えを受け、幅広く奥深い知識を身につけるとともに、ゆたかな共感力と受容力を培った。知性的であると同時に、愛にあふれたあたたかなハートの持ち主で、多くの人々を惹きつけている。ドランヴァロが創始した「フラワー・オブ・ライフ」および「マカバ瞑想」のプログラムは、いずれも太古から現代までの広大な人類の進化成長を、人間が認識しうる領域全体にわたって探求し、「意識」の進化について明確な未来のヴィジョンを提示するという壮大なものである。そのほかにも幅広くさまざまなプロジェクトを展開している。

著者サイト　https://www.drunvalo.net

訳者紹介

脇坂りん　Lin Wakisaka

東京生まれ。国立オーストラリア大学教養学部言語学科卒、オーストラリア在住。訳書に『ライトボディの目覚め』（ナチュラルスピリット）がある。

フラワー・オブ・ライフ

古代神聖幾何学の秘密

第１巻

●

2001 年 12 月 25 日　初版発行
2024 年 12 月 25 日　第 18 刷発行

著者／ドランヴァロ・メルキゼデク

訳者／脇坂りん

編集／秋田幸子

ＤＴＰ／野崎陽子

発行者／今井博揮

発行所／株式会社 ナチュラルスピリット
〒 101-0051 東京都千代田区神田神保町 3-2 高橋ビル 2 階
TEL 03-6450-5938　FAX 03-6450-5978
info@naturalspirit. co. jp
https://www. naturalspirit. co. jp/

印刷所／モリモト印刷株式会社

ISBN978-4-931449-18-3　C0014
落丁・乱丁の場合はお取り替えいたします。
定価はカバーに表示してあります。